O LIVRO VERMELHO LIBER NOVUS

Edição sem ilustrações

Dados Internacionais de Catalogação na Publicação (CIP)
(Câmara Brasileira do Livro, SP, Brasil)

Jung, C.G., 1875-1961.
O Livro Vermelho : edição sem ilustrações / C.G. Jung ;
Edição e Introdução de Sonu Shamdasani ; prefácio de Ulrich Hoerni ;
tradução: Liber Novus, Edgar Orth ; introdução, Gentil A. Titton e
Gustavo Barcellos ; revisão da tradução, Walter Boechat. 4. ed. Petrópolis, RJ :
Vozes, 2015.

Título original : The Red Book : Liber Novus a reader's edition
Bibliografia.

10ª reimpressão, 2025.

ISBN 978-85-326-4490-9

1. Jung, Carl Gustav, 1875-1961 2. Psicanalistas – Suíça – Biografia
3. Psicologia junguiana I. Shamdasani, Sonu. II. Hoerni, Ulrich.
III. Titton, Gentil A. IV. Barcellos, Gustavo. V. Título.

10-00037 CDD-150.1954

Índices para catálogo sistemático:
1. Jung, Carl Gustav : Psicologia analítica 150.1954
2. Psicologia analítica junguiana 150.1954

O LIVRO VERMELHO

LIBER NOVUS

Edição sem ilustrações

C.G. JUNG

Edição e Introdução de
SONU SHAMDASANI

Prefácio de Ulrich Hoerni

Tradução:
LIBER NOVUS: EDGAR ORTH
INTRODUÇÃO: GENTIL A. TITTON E GUSTAVO BARCELLOS

Revisão da tradução: DR. WALTER BOECHAT

PHILEMON SERIES

Uma publicação autorizada pela Fundação das Obras de C.G. Jung, de Zurique.

Petrópolis

Tradução do original em inglês intitulado *The Red Book: A Reader's Edition*, publicado pela W.W. Norton & Company, New York & London

Direitos de publicação em língua portuguesa – Brasil:
2013, Editora Vozes Ltda.
Rua Frei Luís, 100
25689-900 Petrópolis, RJ
www.vozes.com.br
Brasil

Direção de arte: Larry Vigon
Adaptação/composição: Laura Lindgren a partir do projeto gráfico da edição ilustrada de Eric Baker Design Associates
Editoração: Dora Beatriz V. Noronha
Diagramação: Sheilandre Desenv. Gráfico

ISBN 978-85-326-4490-9 (Brasil)
ISBN 978-0-393-08908-0 (Estados Unidos)

PHILEMON SERIES

O Livro Vermelho: edição sem ilustrações é uma publicação dos herdeiros de C.G. Jung e um dos volumes da Série Philemon, mantida pela Fundação Philemon.

Este livro foi composto e impresso pela Editora Vozes Ltda.

Sumário

Nota: Os números em preto se referem à tradução.
Os números em vermelho se referem aos fac-símiles da edição ilustrada

OS ANOS DURANTE OS QUAIS

me detive nessas imagens interiores constituíram a

época mais importante da minha vida.

Neles todas as coisas essenciais se decidiram.

Foi então que tudo teve início, e os detalhes posteriores

foram apenas complementos e elucidações.

Toda minha atividade ulterior consistiu em elaborar

o que jorrava do inconsciente naqueles anos

e que inicialmente me inundara: era a

matéria-prima para a obra de uma vida inteira.

C.G. JUNG, 1957

Prefácio à edição sem ilustrações

Passou-se mais de uma década desde a memorável decisão da antiga sociedade de herdeiros de C.G. Jung de autorizar a publicação do Livro Vermelho. Considerou-se muito a que tipo de público devia ser dirigida esta obra de várias camadas: Leitores profissionais de obras sobre a história da psicologia? O leitor em geral? Pessoas visualmente receptivas, orientadas para as imagens? Amantes da caligrafia? Colecionadores de belos livros? Quais aspectos o formato e o projeto da publicação deviam pôr em primeiro plano? Não foi fácil responder a estas questões, porque até a aparência física do precioso original parecia conter uma mensagem. Muitas propostas foram examinadas e descartadas. Foi a editora W.W. Norton quem finalmente encontrou a solução apropriada: uma edição fac-similar completa, que foi apresentada em seu formato original em 2009. O estrondoso sucesso comprovou que o editor estava certo. O livro difundiu-se rapidamente pelo mundo inteiro e já está disponível em nove línguas. Evidentemente, era possível planejar uma edição que fizesse justiça não só às múltiplas facetas da obra, mas também aos diferentes tipos de público. A lista de pessoas às quais se deve o mérito deste sucesso é hoje consideravelmente extensa. No entanto, dois nomes especialmente merecem ser mencionados, Jim Mairs (W.W. Norton) e Sonu Shamdasani (Fundação Philemon).

A presente edição sem ilustrações contém o texto completo do original. É dirigida especificamente àqueles que gostariam de ocupar-se profundamente com a documentação literária da evolução interior de Jung. Estará sem dúvida de acordo com a intenção de Jung se esta edição ajudar os leitores a tornar sua leitura mais proveitosa para seu próprio desenvolvimento.

Ulrich Hoerni
Fundação das Obras de C.G. Jung
Julho de 2012

Prefácio

Desde 1962, a existência do *Livro Vermelho* de Jung era amplamente conhecida. Contudo, só a partir da presente publicação ele está finalmente acessível a um público amplo. Sua gênese é descrita em *Memórias, Sonhos, Reflexões* de Jung e esteve sujeita a numerosas discussões na literatura secundária. Por isso, aqui irei apenas esboçá-la sucintamente.

O ano de 1913 foi decisivo na vida de Jung. Ele começou um autoexperimento que veio a ser conhecido como seu "confronto com o inconsciente" e durou até 1930. Durante esse experimento, Jung desenvolveu uma técnica para "chegar ao fundo do [seu] processo interior", "traduzir as emoções em imagens" e "compreender as fantasias que estavam se agitando... 'subterraneamente'". Mais tarde ele deu a esse método o nome de "imaginação ativa". Jung registrou primeiramente essas fantasias em seus *Livros Negros*. Depois revisou esses textos, acrescentou reflexões sobre eles e copiou-os em escrita caligráfica num livro intitulado *Liber Novus* encadernado em couro vermelho, acompanhado por quadros pintados por ele mesmo. Sempre foi conhecido como *Livro Vermelho*.

Jung compartilhava suas experiências interiores com a mulher e companheiros mais próximos. Em 1925, fez um relatório de seu desenvolvimento profissional e pessoal numa série de seminários no Clube Psicológico de Zurique, nos quais mencionou também seu método da imaginação ativa. Fora disso, Jung era cauteloso. Seus filhos, por exemplo, não estavam informados de seu autoexperimento e não notaram nada de anormal. Evidentemente, teria sido difícil para ele explicar o que estava ocorrendo. Já era um sinal de condescendência se permitia que um de seus filhos o observasse escrevendo ou pintando. Assim, para os descendentes de Jung, o *Livro Vermelho* sempre fora cercado por uma aura de mistério. Em 1930, Jung terminou o experimento e pôs de lado o *Livro Vermelho* – inacabado. Embora tivesse seu lugar de honra em seu estudo, deixou o livro descansar por décadas. Enquanto isso, as intuições e conhecimentos que obtivera através dele informaram diretamente seus escritos subsequentes. Em 1959, com a ajuda do antigo esboço, ele tentou completar a transcrição do texto para o *Livro Vermelho* e terminar um quadro incompleto. Iniciou também um epílogo, mas, por razões desconhecidas, tanto o texto caligráfico como o epílogo terminam abruptamente no meio da frase.

Embora Jung tenha pensado efetivamente em publicar o *Livro Vermelho*, nunca deu os passos necessários. Em 1916 publicou por própria conta os *Septem Sermones ad Mortuos* (Sete sermões aos mortos), uma pequena obra que nasceu de seu confronto com o inconsciente. Mesmo seu ensaio de 1916 intitulado "A função transcendente", em que descrevia a técnica da imaginação ativa, não foi publicado antes de 1958. Existem diversas razões para o fato de ele não ter publicado o *Livro Vermelho*. Como ele próprio afirmou, o livro estava inacabado. Seu crescente interesse pela alquimia como tema de pesquisa desviou sua atenção. Num olhar retrospectivo, ele descreveu a exposição detalhada de suas fantasias no *Livro Vermelho* como uma necessária mas enfadonha "elaboração estetizante". Ainda em 1957, declarou que os *Livros Negros* e o *Livro Vermelho* eram registros autobiográficos que ele não queria publicados em suas Obras Completas, porque não tinham caráter erudito. Como concessão, permitiu que Aniela Jaffé citasse excertos do *Livro Vermelho* e dos *Livros Negros* em *Memórias, Sonhos, Reflexões* – possibilidade de que ela fez pouco uso.

Jung morreu em 1961. Seu espólio literário tornou-se propriedade de seus descendentes, que fundaram a Sociedade dos Herdeiros de C.G. Jung. A herança dos direitos literários de Jung trouxe uma obrigação e um desafio aos herdeiros: levar a cabo a publicação da edição alemã das Obras Completas. Em seu testamento Jung expressara o desejo de que o *Livro Vermelho* e os *Livros Negros* permanecessem com sua família, sem, contudo, dar instruções mais detalhadas. Já que o *Livro Vermelho* não se destinava a ser publicado nas Obras Completas, a Sociedade dos Herdeiros concluiu que este era o desejo final de Jung a respeito da obra, e que isto era uma questão inteiramente privada. A Sociedade dos Herdeiros guardou os escritos inéditos de Jung como um tesouro; não se pensou em publicações ulteriores. O *Livro Vermelho* permaneceu no gabinete de trabalho de Jung por mais de vinte anos, confiado aos cuidados de Franz Jung, que assumiu a casa do pai.

Em 1983, a Sociedade dos Herdeiros colocou o *Livro Vermelho* numa caixa-forte, sabendo que era um documento insubstituível. Em 1984, o recém-nomeado comitê executivo mandou fazer cinco reproduções fotográficas para uso da família. Pela primeira vez, os descendentes de Jung tinham a oportunidade de olhar o livro mais de perto. Este manuseio cuidadoso teve seus benefícios. O bom estado de conservação do *Livro Vermelho* deve-se, entre outras coisas, ao fato de que, durante décadas, só raramente foi aberto.

Quando, depois de 1990, a edição alemã das Obras Completas – uma *seleção* de obras – estava chegando ao fim, o comitê executivo decidiu começar a examinar todo o material inédito acessível com vistas a futuras publicações. Assumi essa tarefa porque, em 1994, a Sociedade dos Herdeiros colocou sobre meus ombros a responsabilidade pelas questões arquivísticas e editoriais. Verificou-se que havia todo um *corpus* de esboços e variantes relativos ao *Livro Vermelho*. Daí veio à tona que a parte que faltava do texto caligráfico existia na forma de esboço e que havia um manuscrito intitulado *Aprofundamentos*, que continuava onde o esboço terminava, contendo os *Sete sermões*. No entanto, se e como este material essencial poderia ser publicado permanecia uma questão aberta. À primeira vista, o estilo e o conteúdo pareciam ter pouco em comum com as outras obras de Jung. Muita coisa era obscura e, em meados da década de 1990, não havia sobrado ninguém que pudesse proporcionar informação de primeira mão sobre esses pontos.

Mas, desde o tempo de Jung, a *história* da psicologia viera adquirindo sempre maior importância e podia agora proporcionar uma nova abordagem. Enquanto trabalhava em outros projetos eu entrei em contato com Sonu Shamdasani. Em longas conversas discutimos a possibilidade de ulteriores publicações de Jung, tanto em termos gerais como no que diz respeito ao *Livro Vermelho*. O livro surgiu num contexto específico com o qual um leitor do século XXI já não está mais familiarizado. Mas um historiador da psicologia seria capaz de apresentá-lo ao leitor moderno como um documento histórico. Com a ajuda de fontes primárias, ele poderia encaixá-lo no contexto cultural de sua gênese, situá-lo na história da ciência e relacioná-lo com a vida e as obras de Jung. Em 1999, Sonu Shamdasani elaborou uma proposta de publicação seguindo esses princípios orientadores. Com base nesta proposta, a Sociedade dos Herdeiros decidiu na primavera de 2000 – não sem discussão – liberar o *Livro Vermelho* para publicação e confiar a Sonu Shamdasani a tarefa de editá-lo.

Perguntaram-me muitas vezes por que, após tantos anos, o *Livro Vermelho* está sendo agora publicado. Alguns novos critérios de nossa parte desempenharam um papel importante: o próprio Jung não considerou – como parecera – o *Livro Vermelho* um segredo. Em diversas ocasiões o texto contém a forma de tratamento "queridos amigos"; em outras palavras, é dirigido a um público. De fato, Jung deixou amigos próximos terem cópias de transcrições e discutiu-as com eles. Não rejeitou categoricamente uma publicação; simplesmente deixou a questão não resolvida. Além disso, o próprio Jung afirmou que tirou todo o material para suas obras posteriores de seu confronto com o inconsciente. Como registro desse confronto o *Livro Vermelho* ocupa, assim, para além da *esfera privada*, um lugar central nas *obras* de Jung. Essa maneira de ver permitiu à geração dos *netos* de Jung olhar para a situação sob uma nova luz. O processo de tomada de decisão levou tempo. Excertos exemplares, conceitos e informação ajudou-os a lidar de forma mais racional com um assunto emocionalmente carregado. Por fim, a Sociedade dos Herdeiros decidiu democraticamente que o *Livro Vermelho* podia ser publicado. Foi uma longa jornada desde essa decisão até a presente publicação. O resultado é impressionante. Esta edição não teria sido possível sem a cooperação de muitas pessoas que dedicaram sua habilidade e energia a um objetivo comum. Em nome dos descendentes de C.G. Jung eu gostaria de expressar meus sinceros agradecimentos a todos os colaboradores.

Abril de 2009
Ulrich Hoerni
Fundação para as Obras de C.G. Jung

Agradecimentos

Dado o grande número de exemplares inéditos em circulação, o *Livro Vermelho* acabaria, com toda probabilidade, sendo trazido a público em algum momento, de alguma forma. A seguir, eu gostaria de agradecer aos que tornaram possível realizar a presente edição histórica. Muitas pessoas colaboraram para torná-la possível, e cada uma delas contribuiu, a seu modo, para sua realização.

A antiga Sociedade de Herdeiros de C.G. Jung (dissolvida em 2008) decidiu, na primavera de 2000, após intensos debates, liberar a obra para publicação. Em nome da Sociedade de Herdeiros, Ulrich Hoerni, antes seu administrador e presidente e, atualmente, presidente de sua sucessora, a Fundação para as Obras de C.G. Jung, planejou o projeto com o apoio do comitê executivo. Wolfgang Baumann, presidente de 2000 a 2004, assinou, no outono de 2000, o acordo que tornou possível dar início aos trabalhos e que comprometeu a Sociedade de Herdeiros a assumir uma grande parte dos custos. A Fundação para as Obras de C.G. Jung gostaria de agradecer a Heinrich Zweifel, editor, de Zurique, pelos conselhos sobre questões técnicas na fase de planejamento; ao Fundo Donald Cooper, do Instituto Federal Suíço para Tecnologia, por uma doação significativa; a Rolf Auf der Maur pelo aconselhamento jurídico e assistência contratual; a Leo La Rosa e Peter Fritz pelas negociações contratuais.

Num momento crítico em 2003, o trabalho editorial recebeu apoio da Fundação Bogette e de um doador anônimo. A partir da 2004, o trabalho editorial foi apoiado pela Fundação Filêmon, organização criada com a única finalidade de levantar fundos para possibilitar que as obras inéditas de Jung vejam a luz do dia. Sob esse aspecto, sou muito grato a Stephen Martin. Sejam quais forem as imperfeições desta edição, o aparato editorial e a tradução não poderiam ter chegado ao presente nível sem o apoio do Corpo de Diretores da Fundação Filêmon: Tom Charlesworth, Gilda Frantz, Judith Harris, James Hollis, Stephen Martin e Eugene Taylor. A Fundação Filêmon gostaria de agradecer o apoio de seus doadores, particularmente a Fundação MSST, Carolyn Grant Fay, Judith Harris e Tony Woolfson, e doações significativas de Nancy Furlotti e Laurence de Rosen para a tradução inglesa.

Meu trabalho neste projeto não teria sido possível sem o apoio de Maggie Baron e Ximena Roelli de Angulo através de inúmeras tribulações. O trabalho começou e foi possibilitado pelas pesquisas sobre a história intelectual da obra de Jung, patrocinadas pela Wellcome Trust entre 1993 e 1998, pelo Institut für Grenzgebiete der Psychologie em 1999 e pela Solon Foundation entre 1998 e 2001. Ao longo de todo o projeto, o Wellcome Trust Centre for the History of Medicine da University College London (antigo Wellcome Institute for the History of Medicine) tem sido um ambiente ideal para minha pesquisa. Acordos de confidencialidade impediram-me de discutir meu trabalho neste projeto com meus amigos e colegas: agradeço-lhes a paciência ao longo dos últimos treze anos.

Entre o fim de 2000 e o início de 2003, a Sociedade de Herdeiros de C.G. Jung apoiou o trabalho editorial que iniciou o projeto. Ulrich Hoerni colaborou em alguns aspectos da pesquisa e fez uma transcrição corrigida do volume caligráfico. Susanne Hoerni transcreveu os *Livros Negros* de Jung. Foram feitas apresentações aos membros da família Jung em 1999, 2001 e 2003, cujos anfitriões foram Helene Hoerni Jung (1999, 2001) e Andreas e Vreni Jung (2003). Peter Jung forneceu aconselhamento durante as deliberações sobre a publicação e as primeiras fases do trabalho editorial. Andreas e Vreni Jung ajudaram durante incontáveis visitas para consultar livros e manuscritos na biblioteca de Jung, e Andreas Jung forneceu valiosíssimas informações a partir dos arquivos da família Jung.

A edição da Norton realizou-se graças a Nancy Furlotti, Larry e Sandra Vigon, que levaram a Jim Mairs da Norton, responsável pela edição fac-similar do moderno *Liber Novus, Dream* por Larry Vigon. Em Jim Mairs, a obra não podia ter encontrado um editor melhor. A programação visual e o *layout* da obra apresentaram numerosos desa- fios resolvidos primorosamente por Eric Baker, Larry Vigon e Amy Wu. Carol Rose foi incansável e sempre vigilante ao copiar-editar o texto. Austin O'Driscoll prestou ajuda constante. O volume caligráfico foi escaneado por Hugh Milstein e John Supra da Digital Fusion. O cuidado e precisão de seu trabalho (focando via sonar) enfrentou e igualou o cuidado de precisão da caligrafia de Jung numa notável fusão entre o antigo e o moderno. Dennis Savini pôs seu estúdio fotográfico à disposição para o escaneamento. Na Mondadori Printing, Sergio Brunelli, Nancy Freeman e seus colegas puseram todo o cuidado para assegurar que a obra fosse impressa segundo os mais altos padrões técnicos possíveis.

A partir de 2006, juntaram-se a mim no trabalho de tradução Mark Kyburz e John Peck – uma colaboração que foi um ensino privilegiado na arte da tradução. Nossas regulares reuniões de consulta proporcionaram a grata oportunidade de poder discutir o texto num nível microscópico, e o humor trouxe a tão necessária descontração à constante imersão no espírito das profundezas. Suas contribuições às etapas posteriores do trabalho editorial têm sido inestimáveis. John Peck descobriu diversas alusões importantes que estavam além dos meus conhecimentos.

Ximena Roelli de Angulo, Helene Hoerni Jung, Pierre Keller e o falecido Leonhard Schlegel trouxeram reminiscências decisivas da atmosfera reinante no círculo de Jung na década de 1920 e de personagens nela envolvidos. Leonhard Schlegel apresentou opiniões e avaliações críticas sobre o movimento Dadá e os conflitos entre arte e psicologia naquele período.

Erik Hornung forneceu conselhos a respeito de referências egiptológicas. Felix Walder prestou ajuda com um *close-up* digital da ilustração 155, Ulrich Hoerni decifrou suas minúsculas inscrições e Guy Attewell reconheceu a inscrição árabe. Ulrich Hoerni trouxe referências à Liturgia mitraica (nota 1, p. 578). David Oswald apontou o *Mutus Liber* como possível referente de Jung na nota 314 (p. 429). Thomas Feitknecht chamou minha atenção para os documentos de J.B. Lang e auxiliou-me no uso dos mesmos. Stephen Martin recuperou as cartas de Jung a J.B. Lang. Paul Bishop, Wendy Doniger, Rachel McDermott responderam a perguntas e dúvidas.

Gostaria de agradecer a Ernst Falzeder pela referência na nota 145 na p. 46 pela transcrição das cartas de Stockmayer para Jung e por corrigir extensivamente a tradução da introdução e das notas da edição alemã. Eu gostaria de agradecer à Fundação para as Obras de C.G. Jung e à agência literária Paul and Peter Fritz pela permissão de citar manuscritos e correspondências inéditos de Jung, e a Ximena Roelli de Angulo pela permissão de citar a correspondência e os diários de Cary Baynes.

A responsabilidade pela edição do texto, pela introdução e aparato crítico continua minha. Como o burro da página 126 (nota 29), estou contente por poder finalmente descarregar esta carga.

Sonu Shamdasani

Liber Novus

O "Livro Vermelho" de C.G. Jung[1]

SONU SHAMDASANI

C.G. JUNG é amplamente reconhecido como uma figura proeminente no pensamento ocidental moderno, e seu trabalho continua a produzir controvérsias. Ele teve um papel importante na formação da psicologia, da psicoterapia e da psiquiatria modernas, e uma grande comunidade internacional de psicólogos analíticos trabalha sob seu nome. Entretanto, seu trabalho obteve o impacto mais amplo fora dos círculos profissionais: quando a maioria das pessoas pensa em psicologia, Jung e Freud são os nomes que aparecem em primeiro lugar, e suas ideias foram amplamente disseminadas nas artes, nas humanidades, no cinema e na cultura popular. Jung também é muito reconhecido como um dos provocadores de movimentos New Age. Contudo, é espantoso perceber que o livro que está no centro de sua obra, no qual trabalhou por mais de dezesseis anos, só agora seja publicado.

Provavelmente existem poucos trabalhos *inéditos* que exerceram efeitos tão vastos sobre a história social e intelectual do século XX quanto o *Livro Vermelho* de Jung, ou *Liber Novus* [Livro Novo]. Assim chamado por Jung por conter o núcleo de seus trabalhos tardios, já foi reconhecido como a chave para a compreensão da gênese desses trabalhos. Ainda assim, apesar de já termos tido dele alguns poucos vislumbres atormentadores, permaneceu até agora indisponível para estudo.

---

1 O presente ensaio segue, às vezes diretamente, minha reconstrução da formação da psicologia de Jung em *Jung and the Making of Modern Psychology*: The Dream of a Science. Cambridge: Cambridge University Press, 2003. Jung refere-se ao trabalho tanto como *Liber Novus* quanto como *O Livro Vermelho*, como ficou mais universalmente conhecido. Como há indicações de que o primeiro é o título verdadeiro, refiro-me a ele como tal ao longo da Introdução por uma questão de coerência. Esse assunto é tratado de maneira mais completa em meu livro: C.G. *Jung: uma biografia em livros* (Petrópolis: Vozes, 2014).

O momento cultural

As primeiras décadas do século XX testemunharam uma boa dose de experimentação na literatura, na psicologia e nas artes visuais. Escritores tentaram abolir os limites das convenções da representação a fim de explorar e mostrar todo o espectro da experiência interior – sonhos, visões e fantasias. Eles experimentaram com novas formas e utilizaram formas velhas de jeitos novos. Da escrita automática dos surrealistas às fantasias góticas de Gustav Meyrink, os escritores aproximaram-se e colidiram com as pesquisas de psicólogos que estavam envolvidos em explorações semelhantes. Artistas e escritores colaboraram em tentativas de novas formas de ilustração e tipografia, novas configurações de texto e imagem. Psicólogos buscaram vencer os limites de uma psicologia filosófica, e começaram a explorar o mesmo terreno que artistas e escritores. Demarcações claras entre literatura, arte e psicologia ainda não haviam sido estabelecidas; escritores e artistas emprestavam ideias de psicólogos e vice versa. Importantes psicólogos, tais como Alfred Binet e Charles Richet, escreveram trabalhos ficcionais e dramáticos, frequentemente sob pseudônimos, cujos temas espelhavam aqueles de seus trabalhos "científicos"[2]. Gustav Fechner, um dos fundadores da psicofísica e da psicologia experimental, escreveu sobre a vida da alma das plantas e sobre a Terra como um anjo azul[3]. Ao mesmo tempo, escritores tais como André Breton e Philippe Soupault constantemente liam e utilizavam os trabalhos de pesquisadores psíquicos e psicólogos da anormalidade, tais como Frederick Myers, Théodore Flournoy e Pierre Janet. W.B. Yeats utilizou a escrita automática espiritualista para compor uma psicocosmologia poética em *A Vision*[4]. Em todos os cantos, indivíduos procuravam novas formas com as quais representar as realidades da experiência interior, numa busca por renovação cultural e espiritual. Em Berlim, Hugo Ball notou:

> O mundo e a sociedade em 1913 pareciam assim: a vida está completamente confinada e algemada. Um tipo de fatalismo econômico prevalece; cada in-

---

2 Cf. CARROY, Jacqueline. *Les personnalités multiples et doubles*: entre science et fiction. Paris: PUF, 1993.

3 Cf. FECHNER, Gustav Theodor. *The Religion of a Scientist*. Nova York: Pantheon, 1946 [organizado e traduzido por Walter Lowrie].

4 Cf. STAROBINSKI, Jean. "Freud, Breton, Myers". In: *L'oeuil vivante II*: La relation critique. Paris: Gallimard, 1970. · YEATS, W.B. *A Vision*. Londres: Werner Laurie, 1925. Jung possuía uma cópia do último.

> divíduo, quer ele resista ou não, é encarregado de um papel específico e com ele seus interesses e seu caráter. A Igreja é encarada como uma "fábrica de redenção" de pouca importância, a literatura como uma válvula de escape... A pergunta mais incandescente noite e dia é: haverá em algum lugar uma força potente o suficiente para acabar com este estado de coisas? E, se não, como escaparmos?[5]

Em meio a essa crise cultural, Jung considerou levar adiante um extenso processo de autoexperimentação, que resultou no *Liber Novus*, um trabalho de psicologia em formato literário.

Estamos hoje do outro lado de uma divisão entre psicologia e literatura. Considerar o *Liber Novus* hoje é encarar um trabalho que somente pode ter emergido antes que essa separação houvesse sido firmemente estabelecida. Seu estudo ajuda-nos a compreender como ocorreu a divisão. Mas, antes, devemos perguntar,

Quem foi C.G. Jung?

Jung nasceu em Kesswil, no lago de Constança, em 1875. Sua família mudou-se para Laufen, junto aos Rhine Falls, quando ele tinha seis meses de vida. Ele era o filho mais velho e tinha uma irmã. Seu pai era um pastor da Igreja Suíça Reformada. Perto do fim de sua vida, Jung escreveu uma *memoir* intitulada "Sobre as experiências mais antigas de minha vida", que foi subsequentemente incluída em *Memórias, Sonhos, Reflexões* em formato intensamente editado[6]. Jung narrava os eventos significativos que o levaram à sua vocação psicológica. A *memoir*, com seu foco em sonhos, visões e fantasias significativos da infância, pode ser encarada como uma introdução ao *Liber Novus*.

No primeiro sonho, ele se encontrava numa campina com um buraco de pedras alinhadas, no chão. Encontrando uma escada, ele desceu para dentro

---

5 Hugo Ball, *Flight out of Time*: A Dada Diary, ed. John Elderfield, Berkeley: University of California Press, 1996, p. 1 [tradução de A. Raimes].

6 Sobre como o livro erroneamente veio a ser visto como a autobiografia de Jung, cf. meu *Jung Stripped Bare by his Biographers, Even*. Londres: Karnac, 2004, cap. 1: "'How to catch the bird': Jung and his first biographers". Cf. tb. ELMS, Alan. "The auntification of Jung". In: *Uncovering Lives*: The Uneasy Alliance of Biography and Psychology. Nova York: Oxford University Press, 1994.

do buraco e encontrou-se numa câmara. Ali havia um trono dourado, e o que parecia um tronco de árvore com pele e carne, com um olho no topo. Ele então ouvia a voz de sua mãe dizer que este era o "comedor de homens". Ele não tinha certeza se sua mãe queria dizer que esta figura de fato devorava crianças, ou era idêntica a Cristo. Isso afetou profundamente sua imagem de Cristo. Anos mais tarde, ele percebeu que essa figura era um pênis e, ainda mais tarde, que era de fato um falo ritual, e que o cenário era um templo subterrâneo. Ele veio a entender esse sonho como uma iniciação "nos mistérios da terra"[7].

Em sua infância, Jung experimentou algumas alucinações visuais. Parece que também tinha a capacidade de evocar imagens voluntariamente. Num seminário, em 1935, ele se lembrou de um retrato de sua avó materna que ele costumava olhar quando menino até que "viu" seu avô descendo as escadas[8].

Num dia de sol, quando Jung tinha doze anos, ele atravessava o Münsterplatz na Basileia, admirando o sol batendo nos azulejos recém-restaurados do teto da catedral. Então sentiu a aproximação de um pensamento terrível e pecaminoso, que tentou mandar embora. Ficou angustiado por vários dias. Finalmente, após convencer a si mesmo de que era Deus que queria que ele pensasse esse pensamento, assim como foi Deus que quis que Adão e Eva pecassem, permitiu-se contemplá-lo, e viu Deus em seu trono despejar um poderoso monte de excremento sobre a catedral, arrasando seu novo telhado e estraçalhando a catedral. Com isso, Jung sentiu uma felicidade e um alívio como nunca tinha sentido. Sentiu que essa era uma experiência do "direct living God..."[9] Ele sentiu-se sozinho perante Deus, e sentiu que sua real responsabilidade começava ali. Percebeu que foi precisamente tal experiência direta e imediata do Deus vivo, que está fora da Igreja e da Bíblia, que faltava a seu pai.

Esse sentido de predestinação levou-o a uma desilusão final com a Igreja na ocasião de sua Primeira Comunhão. Ele tinha sido levado a acreditar que esta seria uma grande experiência. Ao contrário, nada disso. Concluiu: "Para mim foi uma ausência de Deus e de religião. A Igreja tornou-se um lugar aonde eu não poderia mais ir. Ali não havia vida, mas morte."[10]

---

7 *Memórias*, p. 28.

8 The Tavistock Lectures". OC, 18, § 397.

9 *Memórias*, p. 54.

10 Ibid., p. 61.

A voracidade de leitura de Jung começou nesse período, e ele ficou particularmente impressionado com *Fausto* de Goethe. Impressionou-o o fato de que, com Mefistófeles, Goethe levou a figura do diabo a sério. Na filosofia, impressionou-o Schopenhauer, que reconhecia a existência do mal e deu voz aos sofrimentos e misérias do mundo.

Jung também tinha a impressão de viver em dois séculos, e sentia uma forte nostalgia pelo século XVIII. Sua sensação de dualidade tomou a forma de duas personalidades alternadas, que cunhou de número 1 e número 2. Personalidade número 1 era o garoto aluno da Basileia, que lia romances, e personalidade número 2 era a que solitariamente perseguia reflexões religiosas, num estado de comunhão com a natureza e com o cosmo. Ela habitava o "mundo de Deus". Essa personalidade lhe parecia muito real. A personalidade número 1 queria se livrar da melancolia e do isolamento da personalidade número 2. Quando entrava a personalidade número 2, parecia que um espírito há muito tempo morto e ainda perpetuamente presente entrava na sala. A número 2 não tinha um caráter definido; era conectada à história, especialmente com a Idade Média. Para a número 2, a número 1, com seus fracassos e inaptidões, era alguém para se aguentar. Esse jogo permaneceu durante toda a vida de Jung. Do modo como ele as encarava, somos todos assim – uma parte de nós vive no presente e outra está conectada com os séculos.

Quando se aproximou o momento para ele de escolher uma carreira, o conflito entre as duas personalidades intensificou-se. A número 1 queria as ciências, a número 2, as humanidades. Jung teve então dois sonhos importantes. No primeiro, ele estava andando num bosque escuro perto do Reno. Deparou-se com um túmulo e começou a cavá-lo, até descobrir restos de animais pré-históricos. Este sonho despertou nele a vontade de saber mais sobre a natureza. No segundo sonho, ele estava num bosque, e havia riachos. Encontrou então um lago cercado de densa vegetação rasteira. No lago, viu uma bela criatura, um enome radiolário. Após esses sonhos, optou pelas ciências. Para resolver a questão de como ganhar a vida, decidiu estudar medicina. Então teve outro sonho. Estava num lugar desconhecido, coberto de neblina, avançando vagarosamente contra o vento. Ele estava protegendo uma pequena luz de apagar-se. Viu então uma enorme criatura preta amedrontadoramente próxima. Acordou, e percebeu que a figura era a sombra que a luz projetava. Pensou que, no sonho, a número 1 estava ela mesma levando a luz, e que a número 2 seguia como uma sombra. Encarou isso como um sinal de que ele devia seguir com a número 1, e não olhar para trás para o mundo da número 2.

Em seus dias de universidade, o jogo entre essas duas personalidades continuou. Em acréscimo a seus estudos médicos, Jung seguiu um programa intensivo de leituras extracurriculares, em especial das obras de Nietzsche, Schopenhauer, Swedenborg[11], e autores espiritualistas. *Assim falava Zaratustra*, de Nietzsche, causou-lhe grande impressão. Sentia que sua própria personalidade número 2 correspondia a Zaratustra, e temia que ela fosse semelhantemente mórbida[12]. Ele participou de uma sociedade estudantil de debates, a Sociedade Zofingia, e lá apresentou palestras sobre esses temas. Especialmente o espiritualismo o interessava muito, já que parecia que os espiritualistas estavam tentando utilizar meios científicos para explorar o sobrenatural, e para provar a imortalidade da alma.

A segunda metade do século XIX testemunhou a emergência do espiritualismo moderno, que se espalhou pela Europa e América. Por meio do espiritualismo, o cultivo de transes – com os concomitantes fenômenos da fala de transe, da glossolalia, da escrita automática e da visão de cristal – tornou-se disseminado. Os fenômenos espiritualistas atraíram o interesse de cientistas importantes tais como Crookes, Zollner e Wallace. Também atraíram o interesse de psicólogos, incluindo Freud, Ferenczi, Bleuler, James, Myers, Janet, Bergson, Stanley Hall, Schrenck-Notzing, Moll, Dessoir, Richet e Flournoy.

Durante seus dias de universitário na Basileia, Jung e seus colegas participavam de sessões. Em 1896, eles tiveram uma longa série de encontros com sua prima Hélène Preiswerk, que parecia ter habilidades mediúnicas. Jung descobriu que durante os transes ela assumia personalidades diferentes e que ele podia chamar essas personalidades através de sugestão. Parentes mortos

---

11 Emmanuel Swedenborg (1688-1772) foi um cientista sueco e um místico cristão. Em 1743, ele atravessou uma crise religiosa, que está descrita em seu *Diário de sonhos*. Em 1745, ele teve uma visão do Cristo. Ele então devotou sua vida a relacionar o que tinha visto e ouvido nos céus e na terra e aprendido com os anjos, e a interpretar os significados internos e simbólicos da *Bíblia*. Swedenborg argumentava que a *Bíblia* tinha dois níveis de sentido: um nível físico e literal, e um outro interno, espiritual. Esses níveis se interligavam por correspondências. Ele proclamava o advento de uma "nova igreja" que representava uma nova era espiritual. De acordo com Swedenborg, no nascimento adquirimos males de nossos pais que estão alojados no homem natural, que está diametricamente em oposição ao homem espiritual. O homem está destinado para o céu, e lá não pode chegar sem regeneração espiritual e um novo nascimento. Os meios para isso repousam na caridade e na fé. Cf. TAYLOR, Eugen. "Jung on Swedenborg, redivivus". *Jung History*, 2, 2, 2007, p. 27-31.

12 *Memórias*, p. 99.

apareciam, e ela se transformava completamente nessas figuras. Ela revelava histórias de suas encarnações anteriores e articulava uma cosmologia mística, representada num mandala[13]. Suas revelações espiritualistas continuaram até ela ser pega tentando simular aparições físicas, e as sessões foram encerradas.

Ao ler o *Manual de Psiquiatria* de Richard von Krafft-Ebing em 1899, ele percebeu que sua vocação estava na psiquiatria, que representava uma fusão dos interesses de suas duas personalidades. Jung passou, por assim dizer, por uma conversão a um enquadre científico natural. Depois de completar seus estudos médicos, assumiu um posto como médico assistente no hospital Burghölzli no final de 1900. O Burghölzli era uma clínica de universidade com um clima progressivo, sob a direção de Eugen Bleuler. No final do século XIX, muitas figuras tentaram fundar uma nova psicologia científica. Mantinha-se que, ao tornar a psicologia uma ciência através da introdução de métodos científicos, todas as formas anteriores de compreensão humana seriam revolucionadas. Na nova psicologia colocava-se a promessa de nada menos que completar a revolução científica. Graças a Bleuler e seu antecessor, Auguste Forel, a pesquisa psicológica e a hipnose tinham lugar de destaque no Burghölzli.

A dissertação médica de Jung focalizava a psicogênese dos fenômenos espiritualísticos, na forma de uma análise de suas sessões com sua prima Hélène Preiswerk[14]. Enquanto que seu interesse inicial em seu caso parecia ser a possível veracidade de suas manifestações espiritualísticas, nesse ínterim ele havia estudado os trabalhos de Frederic Myers, William James e, em especial, Théodore Flournoy. No final de 1899, Flournoy publicou um estudo sobre uma médium, que ele chamou de Hélène Smith, que se tornou um *best-seller*[15]. A novidade no estudo de Flournoy é que ele abordava o caso inteiramente a partir do ângulo psicológico, como um meio de iluminar o estudo da consciência subliminar. Uma virada importante havia sido dada pelos trabalhos de Flournoy, Frederick Myers e William James. Eles argumentavam que independentemente das supostas experiências espiritualísticas serem válidas, tais experiências proporcionaram *insights* muito profundos sobre a constituição do

---

13 Cf. OC, 1, § 66, fig. 2.

14 Sobre a psicologia e a patologia dos fenômenos chamados ocultos". OC, 1.

15 FLOURNOY. Théodore. *From India to the Planet Mars*: A Case of Multiple Personality with Imaginary Languages. Princeton: Princeton University Press, 1900/1994 [organizado por Sonu Shamdasani; traduzido por D. Vermilye].

subliminar e, portanto, da psicologia humana como um todo. Por meio delas, médiuns tornaram-se sujeitos importantes da nova psicologia. Com essa virada, os métodos utilizados pelos médiuns, tais como escrita automática, discurso de transe, visão de cristal, foram apropriados pelos psicólogos e tornaram-se ferramentas proeminentes da pesquisa experimental. Na psicoterapia, Pierre Janet e Morton Prince usaram a escrita automática e a leitura de cristais como métodos para a revelação de memórias ocultas e ideias fixas subconscientes. A escrita automática trouxe à luz subpersonalidades, e permitiu o estabelecimento de diálogo com elas[16]. Para Janet e Prince, o objetivo de se considerar tais práticas era a reintegração da personalidade.

Jung ficara tão estusiasmado com o livro de Flournoy que se ofereceu para traduzi-lo para o alemão, mas Flournoy já tinha um tradutor. O impacto desses estudos fica claro na dissertação de Jung, na qual sua abordagem ao caso é puramente psicológica. O trabalho de Jung teve como modelo mais próximo *From India to the Planet Mars*, de Flournoy, tanto em termos do assunto quanto de sua interpretação da psicogênese dos romances espiritualísticos de Hélène. A dissertação de Jung também indica a maneira na qual ele utilizava a escrita automática como um método de investigação psicológica.

Em 1902, ele noivou Emma Rauschenbach, com quem se casou e com quem teve cinco filhos. Até esse momento, Jung mantinha um diário. Num dos últimos registros, datado de maio de 1902, escreve: "Não estou mais sozinho comigo mesmo, e só artificialmente posso recordar-me o sentimento assustador e belo da solidão. Este é o lado sombrio da sorte do amor"[17]. Para Jung, seu casamento marcou um movimento para longe da solidão com a qual havia se acostumado.

Em sua juventude, Jung frequentemente visitava o museu de arte da Basileia e sentia-se especialmente atraído pelas obras de Holbein e Böcklin, assim como pelos pintores holandeses[18]. Perto do final de seus estudos, durante um ano, esteve bastante ocupado com a pintura. Suas pinturas desse período eram paisagens num estilo representacional e mostram habilidades técnicas altamente

---

16 JANET, Pierre. *Névroses et idée fixes*. Paris: Alcan, 1898. · PRICE, Morton. *Clinical and Experimental Studies in Personality*. Cambridge, Mass.: Sci-Art, 1929. Cf. meu "Automatic writing and the discovery of the unconscious". *Spring: Journal of Archetype and Culture*, 54, 1993, p. 100-131.

17 *Livro Negro* 2, p. 1 [todo o conteúdo dos *Livros Negros* está em *AFJ*].

18 *MP*, p. 164.

desenvolvidas e grande desenvoltura técnica[19]. Em 1902-1903, Jung deixou seu posto no Burghölzli e foi a Paris para estudar com o eminente psicólogo francês Pierre Janet, que estava dando aulas no Collège de France. Durante sua estada, passava muito tempo pintando e visitando museus, indo constantemente ao Louvre. Prestava muita atenção especialmente em arte antiga, antiguidades egípcias, nas obras da Renascença, Fra Angelico, Leonardo da Vinci, Rubens e Frans Hals. Comprou quadros e gravuras e encomendou cópias para a decoração de seu novo lar. Pintava tanto óleos quanto aquarelas. Em janeiro de 1903, foi a Londres e visitou seus museus, particularmente interessado nas coleções egípcia, asteca e inca do Museu Britânico[20].

Na sua volta, assumiu um cargo que havia vagado no Burghölzli, e dedicou sua pesquisa à análise das associações linguísticas em colaboração com Franz Riklin. Com a ajuda de assistentes, eles conduziram uma série extensa de experimentos, que submeteram a análises estatísticas. A base conceitual do trabalho inicial de Jung estava nas obras de Flournoy e Janet, que ele tentava juntar com a metodologia de pesquisa de Wilhelm Wundt e Emil Kraepelin. Jung e Riklin utilizaram o experimento de associações, criado por Francis Galton e desenvolvido na psicologia e na psiquiatria por Wundt, Kraepelin e Gustav Aschaffenburg. O objetivo do projeto de pesquisa, estimulado por Bleuler, era fornecer um modo rápido e confiável de diagnóstico diferencial. A equipe do Burghölzli falhou nisso, mas ficaram impressionados pelo significado dos distúrbios de reação e tempo de resposta prolongados. Jung e Riklin argumentavam que essas reações perturbadas eram devidas à presença de complexos emocionalmente estressantes, e usaram seus experimentos para desenvolver uma psicologia geral dos complexos[21].

Esse trabalho estabeleceu a reputação de Jung como uma das estrelas ascendentes da psiquiatria. Em 1906, ele aplicou sua nova teoria dos complexos para estudar a psicogênese da *dementia praecox* (posteriormente chamada de esquizofrenia) e para demonstrar a inteligibilidade das formações delirantes[22]. Para

---

19 Cf. WEHR, Gerhard. *An Illustrated Biography of Jung*. Boston: Shambala, 1989, p. 47 [Trad. de M. Kohn]. JAFFÉ, Aniela (org.). C.G. *Jung*: Word and Image. Princeton: Princeton University Press/Bollingen Series, 1979, p. 42-43.

20 *MP*, p. 164. · Cartas inéditas, *AFJ*.

21 *Estudos experimentais*. OC, 2.

22 A psicologia da *dementia praecox*: um ensaio". OC, 3.

Jung, juntamente com numerosos outros psiquiatras e psicólogos da época, tais como Janet e Adolf Meyer, a insanidade não era encarada como algo completamente separado da sanidade, mas, ao invés, como algo posicionado no extremo final de um espectro. Dois anos mais tarde, ele argumentou que "se sentimos nosso caminho adentrando os segredos humanos da pessoa doente, a loucura também revela seu sistema, e reconhecemos na doença mental apenas uma reação excepcional a problemas emocionais que não são estranhos a nós"[23].

Jung desencantou-se cada vez mais com as limitações dos métodos experimentais e estatísticos na psicologia e na psiquiatria. No ambulatório do Burghölzli, Jung fazia demonstrações de hipnose. Isso o levou a se interessar pela terapêutica e o uso do encontro clínico como método de pesquisa. Por volta de 1904, Bleuler introduzira a psicanálise no Burghölzli, e começou uma correspondência com Freud, pedindo sua ajuda para a análise de seus próprios sonhos[24]. Em 1906, Jung começou a comunicar-se com Freud. Esse relacionamento foi muito mitologizado. Uma legião "freudocêntrica" surgiu, que via Freud e a psicanálise como a fonte principal do trabalho de Jung. Isso levou a uma compreensão completamente equivocada de seu trabalho na história intelectual do século XX. Em inúmeras ocasiões Jung protestou. Num artigo inédito escrito nos anos 1930, por exemplo, Jung escreveu: "De forma alguma eu descendo exclusivamente de Freud. Eu tinha minha atitude científica e a teoria dos complexos antes de encontrá-lo. Os mestres que mais me influenciaram acima de todos são Bleuler, Pierre Janet e Theodore Flournoy"[25]. Freud e Jung claramente vieram de tradições intelectuais bem diferentes, e se aproximaram por conta de interesses em comum na psicogênese das desordens mentais e na psicoterapia. Sua intenção era formular uma psicoterapia científica baseada na nova psicologia e, por sua vez, sustentar a psicologia na investigação clínica profunda de vidas individuais.

Com a liderança de Bleuler e Jung, o Burghölzli tornou-se o centro do movimento psicanalítico. Em 1908, o *Jahrbuch für psychoanalytische und psychopathologische Forschungen* [Anuário de Pesquisa Psicanalítica e Psicopatológica] foi criado, com Bleuler e Jung como editores. Com sua defesa, a psicanálise pôde se fazer notar

23 O conteúdo da psicose". OC, 3, § 339.

24 Arquivos Freud, Biblioteca do Congresso. Cf. FALZEDER, Ernst. "The story of an ambivalent relationship: Sigmund Freud and Eugen Bleuler". *Jounal of Analytical Psychology*, 52, 2007, p. 343-368.

25 *JA*.

no mundo psiquiátrico alemão. Em 1909, Jung recebeu um grau honorário da Universidade Clark por suas pesquisas com associação. No ano seguinte, uma associação psicanalítica internacional foi formada com Jung como presidente. Durante o período de sua colaboração com Freud, ele era um dos principais arquitetos do movimento psicanalítico. Esse foi para ele um período de intensa atividade política e institucional. O movimento estava rachado por divergências e desacordos amargos.

A intoxicação da mitologia

Em 1908, Jung comprou um pedaço de terra à margem do Lago de Zurique, em Küsnacht, e ali construiu uma casa onde viveria até o final de sua vida. Em 1909, ele se desligou do Burghölzli para dedicar-se à sua crescente prática clínica e seus interesses de pesquisa. Sua retirada do Burghölzli coincidiu com uma virada em seus interesses de pesquisa em direção ao estudo da mitologia, do folclore e da religião, e ele montou uma enorme biblioteca particular de obras acadêmicas. Essas pesquisas culminaram com *Transformações e símbolos da libido*, publicado em duas partes em 1911 e 1912. Esse trabalho pode ser visto como aquele que marca um retorno de Jung a suas raízes intelectuais e a suas preocupações culturais e religiosas. Ele achava o trabalho mitológico estimulante e intoxicante. Em 1925, ele lembra: "parecia-me que estava vivendo num manicômio que eu mesmo tinha construído. Eu andava de lá para cá com todas essas figuras fantásticas: centauros, ninfas, sátiros, deuses e deusas como se fossem pacientes e eu os estivesse analisando. Eu lia um mito grego ou negro como se um lunático estivesse me contando sua anmnese"[26]. O fim do século XIX testemunhou uma explosão de estudos acadêmicos nas recém-fundadas disciplinas de religião comparada e de etnopsicologia. Textos básicos foram recolhidos e traduzidos pela primeira vez e apresentados aos estudos históricos em coleções de ensaios tais como *Sacred Books of the East*, de Max Müller[27]. Para muitos esses trabalhos representavam uma importante relativização da visão de mundo cristã.

---

26 *Introduction to Jungian Psychology*, p. 24.

27 Desses, Jung possuia um conjunto completo.

Em *Transformações e símbolos da líbido*, Jung diferencia dois tipos de pensamento. Pegando a pista de William James, entre outros, Jung constrastava o pensamento direcionado e o pensamento de fantasia. O primeiro era verbal e lógico, enquanto que o segundo era passivo, associativo e imagético. O primeiro era exemplificado pela ciência, e o segundo, pela mitologia. Jung sustentava que os antigos não possuíam a capacidade para o pensamento direcionado, uma aquisição moderna. O pensamento de fantasia ocupava o lugar quando cessava o pensamento direcionado. *Transformações e símbolos da líbido* era um extenso estudo do pensamento de fantasia e da presença continuada de temas mitológicos nos sonhos e fantasias de indivíduos contemporâneos. Jung reiterava a equação antropológica do pré-histórico, do primitivo e da criança. Ele mantinha que a elucidação do pensamento de fantasia diurno corrente em adultos ao mesmo tempo jogaria luz no pensamento de crianças, de selvagens e de povos pré-históricos[28].

Nesse trabalho, Jung sintetizou as teorias da memória do século XIX, a hereditariedade e o inconsciente e postulou uma camada filogenética no inconsciente ainda presente em cada um de nós, que consiste de imagens mitológicas. Para Jung, os mitos eram símbolos da libido e apresentavam seus movimentos típicos. Ele usou o método comparativo da antropologia para juntar uma vasta panóplia de mitos, e então os sujeitou à interpretação analítica. Mais tarde, ele chamou seu uso do método comparativo de "amplificação". Ele defendia que haveria mitos típicos, que corresponderiam ao desenvolvimento etnopsicológico dos complexos. De acordo com Jacob Burckhardt, Jung chamou tais mitos típicos de "imagens primordiais" (*Urbilder*). A um mito em particular foi dado um papel central: o do herói. Para Jung ele representava a vida de um indivíduo, tentando tornar-se independente e de libertar-se da mãe. Ele interpretou o motivo do incesto como uma tentativa de retorno à mãe para renascer. Mais tarde, ele anunciaria formalmente essa obra como a da descoberta do inconsciente coletivo, embora o termo propriamente dito tenha surgido depois[29].

Numa série de artigos de 1912, Alphonse Maeder, colega e amigo de Jung, argumentava que os sonhos tinham uma função diferente daquela de satisfação

---

28 *Wandlungen und Symbole der Libido* [Transformações e símbolos da libido]. OC, B, § 36, p. 37. Em sua revisão do texto em 1952, Jung ampliou isto (*Símbolos da transformação*. OC, 5, § 29).

29 Address on the occasion of the founding of the C.G. Jung Institute, Zurich, 24 April 1948". OC, 18, § 1.129.

do desejo – uma função de balanço, ou compensatória. Os sonhos eram tentativas de solucionar os conflitos morais de um indivíduo. Como tais, não apontavam meramente para o passado, mas também preparavam o caminho para o futuro. Maeder estava desenvolvendo as perspectivas de Flournoy a respeito de uma imaginação criativa subconsciente. Jung trabalhava em linhas semelhantes, e adotou as posições de Maeder. Para eles, essa alteração na concepção dos sonhos trouxe consigo uma alteração na consideração de todos os outros fenômenos associados ao inconsciente.

Em seu prefácio à edição revista de *Transformações e símbolos da líbido*, de 1952, Jung dizia que o trabalho havia sido escrito em 1911, quando ele tinha 36 anos de idade: "Esta é uma época crítica, pois representa o início da segunda metade da vida de um homem, quando não raro ocorre uma *metanoia*, uma transformação mental"[30]. Acrescentava que estava consciente da perda de sua colaboração com Freud, e que se sentia em dívida com relação ao apoio recebido de sua esposa. Depois de terminado o trabalho, ele percebeu o significado do que era viver sem um mito. Aquele sem um mito "é, na verdade, um erradicado, que não tem contato verdadeiro nem com o passado, a vida dos ancestrais (que sempre vive em seu seio), nem com a sociedade humana do presente"[31]. Como resultado disso, ele nota que:

> Eu me senti compelido a perguntar-me com toda a seriedade: "O que é o mito que você vive?" Não achei a resposta e tive que me confessar que na verdade eu não vivia nem com um mito nem dentro de um mito, e sim numa nuvem insegura de possibilidades de conceitos, que eu olhava, aliás, com desconfiança crescente... Veio-me então, naturalmente, a decisão de conhecer "meu mito". E considerei isto como tarefa por excelência, pois – assim eu me dizia – como poderia prestar contas corretamente de meu fator pessoal, de minha equação pessoal, diante de meus pacientes, se nada sabia a respeito, e sendo isto, no entanto, tão fundamental para o reconhecimento do outro?[32]

30 OC, 5, p. XXVI.

31 Ibid., p. XIX.

32 Ibid.

O estudo do mito revelou a Jung a ausência de mito em sua vida. Ele então preocupou-se em descobrir seu mito, sua "equação pessoal"[33]. Assim percebemos que a autoexperimentação com a qual Jung se envolveu foi em parte uma resposta direta a questões teóricas levantadas por sua pesquisa, que culminaram em *Transformações e símbolos da libido*.

"Meu experimento mais difícil"

Em 1912, Jung teve alguns sonhos significativos que não entendeu. Deu especial importância a dois deles, que ele sentia que mostravam as limitações das concepções de Freud sobre os sonhos. O primeiro é o seguinte:

> Estava numa cidade sulina, numa rua ascendente cheia de estreitas plataformas de desembarque. Eram doze horas – sol a pino. Um velho guarda de alfândega ou alguém parecido com isto passa por mim, perdido em seus pensamentos. Alguém diz, "esse é um que não pode morrer. Ele já morreu há uns 30-40 anos, mas ainda não tratou de decompor-se". Fiquei muito surpreso. Então surgiu uma figura impressionante, um cavaleiro de grande porte, vestido com uma armadura meio amarela. Ele parece corpulento e inescrutável e nada o impressiona. Em suas costas, ele carrega uma cruz vermelha maltesa. Ele vinha existindo desde o século XII e diariamente, entre 12 e 13 horas, tomava a mesma rota. Ninguém se admira com essas duas aparições, mas eu fiquei muito surpreso.
>
> Contive minhas habilidades interpretativas. Com relação ao velho austríaco, ocorreu-me Freud; com relação ao cavaleiro, eu mesmo.
>
> Dentro de mim, uma voz diz: "Está tudo vazio e aversivo". Devo suportá-lo[34].

Jung achou esse sonho opressivo e desconcertante, e Freud foi incapaz de interpretá-lo[35]. Mais ou menos seis meses depois teve outro sonho:

33 Cf. *Introduction to Jungian Psychology*, p. 25.

34 *Livro Negro* 2, p. 25-26.

35 Em 1925, ele deu a seguinte interpretação desse sonho: "O significado do sonho está no princípio da figura ancestral: não o oficial austríaco – obviamente ele representa a teoria freudiana –, mas o outro, o Cruzado, é uma figura arquetípica, um símbolo cristão vivo desde o século XII, um símbolo que realmente não vive hoje em dia, mas que não está de todo morto. Ele vem dos tempos de Meister Eckhart, o tempo da cultura dos Cavaleiros, quando muitas ideias floresceram, para serem apagadas novamente, mas que estão voltando à vida agora. Entretanto, quando tive este sonho, não conhecia esta interpretação" (*Introduction to Jungian Psychology*, p. 42).

> Sonhei naquela época (logo depois do Natal de 1912), que estava com meus filhos em um maravilhoso apartamento de um castelo, ricamente mobiliado – num *hall* aberto cheio de colunas –, estávamos sentados numa mesa redonda, cujo tampo era uma pedra verde-escura maravilhosa. De repente, uma gaivota ou uma pomba adentrou voando e espalhou-se suavemente na mesa. Alertei as crianças para ficarem quietas, de forma a não assustarem o belo pássaro branco. Repentinamente esse pássaro transformou-se numa criança de oito anos de idade, uma garotinha loira, que correu brincando com meus filhos pela colunata. Então, de repente, a criança transformou-se na gaivota ou pomba. Ela me disse assim: *"Apenas na primeira hora da noite eu posso tornar-me humana, enquanto a pomba macho está ocupada com os doze mortos"*. Com estas palavras o pássaro voou e eu acordei[36].

No *Livro Negro* 2, Jung anotou que foi esse sonho que o fez decidir a entrar num relacionamento com uma mulher que ele havia conhecido três anos antes (Toni Wolff)[37]. Em 1925, ele observou que esse sonho "foi o começo de uma convicção de que o inconsciente não consistia de material inerte apenas, mas que havia algo vivo lá embaixo"[38]. Ele acrescentou que pensara na história da *Tabula smaragdina* (tábua de esmeralda), os doze apóstolos, os signos do Zodíaco, e por aí adiante, mas que ele "não podia entender nada do sonho, exceto que havia uma tremenda animação do inconsciente. Não conhecia nenhuma técnica para chegar ao fundo dessa atividade; tudo o que podia fazer era esperar, continuar vivendo e observando as fantasias"[39]. Esses sonhos o levaram a analisar suas memórias de infância, mas isto não resolveu nada. Ele percebeu que precisava recuperar o tom emocional da infância. Lembrou-se

---

36 *Livro Negro* 2, p. 17-18.

37 Ibid., p. 17.

38 *Introduction to Jungian Psychology*, p. 42.

39 Ibid., p. 40-41. E.A. Bennet observou os comentários de Jung sobre este sonho: "Primeiramente ele pensou que os 'doze homens mortos' referiam-se aos doze dias antes do Natal, pois este é o tempo obscuro do ano, quando tradicionalmente as bruxas estão soltas. Dizer 'antes do Natal' é dizer 'antes que o sol viva novamente', pois o dia de Natal é o ponto de virada do ano, quando o nascimento do sol era celebrado na religião mitraica... Somente muito tempo depois que ele relacionou o sonho a Hermes e aos doze pombos" (*Meetings with Jung*: Conversations recorded by E.A. Bennet during the Years 1946-1961. Londres: Anchor Press, 1982. Zurique: Daimon Verlag, 1985, p. 93). Em "Aspectos psicológicos da Core", 1951, Jung apresentou algum material do *Liber Novus* (descrevendo-o como parte de uma série de sonhos) de forma anônima ("caso Z"), traçando as transformações da *anima*. Ele observa que este sonho "mostra a *anima* com forma de elfo, ou seja, apenas parcialmente humana. Ela igualmente pode ser um pássaro, o que significa que ela pode pertencer inteiramente à natureza e pode evanescer-se (isto é, tornar-se inconsciente) da esfera humana (isto é, a consciência). (OC, 9, I, § 371.) Cf. tb. *Memórias*, p. 165-166.

que, quando criança, gostava de construir casas e outras estruturas, e retomou essa atividade.

Enquanto esteve envolvido com sua atividade de autoanálise, continuou a desenvolver seu trabalho teórico. Em setembro de 1913, no Congresso de Psicanálise de Munique, falou sobre os tipos psicológicos. Argumentou que havia dois movimentos básicos da libido: a extroversão, na qual o interesse do sujeito está orientado em direção ao mundo externo, e a introversão, na qual o interesse do sujeito está direcionado para dentro. Seguindo essas ideias, postulou dois tipos de gente, cada um caracterizado pela predominância de uma dessas tendências. As psicologias de Freud e de Adler eram exemplos do fato de que as psicologias com frequência assumem o que é a verdade de seu tipo como geralmente válido. Assim o que se fazia necessário era uma psicologia que fizesse justiça a ambos esses tipos[40].

No mês seginte, numa viagem de trem para Schaffhausen, Jung teve uma visão da Europa sendo devastada por uma inundação catastrófica, visão que se repetiria duas semanas mais tarde, na mesma viagem[41]. Em 1925, comentando sobre essa experiência, ele obervou: "Eu poderia me tomar como a Suíça cercada por montanhas e a submersão do mundo poderia ser as ruínas de meus relacionamentos anteriores". Isso o levou ao seguinte diagnóstico de sua condição: "Pensei comigo mesmo, 'se isto significa alguma coisa, significa que estou completamente perdido'"[42]. Depois dessa experiência, Jung temia enlouquecer[43]. Ele lembra que primeiro pensou que as imagens da visão indicavam uma revolução, mas como não podia imaginar isso, concluiu que estava "ameaçado por uma psicose"[44]. Depois disso, teve uma visão semelhante:

> No inverno seguinte, estava na janela numa noite olhando para o Norte. Vi um brilho vermelho sangue, como o brilho do mar visto de longe, estirado de Leste a Oeste no horizonte setentrional. Neste momento, alguém

---

40 *Tipos psicológicos*. OC, 6.

41 Cf. adiante, p. 113.

42 *Introduction to Jungian Psychology*, p. 47-48.

43 Barbara Hannah lembra que "Jung costumava dizer nos últimos anos que suas tormentosas dúvidas a respeito de sua própria sanidade deveriam ser aliviadas pelo tanto de sucesso que ele vinha obtendo ao mesmo tempo no mundo externo, particularmente na América" (C.G. Jung. *His Life and Work* – A Biographical Memoir. Nova York: Perigree, 1976, p. 109).

44 *Memórias*, p. 156.

me perguntou o que eu achava dos próximos futuros acontecimentos do mundo. Disse que não tinha nenhuma opinião, mas que via sangue, rios de sangue[45].

Nos anos imediatamente precedentes ao início da guerra, um imaginário apocalíptico estava disseminado nas artes e na literatura europeias. Por exemplo, em 1912, Wassily Kandinsky escreveu sobre uma catástrofe universal iminente. De 1912 a 1914, Ludwig Meidner pintou um série conhecida como paisagens apocalípticas, com cenas de cidades destruídas, cadáveres e tumulto[46]. A profecia estava no ar. Em 1899, Leonora Piper, a famosa médium americana, previu que no século que chegava haveria uma terrível guerra em partes diferentes do mundo que o limparia revelando as verdades do espiritualismo. Em 1918, Arthur Conan Doyle, o espiritualista e autor de "Sherlock Holmes", encarava isso como profético[47].

Na narração de Jung sobre a fantasia do trem no *Liber Novus*, a voz interna disse que o que a fantasia mostrava tornar-se-ia completamente real. Inicialmente ele interpretou isso subjetiva e prospectivamente, ou seja, como a mostrar a iminente destruição de seu mundo. Sua reação a essa experiência foi iniciar uma investigação psicológica de si mesmo. Nessa época, a autoexperimentação era habitual na medicina e na psicologia. A introspecção foi uma das principais ferramentas da pesquisa psicológica.

Jung veio a perceber que *Transformações e símbolos da libido* "poderia ser tomado como eu mesmo e que sua análise leva inevitavelmente a uma análise de meus próprios processos inconscientes"[48]. Ele havia projetado seu material naquele da Srta. Frank Miller, que ele nunca conheceu. Até este ponto, Jung havia sido um pensador ativo, avesso à fantasia: "como uma forma de pensamento, tenho para mim que seja uma forma totalmente impura, um tipo de intercurso incestuoso, completamente imoral de um ponto de vista intelectual"[49]. Ele

45 *Esboço*, p. 8.

46 BREUER, Gerda & WAGEMAN, Ines. *Ludwig Meidner*: Zeichner, Maler, Literat 1884-1966. Vol. 2. Stuttgart: Verlag Gerd Hatye, 1991, p. 124-149. Cf. WINTER, Jay. *Sites of Memory, Sites of Mourning*: The Great War in European Cultural History. Cambridge: Cambridge University Press, 1995, p. 147-177.

47 DOYLE, Arthur Conan. *The New Revelation and the Vital Message*. Londres: Psychic Press, 1918, p. 9.

48 *Introduction to Jungian Psychology*, p. 28.

49 Ibid.

agora voltava-se para a análise de suas fantasias, anotando cuidadosamente tudo, e tinha que superar uma resistência enorme para fazê-lo: "Permitir a fantasia em mim mesmo teve o mesmo efeito que o produzido em um homem que chegasse à sua oficina e encontrasse todas as suas ferramentas voando por toda a parte, fazendo coisas independentemente de sua vontade"[50]. Ao estudar suas fantasias, Jung percebeu que estudava a função criadora de mitos da mente.

Lembrou-se que mantinha um diário até por volta de 1902, e retomou essa atividade como uma forma de auto-observação. Ele percebia seus estados interiores por meio de metáforas, tais como estar num deserto com um sol insuportavelmente quente (isto é, a consciência)[51]. Jung recuperou o caderno marrom que havia deixado de lado em 1902 e começou novamente a escrever nele[52]. No seminário de 1925, ele se lembrou que havia lhe ocorrido que poderia escrever suas reflexões numa sequência. Ele estava "escrevendo material autobiográfico, mas não como uma autobiografia"[53]. Desde os tempos dos diálogos platônicos, a forma do diálogo tem sido um gênero proeminente na filosofia ocidental. Em 387, Santo Agostinho escreveu seus *Solilóquios*, que apresentavam um diálogo extenso entre ele mesmo e a "Razão", que o instruía. Começava com as seguintes frases:

> Enquanto estive comigo mesmo a ponderar muitas diferentes coisas por um longo tempo, e por muitos dias estive buscando a mim mesmo e a meu próprio bem, e que mal deveria ser evitado, subitamente falou comigo – o que era? Eu mesmo, ou alguém diferente, dentro ou fora de mim? (isso é precisamente aquilo que amaria saber, mas que não sei)[54].

Enquanto que Jung escrevia no *Livro Negro* 2,

---

50 Ibid.

51 *MP*, p. 23.

52 No que se segue, referido como *Livro Negro* 2. Os cadernos subsequentes são pretos, daí Jung referir-se a eles como *Livros Negros*.

53 *Introduction to Jungian Psychology*., p. 448

54 SANTO AGOSTINHO. *Solilóquios e a imortalidade da alma*. Warminster: Aris e Phillips, 1990, p. 23 [organizado e traduzido por Gerard Watson]. Watson observa que Agostinho "havia passado por um período de grande exaustão, perto de uma crise nervosa, e os Solilóquios são uma forma de terapia, um esforço para curar-se falando, ou melhor, escrevendo" (p. v.).

> Disse a mim mesmo, "O que é isto que estou fazendo, certamente não é ciência, o que é?" Então uma voz me disse, "Isso é arte". Isso me causou a impressão mais estranha possível, porque não era de forma alguma minha impressão de que o que eu estava escrevendo fosse arte. Então, pensei o seguinte: "Talvez meu inconsciente esteja formando uma personalidade que não sou Eu, mas que insiste em se expressar". Não sei exatamente por que, mas tinha certeza de que a voz que disse que meus escritos eram arte tinha vindo de uma mulher... Bem, disse então enfaticamente a essa voz que o que eu estava fazendo não era arte, e senti uma grande resistência crescer em mim. Nenhuma voz se fazia perceber, contudo, e continuei a escrever. De novo eu a apanhei e disse: "Não, não é," e senti como se uma discussão fosse se iniciar[55].

Ele pensou que essa voz era "a alma no sentido primitivo," que ele chamou de *anima* (a palavra em Latim para alma)[56]. Ele afirmou que "ao recolher todo este material para análise, eu estava de fato escrevendo cartas à minha *anima*, que é parte de mim com um ponto de vista diferente do meu. Eu tinha observações de um novo caráter – estava em análise com um fantasma e uma mulher"[57]. Em retrospecto, ele lembrou que essa era a voz de uma paciente holandesa que ele conheceu de 1912 até 1918, que havia persuadido um colega psiquiatra que ele era um artista frustrado. A mulher pensava que o inconsciente fosse arte, mas Jung mantinha que era natureza[58]. Já argumentei previamente que a mulher em questão – a única mulher holandesa no círculo de Jung à época – era Maria Moltzer, e que o psiquiatra em questão era o amigo e colega de Jung, Franz Riklin, que aos poucos foi abandonando a análise pela pintura. Em 1913, ele se tornou um estudante de Augusto Giacometti, e também um importante pintor abstrato[59].

---

55 Ibid., p. 42. Aqui no relato de Jung, parece que o diálogo ocorreu no outono de 1913, embora isto não seja certo, pois o diálogo propriamente não aparece nos *Livros Negros*, e nenhum outro manuscrito veio a público. Se seguirmos essa datação, e na ausência de outro material, parece que o material ao qual a voz está se referindo são os registros de novembro no *Livro Negro* 2, e não o texto subsequente do *Liber Novus* ou as pinturas.

56 Ibid., p. 44.

57 Ibid., p. 46.

58 *MP*, p. 171.

59 As pinturas de Riklin seguiam em geral o estilo de Augusto Giacometti: obras semifigurativas e totalmente abstratas, com cores suaves e instáveis (coleção particular, Peter Riklin). Há um quadro de Riklin de 1915/1916, "Verkündigung" no *Kunsthaus* de Zurique, uma doação de Maria Moltzer em 1945. Giacometti lembra: "O conhecimento psicológico de Riklin era extraordinariamente interessante e novo para mim. Ele era um mágico moderno. Eu tinha a sensação de que ele podia fazer mágica" (*Von Stampa bis Florenz*: Blätter der Erinnerung. Zurique: Rascher, 1943, p. 86-87).

As anotações de novembro no *Livro Negro* 2 registram a sensação de Jung em seu retorno à sua alma. Ele recontou os sonhos que o levaram a optar por uma carreira científica, e os sonhos recentes que o haviam retornado à sua alma. Como lembrou em 1925, o primeiro período escrito terminou em novembro: "Sem saber o que viria depois, pensei que talvez mais introspecção fosse necessária [...] bolei um método de perfuração fantasiando que eu estava cavando um buraco, e aceitando essa fantasia como perfeitamente real"[60]. O primeiro de tais experimentos aconteceu em 12 de dezembro de 1913[61].

Como indicado, Jung havia tido uma extensa experiência no estudo de médiuns em estados de transe, durante os quais eram encorajados a produzir fantasias despertas e alucinações visuais, e tinha conduzido experimentos com escrita automática. Práticas de visualização também têm sido usadas em várias tradições religiosas. Por exemplo, no quinto dos exercícios espirituais de Santo Inácio de Loyola, os indivíduos são instruídos a como "enxergar com os olhos da imaginação o comprimento, a largura, a profundidade do inferno", e a experimentar isso com total sensorialidade[62]. Swedenborg também se envolveu com "escrita espiritual". Em seu diário espiritual, lemos:

> 26 Jan, 1748 – Os espíritos, se assim o permitimos, podem possuir aqueles que com eles falam de forma tão total, que é como se eles estivessem inteiramente no mundo; e, de fato, de um jeito tão manifesto, que podem comunicar suas ideias através de seu médium, e até mesmo por cartas; pois eles, por vezes, de fato frequentemente, dirigiram minha mão ao escrever, como se fosse deles; de forma que pensavam que não era eu, mas eles escrevendo[63].

Em Viena, a partir de 1909, o psicanalista Herbert Silberer conduziu experimentos em si mesmo em estados hipnagógicos. Silberer tentava fazer imagens aparecerem. Essas imagens, mantinha ele, apresentavam representações

---

60 *Introduction to Jungian Psychology*, p. 51.

61 A visão que se seguiu é encontrada adiante em *Liber Primus*, cap. 5: "Descida ao inferno no futuro", p. 241.

62 SANTO INÁCIO DE LOYOLA. "Os exercícios espirituais". In: *Personal Writings*. Londres: Penguin, 1996, p. 298 [Trad. de J. Munitiz e P. Endean]. Em 1939-1940, Jung apresentou um comentário psicológico aos exercícios espirituais de Santo Inácio de Loyola no ETH (*Philemon Series*, no prelo).

63 Esta passagem foi reproduzida por William White em seu *Swedenborg*: His Life and Writings. Vol. 1. Londres: Bath, 1867, p. 293-294. Na cópia de Jung desse trabalho, ele marcou a segunda metade desta passagem com uma linha na margem.

simbólicas de seus pensamentos. Silberer se correspondeu com Jung e mandava a ele cópias de seus artigos[64].

Em 1912, Ludwig Staudenmaier (1865-1933), um professor de química experimental, publicou um livro intitulado *A magia como ciência experimental*. Staudenmaier começou autoexperimentações em 1901, iniciando com escrita automática. Uma série de personagens apareceu, e ele percebeu que não mais precisava da escrita para se comunicar com eles[65]. Ele também induzia alucinações acústicas e visuais. O objetivo dessas práticas era usar suas autoexperimentações para fornecer uma explicação científica para a magia. Ele argumentava que a chave para se entender a magia estava nos conceitos de alucinações e do *Unterbewusstsein*, e deu especial importância ao papel das personificações[66]. Assim percebemos que os procedimentos de Jung muito se parecem com um número de práticas históricas contemporâneas com as quais ele estava familiarizado.

A partir de dezembro de 1913, seguiu com o mesmo procedimento: evocar deliberadamente uma fantasia no estado alerta, e então entrar nela como em um drama. Essas fantasias podem ser entendidas como um tipo de pensamento dramatizado em forma pictórica. Ao lermos suas fantasias, fica claro o impacto de seus estudos mitológicos. Algumas das figuras e dos conceitos derivam-se diretamente de suas leituras, e a forma e o estilo testemunham seu fascínio pelo mundo do mito e do épico. Nos *Livros Negros*, Jung escreveu suas fantasias em registros datados, junto a reflexões sobre seu estado mental e suas dificuldades em compreender as fantasias. Os *Livros Negros* não são um diário de eventos, e muito poucos sonhos estão ali anotados. Ao invés, são o registro de um experimento. Em dezembro de 1913, referiu-se ao primeiro dos livros negros como o "livro de meu experimento mais difícil"[67].

Em retrospecto, lembra que sua questão científica era ver o que aconteceria quando ele desligasse a consciência. O exemplo dos sonhos indicava a existência de uma atividade de fundo, e ele queria dar a essa atividade uma possibilidade de emergir, assim como se faz ao tomar mescalina[68].

---

64 Cf. SILBERER. "Bericht über eine Methode, gewissesymbolische Halluzinations-Erscheinungen hervorzurufen und zu beobachten". *Jahrbuch für psychoanalytische und psychopathologische Forschungen*, 2, 1909, p. 513-525.

65 STAUDENMAIER. *Die Magie als experimentelle Naturwissenschaft*. Leipzig: Akademische Verlagsgesellschaft, 1912, p. 19.

66 Jung tinha uma cópia do livro de Staudenmaier, e marcou algumas passagens.

67 *Livro Negro* 2, p. 58.

68 *MP*, p. 381.

Em um registro em seu livro de sonhos de 17 de abril de 1917, Jung nota: "desde então, exercícios frequentes de esvaziar a consciência"[69]. Seu procedimento era claramente intencional – ao passo que seu objetivo era permitir que conteúdos psíquicos aparecessem espontaneamente. Ele lembra que por baixo do limiar da consciência, tudo é animado. Às vezes, era como se ele ouvisse coisas. Em outros momentos, percebia que estava sussurrando para si mesmo[70].

De novembro de 1913 até julho seguinte, ele permaneceu incerto sobre o sentido e o significado de seus procedimentos, e do sentido de suas fantasias, que continuaram a se desenvolver. Durante esse período, Filêmon, que se tornaria uma figura importante em fantasias subsequentes, apareceu em um sonho. Jung relembra:

> Havia um céu azul, que também parecia ser o mar, coberto não por nuvens, mas por torrões marrons de terra. Parecia que os torrões estavam se desagregando e que a água azul do mar estava se tornando visível por entre eles. Mas a água era o céu azul. Subitamente, apareceu um ser alado navegando os céus, pairando à direita. Vi que era um homem velho com os chifres de um touro. Ele segurava um molho de quatro chaves, uma das quais ele agarrava como se estivesse para abrir uma porta. Ele tinha as asas de um martim-pescador com suas cores características. Como não compreendesse a imagem do sonho, pintei-a para figurá-la com maior exatidão[71].

Enquanto estava pintando essa imagem, ele encontrou um martim-pescador morto (que muito raramente é encontrado nas vizinhanças de Zurique) em seu jardim na borda do lago[72].

A data desse sonho não é certa. A figura de Filêmon aparece primeiro nos *Livros Negros* em 27 de janeiro de 1914, mas sem asas de martim-pescador. Para

---

69 Sonhos". *AFJ*, p. 9.

70 *MP*, p. 145. Jung disse a Margaret Ostrowski-Sachs: "A técnica da imaginação ativa pode mostrar-se muito importante em situações difíceis – quando há uma visitação, digamos. Só faz sentido quando temos a sensação de nos encontrarmos num beco sem saída. Vivi isto quando me separei de Freud. Não sabia o que pensar. Apenas sentia. 'Não é isto'. Então concebi o 'pensamento simbólico' e depois de dois anos de imaginação ativa tantas ideias me sobressaltaram que quase não pude me defender. Os mesmos pensamentos voltaram. Apelei para minhas mãos e comecei a entalhar madeira – e então meu caminhou se aclarou" (From *Conversations with* C.G. *Jung*. Zurique: Juris Druck Verlag, 1971, p. 18).

71 *Memórias*, p. 162.

72 Ibid.

Jung, Filêmon representava um *insight* superior, e era como um guru para ele. Jung conversava com ele no jardim. Lembra que Filêmon emergiu da figura de Elias, que havia previamente aparecido em suas fantasias:

> Filêmon era um pagão que trouxe à superfície uma atmosfera meio-egípcia, meio-helenística, da tonalidade algo gnóstica... Ele era simplesmente um tipo de inteligência superior, e me ensinou objetividade psicológica e a realidade da alma. Ele havia descrito essa dissociação, ou seja, entre eu e o objeto de meu pensamento... Ele formulou essa coisa, que não era eu, e exprimiu tudo o que eu nunca havia pensado[73].

Em 20 de abril, Jung renunciou à presidência da Associação Internacional de Psicanálise. Em 30 de abril, demitiu-se da Faculdade de Medicina da Universidade de Zurique. Lembra que sentia estar numa posição muito exposta na universidade e que sentia a necessidade de encontrar uma nova orientação, e que seria portanto injusto dar aulas[74]. Em junho e julho, teve um sonho que se repetiu por três vezes, em que estava numa terra estrangeira tendo que retornar rapidamente para casa de navio, seguido da chegada de um frio gelado[75].

Em 10 de julho, a Associação Psicanalítica de Zurique votou por 15 a 1 sua saída da Associação Internacional de Psicanálise. Nas atas, a razão dada para a separação era que Freud tinha estabelecido uma ortodoxia que impedia a pesquisa livre e independente[76]. O grupo foi renomeado de Associação de Psicologia Analítica. Jung estava ativamente envolvido nessa associação, que se encontrava quinzenalmente. Ele também mantinha uma intensa prática terapêutica. Entre 1913 e 1914, ele tinha entre uma e nove consultas por dia, cinco dias por semana, numa média de cinco a sete[77].

As atas da Associação de Psicologia Analítica não demonstram o processo pelo qual estava passando Jung. Ele não se refere a suas fantasias, e continua discutindo questões teóricas de psicologia. O mesmo é verdade para sua cor-

---

73 Ibid., p. 162-163.

74 Ibid., p. 171.

75 Cf. adiante, p. 113.

76 *MSZ*.

77 Cadernos de anotações de Jung, *AFJ*.

respondência durante esse período[78]. A cada ano, mantinha suas obrigações de serviço militar[79]. Assim, mantinha suas atividades profissionais e responsabilidades familiares durante o dia, e dedicava suas noites a suas autoexperimentações[80]. Há indicações de que essa divisão de atividades continuou durante os anos seguintes. Jung lembra que durante este período sua família e profissão "permaneceram sempre uma realidade dispensadora de felicidade e a garantia de que eu existia de uma forma normal e verdadeira"[81].

A questão das diferentes formas de interpretar tais fantasias foi o tema de uma palestra que ele apresentou em 24 de julho para a Sociedade Psicomédica em Londres, "Sobre a compreensão psicológica". Ali, ele contrastava o método analítico-redutivo de Freud, baseado na causalidade, com o método construtivo da escola de Zurique. A deficiência do primeiro era que ao conectar tudo de volta a elementos antecedentes, o método lidava apenas com metade do quadro, e não alcançava o sentido vivo dos fenômenos. Alguém que quisesse compreender o *Fausto* de Goethe de tal maneira seria como alguém que tentasse compreender uma catedral gótica por meio de seu aspecto mineralógico[82]. O significado vivo "vive apenas quando o experimentamos com e em nós mesmos"[83]. Na medida em que a vida é essencialmente nova, ela não pode ser compreendida apenas retrospectivamente. Assim, o ponto de vista construtivo perguntava, "como, a partir desta psique presente, podemos construir uma ponte para seu próprio futuro?"[84] Este artigo apresenta implicitamente a justificativa lógica de Jung para não embarcar numa análise causal e retrospectiva de suas fantasias, e serve como aviso para aqueles que se sentirem tentados a fazê-lo. Apresentado como uma crítica e uma reformulação da psicanálise, o novo modo de interpretação de Jung liga-se ao método simbólico da hermenêutica espiritual de Swedenborg.

---

78 Isto se baseia num estudo extenso sobre a correspondência de Jung no ETH até 1930 e em outros arquivos e coleções.

79 Estes eram, 1913: 16 dias, 1914: 14 dias, 1915: 67 dias, 1916: 34 dias, 1917: 117 dias (registro do serviço militar de Jung, *AFJ*).

80 Cf. adiante, p. 136.

81 *Memórias*, p. 168.

82 JUNG. "A interpretação psicológica dos processos patológicos". OC, 3, § 396.

83 Ibid., § 398.

84 Ibid., § 399.

Em 28 de julho, Jung deu uma palestra sobre "A importância do inconsciente na psicopatologia" num encontro da Associação Médica Britânica em Aberdeen[85]. Ele argumentava que, em casos de neurose e psicose, o inconsciente tentava compensar a atitude unilateral da consciência. O indivíduo desbalançado defende-se disso, e os opostos tornam-se mais polarizados. Os impulsos corretivos que se apresentam na linguagem do inconsciente devem ser o início de um processo de cura, mas a forma na qual irrompem os torna inaceitáveis para a consciência.

Um mês antes, em 28 de junho, o Arquiduque Franz Ferdinand, o herdeiro do Império Austro-húngaro, foi assassinado por Gavrilo Princip, um estudante sérvio de dezenove anos de idade. Em 1º de agosto a guerra estourou. Em 1925, Jung lembra, "tive a sensação de que eu era uma psicose supercompensada, e não me libertei desse sentimento até 1º de agosto de 1914"[86]. Anos mais tarde, ele disse a Mircea Eliade:

> Como um psiquiatra fiquei preocupado, pensando se eu não estava a caminho de "fazer uma esquizofrenia", como falávamos naqueles dias... Estava preparando uma palestra sobre esquizofrenia a ser dada num congresso em Aberdeen, e dizia a mim mesmo: "Estarei falando de mim mesmo! Muito provável que eu enlouqueça depois de ler este artigo". O congresso aconteceria em julho de 1914 – exatamente o mesmo período quando vi a mim mesmo nos três sonhos viajando nos mares do Sul. Em 31 de julho, imediatamente após minha palestra, soube pelos jornais que a guerra havia estourado. Finalmente entendi. E quando desembarquei na Holanda no dia seguinte, ninguém estava mais feliz que eu. Agora eu estava certo de que nenhuma esquizofrenia me ameaçava. Entendi que meus sonhos e minhas visões vieram até mim do subsolo do inconsciente coletivo. O que ficou para eu fazer agora era aprofundar e validar esta descoberta. E é isto o que tenho tentado fazer há quarenta anos"[87].

Nesse momento, Jung considerou que sua fantasia tinha mostrado não o que aconteceria a *ele*, mas à Europa. Em outras palavras, de que era uma precognição

---

85 OC, 3.

86 *Introduction to Jungian Psychology*, p. 48.

87 McGUIRE, William & HULL, R.F.C. (orgs.). Entrevista Combat, 1952. C.G. *Jung Speaking*: Interviews and Encounters. Princeton: Princeton University Press/Bollingen Series, 1977, p. 233-234. Cf. adiante, p. 125.

de um evento coletivo, aquilo que ele depois iria chamar de sonho "grande"[88]. Depois dessa percepção, ele tentou ver se e até quanto isso era verdade também em relação às outras fantasias que ele tinha experimentado, e comprender o sentido dessa correspondência entre fantasias privadas e eventos públicos. Esse esforço é muito do tema do *Líber Novus*. Em *Comentários*, escreveu que o irromper da guerra capacitou-o a entender muito do que havia previamente experimentado, e deu-lhe a coragem de escrever a primeira parte do *Líber Novus*[89]. Assim, ele entendeu o início da guerra mostrando a ele que seu *medo* de enlouquecer era um engano. Não é um exagero dizer que se a guerra não tivesse sido declarada, muito provavelmente *Líber Novus* não teria sido elaborado. Em 1955/1956, ao discutir imaginação ativa, Jung comentou que "a razão pela qual o envolvimento parece muito com uma psicose é que o paciente está integrando o mesmo material de fantasia no qual cai vítima a pessoa insana porque não consegue integrá-lo e é engolida por ele"[90].

É importante notar que há por volta de onze fantasias distintas que Jung pode ter encarado como precognitivas:

1. 1 e 2 de OUTUBRO DE 1913: Visão repetida de inundação e morte de milhares, e a voz que dizia que isto iria se tornar real.
3. OUTONO DE 1913: Visão do mar de sangue cobrindo as terras do Norte.
4. 12 DE DEZEMBRO DE 1913: Imagem de um herói morto e o assassinato de Siegfried num sonho.
5. 25 DE DEZEMBRO DE 1913: Imagem do pé de um gigante pisando numa cidade, e imagens de assassinato e de crueldade sangrenta.
6. 2 DE JANEIRO DE 1914: Imagem de um mar de sangue e uma procissão de multidão de mortos.
7. 22 DE JANEIRO DE 1914: Sua alma emerge das profundezas e pergunta-lhe se ele irá aceitar a guerra e a destruição. Ela lhe mostra imagens de destruição, armas militares, restos humanos, navios afundados, estados destruídos, etc.
8. 21 DE MAIO DE 1914: Uma voz diz que os sacrificados caem à direita e à esquerda.

---

88 Cf. adiante, p. 113.

89 Cf. adiante, p. 129.

90 *Mysterium Coniunctionis*. OC, 14, § 410. Sobre o mito da loucura de Jung, promovida pela primeira vez pelos freudianos, como meio de desqualificar sua obra, cf. meu *Jung Stripped Bare by His Biographers, Even*.

9. 11 DE JUNHO-JULHO 1914: Sonho repetido três vezes de estar numa terra estrangeira e ter que retornar rápido para casa de navio, e a descida do frio gelado[91].

Liber Novus

Jung começou então a escrever o esboço do *Liber Novus*. Ele transcreveu fielmente muitas das fantasias dos *Livros Negros*, e para cada uma delas acrescentou uma seção explicando o significado de cada episódio, combinado com uma elaboração lírica. Uma comparação palavra a palavra indica que as fantasias foram reproduzidas fielmente, apenas com um pouco de edição e uma divisão em capítulos. Assim, a sequência das fantasias em *Liber Novus* quase sempre corresponde exatamente aos *Livros Negros*. Quando está indicado que uma fantasia em particular aconteceu "na noite seguinte", etc., é sempre acurado, e não um recurso estilístico. A linguagem e o conteúdo do material não foram alterados. Jung manteve uma "fidelidade ao evento", e o que estava escrevendo não era para ser confundido com ficção. O *esboço* começa com uma comunicação aos "Meus Amigos", e esta frase ocorre frequentemente. A principal diferença entre os *Livros Negros* e o *Liber Novus* é que os primeiros foram escritos para o uso pessoal de Jung, e podem ser considerados o registro de um experimento, enquanto que o segundo é endereçado ao público e apresentado numa forma para ser lido por outras pessoas.

Em novembro de 1914, Jung estudou detalhadamente *Assim falava Zaratustra*, de Nietzsche, que ele havia lido primeiro em sua juventude. Recordou mais tarde que "então, de repente, o espírito se apoderou de mim e me carregou para um país deserto no qual li Zaratustra"[92]. Ele fortemente deu forma à es-

---

91 Cf. p. 16-17, 113, 132, 144, 175, 233, 328, 413..

92 JARRET, James (org.). *Nietzsche's Zaratustra*: Notes on the Seminar Given in 1934-1939. Princeton: Princeton University Press/Bollingen Series, 1988, p. 381. Sobre a leitura que faz Jung de Nietzsche, cf. BISHOP, Paul. *The Dionysian Self*: C.G. Jung's reception of Nietzsche. Berlim: Walter de Gruyter. · LIEBSCHER, Martin. "Die 'unheimliche Ähnlichkeit' Nietzsches Hermeneutik der Macht und analytische Interpretation bei Carl Gustav Jung". In: GORNER, Rüdiger & DUNCAN (orgs.). *Ecce Opus, Nietzsche-Revisionen im 20. Jahrhundert*. Large/Londres: Gottingen, 2003, p. 37-50. · "Jungs Abkehr von Freud im Lichte seiner Nietzsche-Rezeption". In: RESCHKE, Renate (org.). *Zeitenwende-Wertewende*. Berlim, 2001, p. 255-260. · PARKES, Graham. Nietzsche and Jung: Ambivalent Appreciations. In: GOLOMB, Jacob; SANTANIELO, Weaver & LEHR, Ronald (orgs.). *Nietzsche and Depth Psychology*. Albânia: Suny Press, 1999, p. 205-227.

trutura e ao estilo do *Líber Novus*. Como o *Zaratustra* de Nietzsche, Jung dividiu o material em uma série de livros compostos de capítulos curtos. Mas, enquanto Zaratustra proclamava a morte de Deus, *Líber Novus* desenha o renascimento de Deus na alma. Há também indícios de que ele tenha lido a *Commedia* de Dante nesta época, que também informa a estrutura do trabalho[93]. *Líber Novus* desenha a descida de Jung ao Inferno. Mas enquanto Dante pôde se utilizar de uma cosmologia estabelecida, *Líber Novus* é uma tentativa de formar uma cosmologia individual. O papel de Filêmon no trabalho de Jung tem analogias com aquele de Zaratustra no de Nietzsche e de Virgilio no de Dante.

No *Esboço*, cerca de cinquenta por cento do material é retirado diretamente dos *Livros Negros*. Há cerca de trinta e cinco novas seções de comentário. Nessas seções, ele tentou extrair das fantasias princípios psicológicos gerais, e compreender até que ponto os eventos descritos nas fantasias apresentavam, de forma simbólica, desenvolvimentos que iriam acontecer no mundo. Em 1914, Jung havia introduzido uma distinção entre interpretação no nível objetivo, no qual objetos do sonho eram tratados como representações de objetos reais, e interpretação no nível subjetivo, no qual cada elemento tem a ver com o próprio sonhador[94]. Assim como interpretar suas fantasias no nível subjetivo, pode-se caracterizar seu procedimento aqui como uma tentativa de interpretar suas fantasias no nível "coletivo". Ele não tenta interpretar suas fantasias redutivamente, mas as vê descrevendo o funcionamento de princípios psicológicos gerais nele (tais como a relação entre introversão e extroversão, pensamento e prazer, etc.), e descrevendo eventos literais ou simbólicos que estão para acontecer. Assim, a segunda camada do *Esboço* representa a primeira extensa tentativa de desenvolvimento e aplicação de seu novo método construtivo. A "segunda camada" é em si mesma um experimento hermenêutico. Num sentido crítico, *Líber Novus* não requer interpretação suplementar, pois contém sua própria interpretação.

Ao escrever o *Esboço*, Jung não acrescentou referências acadêmicas, embora citações sem referência e alusões a obras de filosofia, religião e literatura se-

---

93 Em *Livro Negro* 2, Jung citou certos cantos do "Purgatório" em 26 de dezembro de 1913, p. 104. Cf. adiante, nota 213, p. 177.

94 Em 1913, Maeder referira-se à "excelente expressão" de Jung, "nível objetivo" e "nível subjetivo" (Über das Traumproblem". *Jahrbuch für psychoanalytische und psychopatologische Forschungen*, 5, 1913, p. 657-658). Jung discutiu isso na Sociedade Psicanalítica de Zurique em 30 de janeiro de 1914, MSZ.

jam numerosas. Ele escolheu conscientemente deixar de lado academicismos. Ainda assim, as fantasias e as reflexões no *Liber Novus* são as de um *scholar* e, de fato, muito de sua autoexperimentação e da composição de *Liber Novus* ocorreu em sua biblioteca. É bem possível que ele tivesse acrescentado referências se tivesse decidido publicar o trabalho.

Depois de completar o *Esboço* manuscrito, Jung mandou datilografá-lo, e o editou. Num manuscrito, fez alterações a mão (refiro-me a este manuscrito como *Esboço Corrigido*). A julgar pelas anotações, parece que ele o deu a alguém para ler (a letra não é de Emma Jung, Toni Wolff ou Maria Moltzer), que então comentou a edição de Jung, indicando que algumas seções que ele intencionava cortar deveriam permanecer[95]. A primeira seção do trabalho – sem título, mas efetivamente *Liber Primus* – foi composta em pergaminho. Jung então encomendou um grande fólio de mais de 600 páginas, encadernado em couro vermelho, aos encadernadores Emil Stierli. A lombada traz o título, *Liber Novus*. Ele então inseriu as páginas em pergaminho no volume, que continua com *Liber Secundus*. A obra está organizada como uma iluminura manuscrita medieval, caligrafada, encabeçada por uma tábua de abreviações. Jung deu ao primeiro livro o título de "O Caminho Que Ainda Virá", e colocou logo abaixo disso algumas citações do livro de Isaías e do Evangelho Segundo João. Assim, foi apresentado como um trabalho profético.

No volume caligrafado, Jung pintou em *tempura* (cal e cola), e escreveu com tinta. O suave sombreamento da escrita no volume caligrafado denota quando a tinta estava acabando. De maneira clássica, ele fez furos de alfinete e teria usado barbantes para desenhar as linhas a lápis para tornar as páginas uniformes.

No *Esboço*, Jung dividiu o material em capítulos. No curso da transcrição para o volume de couro vermelho, ele alterou alguns títulos de capítulos, acrescentou outros, e editou o material mais uma vez. Os cortes e alterações foram predominantemente à segunda camada de interpretação e elaboração, e não ao próprio material de fantasia, e consistiram principalmente num encurtamento do texto. É esta segunda camada que Jung continuamente reelaborou. Na transcrição do texto para esta edição, essa segunda camada foi indicada, de forma que a cronologia e a composição estão visíveis. Como os comentários de

---

95 Por exemplo, na p. 39 do *Esboço corrigido*, "Espantoso! Por que cortar?" está escrito à margem. Jung evidentemente considerou este conselho e reteve as passagens originais. Cf. adiante p. 136.

Jung na segunda camada às vezes referem-se implicitamente a fantasias que são encontradas mais adiante no texto, é também útil ler as fantasias diretamente em sua sequência cronológica, seguido de uma contínua leitura da segunda camada.

Jung então ilustrou o texto com algumas pinturas, iniciais historiadas, bordaduras ornamentais, e margens. Inicialmente as pinturas se referem diretamente ao texto. Depois, elas se tornam mais simbólicas. São imaginações ativas em seu próprio sentido. A combinação de texto e imagem lembra as iluminuras de William Blake, com cuja obra Jung tinha certa familiaridade[96].

Um rascunho preparatório de uma das imagens do *Líber Novus* sobreviveu, o que indica que elas foram cuidadosamente compostas, começando com rascunhos a lápis que foram depois elaborados[97]. A composição das outras imagens provavelmente seguiram procedimento semelhante. Das pinturas de Jung que sobreviveram, é surpreendente que elas deem um salto tão abrupto das paisagens de 1902-1903 ao abstrato e semifigurativo de 1915 em diante.

Arte e a Escola de Zurique

Hoje a biblioteca de Jung contém uns poucos livros de arte moderna, embora alguns livros possam ter provavelmente se dispersado ao longo dos anos. Ele tinha um catálogo dos trabalhos gráficos de Odilon Redon, assim como um estudo seu[98]. Ele provavelmente conheceu o trabalho de Redon quando estava em Paris. Fortes ecos do movimento simbolista aparecem nas pinturas do *Líber Novus*.

Em outubro de 1910, Jung fez um *tour* de bicicleta pelo norte da Itália com seu colega Hans Schmid. Visitaram Ravena, e lá os afrescos e mosaicos causa-

---

96 Em 1921, ele citou BLAKE. *The Marriage of Heaven and Hell*. OC, 6 §, 422n., § 460. · Em *Psicologia e alquimia* ele se refere a duas pinturas de Blake. OC, 12, fig. 14 e 19. · Em 11 de novembro de 1948, ele escreveu a Piloo Nanavutty: "Acho Blake um estudo estonteante, já que ele conseguiu ajuntar tanto de um conhecimento não digerido em suas fantasias. Assim como as vejo, elas são uma produção artística em vez de uma representação autêntica de processos inconscientes" (*Cartas*, 2, p. 513-514).

97 Cf. adiante, Apêndice A.

98 REDON. *Oeuvre graphique complet*. Paris: Secrétariat, 1913. · MALLERIO, André. *Odílon Redon*: Peintre, Dessinateur et Graveur. Paris: Henri Floury, 1923. Há também um livro sobre arte moderna, com uma posição algo crítica: RAPHAEL, Max. *Von Monet zu Pícasso*: Grundzüge einer Ästhetik und Entwicklung der Modernen Malerei. Munique: Delphin Verlag, 1913.

ram-lhe profunda impressão. Parece que esses trabalhos tiveram um impacto em suas pinturas: o uso de cores fortes, formas de mosaico, e figuras bidimensionais sem o uso da perspectiva[99].

Quando estava em Nova York, em 1913, ele provavelmente foi ao Armory Show, que foi a primeira grande exibição internacional de arte moderna na América (a mostra foi até 15 de março, e Jung partiu para Nova York em 4 de março). Ele se referiu ao quadro *Nu descendo uma escadaria*, de Marcel Duchamps, em seu seminário de 1925, que na mostra causou furor[100]. Nesse seminário, também referiu-se a ter estudado o desenvolvimento da pintura de Picasso. Dada a falta de evidência de estudos extensos, o conhecimento de Jung sobre arte moderna provavelmente derivava-se mais imediatamente de experiência direta.

Durante a Primeira Guerra Mundial, houve contatos entre os membros da Escola de Zurique e os artistas. Ambos eram parte de movimentos de *avant-garde*, partes de círculos sociais entrelaçados[101]. Em 1913, Erika Schlegel procurou Jung para análise. Ela e seu marido, Eugen Schlegel, eram amigos de Toni Wolff. Erika Schlegel era irmã de Sophie Taeuber, e tornou-se a bibliotecária do Clube Psicológico. Membros do Clube Psicológico eram convidados a alguns dos eventos do movimento Dadá. Na celebração da abertura da Galeria Dadá em 29 de março de 1917, Hugo Ball repara em membros do Clube na audiência[102]. O programa daquela noite incluía danças abstratas de Sophie Taeuber e poemas de Hugo Ball, Hans Arp e Tristan Tzara. Sophie Taeuber, que havia estudado com Laban, organizou um aula de dança para membros do Clube junto com Arp. Um baile de máscaras também aconteceu e ela desenhou as fantasias[103]. Em 1918, ela apresentou um espetáculo de marionetes, "King Deer", em Zurique. Passava-se no bosque junto ao Burghölzli. Freud Analytikus, em luta com Dr. Oedipus Complex, é transformado num papagaio pela Ur-Libido, parodicamente puxando temas de *Tranformações e símbolos da líbido*, de Jung, e seu

---

99 Jung visitou Ravena novamente em abril de 1914.

100 *Introduction to Jungian Psychology*, p. 59.

101 Cf. ZUCH, Rainer. *Die Surrealisten und* C.G. *Jung*: Studien zur Rezeption der analytischen Psychologie im Surrealismus am Beispiel von Max Ernst, Victor Brauner und Hans Arp. Weimar: VDG, 2004.

102 *Flight out of Time*, p. 102.

103 STROEH, Greta. "Biographie". In: *Sophie Taeuber*: 15 Décembre 1989-Mars 1990, Musée d'art moderne de la ville de Paris. Paris: Paris-musées, 1989, p. 124. · Entrevista com Aline Valangin, arquivo biográfico de Jung, Countway Library of Medicine, p. 29.

conflito com Freud[104]. Entretanto, as relações entre o círculo de Jung e alguns dos dadaístas ficaram mais tensas. Em maio de 1917, Emmy Hennings escreveu a Hugo Ball que o "psicoclube" tinha ido embora[105]. Em 1918, Jung criticou o movimento Dadá numa publicação suíça, o que não escapou da atenção dos dadaístas[106]. O elemento crítico que separou o trabalho pictórico de Jung daquele dos dadaístas foi sua ênfase extremada no significado, no sentido.

As autoexperimentações e os experimentos criativos de Jung não ocorreram num vácuo. Durante esse período, havia grande interesse em arte e na pintura em seu círculo. Alphonse Maeder escreveu uma monografia sobre Ferdinand Hodler[107], e manteve uma correspondência amigável com ele[108]. Por volta de 1916, Maeder teve uma série de visões ou fantasias acordado, que ele publicou sob pseudônimo. Quando comentou com Jung sobre tais eventos, Jung disse: "O que, você também?"[109] Hans Schmid também escrevia e pintava suas fantasias em algo semelhante ao *Líber Novus*. Moltzer era interessada em aumentar as atividades artísticas da escola de Zurique. Ela sentia que no círculo deles faltavam artistas e considerava Riklin um modelo[110]. J.B. Lang, que tinha sido analisado por Riklin, começou a pintar quadros simbólicos. Moltzer tinha um livro que ela chamava de sua Bíblia, no qual ela desenhava e escrevia. Ela recomendava a sua paciente Fanny Bowditch Katz que fizesse o mesmo[111].

Em 1919, Riklin expôs alguns de seus quadros como parte da "New Life" no Kunsthaus em Zurique, descritos como um grupo de expressionistas suíços,

---

104 Os bonecos estão no Museu Bellerive, em Zurique. Cf. MIKOL, Bruno. "Sur le theatre de marionnettes de Sophie Taeuber-Arp". *Sophie Taeuber*: 15 Décembre 1989-Mars 1990, Musée d'art moderne de la ville de Paris, p. 59-68.

105 BALL, Hugo & HENNINGS, Emmy. *Damals in Zürich*: Briefe aus den Jahren 1915-1917. Zurique: Die Arche, 1978, p. 132.

106 JUNG. "Sobre o Inconsciente". OC, 10, § 44. · PHARMOUSE. *Dada Review*, 391, 1919. · TZARA, Tristan. *Dada*, 4-5, 1919. Zurique.

107 *Ferdinand Holder*: Eine Skizze seiner seelischen Entwicklung und Bedeutung für die schweizerisch-nationale Kultur. Zurique: Rascher, 1916.

108 Escritos de Maeder.

109 Entrevista com Maeder, arquivo biográfico Jung, Countway Library of Medicine, p. 9.

110 Franz Riklin a Sophie Riklin, 20 de maio de 1915, escritos de Riklin.

111 Em 17 de agosto de 1916, Fanny Bowditch Katz, que estava em análise com ela na época, anotou em seu diário: "Sobre seu [ou seja, de Moltzer] livro – sua Bíblia – desenhos cada um com anotações – o que também devo fazer". De acordo com Katz, Moltzer via suas pinturas como "puramente subjetivas, não como trabalhos de arte" (31 de julho, Countway Library of Medicine). Em outra ocasião, Katz observa que Moltzer "falava de Arte, arte de verdade, como expressão da religião" (24 de agosto, 1916. Ibid.). Em 1916, Moltzer apresentou interpretações psicológicas de alguns quadros de Riklin numa palestra no Clube Psicológico (cf. meu *Cult Fictions*: Jung and the Founding of Analytical Psychology. Londres: Routledge, 1998, p. 102. Sobre Lang, cf. FEITKNECHT, Thomas (org.). *"Die dunkle und wilde Seite der Seele": Hermann Hesse* – Briefwechsel mit seinem Psychoanalytiker Josef Lang, 1916-1944. Frankfurt: Suhrkampf, 2006.

junto com Hans Arp, Sophie Taeuber, Francis Picabia e Augusto Giacometti[112]. Com suas conexões pessoais, Jung poderia facilmente ter exposto alguns de seus trabalhos em lugares como estes, se assim tivesse querido. Portanto, sua recusa em considerar seus trabalhos como arte ocorre num contexto em que havia possibilidades reais para ele ter tomado esse caminho.

Em algumas ocasiões, Jung discutia arte com Erika Schlegel. Ela registrou a seguinte conversa:

> Eu usei meu medalhão de pérola (o ornamento de pérolas que Sophie fez para mim), na casa de Jung ontem. Ele gostou muito, o que o levou de pronto a falar animadamente sobre arte, por quase uma hora. Ele falou sobre Riklin, um dos alunos de Augusto Giacometti, e observou que, embora seus trabalhos menores tinham um certo valor estético, os maiores simplesmente desapareciam. Na verdade, ele mesmo desaparecia totalmente em sua arte, tornando-o extremamente inatingível. Seu trabalho era como uma parede na qual a água escorria ondulada. Ele portanto não podia analisá-la, uma vez que isso requeriria de nós que estivéssemos focados e bem orientados, como uma faca. De um certo modo, ele havia tropeçado na arte. Mas a arte e a ciência não eram mais que os servos do espírito criativo, que é o que deve ser servido.
>
> Com relação a meu próprio trabalho, a questão também era chegar a uma conclusão se era realmente arte. Os contos de fadas e as pinturas tinham um sentido religioso no fundo. Eu também sabia que de alguma forma e em algum momento a arte deve alcançar as pessoas[113].

Para Jung, Franz Riklin parecia ser algo como um *doppelganger*, cujo destino ele se preocupava em evitar. Essa afirmação também indica a relativização que fazia Jung do *status* da arte e da ciência à qual ele chegou por meio de sua autoexperimentação.

Assim, o *Líber Novus* não era de forma alguma uma atividade peculiar ou idiossincrática, tampouco o produto de uma psicose. Em vez disso, ele indica as intersecções tão próximas entre a experimentação artística e a psicológica com a qual tantos indivíduos estiveram engajados naquela época.

---

112 *Das Neue Leben", Erst Ausstellung*. Zurique: Kunsthaus. J.B. Lang recorda uma ocasião em que ele estava na casa de Riklin quando estavam também presentes Jung e Augusto Giacometti (*Diary*, 3 de dezembro de 1916, p. 9, Lang papers, Swiss Literary Archives, Berna).

113 11 de março de 1921, Cadernos, escritos de Schlegel.

O experimento coletivo

Em 1915, Jung manteve uma longa correspondência com seu colega Hans Schmid sobre a questão do entendimento de tipos psicológicos. Essa correspondência não dá sinais diretos da autoexperimentação de Jung, e indica que as teorias que ele desenvolveu durante esse período não emergiram somente de sua atividade de imaginação ativa, mas que também, em parte, consistiram do teorizar psicológico convencional[114]. Em março de 1915, Jung escreveu para Smith Ely Jeliffe:

> Ainda estou com o exército numa cidadezinha onde tenho muito trabalho prático e cavalgo bastante... Até que tive que me juntar ao exército, vivia quieto e devotava meu tempo a meus pacientes e a meu trabalho. Estava trabalhando particularmente nos dois tipos de psicologia e sobre a síntese das tendências inconscientes[115].

Durante sua autoexploração, ele experimentou estados de tumulto. Ele lembra que experimentou grande medo, e que algumas vezes agarrava-se à mesa para manter-se são[116]. Durante este período, ele notou que "sentia-me muitas vezes de tal forma agitado que recorri a exercícios de yoga para desligar-me das emoções. Mas como meu intuito era fazer a experiência do que se passava em mim, só me entregava a tais exercícios para recobrar a calma, a fim de retomar o trabalho com o inconsciente[117]."

Lembra que Toni Wolff foi atraída para o processo no qual ele estava envolvido, e experimentava um semelhante fluir de imagens. Jung percebeu que podia discutir suas experiências com ela, mas ela estava desorientada e na mesma confusão[118]. Da mesma forma, sua esposa era incapaz de ajudá-lo. Consequentemente, ele notou que "ser capaz de perseverar foi em função de força bruta"[119].

---

114 BEEBE, John & FALZEDER, Ernst (orgs.). *Philemon Series* [no prelo].

115 BURNHAM, John. *Jeliffe*: American Psychoanalyst and Physician & His Correspondence with Sigmund Freud and C.G. Jung. Chicago: University of Chicago Press, 1983, p. 196-197 [organizado por William McGuire].

116 *MP*, p. 174.

117 *Memórias*, p. 157-158.

118 *MP*, p. 174.

119 Ibid.

O Clube Psicológico havia sido fundado no começo de 1916, por meio de uma doação de 360.000 francos suíços de Edith Rockefeller McCormick, que tinha vindo a Zurique para ser analisada por Jung em 1913. Em seu começo contava com aproximadamente sessenta membros. Para Jung, o objetivo do Clube era estudar as relações dos indivíduos com o grupo, e fornecer um ambiente naturalista para que a observação psicológica ultrapassasse as limitações da análise feita de indivíduo para indivíduo, assim como fornecer também um espaço onde pacientes pudessem aprender a se adaptar a situações sociais. Ao mesmo tempo, um corpo de analistas profissionais continuou a se encontrar como Associação de Psicologia Analítica[120]. Jung participou integralmente em ambas essas organizações.

A autoexperimentação de Jung também introduziu uma mu-dança em seu trabalho analítico. Ele encorajava seus pacientes a embarcar em processos semelhantes de autoexperimentação. Os pacientes eram instruídos sobre como conduzir a imaginação ativa, a manter diálogos internos, e a pintar suas fantasias. Ele encarou suas próprias experiências como paradigmáticas. No seminário de 1925, observou: "Retiro todo meu material empírico de meus pacientes, mas a solução do problema eu retiro de dentro, de minhas observações dos processos inconscientes"[121].

Tina Keller, que estava em análise com Jung desde 1912, lembra que Jung "com frequência falava de si mesmo e de suas próprias experiências":

> Naqueles dias do começo, quando se chegava para a hora de análise, o assim chamado "livro vermelho" ficava aberto num cavalete. Nele, Dr. Jung havia pintado algo ou tinha acabado um desenho. Às vezes ele me mostrava o que tinha feito e comentava algo a respeito. O trabalho cuidadoso e preciso que ele colocava nessas pinturas e nos textos tipo iluminuras que as acompanhavam, testemunhavam a importância da tarefa. O mestre então demonstrava ao estudante que o desenvolvimento psíquico demandava tempo e esforço[122].

---

120 Sobre a formação do Clube, cf. meu *Cult Fictions*: C.G. Jung and the Founding of Analytical Psychology.

121 *Introduction to Jungian Psychology*, p. 35.

122 C.G. Jung: Some memories and reflections". *Inward Light*, 35, 1972, p. 11. Sobre Tina Keller, cf. SWAN, Wendy. *C.G. Jung and Active Imagination*. Saarbrücken: VDM, 2007.

Em suas análises com Jung e com Toni Wolff, Keller fez imaginação ativa e também pintou. Longe de ser uma empreitada solitária, o confronto de Jung com o inconsciente era algo coletivo, para o qual ele convocava também seus pacientes. Aquelas pessoas ao redor de Jung formavam um grupo *avant-garde* engajadas num experimento social que esperavam pudesse transformar suas vidas, e as vidas em torno delas.

O retorno dos mortos

Em meio ao massacre sem precedentes que a guerra trouxe, o tema do retorno dos mortos estava disseminado, como no filme de Abel Gance, *J'accuse*[123]. A badalada da morte também levou a um interesse renomado no espiritismo. Após aproximadamente um ano, Jung começou a escrever novamente nos *Livros Negros*, em 1915, com uma nova série de fantasias. Ele já havia completado o esboço manuscrito do *Liber Primus* e do *Liber Secundus*[124]. No início de 1916, Jung experimentou uma série impressionante de eventos parapsicológicos em sua casa. Em 1923, ele narrou esses eventos a Cary de Angulo (depois Baynes). Ela o registrou da seguinte forma:

> Numa noite, seu filho começou a agitar-se em seu sono e a debater-se dizendo que não conseguia acordar. Finalmente, sua mulher teve que chamar você para acalmá-lo e isto você só pode fazer colocando panos frios sobre ele. Finalmente ele se acalmou e continuou a dormir. Na manhã seguinte ele acordou sem se lembrar de nada, mas parecia extremamente exausto, então você disse a ele para não ir à escola, ele não perguntou por que, mas pareceu concordar. Mas muito inesperadamente ele pediu papel e lápis coloridos e começou a trabalhar no seguinte desenho: um homem estava pescando com linha e anzol no meio do desenho. À esquerda estava o diabo dizendo algo ao homem, e seu filho escreveu o que ele disse. É que ele tinha vindo até o pescador porque ele estava pegando seus peixes, mas à direita estava um anjo que disse: "Não, não podes levar este homem, ele só está levando os

123 Cf. WINTER. *Sites of Memory, Sites of Mourning*, p. 18, 69, 133-144.

124 Há uma nota adicionada no *Livro Negro* 5 neste ponto: "Neste momento as partes I e II [do *Livro Vermelho*] foram escritas. Imediatamente após o início da guerra" (p. 86). Toda a anotação está escrita com a caligrafia de Jung, e "do *Livro Vermelho*" foi acrescentado por outra pessoa.

peixes ruins e nenhum dos bons". Então, depois que seu filho fez este desenho, ele ficou bem contente. Na mesma noite, duas de suas filhas pensaram ter visto assombrações em seus quartos. No dia seguinte, você escreveu os "Sete sermões aos mortos", e você sabia que depois disso nada mais perturbaria sua família, e nada mais de fato aconteceu. É claro que eu sabia que você era o pescador no desenho de seu filho, e você me disse isso, mas o menino não sabia[125].

Em *Memórias*, Jung conta o seguinte:

Por volta das cinco da tarde no domingo, a campainha da porta de entrada começou a soar insistentemente... Todos imediatamente olharam para ver quem estava lá, mas não dava para ver ninguém. Eu estava sentado próximo à campainha da porta e não a ouvi, mas a vi mover-se. Nós nos entreolhamos, estupefatos! A atmosfera era terrivelmente opressiva, acredite! Percebi que algo ia acontecer. A casa parecia repleta de uma multidão, abarrotada de espíritos. Estavam por toda a parte, até mesmo debaixo da porta, mal se podia respirar. Quanto a mim, eu me debatia com a questão: "Pelo amor de Deus, o que é isto?" Houve então uma resposta uníssona e vibrante: "Nós voltamos de Jerusalém, onde não encontramos o que buscávamos". Essas palavras correspondem às primeiras linhas dos *Septem Sermones ad Mortuos*.
As palavras puseram-se então a fluir espontaneamente, e em três noites a coisa estava escrita. Mal eu começava a escrever, toda a coorte de espíritos desvaneceu-se. A fantasmagoria terminara. A sala tornou-se tranquila, a atmosfera pura até a noite do dia seguinte[126].

Os mortos tinham aparecido numa fantasia em 17 de janeiro de 1914, e tinham dito que estavam prestes a ir a Jerusalém para orar nos túmulos mais sagrados[127]. Sua viagem evidentemente não tinha sido bem-sucedida. Os *Septem Sermones ad Mortuos* é o ponto culminante das fantasias desse período. É uma cosmologia psicológica disposta na forma de um mito de criação gnóstico. Nas fantasias de Jung, um novo Deus tinha nascido em sua alma, o Deus que é o filho dos sapos, Abraxas. Jung compreendeu isto simbolicamente. Ele via esta figura repre-

---

125 *CFB*.
126 *Memórias*, p. 169.
127 Cf. adiante, p. 297.

sentando a unificação do Deus cristão com satã, portanto apresentando uma transformação na imagem divina ocidental. Só em 1952, em *Resposta a Jó*, Jung elaboraria esse tema em público.

Jung havia estudado a literatura do gnosticismo no período de leituras preliminares para seu *Transformações e símbolos da libido*. Em janeiro e outubro de 1915, durante o serviço militar, estudou as obras dos gnósticos. Depois de ter escrito os *Septem Sermones* nos *Livros Negros*, Jung recopiou-os num esboço caligráfico, num volume separado, rearranjando um pouco a sequência. Adicionou a seguinte inscrição como subtítulo: "Os sete sermões aos mortos, escritos por Basilides em Alexandria, a cidade onde o Oriente encontra o Ocidente"[128]. Jung então autorizou a publicação em caráter particular, sob a forma de folheto, acrescentando: "Traduzido do original grego para o alemão". Essa legenda indica os efeitos estilísticos sobre Jung dos estudos clássicos do século XIX. Ele lembra que os escreveu por ocasião da fundação do Clube Psicológico, e os encarava como um presente a Edith Rockefeller McCormick por ter fundado o clube[129]. Ofereceu cópias a amigos e confidentes. Ao entregar uma cópia a Alphonse Maeder, escreveu:

> Não podia atrever-me a colocar nele o meu nome, mas escolhi o nome de uma grande figura espiritual dos primeiros tempos do cristianismo, figura essa que o cristianismo relegou. Caiu-me do céu, repentinamente, como um fruto maduro na aflição de um tempo difícil; ele acendeu-me uma luz de esperança e consolo nas horas de dor[130].

Em 16 de janeiro de 1916, Jung desenhou um mandala nos *Livros Negros* (ver Apêndice A). Era o primeiro esboço do "Systema Munditotius". Passou então a pintá-lo. Em seu verso, escreveu em inglês: "Este é o primeiro mandala que construí no ano de 1916, inteiramente inconsciente do que significava". As fantasias dos *Livros Negros* continuaram. O "Systema Munditotius" é uma cosmologia pictórica dos *Sermones*.

---

128 O Basilides histórico foi um gnóstico que ensinou em Alexandria no século II. Cf. nota 81, p. 448.

129 *MP*, p. 26.

130 19 de Janeiro de 1917. *Cartas*. Vol. I, p. 49. Ao enviar uma cópia dos *Sermones* a Jolande Jacobi, Jung os descreveu como "uma curiosidade da oficina do inconsciente" (7 de outubro de 1928, JA).

Entre 11 de junho e 2 de outubro de 1917, Jung prestava o serviço militar em Chateau d'Oex, como comandante dos prisioneiros de guerra ingleses. Por volta de agosto, escreveu a Smith Ely Jeliffe que seu serviço militar o tinha roubado completamente de seu trabalho e que, na sua volta, esperava concluir um longo ensaio sobre os tipos. Concluía a carta dizendo: "Conosco tudo permanece inalterado e quieto. Tudo o mais está engolido pela guerra. A psicose está ainda crescendo, continuando"[131].

Nesse momento, sentia que estava ainda num estado de caos que só começou a clarear perto do final da guerra[132]. Do começo de agosto até o final de setembro, ele desenhou uma série de vinte e sete mandalas a lápis em seu caderno militar, que conservou[133]. A princípio não entendia esses mandalas, mas sentia que eram muito significativos. A partir de 20 de agosto, desenhava um mandala quase todos os dias. Isto lhe dava a sensação de ter feito uma fotografia de cada dia e observava como esses mandalas mudavam. Ele lembra ter recebido uma carta dessa mulher holandesa que lhe enervou terrivelmente[134]. Nessa carta, essa mulher, ou seja, Moltzer, defendia "a opinião de que as fantasias que nascem do inconsciente possuem um valor artístico, pertencendo, portanto, ao domínio da arte"[135]. Jung ficou perturbado porque a opinião não era estúpida e, além do mais, os pintores modernos estavam tentando fazer arte a partir do inconsciente. Isto despertou nele uma dúvida se suas fantasias eram de fato espontâneas e naturais. No dia seguinte, desenhou um mandala, e uma de suas partes estava quebrada, fora de simetria:

> Só pouco a pouco compreendi o que significa propriamente o mandala: "Formação – Transformação, eterna recriação da Eterna Mente". O mandala exprime o si-mesmo, a totalidade da personalidade que, se tudo está bem, é harmoniosa, mas que não permite o autoengano.
> Meus desenhos de mandalas eram criptogramas que me eram diariamente comunicados acerca do estado de meu "si-mesmo"[136].

---

131 BURNHAM, John C. *Jeliffe*: American Psychoanalyst and Physician & His Correspondence with Sigmund Freud and C.G. Jung, p. 199 [organizado por William McGuire, p. 199].

132 *MP*, p. 172.

133 Cf. Apêndice A.

134 *Memórias*, p. 173.

135 Ibid.

136 Ibid.

O mandala em questão parece ser o de 6 de agosto de 1917[137]. A segunda linha é do *Fausto*, de Goethe. Mefistófeles está falando a Fausto, dando-lhe direções no reino das Mães:

> MEFISTÓFELES:
> Um trípode brilhante mostrar-te-á
> que estás no terreno mais profundo, o mais profundo de todos
> Por sua luz verás as Mães:
> umas estão sentadas, outras estão de pé e andam,
> como pode acontecer. Formação, transformação
> a recreação eterna da mente eterna.
> Envoltos em imagens de todas as criaturas,
> eles não te veem, pois veem apenas vultos.
> Então, cobra ânimo, pois o perigo é grande,
> e vai direto até esse trípode,
> toca-o com a chave![138]

A carta em questão não veio à luz. Contudo, numa carta subsequente inédita de 21 de novembro de 1918, ainda enquanto estava em Chateau d'Oex, Jung escreveu que "M. Moltzer de novo perturbou-me com suas cartas"[139]. Ele reproduziu os mandalas no *Líber Novus*. Ele observou que foi durante este período que uma ideia viva do si-mesmo apresentou-se a ele pela primeira vez: "Ele me aparecia como a mônada que sou e que é meu mundo. O mandala representa esta mônada e corresponde à natureza microcósmica da alma"[140]. Nesse momento ele não sabia onde este processo o estava levando, mas começou a perceber que o mandala representava a meta do processo: "Só quando comecei a pintar os mandalas vi que o caminho que seria necessário percorrer e cada passo que devia dar, tudo convergia para um dado ponto, o do centro. Compreendi sempre mais claramente que o mandala exprime o centro e que é

---

137 Cf. Apêndice A.

138 *Fausto*, 2, Ato 1, 6287s.

139 Carta inédita, *AFJ*. Existe também um quadro sem data de Moltzer que parece ser um mandala quadrada, que ela descreve em breve nota como "Uma apresentação pictórica da Individuação ou do processo de Individuação" (Biblioteca, Clube Psicológico, Zurique).

140 *Memórias*, p. 174. As fontes mais imediatas para a inspiração de Jung sobre o conceito do si-mesmo parecem ser as concepções de Atman/Brahman no hinduísmo, que ele discutiu em seu *Típos psicológicos* de 1921, e em certas partes de seu *Zaratustra* de Nietzschte. Cf. adiante, nota 29, p. 421.

a expresão de todos os caminhos"[141]. Durante os anos 1920, a compreensão de Jung em torno do mandala aprofundou-se.

O *Esboço* continha fantasias de outubro de 1913 até fevereiro de 1914. No inverno de 1917, Jung escreveu um manuscrito novo chamado *Aprofundamentos*, que inicia onde ele havia parado. Nele, transcreveu fantasias de abril de 1913 até junho de 1916. Como nos dois primeiros livros de *Liber Novus*, Jung entremeou as fantasias com comentários interpretativos[142]. Ele incluiu os *Sermones* nesse material, e então adicionou os comentários de Filêmon a cada sermão. Nestes, Filêmon salientava a natureza compensatória de seus ensinamentos: ele deliberadamente salientava mais precisamente aquelas concepções que faltavam aos mortos. *Aprofundamentos* forma efetivamente o *Liber Tertius* do *Liber Novus*. A sequência completa do texto seria então a seguinte:

Liber Primus: "O caminho do que há de vir"
Liber Secundus: "As imagens do errante"
Liber Tertius: "Aprofundamentos"

Durante esse período, Jung continuou transcrevendo o *Esboço* no volume caligráfico e acrescentando pinturas. As fantasias dos *Livros Negros* tornaram-se intermitentes. Ele representou sua percepção do significado do si-mesmo, que ocorrera no outuno de 1917, no *Aprofundamentos*[143]. Este contém a visão de Jung do Deus renascido, culminando no retrato de Abraxas. Ele percebeu que muito do que lhe foi dado na parte inicial do livro (ou seja, *Liber Primus* e *Liber Secundus*) na realidade lhe foi entregue por Filêmon[144]. Ele percebeu que havia nele um profético velho sábio, a quem ele não era idêntico. Isso representou uma desidentificação crítica. Em 17 de janeiro de 1918, Jung escreveu a J.B. Lang:

> O trabalho com o inconsciente tem que acontecer primeiro e mais intensamente para nós, conosco. Nossos pacientes irão se beneficiar dele indiretamente. O perigo consiste na ilusão do profeta, que é com frequência o

---

141 Ibid.

142 Na p. 23 do manuscrito de *Aprofundamentos*, é indicada uma data: "27/11/17", que sugere que foram escritos no segundo semestre de 1917 e, portanto, após as experiências dos mandalas em Chateau d'Oex.

143 Cf. adiante, p. 407s.

144 Cf. adiante, p. 426.

resultado de se lidar com o inconsciente. É o diabo que diz: desdenhe toda a razão e a ciência, os altos poderes da humanidade. Isto nunca é apropriado, ainda que estejamos forçados a reconhecer (a existência do) irracional[145].

A tarefa crítica de Jung de "examinar em detalhes" suas fantasias era a de diferenciar as vozes e as personagens. Por exemplo, nos *Livros Negros* é Jung que dita os *Sermones* aos mortos. Em *Aprofundamentos* não é Jung, mas Filêmon que os diz. Nos *Livros Negros* a principal figura com quem Jung tem diálogos é sua alma. Em algumas seções do *Liber Novus* é, por sua vez, a serpente e o pássaro. Numa conversa de janeiro de 1916, sua alma lhe explica que, quando o Alto e o Baixo não estão unidos ela, se despedaça em três partes – uma serpente, a alma humana, e o pássaro ou alma celestial, que visita os deuses. Assim, a revisão de Jung aqui pode ser encarada como um reflexo de sua compreensão da natureza tripartite de sua alma[146].

Durante esse período, Jung continuou a trabalhar em seu material, e há alguns indícios de que o discutia com seus colegas. Em março de 1918, escreveu a J.B. Lang, que lhe havia enviado algumas de suas próprias fantasias:

Não gostaria de dizer nada mais a não ser encorajá-lo a continuar com essa abordagem pois, como você mesmo tão corretamente observou, é muito importante que experimentemos os conteúdos do inconsciente antes de formarmos qualquer opinião a respeito. Concordo bastante com você que temos que abraçar o conhecimento da gnose e do neoplatonismo, já que estes são os sistemas que contêm o material adequado para formar a base de uma teoria do espírito inconsciente. Venho trabalhando com isto há bastante tempo, e tive grandes oportunidades de comparar, ao menos parcialmente, minhas experiências com as de outros. Esta é a razão de ter ficado tão satisfeito em escutar praticamente as mesmas coisas de você. Estou contente que você tenha descoberto por si mesmo essa área de trabalho que está pronta a ser atacada. Até agora, eu não tinha trabalhadores. Estou feliz que queira juntar forças comigo. Considero muito importante que você extraia seu próprio material do inconsciente sem influências, tão cuidadosamente quanto possível. Meu material é bastante volumoso, mui-

145 Coleção particular, Stephen Martin. A referência é para a declaração de Mefistófeles no *Fausto* (I, 1.851s.).
146 Cf. adiante, p. 511.

to complicado, e em parte bem gráfico, já quase todo clarificado. Mas o que me falta completamente é material moderno comparativo. Zaratustra está, de forma muito forte, conscientemente formado. Meyrink modifica esteticamente; além do mais, sinto que lhe falta sinceridade religiosa[147].

O conteúdo

O *Líber Novus* apresenta assim uma série de imaginações ativas junto com a tentativa de Jung de compreender seu significado. Este trabalho de compreensão abrange muitos fios entrelaçados: uma tentativa de compreender-se a si mesmo e de integrar e desenvolver os vários componentes de sua personalidade; uma tentativa de compreender a estrutura da personalidade humana em geral; uma tentativa de compreender a relação do indivíduo com a sociedade de hoje e com a comunidade dos mortos; uma tentativa de compreender os efeitos psicológicos e históricos do cristianismo; e uma tentativa de compreender a futura evolução religiosa do Ocidente. Jung discute muitos outros temas na obra, entre os quais: a natureza do autoconhecimento, a natureza da alma, as relações entre pensar e sentir e os tipos psicológicos, a relação entre a masculinidade e a feminilidade interiores e exteriores, a união dos opostos, a solidão, o valor do conhecimento e da instrução, o *status* da ciência, o significado dos símbolos e como eles devem ser entendidos, o sentido da guerra, a loucura, a loucura divina e a psiquiatria, como a Imitação de Cristo deve ser entendida hoje, a morte de Deus, a importância histórica de Nietzsche, e a relação ente magia e razão.

O tema geral do livro é como Jung recupera sua alma e supera o mal-estar contemporâneo da alienação espiritual. Isto é finalmente alcançado possibilitando o renascimento de uma nova imagem de Deus em sua alma e desenvolvendo uma nova cosmovisão na forma de uma cosmologia psicológica e teológica. O *Líber Novus* apresenta o protótipo da concepção junguiana do processo de individuação, que ele considerava a forma universal do desenvolvimento psicológico individual. O próprio *Líber Novus* pode ser compreendido, por um lado, como descrevendo o processo de individuação de Jung e, por outro, como a elaboração que ele fez deste conceito como um esquema psicológico geral.

147 Coleção particular, Stephen Martin.

No início do livro, Jung reencontra sua alma e depois embarca numa sequência de aventuras fantásticas, que formam uma narrativa consequente. Ele percebeu que, até então, havia servido ao espírito da época, caracterizado pelo uso e pelo valor. Além disso, havia um espírito das profundezas, que levava às coisas da alma. De acordo com a autobiografia posterior de Jung, o espírito da época corresponde à personalidade número 1 e o espírito das profundezas corresponde à personalidade número 2. Por isso, esse período poderia ser considerado um retorno aos valores da personalidade número 2. Os capítulos seguem um formato particular: começam com a exposição de fantasias visuais dramáticas. Nelas, Jung encontra uma série de personagens em vários contextos e dialoga com elas. Confronta-se com acontecimentos inesperados e afirmações chocantes. Depois tenta compreender o que aconteceu e formular o significado desses eventos e afirmações em concepções e máximas psicológicas gerais. Jung acreditava que o significado dessas fantasias devia-se ao fato de provirem da imaginação mitopoética que faltava na presente época racional. A tarefa da individuação está em estabelecer um diálogo com as personagens da fantasia – ou conteúdos do inconsciente coletivo – e integrá-las na consciência, recuperando assim o valor da imaginação mitopoética que havia sido perdida na época moderna, reconciliando desse modo o espírito da época com o espírito das profundezas. Essa tarefa iria constituir um *leitmotif* de sua obra erudita posterior.

"Uma nova fonte de vida"

Em 1916, Jung escreveu diversos ensaios e um pequeno livro nos quais começou a tentar traduzir alguns dos temas do *Liber Novus* em linguagem psicológica contemporânea e a refletir sobre o significado e os aspectos gerais de sua atividade. Significativamente, nessas obras ele apresentou os primeiros esboços das grandes componentes de sua psicologia madura. Uma descrição cabal desses ensaios está fora do horizonte desta introdução. A visão geral que damos a seguir destaca elementos que se ligam mais diretamente ao *Liber Novus*.

Nas obras escritas entre 1911 e 1914, Jung ocupou-se principalmente em formular uma explicação estrutural do funcionamento humano geral e da psicopatologia. Além de sua primeira teoria dos complexos, vemos que ele já havia formulado concepções de um inconsciente filogeneticamente adquirido povoado de imagens míticas, de uma energia psíquica não sexual, de tipos gerais de introversão e extroversão, da função compensatória e prospectiva dos sonhos e das abordagens sintética e construtiva das fantasias. Enquanto Jung continuou a ampliar e desenvolver detalhadamente essas concepções, emerge aqui um novo projeto: a tentativa de fornecer uma explicação temporal do desenvolvimento superior, a que deu o nome de processo de individuação. Este foi um resultado teórico essencial de sua autoexperimentação. A elaboração total do processo de individuação e sua comparação histórica e intercultural viriam a ocupá-lo pelo resto da vida.

Em 1916, Jung fez uma preleção na Associação de Psicologia Analítica, intitulada "A estrutura do inconsciente", publicada primeiro em tradução francesa nos *Archives de Psychologie* de Flournoy[148]. Aqui, ele distinguia duas camadas do inconsciente. A primeira, o inconsciente pessoal, consistia em elementos adquiridos durante a vida, junto com elementos que podiam igualmente ser conscientes[149]. A segunda era o inconsciente impessoal ou psique coletiva[150]. Enquanto a consciência e o inconsciente pessoal eram desenvolvidos e adquiridos durante a vida do indivíduo, a psique coletiva era herdada[151]. Nesse ensaio, Jung analisava os curiosos fenômenos que resultavam da assimilação do inconsciente. Notava ele que, quando anexavam os conteúdos da psique coletiva e os consideravam como atributos pessoais, os indivíduos experimentavam estados extremos de superioridade e inferioridade. Ele tomou o termo "semelhança com Deus" de Goethe e Alfred Adler para caracterizar este estado, que surgia da fusão entre a psique pessoal e a psique coletiva e era um dos perigos da análise.

Jung escreveu que era tarefa difícil distinguir entre psique pessoal e psique coletiva. Um dos fatores com que o indivíduo se defrontava era a *persona* – nossa "máscara" ou "papel". Esta representava o segmento da psique coletiva que era erroneamente considerada individual. Quando se analisava isto, a personalidade dissolvia-se na psique coletiva, o que resultava na liberação de uma torrente de fantasias: "Abre-se a total profusão de pensamentos e sentimentos

---

148 Depois de separar-se de Freud, Jung descobriu que Flournoy lhe era um apoio permanente. Cf. Jung em Flournoy. *From India to the Planet Mars*, p. ix.

149 OC, 7, § 444-446.

150 Ibid., § 449.

151 Ibid., § 459.

mitológicos"[152]. A diferença entre esse estado e a insanidade estava no fato de que ele era intencional.

Surgiam duas possibilidades: podia-se tentar restaurar regressivamente a *persona* e retornar ao estado anterior, mas era impossível livrar-se do inconsciente. Alternativamente, podia-se aceitar a condição de semelhança com Deus. Mas havia um terceiro caminho: o tratamento hermenêutico das fantasias criativas. Este vinha a ser uma síntese da psique individual com a psique coletiva, que revelava a linha individual da vida. Era o processo de individuação. Numa posterior revisão não datada desse ensaio, Jung introduziu a noção de *anima*, como contraparte da noção de *persona*. Ele considerou ambas como "imagos do sujeito". Aqui, ele definiu a *anima* como "o modo pelo qual o sujeito é visto pelo inconsciente coletivo"[153].

A descrição vivaz das vicissitudes do estado de semelhança com Deus reflete alguns dos estados afetivos de Jung durante seu confronto com o inconsciente. A noção da diferenciação da *persona* e sua análise corresponde à seção de abertura do *Liber Novus*, onde Jung se diferencia de seu papel e realizações e tenta religar-se com sua alma. A liberação de fantasias mitológicas é precisamente o que se seguiu no seu caso, e o tratamento hermenêutico das fantasias criativas foi o que ele apresentou na camada 2 do *Liber Novus*. A diferenciação entre o inconsciente pessoal e o inconsciente impessoal forneceu uma compreensão teórica das fantasias mitológicas de Jung: sugere que ele não as considerou provenientes de seu inconsciente pessoal, mas da psique coletiva herdada. Neste caso, suas fantasias provêm de uma camada da psique que era uma herança humana coletiva e não eram simplesmente idiossincráticas ou arbitrárias.

Em outubro do mesmo ano, Jung fez duas palestras no Clube Psicológico. A primeira intitulava-se "Adaptação". Esta tomou duas formas: adaptação a condições externas e internas. O "interno" foi entendido como designando o inconsciente. A adaptação ao "interno" levou à exigência por individuação, o que era contrário à adaptação aos outros. A resposta a essa exigência e o correspondente rompimento com a conformidade levavam a uma trágica culpa, que precisava de expiação e pedia uma nova "função coletiva", porque o indivíduo devia produzir valores que pudessem servir como um substituto para a ausência

---

152 Ibid., § 468.
153 Ibid., § 521.

dele da sociedade. Esses novos valores possibilitavam compensar o coletivo. A individuação era para poucos. Os insuficientemente criativos deveriam antes restabelecer a conformidade coletiva com a sociedade. O indivíduo precisava não só criar novos valores, mas também valores socialmente reconhecíveis, já que a sociedade tinha "direito a *valores utilizáveis*"[154].

Lido em termos da situação de Jung, isto dá a entender que esse rompimento com a conformidade social de procurar sua "individuação" levara-o à ideia de que precisava produzir valores socialmente realizáveis como uma expiação. Isto levou a um dilema: será que a maneira como Jung encarnou esses novos valores no *Liber Novus* seria socialmente aceitável e reconhecível? Esse compromisso com as exigências da sociedade separava Jung do anarquismo dos dadaístas.

A segunda palestra foi sobre "Individuação e coletividade". Jung afirmava que individuação e coletividade eram um par de opostos relacionados pela culpa. A sociedade exigia imitação. Através do processo de imitação, o indivíduo podia obter o acesso a valores que são próprios dele. Na análise, "pela imitação o paciente aprende a individuação, porque ela reativa os valores que são próprios dele"[155]. É possível ler isto como um comentário sobre o papel da imitação nos tratamentos analíticos daqueles pacientes seus a quem Jung havia agora estimulado a empreender processos semelhantes de desenvolvimento. A afirmação de que esse processo evocava os valores preexistentes do paciente era um contragolpe à acusação de sugestão.

Em novembro, enquanto prestava serviço militar em Herisau, Jung escreveu um ensaio sobre "A função transcendente", publicado só em 1957. Ali Jung descrevia o método de trazer à tona e desenvolver fantasias que ele mais tarde chamou de imaginação ativa, e expunha sua fundamentação terapêutica. Esse ensaio pode ser considerado um relato provisório dos progressos a respeito da autoexperimentação de Jung e pode ser proveitosamente considerado um prefácio ao *Liber Novus*.

Jung observou que a nova atitude adquirida com a análise tornava-se obsoleta. Os materiais inconscientes eram necessários para completar a atitude consciente e corrigir-lhe a parcialidade. Mas, como a tensão de energia era baixa no sonho, os sonhos eram expressões inferiores de conteúdos inconscientes.

---

154 OC, 18, § 1.098.
155 Ibid., § 1.100.

Por isso era preciso recorrer a outras fontes, a saber, as fantasias espontâneas. Um livro de sonhos descoberto recentemente contém uma série de sonhos de 1917 a 1925[156]. Uma cuidadosa comparação desse livro com os *Livros Negros* mostra que as imaginações ativas de Jung não provinham diretamente de seus sonhos, e que essas duas correntes eram geralmente independentes.

Jung descreveu sua técnica para induzir tais fantasias espontâneas: "Este treinamento consiste primeiramente nos exercícios sistemáticos de eliminação da atenção crítica, criando, assim, um vazio na consciência"[157]. A pessoa começava concentrando-se num determinado estado de espírito, procurando tornar-se o mais consciente possível de todas as fantasias e associações que surgiam em conexão com esse estado. O objetivo era permitir à fantasia agir livremente, sem afastar-se do afeto inicial, num livre processo associativo. Isto levava a uma expressão concreta ou simbólica do estado de espírito, o que tinha como consequência trazer o afeto para mais perto da consciência, tornando-o assim mais compreensível. Fazer isso podia ter um efeito vivificante. Os indivíduos podiam desenhar, pintar ou esculpir, dependendo de suas propensões:

> Os tipos visualmente dotados devem concentrar-se na expectativa de que se produza uma imagem interior. De modo geral, aparece uma imagem da fantasia – talvez de natureza hipnagógica – que deve ser cuidadosamente observada e fixada por escrito. Os tipos audioverbais em geral ouvem palavras interiores. De início, talvez sejam apenas fragmentos de sentenças, aparentemente sem sentido... Outros, porém, nestes momentos escutam sua "outra" voz... Um pouco menos frequente, mas não menos valiosa, é a escrita automática, feita diretamente ou em prancheta[158].

Uma vez produzidas e incorporadas essas fantasias, tornavam-se possíveis duas abordagens: formulação criativa e compreensão. Uma precisava da outra e ambas eram necessárias para produzir a função transcendente, que surgia da união entre conteúdos conscientes e conteúdos inconscientes.

---

156 *AFJ*.

157 OC, 8/2, § 155.

158 Ibid., § 170-171. A prancheta é uma pequena tábua de madeira nos navios de cabotagem usada para facilitar a escrita automática.

Para algumas pessoas, observava Jung, era simples notar a "outra" voz na escrita e responder a ela do ponto de vista do eu: "É exatamente como se se travasse um diálogo entre duas pessoas com direitos iguais..."[159] Esse diálogo levou à criação da função transcendente, o que resultava numa ampliação da consciência. Essa descrição dos diálogos interiores e dos meios usados para evocar fantasias num estado de vigília representa a tarefa do próprio Jung nos *Livros Negros*. A interação entre formulação criativa e compreensão corresponde ao trabalho de Jung no *Liber Novus*. Jung não publicou esse ensaio. Ele observou mais tarde que nunca terminou seu trabalho sobre a função transcendente, porque o fizera sem grande empenho[160].

Em 1917, Jung publicou um pequeno livro com um longo título: *Psicologia dos processos inconscientes: uma visão geral da moderna teoria e método da psicologia analítica*. No prefácio, datado de dezembro de 1916, Jung proclamava que os processos psicológicos que acompanhavam a guerra haviam trazido o problema do inconsciente caótico para o primeiro plano da atenção. No entanto, a psicologia do indivíduo correspondia à psicologia da nação e apenas a transformação da atitude do indivíduo podia produzir uma renovação cultural[161]. Isto articulava a íntima interconexão entre eventos individuais e eventos coletivos que ocupava o centro do *Liber Novus*. Para Jung, a conjunção entre suas visões precognitivas e a eclosão da guerra tornara evidentes as profundas conexões subliminais entre fantasias individuais e acontecimentos mundiais – e, portanto, entre a psicologia do indivíduo e a da nação. O que se fazia necessário agora era elaborar essa conexão mais detalhadamente.

Jung observou que, depois de ter analisado e integrado os conteúdos do inconsciente pessoal, a pessoa opunha-se às fantasias mitológicas que brotavam da camada filogenética do inconsciente[162]. *Psicologia dos processos inconscientes* forneceu uma exposição do inconsciente coletivo, suprapessoal, absoluto – sendo estes termos usados intercambiavelmente. Jung afirmava que a pessoa

159 Ibid., § 186.

160 *MP*, p. 380.

161 OC, 7, p. XIII-XIV.

162 Ao fazer uma revisão dessa obra em 1943, Jung acrescentou que o inconsciente pessoal "corresponde à figura da *sombra*, que frequentemente aparece nos sonhos" (OC, 7, § 103). E acrescentou a seguinte definição desta figura: "*sombra* é para mim a parte 'negativa' da personalidade, isto é, a soma das propriedades ocultas e desfavoráveis, das funções mal desenvolvidas e dos conteúdos do inconsciente pessoal" (OC, 7, § 103n.). Posteriormente, essa fase do processo de individuação foi descrita como o encontro com a sombra (cf. OC, 9/2, § 13-19).

precisava separar-se do inconsciente apresentando-o visivelmente como algo separado dela. Era essencial distinguir o eu do não eu, ou seja, a psique coletiva ou inconsciente absoluto. Para fazer isso, "o ser humano deve permanecer firmemente de pé em sua função de eu; ou seja, deve cumprir plenamente seu dever para com a vida, para poder ser em todos os aspectos um membro vital da sociedade humana"[163]. Jung estivera se esforçando por cumprir estas tarefas nesse período.

Os conteúdos desse inconsciente eram aquilo que Jung, em *Transformações e símbolos da libido*, chamara de mitos típicos ou imagens primordiais. Ele descreveu essas "dominantes" como "as potências reinantes, os deuses, ou seja, imagens de leis e princípios dominantes, regularidades médias no decurso das imagens que o cérebro recebeu da sequência de processos seculares"[164]. Era preciso prestar particular atenção a essas dominantes. Particularmente importante era o "desligar os conteúdos mitológicos ou psicológicos coletivos dos objetos da consciência e consolidá-los como realidade psicológica fora da psique individual"[165]. Isto permitia a uma pessoa reconciliar-se com resíduos ativados de nossa história ancestral. A diferenciação entre pessoal e não pessoal resultava numa liberação de energia.

Esses comentários refletem também a atividade de Jung: sua tentativa de distinguir as várias personagens que apareciam e "consolidá-las como realidades psicológicas". A noção de que essas personagens tinham uma realidade psicológica própria e não eram ficções meramente subjetivas foi a principal lição que ele atribuiu à figura fantástica de Elias: objetividade psíquica[166].

Jung afirmou que a era da razão e do ceticismo inaugurada pela Revolução Francesa havia reprimido a religião e o irracionalismo. Isto, por sua vez, teve sérias consequências, levando à eclosão de irracionalismo representada pela guerra mundial. Era, portanto, uma necessidade histórica reconhecer o irracional como um fator psicológico. A aceitação do irracional é um dos temas centrais do *Liber Novus*.

Em *Psicologia dos processos inconscientes*, Jung desenvolveu sua concepção dos tipos psicológicos. Observou que era um fenômeno comum as características psico-

---

163 *Die Psychologie der Unbewussten Prozesse*. 2. ed. Zurique: Rascher, 1918, p. 104.
164 Ibid., p. 130.
165 Ibid., p. 134.
166 *Introduction to Jungian Psychology*, p. 103.

lógicas dos tipos serem levadas a extremos. Por aquilo que ele chamou de lei da enantiodromia, ou inversão para o oposto, entrou a outra função, a saber, sentimento para o introvertido e pensamento para o extrovertido. Essas funções secundárias encontravam-se no inconsciente. O desenvolvimento da função contrária levava à individuação. À medida que a função contrária não era aceitável ao consciente, era necessária uma técnica especial para chegar a um acordo com ela, a saber, a produção da função transcendente. O inconsciente era um perigo quando não se estava em harmonia com ele. Mas, com o estabelecimento da função transcendente, cessava a desarmonia. Esse reequilíbrio permitia o acesso aos aspectos produtivos e benéficos do inconsciente. O inconsciente continha a sabedoria e a experiência de incontáveis eras e, por isso, constituía um guia incomparável. O desenvolvimento da função contrária aparece na seção "Mysterium" do *Liber Novus*[167]. A tentativa de alcançar a sabedoria armazenada no inconsciente é descrita ao longo de todo o livro, no qual Jung pede à sua alma que lhe diga o que ela vê e o sentido de suas fantasias. O inconsciente é considerado aqui uma fonte de sabedoria superior. Jung concluiu o ensaio indicando a natureza pessoal e experiencial dessas novas concepções: "Nossa época está buscando uma nova fonte de vida. Eu encontrei uma e bebi dela e a água tinha gosto bom"[168].

O caminho para o si-mesmo

Em 1918, Jung escreveu um ensaio intitulado "Sobre o inconsciente", no qual observava que todos nós estamos entre dois mundos: o mundo da percepção externa e o mundo da percepção do inconsciente. Essa distinção descreve sua experiência nessa época. Ele escreveu que Friedrich Schiller afirmara que a aproximação destes dois mundos se fazia por meio da arte. Em contraposição, argumentava Jung, "a meu ver, a união da verdade racional com a verdade irracional deve ser encontrada não tanto na arte, mas muito mais no símbolo, pois é da essência do símbolo conter ambos os lados, o racional e o irracional"[169]. Os

167 Cf. adiante, p. 157-185.

168 *Collected Papers on Analytical Psychology*, p. 444. Esta sentença apareceu apenas na primeira edição do livro de Jung.

169 OC, 10, § 24.

símbolos, afirmava ele, provinham do inconsciente, e a criação de símbolos era a função mais importante do inconsciente. Enquanto a função compensatória do inconsciente sempre esteve presente, a função de criação de símbolos só esteve presente quando estivemos dispostos a reconhecê-la. Aqui, vemos que Jung continua evitando considerar suas produções como arte. Não foi a arte, mas os símbolos que tiveram aqui importância primordial. O reconhecimento e a recuperação desta força de criação de símbolos são descritos no *Liber Novus*. O livro retrata a tentativa de Jung de entender a natureza psicológica do simbolismo e de considerar suas fantasias de um ponto de vista simbólico. Ele concluiu que o que foi inconsciente em qualquer época determinada foi apenas relativo e mutante. O que se fazia necessário agora era a "reformulação de nossa visão do mundo, em consonância com os conteúdos ativos do inconsciente"[170]. Assim, a tarefa que o confrontava era a de traduzir as concepções adquiridas através de seu confronto com o inconsciente, e expressas de forma literária e simbólica no *Liber Novus*, numa linguagem que fosse compatível com a perspectiva contemporânea.

No ano seguinte, Jung apresentou um ensaio na Inglaterra perante a Sociedade de Pesquisa Psíquica, da qual era membro honorário, sobre "Os fundamentos psicológicos da crença nos espíritos"[171]. Distinguiu duas situações em que o inconsciente coletivo se tornava atuante. Na primeira, era ativado por uma crise na vida do indivíduo e pelo colapso das esperanças e expectativas. Na segunda, era ativado em tempos de grande convulsão social, política e religiosa. Nesses momentos, os fatores reprimidos pelas atitudes predominantes acumulam-se no inconsciente coletivo. Indivíduos fortemente intuitivos tornam-se conscientes deles e procuram traduzi-los em ideias comunicáveis. Se eram bem-sucedidos em traduzir o inconsciente numa linguagem comunicável, isto tinha um efeito redentor. Os conteúdos do inconsciente tinham um efeito perturbador. Na primeira situação, o inconsciente coletivo poderia substituir a realidade, o que é patológico. Na segunda situação, o indivíduo pode se sentir desorientado, mas o estado não é patológico. Essa diferenciação dá a entender que, na opinião de Jung, sua própria experiência enquadrava-se na segunda categoria – ou seja, a ativação do inconsciente coletivo devido à convulsão cultural geral. Portanto,

---

170 Ibid., § 48.

171 OC, 8/2, § 570-600.

seu temor inicial de iminente insanidade em 1913 estava em sua incapacidade de perceber essa distinção.

Em 1918, Jung apresentou ao Clube Psicológico uma série de seminários sobre seu trabalho a respeito de tipologia e, nessa época, empenhou-se numa vasta pesquisa erudita sobre esse tema. Desenvolveu e ampliou os temas articulados nestes ensaios em 1921, em *Tipos psicológicos*. No tocante aos temas trabalhados no *Liber Novus*, a seção mais importante do livro era o capítulo 5: "O problema do tipo na poesia". A questão fundamental discutida aqui foi como o problema dos opostos poderia ser resolvido através da produção do símbolo de união ou reconciliação. Isto constitui um dos temas centrais do *Liber Novus*. Jung apresentou uma análise detalhada da questão da solução do problema dos opostos no hinduísmo, no taoismo, em Mestre Eckhart e, nos dias de hoje, na obra de Carl Spitteler. Este capítulo pode ser lido também como uma meditação sobre algumas das fontes históricas que informaram diretamente suas concepções no *Liber Novus*. Anunciou também a introdução de um método importante. Em vez de discutir diretamente a questão da reconciliação dos opostos no *Liber Novus*, Jung procurou analogias históricas e teceu comentários sobre elas.

Em 1921, apareceu o "si-mesmo" como conceito psicológico. Jung definiu-o da seguinte maneira:

> Enquanto o eu for apenas o centro do meu campo consciente, não é idêntico ao todo de minha psique, mas apenas um complexo entre outros complexos. Por isso distingo entre eu e si-mesmo. O eu é o sujeito apenas de minha consciência, mas o si-mesmo é o sujeito do meu todo, também da psique inconsciente. Neste sentido o si-mesmo seria uma grandeza (ideal) que encerraria dentro dele o eu. O si-mesmo gosta de aparecer na fantasia inconsciente como personalidade superior ou ideal como, por exemplo, o *Fausto*, de Goethe, e o *Zaratustra*, de Nietzsche[172].

Jung equiparou a noção hindu de Brahman/Atman ao si-mesmo. Ao mesmo tempo, providenciou uma definição da alma. Afirmou que a alma possuía qualidades que eram complementares à persona, contendo aquelas qualidades

---

172 *Tipos psicológicos*. OC, 6, § 796 (810).

de que a atitude consciente carecia. Este caráter complementar da alma afetava também seu caráter sexual, de modo que o homem tinha uma alma feminina, ou *anima*, e a mulher tinha uma alma masculina, ou *animus*[173]. Isto correspondia ao fato de que homens e mulheres tinham traços tanto masculinos quanto femininos. Observou também que a alma dava origem a imagens que supostamente não tinham valor do ponto de vista racional. Havia quatro maneiras de usá-las:

> A primeira possibilidade de utilização é a artística, quando alguém domina esta forma de expressão; uma segunda possibilidade é a especulação filosófica; uma terceira é a especulação quase religiosa que leva à heresia e à constituição de seitas; uma quarta possibilidade é o emprego das forças imanentes nas imagens para cometer excessos de toda forma[174].

Deste ponto de vista, a utilização psicológica dessas imagens representaria um "quinto caminho". Para ser bem-sucedida, a psicologia precisava distinguir-se claramente da arte, da filosofia e da religião. Essa necessidade explica a rejeição das alternativas por parte de Jung.

Nos *Livros Negros* seguintes, ele continuou a elaborar sua "mitologia". As personagens desenvolviam-se e transformavam-se umas nas outras. A diferenciação das personagens era acompanhada por sua aglutinação, chegando Jung a considerá-las como aspectos de componentes subjacentes da personalidade. Em 5 de janeiro de 1922, ele teve um diálogo com sua alma a respeito tanto de sua vocação quanto do *Liber Novus*:

> [Eu]: Sinto que devo falar com você. Por que você não me deixa dormir quando estou cansado? Eu sei que a perturbação vem de você.
> O que leva você a manter-me acordado?
> [Alma]: Agora não é tempo de dormir, mas de ficar acordado e preparar coisas importantes no trabalho noturno. Começa a grande obra.
> [Eu]: Que grande obra?
> [Alma]: A obra que precisa ser feita agora. É uma obra imensa e difícil. Não há tempo para dormir, se você não encontra tempo durante o dia para permanecer na obra.

---

173 Ibid., § 759 (884).
174 OC, 6, § 468.

[Eu]: Mas eu não sabia que algo deste tipo estava acontecendo.

[Alma]: Mas você devia ter percebido que eu estava perturbando seu sono há muito tempo. Você esteve inconsciente por um tempo demasiado longo. Agora você deve passar a um nível superior de consciência.

[Eu]: Estou pronto. O que é? Diga!

[Alma]: Você precisa ouvir: deixar de ser cristão é fácil. Mas, e depois? Pois muita coisa ainda está por vir. Tudo está esperando por você. E você? Você permanece em silêncio e nada tem a dizer. Mas você deve falar. Por que você recebeu a revelação? Você não deve escondê-la. Você se preocupa com a forma? É importante a forma quando se trata de revelação?

[Eu]: Mas você não está pensando que devo publicar o que escrevi? Isso seria uma desgraça. E quem iria compreendê-lo?

[Alma]: Não, escute! Você não precisa romper um casamento, a saber o casamento comigo, nenhuma pessoa deve ser colocada em meu lugar... Quero reinar sozinha.

[Eu]: Então você quer reinar? Donde você tira o direito a essa presunção?

[Alma]: Esse direito me vem porque eu sirvo a você e à sua vocação. Eu poderia igualmente dizer que você vem em primeiro lugar, mas acima de tudo sua vocação vem em primeiro lugar.

[Eu]: Mas qual é minha vocação?

[Alma]: A nova religião e sua proclamação.

[Eu]: Meu Deus! Como devo fazer isso?

[Alma]: Não seja tão pusilânime. Ninguém o sabe tão bem como você. Não há ninguém que saiba proclamá-la tão bem como você.

[Eu]: Mas quem sabe se você não está mentindo?

[Alma]: Pergunte a você mesmo se eu estou mentindo. Eu falo a verdade[175].

Aqui sua alma pediu-lhe insistentemente que publicasse o seu material, o que ele recusou. Três dias depois, sua alma informou-lhe que a nova religião "só se expressa visivelmente na transformação das relações humanas. As relações não se deixam substituir pelo mais profundo conhecimento. Além disso, uma religião não consiste apenas em conhecimento, mas, sim, em seu nível visível, numa reorganização das condições de vida humanas. Por isso não espere mais conhecimentos de mim. Você sabe tudo o que é preciso saber agora a respei-

175 *Livro Negro 7*, p. 92c.

to da revelação que você recebeu, mas você ainda não vive tudo o que deve ser vivido agora". O "eu" de Jung respondeu: "Posso entender perfeitamente e aceitar isto. Mas é obscuro para mim como o conhecimento possa ser transformado em vida. Você precisa ensinar-me isto". Sua alma lhe disse: "Não há muito a dizer sobre isto. Não é tão racional como você está inclinado a pensar. O caminho é simbólico"[176].

Assim, a tarefa com que Jung se deparava era como realizar e encarnar aquilo que ele aprendera através da investigação de sua própria vida. Durante esse período, os temas da psicologia da religião e da relação entre religião e psicologia foram adquirindo destaque cada vez maior em sua obra, a começar por seu seminário em Polzeath, na Cornualha, em 1923. Jung tentou desenvolver uma psicologia do processo de fazer religião. Em vez de proclamar uma nova revelação profética, seu interesse estava na psicologia das experiências religiosas. A tarefa consistia em descrever a tradução e transposição da experiência numinosa dos indivíduos em símbolos e finalmente nos dogmas e credos das religiões organizadas e, por fim, estudar a função psicológica desses símbolos. Para essa psicologia do processo de fazer religião ser bem-sucedida, era essencial que a psicologia analítica, enquanto proporcionava uma afirmação da atitude religiosa, não sucumbisse à tentação de transformar-se num credo[177].

Em 1922, Jung escreveu um ensaio sobre "A relação da psicologia analítica com a obra de arte poética". Ele distinguiu dois tipos de obras: o primeiro, que brotava inteiramente da intenção do autor, e o segundo, que se apoderava do autor. Exemplos dessas obras simbólicas eram a segunda parte do *Fausto* de Goethe e o *Zaratustra* de Nietzsche. Em sua opinião, essas obras brotavam do inconsciente coletivo. Em casos como esses, o processo criativo consistia na ativação inconsciente de uma imagem arquetípica. Os arquétipos liberavam em nós uma voz mais forte do que a nossa própria:

---

176 Ibid., p. 95. Num seminário do ano seguinte, Jung ocupou-se com o tema da relação entre as relações individuais e a religião: "Nenhum indivíduo pode existir sem relações individuais, e é assim que é lançado o fundamento da vossa Igreja. As relações individuais estabelecem a forma da Igreja invisível" (*Notes on the Seminar in Analytical Psychology conducted by Dr.* C.G. *Jung*. Polzeath, Inglaterra, 14-27 de julho de 1923. Organizado pelos membros da classe, p. 82).

177 Sobre a psicologia da religião de Jung, cf. HEISIG, James. *Imago Dei*: A Study of Jung's Psychology of Religion. Lewisburg: Bucknell University Press, 1979. · LAMMERS, Ann. *In God's Shadow*: The Collaboration between Victor White and C.G. Jung. Nova York: Paulist Press, 1994. Cf. tb. meu "In Statu Nascendi". *Journal of Analytical Psychology*, 44, 1999, p. 539-545.

> Quem fala por meio de imagens primordiais, fala como se tivesse mil vozes; comove e subjuga..., eleva o destino pessoal ao destino da humanidade e com isto também solta em nós todas aquelas forças benéficas que desde sempre possibilitaram à humanidade salvar-se de todos os perigos e também sobreviver à mais longa noite[178].

O artista que produziu essas obras educou o espírito da época e compensou a parcialidade do presente. Ao descrever a gênese dessas obras simbólicas, Jung tinha, ao que parece, suas próprias atividades em mente. Assim, enquanto Jung recusava-se a considerar o *Líber Novus* como "arte", suas reflexões sobre sua composição eram no entanto uma fonte crítica de suas subsequentes concepções e teorias da arte. A questão implícita que esse ensaio levantava era se a psicologia podia cumprir agora esta função de educar o espírito da época e compensar a parcialidade do presente. A partir desse período, Jung chegou a conceber a tarefa de sua psicologia precisamente desta maneira[179].

Deliberações de publicação

A partir de 1922, além dos debates com Emma Jung e Toni Wolff, Jung teve longos debates com Cary Baynes e Wolfgang Stockmayer sobre o que fazer com o *Líber Novus* e a respeito de sua possível publicação. Já que ocorreram enquanto ele ainda estava trabalhando neste livro, esses debates têm importância decisiva. Cary Fink nasceu em 1883. Estudou no Vassar College, onde frequentou as aulas de Kristine Mann, que se tornou uma das primeiras seguidoras de Jung nos Estados Unidos. Em 1910, ela se casou com Jaime de Angulo e completou sua formação médica na Johns Hopkins University em 1911. Em 1921, abandonou-o e foi para Zurique com Kristine Mann. Iniciou a análise com Jung. Ela nunca praticou análise e Jung respeitava-lhe muito a inteligência crítica. Em 1927, casou-se com Peter Baynes. Divorciaram-se mais tarde, em 1931. Jung pediu-lhe que fizesse uma nova transcrição do *Líber Novus*, porque ele acrescentara muito material desde a transcrição anterior. Ela empreendeu essa

---

178 OC, 15, § 129.

179 Em 1930, Jung estendeu-se sobre este tema e descreveu o primeiro tipo de obras como "psicológicas" e o segundo como "visionárias". "Psicologia e poesia". OC, 15.

tarefa em 1924 e 1925, quando Jung estava na África. Sua máquina de escrever era pesada e por isso ela primeiro copiou-o a mão e depois datilografou-o.

Estas notas relatam seus debates com Jung e estão escritas em forma de cartas a ele que não foram enviadas.

> 2 DE OUTUBRO DE 1922
>
> Num outro livro o "Dominicano branco" de Meyrink, você disse que ele usou exatamente o mesmo simbolismo que ocorrera a você na primeira visão que apareceu ao seu inconsciente. Além disso você disse que ele falara de um "Livro Vermelho" que continha certos mistérios e o livro que você está escrevendo sobre o inconsciente você o chamou de "Livro Vermelho"[180]. Depois você falou que estava em dúvida sobre o que fazer com esse livro. Você disse que Meyrink podia dar uma nova forma ao seu e estava tudo bem, mas você só podia contar com o método científico e filosófico, e esse material você não podia lançar nesse molde. Eu disse que você podia usar a forma do Zaratustra e você disse que era verdade, mas você estava farto disso. Também eu estou. Depois você disse que pensou em fazer dele uma autobiografia. Isto me parece de longe o melhor, porque então você tenderia a escrever como você falava, que era de forma bem pitoresca. Mas, independentemente de qualquer dificuldade com a forma, você disse que temia torná-lo público, porque era como vender sua própria casa. Mas eu critiquei você violentamente e disse que não era nem um pouco parecido com aquilo, porque você e o livro representavam uma constelação do universo e que considerar o livro como puramente pessoal era você identificar-se com ele, algo que você não pensaria em permitir a seus pacientes... Depois nós rimos por eu ter, por assim dizer, apanhado você em flagrante. Goethe viu-se apanhado na mesma dificuldade na parte II do *Fausto*, na qual ele entrara no inconsciente e achara tão difícil conseguir a forma correta que afinal morreu

---

180. Cf. MEYRINK. *The White Dominican*, 1921/1994, p. 91, cap. 7 [tradução de M. Mitchell]: O "pai fundador" informa o herói do romance, Christopher, de que "quem possuir o livro vermelho de cinábrio, a planta da imortalidade, o despertar do sopro espiritual e o segredo de trazer à vida a mão direita dissolver-se-á com o cadáver... Chama-se livro de cinábrio porque, de acordo com uma antiga crença da China, o vermelho é a cor das vestes dos que alcançaram o mais alto estágio da perfeição e haviam permanecido para trás na terra para salvar a humanidade" (p. 91). Jung estava particularmente interessado nos romances de Meyrink. Em 1921, ao referir-se à função transcendente e às fantasias inconscientes, observou que era possível encontrar na literatura exemplos nos quais esse material fora sujeitado à elaboração estética, e que "entre estes exemplos, gostaria de mencionar as duas obras de Meyrink: *O Golem* e *A face verde*". *Tipos psicológicos*. OC, 6, § 189. Jung considerava Meyrink um artista "visionário" ("Psicologia e poesia". OC, 15, § 142) e estava interessado também nos experimentos alquímicos de Meyrink (*Psicologia e alquimia*. OC, 12, § 341n.).

deixando os manuscritos assim mesmo em sua gaveta. Você disse que grande parte do que você experienciou seria considerada como pura e simples maluquice que, se fosse publicada, você fracassaria totalmente não só como cientista, mas também como ser humano; mas eu disse que não, que se você o abordasse a partir do ângulo de *Dichtung und Wahrheit* [Poesia e Verdade], as pessoas poderiam fazer sua própria seleção quanto a distinguir uma coisa da outra[181]. Você fez objeções a apresentar qualquer coisa dele como *Dichtung* quando era tudo *Wahrheit*, mas não me parece falsidade fazer uso desse tanto de máscara para você mesmo proteger-se do provincianismo – e afinal, como eu disse, o provincianismo tem seus direitos, em face da escolha de você como maluco, e eles próprios, enquanto tolos sem experiência, *precisam* escolher a primeira alternativa, mas, se puderem colocar você como poeta, salvam as aparências. Boa parte do seu material, como você disse, chegou-lhe como runas e a explicação dessas runas soa como o mais arrematado absurdo, mas isso não importa se o produto final é o sentido. Em seu caso, eu disse, aparentemente você teve consciência de um número maior de passos da criação do que qualquer outro antes. Na maioria dos casos a mente, é claro, abandona automaticamente o material irrelevante e entrega o produto final, ao passo que você leva consigo todo o negócio, processo matricial e produto. Naturalmente é muito mais difícil de lidar. Meu tempo terminou.

JANEIRO DE 1923

O que você me disse algum tempo atrás deixou-me pensativa e de repente outro dia, enquanto eu lia "Vorspiel auf dem Theater" [Prelúdio no teatro][182], dei-me conta de que você também precisava fazer uso desse princípio que Goethe manejara tão belamente em todo o *Fausto*, a saber, contrapor o criativo e eterno ao negativo e transitório. Você pode não ver imediatamente o que isto tem a ver com o *Livro Vermelho*, mas eu vou explicar. No meu entender, neste livro você vai desafiar os homens a uma nova forma de olhar para suas almas, em todo caso vai haver nele muita coisa que estará fora do alcance do homem comum, exatamente como em certo período de sua vida você dificilmente deve tê-lo entendido. De certa forma é uma "joia" que você está dando ao mundo, não é? Minha opinião é que ele preci-

181 Referência à autobiografia de GOETHE. *From my Life*: Poetry and Truth. Princeton: Princeton University Press, 1994 [Trad. de R. Heitner].

182 Referência ao início do *Fausto*: um diálogo entre o diretor, poeta, e uma pessoa feliz.

sa de uma espécie de proteção, para que não seja jogado na sarjeta e algum judeu estranhamente vestido acabe roubando-o ou fazendo-o desaparecer.

A melhor proteção que você poderia inventar, parece-me, seria introduzir no próprio livro uma exposição das forças que tentarão destruí-lo. Um dos grandes dons que você tem é a capacidade de ver tanto o lado ruim quanto o lado bom de qualquer situação determinada, de modo que você saberá melhor do que a maioria das pessoas que atacam o livro o que é que elas querem destruir. Você não poderia frustrar-lhes a expectativa escrevendo suas críticas para eles? Talvez seja justamente isso que você fez na introdução. Talvez você devesse, de preferência, assumir para com o público a atitude de "Pegue ou largue, e seja feliz ou dane-se, o que você preferir". Isso seria bom, de qualquer maneira o que houver de verdade nele irá sobreviver. Mas eu gostaria de ver você fazer a outra coisa se não exigir muito esforço de você.

26 DE JANEIRO DE 1924

Na noite anterior você tivera um sonho no qual eu aparecia disfarçada e devia trabalhar sobre o *Livro Vermelho* e você esteve pensando sobre isso o dia inteiro e especialmente durante a hora da Dra. Wharton antes da minha (bom para ela, devo dizer)... Como você disse, você decidira entregar-me todo o seu material inconsciente representado pelo *Livro Vermelho* etc. para ver o que eu, como observadora estranha e imparcial, diria a respeito dele. Você pensava que eu tinha uma boa crítica e uma crítica imparcial. Como você disse, Toni estava profundamente envolvida nele e, além disso, não tinha nenhum interesse na coisa em si, nem em pô-la numa forma utilizável. Você disse que ela está perdida "esvoaçando como um pássaro". Quanto a você, você disse que sempre soube o que fazer com suas ideias, mas aqui você ficou desorientado. Quando você as abordou, você ficou, por assim dizer, emaranhado e já não podia ter certeza de nada. Você tinha certeza de que algumas delas tinham grande importância, mas não pôde encontrar a forma apropriada – como elas eram agora, você disse, elas poderiam provir de um manicômio. Você disse então que eu devia copiar os conteúdos do *Livro Vermelho* – uma vez antes você mandara copiá-lo, mas depois acrescentou uma porção de materiais, de modo que você quis que ele fosse copiado novamente, e você me explicaria as coisas à medida que eu prosseguisse, porque você entendia quase tudo nele, você disse. Dessa forma, poderíamos chegar a discutir muitas coisas que nunca afloraram em minha análise e eu poderia entender as ideias de você a partir do fundamento. Você me disse então algo mais sobre sua atitude para com o "Livro Vermelho". Você disse que algo dele feriu terrivelmente seu senso da conveniência das coisas e que você evitou registrá-lo por escrito tal qual ele veio a você, mas você dera início ao princípio da "espontaneidade", ou seja, de não fazer nenhuma correção, e manteve-se fiel a ele. Alguns dos quadros eram absolutamente infantis, mas tinham a intenção de o ser. Havia vários personagens falando: Elias, Padre Filêmon etc., mas todos pareciam ser fases daquilo que você pensava devia ser chamado "o mestre". Você tinha certeza de que este último era o mesmo que inspirou Buda, Mani, Cristo, Maomé – todos aqueles que, podemos dizer, tiveram trato íntimo com Deus[183]. Mas os outros haviam-se identificado com ele. Você recusou-se terminantemente. Isso não poderia ser para você, como você disse, você precisava continuar sendo o psicólogo – a pessoa que compreendia o processo. Eu disse então que o que se devia fazer era possibilitar que o mundo também compreendesse o processo, sem que eles tenham a noção de ter, por assim dizer, seu Mestre preso numa gaiola à sua inteira disposição. Eles deviam imaginá-lo como uma coluna de fogo avançando continuamente e sempre fora do alcance dos humanos. Sim, você falou que era algo parecido com isso. Talvez ainda não possa ser feito. À medida que você falava eu adquiria uma consciência sempre mais nítida da incomensurabilidade dos ideais que enchem você. Você dizia que eles tinham sobre eles a sombra da eternidade e eu pude sentir a verdade disto[184].

Em 30 de janeiro, ela observou que Jung falou de um sonho que ela lhe contara:

> Que era uma preparação para o *Livro Vermelho*, porque o *Livro Vermelho* falava da batalha entre o mundo da realidade e o mundo do espírito. Você disse que nessa batalha você estivera bem perto de ser desmantelado, mas conseguiu manter os pés no chão e ter influência sobre a realidade. Você disse que para você isso foi o teste de alguma ideia e que você não tinha respeito nenhum por quaisquer ideias, por mais aladas que fossem, que precisavam existir lá fora no espaço e eram incapazes de causar impressão sobre a realidade[185].

---

183 Com respeito a isto, cf. a inscrição da ilustr. 154 adiante, nota 282, p. 364.

184 *CFB*.

185 Ibid.

Existe um fragmento não datado de um esboço de carta a uma pessoa não identificada, na qual Cary Baynes expressa sua opinião sobre a importância do *Líber Novus* e a necessidade de sua publicação:

> Estou absolutamente atônita, por exemplo, quando leio o *Livro Vermelho* e vejo tudo quanto ali se diz para o *Reto Caminho* para nós hoje, de ver como Toni deixou isso fora do seu sistema. Ela não teria uma mancha inconsciente em sua psique se tivesse digerido tanto do *Livro Vermelho* quanto eu li e penso que não foi um terço nem um quarto. E outra coisa difícil de entender é por que ela não tem nenhum interesse em fazer com que ele o publique. Há pessoas em meu país que o leriam do princípio ao fim quase sem pausa para respirar, pois ele reexamina e esclarece as coisas de hoje, fazendo cambalear todos os que estão tentando encontrar a chave para a vida... Ele pôs nele todo o vigor e o colorido de sua fala, toda a franqueza e simplicidade que vêm quando, como na Cornualha, o fogo arde nele[186].
>
> Evidentemente pode ser que, como ele diz, se o publicasse como está, ele estaria para sempre *hors du combat* no mundo da ciência racional, mas então deve haver uma maneira neste caso, uma maneira de ele proteger-se contra a estupidez, a fim de que as pessoas que queiram o livro não fiquem privadas durante todo o tempo que levar para que a maioria esteja preparada para ele. Eu sempre soube que ele devia ser capaz de escrever com a paixão com que ele é capaz de falar – e aqui está. Seus livros publicados estão adulterados para o mundo em geral, ou antes aqueles saíram da sua cabeça e este do seu coração[187].

Estas discussões descrevem vivamente a profundidade das deliberações de Jung relativas à publicação do *Líber Novus*, sua percepção da sua centralidade para compreender a gênese de sua obra, e seu temor de que a obra fosse mal compreendida. A impressão que o estilo da obra causaria num público desprevenido preocupava vivamente Jung. Mais tarde, ele relembrou a Aniela Jaffé que a obra ainda precisava de uma forma conveniente para poder ser dada à luz, porque soava à profecia, o que não era do seu gosto[188].

---

186 Referência ao seminário de Polzeath.

187 Suspeito que isto foi escrito a seu ex-marido, Jaime de Angulo. Em 10 de julho de 1924, ele escreveu a ela: "Suponho que você esteve tão ocupada quanto eu, com este material de Jung... Li sua carta, aquela em que você anunciou isto, e você exortou-me a não dizer a ninguém, e acrescentou que você não deveria contar-me, mas você sabia que eu sentiria tanto orgulho de você" (*CFB*).

188 *MP*, p. 169.

Parece que houve algum debate sobre estas questões no círculo de Jung. Em 29 de maio de 1924, Cary Baynes anotou uma discussão com Peter Baynes, na qual este argumentava que o *Líber Novus* só poderia ser entendido por alguém que tivesse conhecido Jung. Em contrapartida, ela pensava que este livro

> era o registro da passagem do universo pela alma de um homem e, assim como uma pessoa fica parada junto ao mar e ouve essa muito estranha e terrível música e não é capaz de explicar por que seu coração dói ou por que um grito de prazer quer pular de sua garganta, assim eu pensava que seria com o *Livro Vermelho* e que um homem seria forçosamente arrancado para fora de si pela majestade dele e elevado a alturas a que ele nunca tinha sido elevado antes[189].

Há mais outros sinais de que Jung fez circular cópias do *Líber Novus* entre amigos mais íntimos, e que o material foi discutido junto com as possibilidades de sua publicação. Um desses colegas foi Wolfgang Stockmayer. Jung encontrou-se com Stockmayer em 1907. No necrológio inédito dele, Jung escreveu que ele foi o primeiro alemão a interessar-se por sua obra. Lembrou que Stockmayer foi um verdadeiro amigo. Eles viajaram juntos à Itália e à Suíça, e raras vezes houve um ano em que não se encontraram. Jung comentou:

> Ele distinguiu-se por seu grande interesse e igualmente grande compreensão dos processos psíquicos patológicos. Encontrei também nele uma simpática recepção de meu ponto de vista mais amplo, que foi importante para minhas posteriores obras de psicologia comparada[190].

Stockmayer acompanhou Jung na "valiosa penetração de nossa psicologia" na filosofia chinesa clássica, nas especulações místicas da Índia e no yoga tântrico[191].

Em 22 de dezembro de 1924, Stockmayer escreveu a Jung:

> Muitas vezes tenho saudades do *Livro Vermelho* e gostaria de ter uma cópia daquilo que estiver disponível; deixei de fazê-lo quando eu o tinha, como

---

189 *CFB*.
190 Stockmayer obituary", *JA*.
191 Ibid.

geralmente acontece. Recentemente fantasiei a respeito de uma espécie de revista de "Documentos" sem formato rígido destinada a materiais provenientes da "forja do inconsciente", com palavras e cores[192].

Parece que Jung lhe enviou algum material. Em 30 de abril de 1925, Stockmayer escreveu a Jung:

Entrementes examinamos cuidadosamente os "Aprofundamentos" e a impressão é a mesma que na grande odisseia[193]. Um ambiente coletivo seleto para isso do *Livro Vermelho* certamente vale a pena ser tentado, embora um comentário por parte de você seria muito desejável. Já que um certo centro adjacente de você está aqui, é de grande importância um amplo acesso às fontes, consciente ou inconscientemente. E obviamente eu fantasio a respeito de fac-símiles, o que você vai entender: você não precisa temer magia de extroversão de minha parte. A pintura também exerce grande atrativo[194].

O manuscrito de Jung "Comentários" (cf. apêndice B) esteve possivelmente ligado a essas discussões.

Assim, as pessoas do círculo de Jung tinham opiniões divergentes sobre o significado do *Liber Novus* e se ele deveria ser publicado, o que pode ter influído nas decisões finais de Jung. Cary Baynes não completou a transcrição, chegando até às primeiras 27 páginas dos *Aprofundamentos*. Nos poucos anos seguintes, ela ocupou seu tempo na tradução dos ensaios de Jung para o inglês, seguida pela tradução do *I Ching*.

Em algum período, que calculo ser nos meados da década de 1920, Jung voltou ao *Esboço* e editou-o novamente, suprimindo e acrescentado material em aproximadamente 250 páginas. Suas revisões serviram para modernizar a linguagem e a terminologia[195]. Revisou também uma parte do material que ele já havia transcrito para o volume caligráfico do *Liber Novus*, bem como algum material que havia sido deixado de lado. É difícil ver por que ele empreendeu esta tarefa, se não estivesse pensando seriamente em publicá-lo.

---

192 *JA*. As cartas de Jung a Stockmayer não foram tornadas públicas.

193 Referência ao *Liber Secundus* do *Liber Novus*, cf. adiante nota 4, p. 190.

194 *JA*.

195 Por ex., substituindo "Geist der Zeit" por "Zeitgeist" [espírito da época], "Vordenken" [previsão] por "Idee" [ideia].

Em 1925, Jung apresentou seu seminário sobre psicologia analítica ao Clube Psicológico. Aqui, ele discutiu algumas das fantasias importantes do *Líber Novus*. Descreveu como elas se manifestaram e mostrou como constituíram a base das ideias contidas em *Típos Psicológicos* e a chave para entender a gênese desta obra. O seminário foi transcrito e editado por Cary Baynes. Nesse mesmo ano, Peter Baynes preparou uma tradução inglesa dos *Septem Sermones ad Mortuos*, que foi publicada privadamente[196]. Jung deu exemplares a alguns de seus alunos de língua inglesa. Numa carta que se presume ser uma resposta a uma carta de Henry Murray que lhe agradecia um exemplar, Jung escreveu:

> Estou profundamente convencido de que aquelas ideias que me vieram são realmente coisas muito maravilhosas. Posso dizer isso tranquilamente (sem corar), porque sei o quanto fui resistente e tolamente obstinado quando elas me visitaram pela primeira vez e que trabalheira me deu até eu poder interpretar esta linguagem simbólica, tão superior à minha obtusa mente consciente[197].

É possível que Jung tenha considerado a publicação dos *Sermones* um teste para a publicação do *Líber Novus*. Barbara Hannah afirma que ele lamentou tê-los publicado e que "ele tinha a firme convicção de que só deviam ter sido escritos no *Livro Vermelho*"[198].

A certa altura, Jung escreveu um manuscrito intitulado "Comentários", que fornecia um comentário sobre os capítulos 9, 10 e 11 do *Líber Primus* (cf. apêndice A). Ele analisou algumas dessas fantasias em seu seminário de 1925 e aqui entra em mais detalhes. Pelo estilo e concepções eu calcularia que esse texto foi escrito em meados da década de 1920. Talvez ele tenha escrito – ou tencionado escrever – mais "comentários" para outros capítulos, mas estes não chegaram à luz. Esse manuscrito mostra quanto trabalho ele envidou para compreender todo e cada detalhe de suas fantasias.

---

196 Londres: Stuart and Watkins, 1925.

197 2 de maio de 1925, *Murray papers*, Houghton Library, Harvard University, original em inglês. Michael Fordham lembrou ter recebido um exemplar de Peter Baynes quando alcançara um estágio convenientemente "avançado" em sua análise e ter prestado juramento de guardar segredo a respeito (comunicação pessoal, 1991).

198 C.G. *Jung: His Life and Work* – A Biographical Memoir, p. 121.

Jung deu exemplares do *Liber Novus* a diversas pessoas: Cary Baynes, Peter Baynes, Aniela Jaffé, Wolfgang Stockmayer e Toni Wolff. Talvez tenham sido dados exemplares também a outros. Em 1937, um incêndio destruiu a casa de Peter Baynes e danificou seu exemplar do *Liber Novus*. Alguns anos depois, escreveu a Jung pedindo se por acaso ele tinha outro exemplar e ofereceu-se para traduzi-lo[199]. Jung respondeu: "Procurarei ver se posso arranjar outro exemplar do *Livro Vermelho*. Por favor, não se preocupe com traduções. Tenho certeza de que já existem 2 ou 3 traduções. Mas não sei do que nem por quem"[200]. Esta suposição baseava-se presumivelmente no número de exemplares da obra em circulação.

Jung deixou os seguintes indivíduos ler e/ou examinar o *Liber Novus*: Richard Hull, Tina Keller, James Kirsch, Ximena Roelli de Angulo (quando criança) e Kurt Wolff. Aniela Jaffé leu os *Livros Negros* e Tina Keller teve também permissão de ler seções dos *Livros Negros*. Jung muito provavelmente mostrou o livro a outros companheiros próximos, como Emil Medtner, Franz Riklin Sr., Erika Schlegel, Hans Trüb e Marie-Louise von Franz. Parece que permitiu que lessem o *Liber Novus* aquelas pessoas em quem confiava plenamente e que ele reconhecia terem uma plena compreensão de suas ideias. Um bom número de seus alunos não se encaixava nessa categoria.

A transformação da psicoterapia

O *Liber Novus* é de importância capital para se compreender o surgimento do novo modelo de psicoterapia de Jung. Em 1912, em *Transformação e símbolos da libido*, ele considerou que a presença de fantasias mitológicas – como as presentes no *Liber Novus* – era sinal de um afrouxamento das camadas filogenéticas do inconsciente e indício de esquizofrenia. Através de sua autoexperimentação, ele reviu radicalmente esta posição: o que agora considerou essencial não foi a presença de algum conteúdo determinado, mas a atitude do indivíduo para com ele e, em particular, se o indivíduo podia acomodar esse material em sua cosmovisão. Isto explica por que, em seu posfácio ao *Liber Novus*, ele comentou que, para o observador superficial, a obra iria parecer loucura e poderia ter-se

199 23 de novembro de 1941, *JA*.

200 22 de janeiro de 1942. C.G. *Jung Letters*, 1, p. 312.

tornado loucura se ele não tivesse conseguido conter e compreender as experiências[201]. No *Liber Secundus*, capítulo 15, ele apresenta uma crítica da psiquiatria contemporânea, destacando a incapacidade desta de distinguir entre experiência religiosa ou loucura divina e psicopatologia. Se o conteúdo de uma visão ou fantasia não tinha nenhum valor diagnósico, ele achava que, mesmo assim, era essencial considerá-lo com cuidado[202].

A partir de suas experiências, Jung desenvolveu novas concepções dos objetivos e métodos da psicoterapia. Desde seu início no final do século XIX, a moderna psicoterapia preocupara-se primariamente com o tratamento de distúrbios nervosos funcionais, ou neuroses, como vieram a ser conhecidos. A partir da época da Primeira Guerra Mundial, Jung reformulou a prática da psicoterapia. Não mais preocupada unicamente com o tratamento da psicopatologia, ela tornou-se uma prática para possibilitar o desenvolvimento ulterior do indivíduo pelo fomento do processo de individuação. Isso iria ter consequências de grande alcance não só para o desenvolvimento da psicologia analítica, mas também para a psicoterapia como um todo.

Para demonstrar a validade das concepções que tirou no *Liber Novus*, Jung tentou mostrar que os processos descritos no livro não eram únicos, e que as concepções ali desenvolvidas eram aplicáveis a outros. Para estudar as produções de seus pacientes, ele organizou uma extensa coleção de seus quadros. Para que seus pacientes não ficassem separados de suas imagens, Jung geralmente lhes pedia que fizessem cópias para ele[203].

Durante esse período, ele continuou a instruir seus pacientes sobre como induzir visões em estado de vigília. Em 1926, Christiana Morgan procurou Jung para submeter-se a análise. Ela havia sido atraída para as ideias de Jung ao ler *Tipos psicológicos* e recorreu a ele em busca de assistência para seus problemas de relacionamentos e depressões. Numa sessão em 1926, Morgan anotou o conselho que Jung lhe deu sobre como produzir visões:

> Bem, como você vê, estas são vagas demais para eu poder dizer muita coisa sobre elas. Elas são apenas o começo. Basta você usar a retina do olho pri-

---

201 Cf. adiante, p. 489.

202 Cf. os comentários de Jung após uma palestra sobre Swedenborg no Clube Psicológico, documentos de Jaffé, ETH.

203 Estes quadros estão disponíveis para estudo no arquivo de quadros no Instituto C.G. Jung, Küsnacht.

meiramente para objetivar. Depois, em vez de continuar tentando obter a imagem à força, você só precisa olhar para dentro. Agora, quando você vê estas imagens, você precisa mantê-las e ver para onde elas levam você – como elas mudam. E você precisa tentar entrar você mesma no quadro – tornar-se um dos atores. Quando comecei pela primeira vez a fazer isto, eu via paisagens. Depois aprendi a inserir-me dentro da paisagem e os personagens falavam comigo e eu respondia a eles... As pessoas diziam: ele tem um temperamento artístico. Mas era apenas que meu inconsciente estava me dominando. Agora eu aprendo a representar seu drama como também o drama da vida exterior e assim nada pode ferir-me agora. Escrevi 1000 páginas de material tirado do inconsciente (Contou a visão de um gigante que se transformou num ovo)[204].

Jung descrevia detalhadamente seus próprios experimentos a seus pacientes e os instruía a fazer o mesmo. O papel dele era o de supervisioná-los ao fazer experimentos com sua própria torrente de imagens. Morgan anotou que Jung disse:

Agora sinto como se eu devesse dizer alguma coisa a você sobre estas fantasias... As fantasias parecem agora um tanto diluídas e cheias de repetições dos mesmos motivos. Não existe nelas suficiente fogo e calor. Elas precisam ser mais excitantes... Você deve estar mais nelas, ou seja, você deve ser seu próprio si-mesmo crítico consciente nelas – impondo seus julgamentos e críticas... Posso explicar o que quero dizer contando-lhe minha própria experiência. Eu estava escrevendo em meu livro e de repente vi um homem de pé observando por sobre meu ombro. Um dos pontos dourados de meu livro saltou fora e atingiu-o no olho. Ele me perguntou se eu iria tirá-lo. Eu disse que não – não, a menos que ele me dissesse quem ele era. Ele disse que não diria. Você vê, eu sabia disso. Se eu tivesse feito o que ele pediu, ele teria mergulhado no inconsciente e eu não teria captado o significado disso, ou seja: por que ele simplesmente havia aparecido do inconsciente. Finalmente, ele me disse que iria dizer-me o sentido de alguns hieróglifos que eu tivera alguns dias antes. Ele o fez e eu tirei a coisa do seu olho e ele desapareceu[205].

---

204 8 de julho de 1926, agendas de análise, Biblioteca de medicina de Countway. A visão a que se faz referência no fim encontra-se no *Liber Secundus*, cap. 11, p. 283.

205 Ibid., 12 de outubro de 1926. O episódio aqui referido é o aparecimento do mago "Ha". Cf. adiante, p. 289, nota 155.

Jung chegou a sugerir que seus pacientes elaborassem seus próprios *Livros Vermelhos*. Morgan lembrou tê-lo ouvido dizer:

> Eu deveria aconselhá-la a registrar tudo isso da maneira mais bela que você puder – em algum livro belamente encadernado. Vai parecer como se você estivesse banalizando as visões – mas você precisa fazer isso – então você fica livre do poder delas. Se você fizer isso com este olhar, por exemplo, elas deixarão de atrair você. Você nunca deve tentar fazer estas visões voltarem novamente. Pense nisto em sua imaginação e procure pintá-lo. Depois, quando estas coisas estiverem em algum livro precioso, você poderá ir ao livro e virar as páginas e para você será sua igreja – sua catedral – os lugares silenciosos de seu espírito onde você encontrará renovação. Se alguém lhe disser que isso é mórbido ou neurótico e você lhe der ouvidos, você perderá sua alma – porque nesse livro está sua alma[206].

Numa carta a J.A. Gilbert em 1929, Jung comentou sobre seu procedimento:

> Descobri às vezes que é muito útil, ao tratar um caso desses, estimulá-los a expressar seus conteúdos peculiares seja na forma de escrita ou na de desenho e pintura. Existem tantas intuições incompreensíveis nesses casos, fragmentos de fantasias que brotam do inconsciente, para os quais quase não existe linguagem apropriada. Deixo meus pacientes encontrarem suas próprias expressões simbólicas, sua "mitologia"[207].

O santuário de Filêmon

Na década de 1920, o interesse de Jung deslocou-se cada vez mais da transcrição do *Liber Novus* e da elaboração de sua mitologia nos *Livros Negros* para o trabalho em sua torre em Bollingen. Em 1920, comprou um pedaço de terra na margem norte do Lago de Zurique, em Bollingen. Antes disso, ele e sua família às vezes passavam férias acampados em torno do Lago de Zurique. Jung sentia necessidade de representar seus pensamentos mais íntimos em pedra e de construir

---

206 Ibid., 12 de junho de 1926.

207 20 de dezembro de 1929, *JA* (original em inglês).

uma moradia inteiramente primitiva: "As palavras e os escritos não eram bastante reais para mim; era preciso outra coisa"[208]. Ele precisava fazer uma "profissão de fé em pedra". A torre era uma "representação da individuação". Ao longo dos anos, Jung pintou murais e fez gravações nas paredes. A torre pode ser considerada uma continuação tridimensional do *Liber Novus*: seu "*Liber Quartus*". No final do *Liber Secundus*, Jung escreveu: "Tenho de recuperar um pedaço da Idade Média em mim. Mal terminamos a Idade Média – dos outros. Tenho de começar cedo, naquele tempo em que os eremitas desapareceram"[209]. De forma significativa, a torre foi construída propositalmente como uma estrutura da Idade Média, sem comodidades modernas. A torre era uma obra permanente, em evolução. Jung gravou a seguinte inscrição na parede da torre: "Philemonis sacrum – Fausti poenitentia" [Santuário de Filêmon – Arrependimento de Fausto] (um dos murais da torre é um retrato de Filêmon). Em 6 de abril de 1929, Jung escreveu a Richard Wilhelm: "Por que não existem claustros mundanos para homens que deveriam viver fora do tempo!"[210]

Em 9 de janeiro de 1923, morreu a mãe de Jung. Em 23/24 de dezembro de 1923, ele teve o seguinte sonho:

> Estou no serviço militar. Marchando com um batalhão. Numa floresta perto de Ossingen encontro escavações numa encruzilhada: uma figura em pedra, de 1 metro de altura, de uma rã ou um sapo sem cabeça. Atrás dele está sentado um menino com cabeça de sapo. Depois o busto de um homem com uma âncora fincada na região do coração, estilo romano. Um segundo busto de 1640 aproximadamente, mesmo motivo. Depois cadáveres mumificados. Finalmente vem uma caleche em estilo do século XVII. Nela está sentada uma mulher morta, mas que ainda vive. Ela vira a cabeça quando me dirijo a ela chamando-a de "Senhorita"; sei que "Senhorita" é um título de nobreza[211].

Alguns anos mais tarde, ele entendeu o significado deste sonho. Anotou em 4 de dezembro de 1926:

---

208 *Memórias*, p. 196.
209 Cf. adiante, p. 404.
210 *JA*.
211 *Livro Negro 7*, p. 120.

> Só agora vejo que o sonho de 23/24 XII 1923 significa a morte da *anima* ("Ela não sabe que está morta"). Isto coincide com a morte de minha mãe... Desde a morte de minha mãe a A. [*anima*] silenciou. Significativo![212]

Alguns anos depois, Jung teve mais alguns diálogos com sua alma, mas a esta altura seu confronto com a *anima* chegara efetivamente a um fim. Em 2 de janeiro de 1927, ele teve um sonho localizado em Liverpool:

> Estou com vários jovens suíços em Liverpool junto ao porto. É uma noite escura e chuvosa com fumaça e nevoeiro. Subimos para a parte alta da cidade, que está num planalto. Chegamos a um jardim central junto a um pequeno lago redondo. No meio deste há uma ilha. Os homens falam de um suíço que mora aqui nesta cidade escura, suja e cheia de fuligem. Mas eu vejo que na ilha ergue-se uma magnólia coberta de flores vermelhas, iluminada por um eterno sol, e penso: "Agora sei por que este suíço mora aqui. Ele também sabe evidentemente". Vejo o plano da cidade: [Ilustração][213].

Jung pintou então um mandala baseado neste mapa[214]. Atribuiu uma grande importância a este sonho, comentando posteriormente:

> O sonho ilustrava minha situação naquele momento. Vejo ainda as capas de chuva, de cor cinza – amareladas, brilhantes de umidade. Tudo era extremamente desagradável, negro, imcompreensível... como eu me sentia naquela época. Mas eu tinha a visão da beleza terrestre e era ela que me dava a coragem de viver. Vi que a meta nele se expressara. Essa meta é o centro, e não é possível ultrapassá-lo. Através deste sonho compreendi que o si-mesmo é um princípio, um arquétipo da orientação e do sentido[215].

Jung acrescentou que o suíço era ele mesmo. O "eu" não era o si-mesmo, mas dali se podia ver o milagre divino. A pequena luz assemelhava-se à grande luz. Daí em diante ele parou de pintar mandalas. O sonho expressara o processo inconsciente de desenvolvimento, que não era linear, e ele o considerou

---

212 Ibid., p. 121.

213 Ibid., p. 124. Para a ilustr., cf. o apêndice A, p. 495.

214 Ilustr. 159 da edição ilustrada desta obra.

215 *Memórias*, p. 176.

inteiramente satisfatório. Sentia-se completamente só nesse tempo, preocupado com algo grande que outros não entendiam. No sonho, só ele viu a árvore. Enquanto eles estavam de pé, na escuridão, a árvore apareceu radiante. Se ele não tivesse tido essa visão, sua vida teria perdido o sentido[216].

A percepção foi que o si-mesmo é a meta da individuação e que o processo de individuação não era linear, mas consistia numa circumambulação do si-mesmo. Esta percepção deu-lhe força, pois de outra forma a experiência teria enlouquecido a ele ou aos que o cercavam[217]. Ele sentiu que os desenhos de mandalas mostravam-lhe o si-mesmo "em sua função salvadora" e que isto era sua salvação. A tarefa agora era uma tarefa de consolidar essas intuições em sua vida e ciência.

Em sua revisão de *Psicologia dos processos inconscientes*, feita em 1926, Jung realçou a importância da transição da meia-idade. Afirmou que a primeira metade da vida podia ser caracterizada como a fase natural, na qual o objetivo principal era estabelecer-se no mundo, ganhando seu salário ou tendo uma renda e criando uma família. A segunda metade da vida podia ser caracterizada como a fase cultural, que envolvia uma reavaliação de valores anteriores. Neste período a meta era a de conservar valores precedentes junto com o reconhecimento de seus opostos. Isto significava que os indivíduos precisavam desenvolver os aspectos não desenvolvidos e negligenciados de sua personalidade[218]. O processo de individuação era agora concebido como o padrão geral do desenvolvimento humano. Ele afirmou que na sociedade contemporânea havia uma falta de orientação para essa transição e achava que sua psicologia preenchia esta lacuna. Fora da psicologia analítica, as formulações de Jung causaram impacto no campo da psicologia do desenvolvimento dos adultos. Evidentemente, sua experiência da crise constituiu o gabarito para essa concepção dos requisitos das duas metades da vida. O *Liber Novus* descreve a reavaliação feita por Jung de seus valores anteriores e sua tentativa de desenvolver os aspectos negligenciados de sua personalidade. Assim, o livro constituiu a base de sua compreensão de como a transição da meia-idade podia ser feita com êxito.

Em 1928, Jung publicou um pequeno livro, *As relações entre o eu e o inconsciente*, que era uma ampliação de seu ensaio de 1916 intitulado "A estrutura do incons-

---

216 *MP*, p. 159-160.
217 Ibid., p. 173.
218 OC, 7, § 114-117.

ciente". Aqui, ele se estendeu sobre o "drama interior" do processo de transformação, acrescentando uma seção que tratava detalhadamente do processo de individuação. Ele observava que, depois de alguém ter lidado com as fantasias provenientes da esfera pessoal, deparava-se com as fantasias provenientes da esfera impessoal. Estas não eram simplesmente arbitrárias, mas convergiam para uma meta. Por isso, essas fantasias posteriores podiam ser descritas como processos de iniciação, que forneciam sua analogia mais próxima. Para ocorrer este processo, era necessária a participação ativa: "Quando a consciência desempenha uma parte ativa e experimenta cada fase do processo... a imagem seguinte sempre ascenderá a um estádio superior, constituindo-se assim finalidade da meta"[219].

Após a assimilação do inconsciente pessoal, a diferenciação da persona e a superação do estado de semelhança com Deus, a fase seguinte era a integração da *anima* para os homens e do *animus* para as mulheres. Jung afirmou que, assim como era essencial para um homem distinguir entre o que ele era e como aparecia aos outros, era igualmente essencial adquirir consciência de "seu invisível sistema de relações com o inconsciente" e por isso distinguir-se da *anima*. Ele observou que, quando a *anima* era inconsciente, ela era projetada. Para uma criança, a primeira portadora da imagem da alma era a mãe e, depois, as mulheres que estimulavam os sentimentos do homem. Era preciso objetivar a *anima* e colocar-lhe questões, através do método do diálogo interior ou imaginação ativa. Todos, afirmava Jung, tinham essa capacidade de dialogar consigo mesmos. A imaginação ativa seria assim uma das formas de diálogo interior, uma espécie de pensar dramatizado. Era crucial desidentificar-se dos pensamentos que surgiam e superar a presunção de que a própria pessoa os havia produzido[220]. O mais essencial não era interpretar ou compreender as fantasias, mas vivenciá-las. Isto representou uma mudança na ênfase que Jung dera à formulação criativa e à compreensão em seu ensaio sobre a função transcendente. Jung afirmou que o indivíduo devia tratar as fantasias inteiramente de forma literal enquanto estava empenhado nelas, mas de forma simbólica quando as interpretava[221]. Isto era uma descrição direta do procedimento de Jung nos *Li-*

---

219 Ibid., § 386.

220 Ibid., § 323.

221 Ibid., § 353

vros Negros. A tarefa de tais discussões era objetivar os efeitos da *anima* e tornar-se consciente dos conteúdos em que estão baseados, assim integrando-os à consciência. Depois que alguém se havia familiarizado com os processos inconscientes refletidos na *anima*, ela se tornava então uma função de relação entre a consciência e o inconsciente, não mais um complexo autônomo. Novamente, esse processo de integração da *anima* foi o tema do *Liber Novus* e dos *Livros Negros*. (Isto realça também o fato de que as fantasias contidas no *Liber Novus* deveriam ser lidas simbolicamente e não literalmente. Tirar afirmações delas do contexto e citá-las literalmente representaria um grave mal-entendido). Jung notou que esse processo tinha três efeitos:

> Em primeiro lugar, há uma ampliação da consciência, pois inúmeros conteúdos inconscientes são trazidos à consciência. Em segundo lugar, há uma diminuição gradual da influência dominante do inconsciente; em terceiro lugar, verifica-se uma transformação da personalidade[222].

Após alcançar a integração da *anima*, o indivíduo confrontava-se com outra figura, a saber, a "personalidade-mana". Jung afirmava que, quando a *anima* perdia seu "mana" ou poder, o homem que a assimilou devia tê-lo adquirido e assim se tornado uma "personalidade-mana", um ser de vontade e sabedoria superiores. Contudo, essa figura era "uma dominante do inconsciente coletivo: o conhecido arquétipo do homem poderoso, sob a forma do herói, do cacique, do mago, do curandeiro e do santo, senhor dos homens e dos espíritos, amigo de Deus"[223]. Assim, ao integrar a *anima* e alcançar seu poder, a pessoa identificava-se inevitavelmente com a figura do mágico e enfrentava a tarefa de diferenciar-se deste. Jung acrescentou que, para as mulheres, a figura correspondente era a da Grande Mãe. Se alguém abandonava a pretensão de vitória sobre a *anima*, acabava a possessão pela figura do mágico e ele percebia que o mana pertencia realmente ao "ponto central da personalidade", a saber, o si-mesmo. A assimilação dos conteúdos da personalidade-mana levava ao si-mesmo. A descrição de Jung do encontro com a personalidade-mana, tanto a identificação como a subsequente desidentificação com ela, corresponde a seu encontro com Filêmon

---

222 Ibid., § 358.

223 Ibid., § 377.

no *Líber Novus*. Sobre o si-mesmo, Jung escreveu: "O si-mesmo também pode ser chamado 'o Deus em nós'. Os primórdios de toda nossa vida psíquica parecem surgir inextricavelmente desse ponto, e as metas mais altas e derradeiras parecem dirigir-se para ele"[224]. A descrição que Jung faz do si-mesmo exprime a importância de sua percepção após seu sonho de Liverpool:

> O si-mesmo pode ser caracterizado como uma espécie de compensação do conflito entre o interior e o exterior... Assim, pois, representa a meta da vida, sendo a expressão plena dessa combinação do destino a que damos o nome de indivíduo... Sentindo o si-mesmo como algo de irracional e indefinível, em relação ao qual o eu não se opõe nem se submete, mas simplesmente se liga, girando por assim dizer em torno dele como a terra em torno do sol – chegamos à meta da individuação[225].

O confronto com o mundo

Por que Jung parou de trabalhar no *Líber Novus*? Em seu posfácio, escrito em 1959, escreveu:

> O conhecimento da alquimia, em 1930, afastou-me dele. O começo do fim veio em 1928, quando [Richard] Wilhelm me enviou o texto da "flor de ouro", um tratado alquímico. Então, o conteúdo deste livro encontrou o caminho da realidade e eu não consegui mais continuar o trabalho[226].

Existe mais um quadro terminado no *Líber Novus*. Em 1928, Jung pintou um mandala de um castelo dourado (pág. 163 da edição ilustrada). Depois de pintá-lo, impressionou-o o fato de o mandala ter em si algo de chinês. Pouco depois, Richard Wilhelm enviou-lhe o texto de *O segredo da Flor de Ouro*, pedindo-lhe que escrevesse um comentário sobre ele. Jung ficou impressionado com o texto e com a coincidência cronológica:

---

224 Ibid., § 399.
225 Ibid., § 404-405.
226 Cf. adiante, p. 489.

O texto me fornecia uma confirmação inesperada no tocante às minhas reflexões sobre o mandala e à deambulação em torno do centro. Este foi o primeiro acontecimento que rompeu a minha solidão. Ali percebi uma afinidade e pude estabelecer laços com alguém e com algo[227].

O significado dessa confirmação é mostrado nas linhas que ele escreveu embaixo da pintura do Castelo Amarelo[228]. Jung ficou impressionado com as correspondências entre as imagens e concepções desse texto e seus próprios quadros e fantasias. Em 25 de maio de 1929, ele escreveu a Wilhelm: "O destino parece ter-nos atribuído o papel de duas pilastras que sustentam a ponte entre Oriente e Ocidente"[229]. Só mais tarde deu-se conta de que a natureza alquímica do texto era importante[230]. Jung trabalhou em seu comentário durante o ano de 1929. Em 10 de setembro de 1929, escreveu a Wilhelm: "Vibrei com este texto, que está tão próximo de nosso inconsciente"[231].

O comentário de Jung sobre *O segredo da Flor de Ouro* representou uma mudança decisiva. Foi sua primeira discussão pública sobre o significado do mandala. Pela primeira vez, Jung apresentou anonimamente três de suas pinturas tiradas do *Líber Novus* como exemplos de mandalas europeus e teceu comentários sobre elas[232]. A Wilhelm, escreveu em 28 de outubro de 1929 a respeito dos mandalas do volume: "As imagens completam-se umas às outras e, justamente por causa de sua diversidade, dão uma excelente imagem dos esforços do espírito inconsciente europeu para compreender a escatologia oriental"[233]. Essa ligação entre o "espírito inconsciente europeu" e a escatologia oriental tornou-se um dos grandes temas na obra de Jung na década de 1930, que ele investigou por meio de outras colaborações com os indólogos Wilhelm Hauer e Heinrich Zimmer[234]. Ao mesmo tempo, a forma da obra era crucial: em vez

227 *Memórias*, p. 175.

228 Cf. adiante, p. 422, nota 373.

229 *JA*.

230 Prefácio à segunda edição alemã. "Comentário a *O segredo da Flor de Ouro*". OC, 13, p. 16.

231 Wilhelm gostou do comentário de Jung. Em 24 de outubro de 1929, escreveu-lhe: "fiquei de novo profundamente impressionado com seus comentários" (*JA*).

232 Cf. ilustr. 105, 159 e 163 (estes quadros, junto com mais dois, foram de novo reproduzidos anonimamente em 1950 em Ed. Jung. *Gestaltungen des Unbewussten*: Psychologischen Abhandlungen. Vol. 7. Zurique: Rascher, 1950.

233 *JP*.

234 Sobre esta questão, cf. SHAMDASANI, Sonu (org.). *The Psychology of Kundalini Yoga*: Notes of the Seminar Given in 1932 by C.G. Jung. Princeton: Princeton University Press/Bollingen Series, 1996.

de revelar os detalhes completos de seu experimento, ou do de seus pacientes, Jung usou os paralelos com o texto chinês como maneira indireta de falar sobre ele, de maneira bem semelhante como começara a fazer no capítulo 5 de *Tipos psicológicos*. Este método alegórico tornou-se agora sua forma preferida. Em vez de escrever diretamente sobre suas experiências, ele tecia comentários sobre manifestações análogas em práticas esotéricas e sobretudo na alquimia medieval.

Pouco depois, Jung deixou repentinamente de trabalhar no *Liber Novus*. A última imagem de página inteira foi deixada inacabada e ele parou de transcrever o texto. Mais tarde, Jung lembrou que, quando chegou a este ponto central ou Tao, começou seu confronto com o mundo e ele começou a dar muitas conferências[235]. Dessa forma, chegou ao fim o "confronto com o inconsciente" e começou o "confronto com o mundo". Jung acrescentou que viu essas atividades como uma forma de compensação pelos anos de preocupação interior[236].

O estudo comparativo do processo de individuação

Jung familiarizara-se com textos alquímicos desde 1910 aproximadamente. Em 1912, Théodore Flournoy apresentara uma interpretação psicológica da alquimia em suas preleções na Universidade de Genebra e, em 1914, Herbert Silberer publicou uma extensa obra sobre o tema[237]. A abordagem de Jung à alquimia seguia a obra de Flournoy e Silberer, ao considerar a alquimia a partir de uma perspectiva psicológica. Sua compreensão baseava-se em duas grandes teses: primeiramente que, ao meditar sobre os textos e materiais em seus laboratórios, os alquimistas estavam realmente praticando uma forma de imaginação ativa; e, em segundo lugar, que o simbolismo nos textos alquímicos

---

235 *MP*, p. 15.

236 Em 8 de fevereiro de 1923, Cary Baynes anotou uma discussão com Jung ocorrida na primavera anterior, que teve influência sobre isto: "Você [Jung] disse que, por mais que um indivíduo possa distinguir-se da multidão por dons especiais, ele não terá cumprido com seus deveres, psicologicamente falando, a não ser que possa funcionar com êxito na coletividade. Por funcionar na coletividade nós ambos entendíamos aquilo que comumente se chama "misturar-se" com as pessoas de forma social, não relações profissionais ou de negócios. Você insistia em que, se um indivíduo se mantinha afastado destas relações coletivas, ele perdia algo que não podia dar-se ao luxo de perder" (*CFB*).

237 *Probleme der Mystik und ihre Symbolik*. Viena: Heller, 1914.

correspondia ao do processo de individuação no qual Jung e seus pacientes se haviam empenhado.

Na década de 1930, a atividade de Jung deslocou-se do trabalho sobre suas fantasias nos *Livros Negros* para seus cadernos de alquimia. Nestes, ele apresentava uma coleção enciclopédica de excertos de literatura alquímica e obras relacionadas, que classificou de acordo com palavras e temas-chave. Esses cadernos constituíram a base de seus escritos sobre a psicologia da alquimia.

Depois de 1930, Jung pôs de lado o *Liber Novus*. Embora tivesse parado de trabalhar diretamente nele, o livro ainda continuava no centro de sua atividade. Em seu trabalho terapêutico, Jung continuou tentando fomentar manifestações semelhantes em seus pacientes e determinar quais aspectos de sua própria experiência eram singulares e quais tinham alguma generalidade e aplicabilidade para os outros. Em suas pesquisas simbólicas, Jung estava interessado em paralelos com as imagens e concepções do *Liber Novus*. A questão com que ele se ocupava era a seguinte: será que era possível encontrar algo parecido com o processo de individuação em todas as culturas? Em caso positivo, quais eram os elementos comuns e os elementos diferenciais? Nesta perspectiva, o trabalho de Jung após 1930 poderia ser considerado uma extensa ampliação dos conteúdos do *Liber Novus* e uma tentativa de traduzir seus conteúdos numa forma aceitável às concepções contemporâneas. Algumas das afirmações feitas no *Liber Novus* correspondem de perto a posições que Jung iria articular posteriormente em suas obras publicadas e representam suas primeiras formulações[238]. Por outro lado, muita coisa não chegou a entrar diretamente nas Obras Completas, ou foi apresentada de forma esquemática, ou por meio de alegorias e alusões indiretas. Assim o *Liber Novus* possibilita um esclarecimento até aqui insuspeitado dos aspectos mais difíceis das Obras Completas de Jung. Simplesmente não estamos em condição de compreender a gênese da obra posterior de Jung, nem de compreender plenamente o que ele estava procurando realizar, sem estudar o *Liber Novus*. Ao mesmo tempo, as Obras Completas podem ser em parte consideradas um comentário indireto sobre o *Liber Novus*. Ambos explicam-se mutuamente.

---

238 Estas são indicadas nas notas de rodapé ao texto.

Jung considerou seu "confronto com o inconsciente" a fonte de sua obra posterior. Ele lembrou que toda a sua obra e tudo quanto realizou posteriormente proveio dessas imaginações. Ele havia expressado as coisas da melhor forma que podia, em linguagem tosca, deficiente. Muitas vezes sentia como se "gigantescos blocos estivessem caindo sobre mim. Uma tempestade desencadeava outra". Ele estava admirado de que isso não o destruiu como destruíra a outros, como por exemplo Schreber[239].

Quando indagado por Kurt Wolff em 1957 sobre a relação entre suas obras eruditas e suas notas autobiográficas de sonhos e fantasias, Jung respondeu:

> Mas encontrei esta corrente de lava e a paixão nascida de seu fogo transformou e coordenou minha vida. Tal corrente de lava foi a matéria-prima que se impôs e minha obra é um esforço, mais ou menos bem-sucedido, de incluir essa matéria ardente na concepção do mundo de meu tempo. As primeira fantasias e os primeiros sonhos foram como que um fluxo de lava líquida e incandescente; sua cristalização engendrou a pedra em que pude trabalhar[240].

Jung acrescentou que "foram necessários quarenta e cinco anos para elaborar e inscrever no quadro de minha obra científica os elementos que vivi e anotei nessa época de minha vida"[241].

Segundo as próprias palavras de Jung, poder-se-ia considerar que o *Líber Novus* contém, entre outras coisas, um relato das fases de seu processo de individuação. Em obras subsequentes, ele procurou mostrar os elementos comuns esquemáticos gerais para os quais podia encontrar paralelos em seus pacientes e em pesquisas comparativas. As obras posteriores apresentam, portanto, um esboço esquelético, um esboço básico, mas deixaram fora o principal corpo de detalhes. Retrospectivamente, Jung descreveu o *Livro Vermelho* como uma tentativa de formular as coisas em termos de revelação. Tinha esperança de que isto iria libertá-lo, mas descobriu que não o libertou. Percebeu então que precisava retornar ao lado humano e à ciência. Precisava tirar conclusões das

---

239 *Memórias*, p. 176. · *MP*, p. 144.

240 *Memórias*, p. 176.

241 Ibid.

intuições. A elaboração do material do *Livro Vermelho* era vital, mas ele precisava também compreender as obrigações éticas. Ao fazê-lo, tinha pago com sua vida e sua ciência[242].

Em 1930, Jung começou uma série de seminários sobre as visões fantásticas de Christiana Morgan no Clube Psicológico de Zurique, que podem, em parte, ser consideradas um comentário indireto sobre o *Liber Novus*. Para demonstrar a validade empírica das concepções que obteve neste último, ele precisava mostrar que os processos nele descritos não eram únicos.

Com seus seminários sobre a Yoga Kundalini em 1932, Jung começou um estudo comparativo de práticas esotéricas, pondo o foco nos exercícios espirituais de Inácio de Loyola, no Yoga-sutra de Patanjali, nas práticas meditativas budistas e na alquimia medieval, que ele apresentou numa longa série de preleções no Instituto Federal Suíço de Tecnologia (ETH)[243]. O critério essencial que possibilitou essas ligações e comparações foi a percepção de Jung de que essas práticas baseavam-se todas em diferentes formas de imaginação ativa – e que todas elas tinham como meta a transformação da personalidade – que Jung entendeu como o processo de individuação. Assim, as preleções de Jung no ETH proporcionam uma história comparativa da imaginação ativa, a prática que constituiu a base do *Liber Novus*.

Em 1934, Jung publicou sua primeira descrição ampla de caso do processo de individuação, que foi o de Kristine Mann, que pintara uma extensa série de mandalas. Ele se referiu a seu próprio empreendimento:

> Utilizei evidentemente tal método comigo mesmo e posso constatar que de fato podemos pintar quadros complexos, cujo verdadeiro conteúdo nos é totalmente desconhecido. Enquanto pintamos, o quadro se desenvolve por si mesmo e muitas vezes até contrariando a intenção consciente[244].

Jung observou que o presente trabalho preenchia uma lacuna em seus métodos terapêuticos, pois escrevera pouco sobre a imaginação ativa. Ele usara esse mé-

---

242 *MP*, p. 148.

243 Estas preleções estão sendo preparadas atualmente para publicação. Para mais detalhes, cf. www.philemonfoundation.org

244 Estudo empírico do processo de individuação". OC, 9/1, § 622.

todo desde 1916, mas só o delineou em *As relações entre o eu e o inconsciente*, em 1928, e mencionou o mandala pela primeira vez em 1929, em seu comentário sobre *O segredo da Flor de Ouro*:

> Silenciei os resultados desse método por treze anos, a fim de não provocar qualquer sugestão, pois queria certificar-me de que essas coisas – sobretudo os mandalas – surgem espontaneamente e não sugeridas por minha própria fantasia[245].

Em todos seus estudos históricos, convenceu-se de que os mandalas foram produzidos em todos os tempos e lugares. Observou também que eles eram produzidos por pacientes de psicoterapeutas que não eram seus alunos. Isto mostra também uma das razões que podem tê-lo levado a não publicar o *Líber Novus*: convencer-se a si mesmo, e a seus críticos, de que as manifestações de seus pacientes e, especialmente, suas imagens de mandalas não se deviam simplesmente à sugestão. Ele julgava que o mandala representava um dos melhores exemplos da universalidade de um arquétipo. Em 1936, Jung anotou também que ele próprio havia usado o método da imaginação ativa por um longo período de tempo e observado muitos símbolos que conseguiu verificar só anos mais tarde em textos que lhe eram desconhecidos[246]. Contudo, de um ponto de vista comprobativo, dada a amplitude de sua erudição, o material do próprio Jung não teria sido um exemplo particularmente convincente de sua tese de que as imagens provindas do inconsciente coletivo emergiam espontaneamente sem conhecimento prévio.

No *Líber Novus*, Jung articulou sua compreensão das transformações históricas do cristianismo e da historicidade das formações simbólicas. Ocupou-se com esse tema em seus escritos sobre a psicologia da alquimia e sobre a psicologia dos dogmas cristãos e, sobretudo, em *Resposta a Jó*. Como vimos, Jung estava convencido de que suas visões anteriores à guerra eram visões proféticas que levaram à composição do *Líber Novus*. Em 1952, através de sua colaboração com o físico Wolfgang Pauli, ganhador do prêmio Nobel, Jung sustentou que

---

245 Ibid., § 623.

246 Aspectos psicológicos da Core". OC, 9/1, § 334.

existia um princípio de ordenamento acausal subjacente a tais "coincidências significativas", princípio que ele chamou de sincronicidade[247]. Afirmou que, em certas circunstâncias, a constelação de um arquétipo levava a uma relativização do tempo e do espaço, o que explicava como esses eventos podiam acontecer. Era uma tentativa de ampliar a compreensão científica para acomodar eventos como suas visões de 1913 e 1914.

É importante observar que a relação do *Líber Novus* com os escritos eruditos de Jung não seguiu uma tradução e elaboração direta ponto por ponto. Já em 1916, Jung procurou transmitir alguns dos resultados de seus experimentos numa linguagem erudita, enquanto continuava com a elaboração de suas fantasias. Seria melhor considerar o *Líber Novus* e os *Livros Negros* como representando um *opus* privado que corria paralelo e ao lado de seu *opus* erudito público; embora o último se alimentasse e derivasse do primeiro, eles permaneciam distintos. Depois de deixar de trabalhar no *Líber Novus*, Jung continuou a elaborar seu *opus* privado – sua própria mitologia – em seu trabalho na torre, em seus entalhes em pedra e nos quadros que pintava. Aqui, o *Líber Novus* funcionava como um centro gerador e um bom número de seus quadros e gravuras relacionam-se com ele. Na psicoterapia, Jung procurava tornar seus pacientes capazes de recuperar uma consciência do sentido na vida facilitando-lhes e supervisionando-lhes a autoexperimentação e a criação de símbolos. Ao mesmo tempo, procurou elaborar uma psicologia científica geral.

A publicação do *Líber Novus*

Embora Jung tivesse parado de trabalhar diretamente no *Líber Novus*, permanecia a questão do que fazer com ele e continuava aberta a questão de sua eventual publicação. Em 10 de abril de 1942, Jung respondeu a Mary Mellon sobre uma edição dos *Sermones*: "Quanto à edição dos 'Sete Sermones', desejaria que você esperasse um pouco. Eu tinha em mente acrescentar certo material, mas tenho hesitado

247 Cf. MEIER, C.A. (org.). *Atom and Archetype*: The Pauli/Jung Letters. Princeton: Princeton University Press, 2001 [com prefácio de Beverley Zabriskie – Trad. de D. Roscoe].

fazê-lo durante anos. Mas numa ocasião como essa poder-se-ia arriscar"[248]. Em 1944, Jung teve um grave ataque cardíaco e não levou a cabo esse plano.

Em 1952, Lucy Heyer apresentou um projeto para uma biografia de Jung. Por sugestão de Olga Froebe e insistência de Jung, Cary Baynes começou colaborando com Lucy Heyer nesse projeto. Cary Baynes pensava escrever uma biografia de Jung baseando-se no *Liber Novus*[249]. Para decepção de Jung, ela desistiu do projeto. Após diversos anos de entrevistas com Lucy Heyer, Jung pôs um termo ao projeto biográfico dela em 1955, porque estava insatisfeito com seu progresso. Em 1956, Kurt Wolff propôs um outro projeto biográfico, que se transformou em *Memórias, Sonhos, Reflexões*. Em algum momento, Jung deu a Aniela Jaffé uma cópia do esboço do *Liber Novus*, feita por Toni Wolff. Jung autorizou Jaffé a fazer citações do *Liber Novus* e dos *Livros Negros* em *Memórias, Sonhos, Reflexões*[250]. Em suas entrevistas com Aniela Jaffé, Jung discutiu o *Liber Novus* e sua autoexperimentação. Infelizmente, ela não reproduziu todos os comentários dele.

Em 31 de outubro de 1957, ela escreveu a Jack Barrett da Fundação Bollingen a respeito do *Liber Novus* e informou-o de que Jung havia sugerido que este e os *Livros Negros* fossem doados à biblioteca da Universidade de Basileia com uma restrição de 50 anos, 80 anos ou mais, já que "ele odeia a ideia de que alguém leia este material sem conhecer as relações com a vida dele etc." Ela acrescentou que decidira não usar muita coisa deste material em *Memórias*[251]. Num dos primeiros manuscritos de *Memórias*, Jaffé incluíra uma transcrição do esboço datilografado da maior parte do *Liber Primus*[252]. Mas foi omitida do manuscrito final e ela não fez citações do *Liber Novus* nem dos *Livros Negros*. Na edição alemã das *Memórias*, Jaffé incluiu o epílogo de Jung ao *Liber Novus* como

---

248 *JA*. É provável que Jung tivesse em mente os comentários de Filêmon. Cf. adiante, p. 453-475

249 Olga Froebe-Kapteyn a Jack Barrett, 6 de janeiro de 1953, arquivo de Bollingen, Biblioteca do Congresso.

250 Jung a Jaffé, 27 de outubro de 1957, arquivo de Bollingen, Biblioteca do Congresso.

251 Arquivos de Bollingen, Biblioteca do Congresso. Jaffé deu uma explicação semelhante a Kurt Wolff mencionando 30, 50 ou 80 anos como possível restrição (sem data, recebida a 30 de outubro de 1957), Kurt Wolff papers, Biblioteca Beinecke, Universidade de Yale. Ao ler os primeiros parágrafos dos protocolos das entrevistas de Aniela Jaffé com Jung, Cary Baynes escreveu a Jung em 8 de janeiro de 1958 que "é a correta introdução ao *Livro Vermelho*, e quanto a isso posso morrer em paz!" (*CFB*).

252 Kurt Wolff papers, Biblioteca Beinecke, Universidade de Yale. O prólogo foi omitido e recebeu o título do primeiro capítulo, "Der Widerfindung der Seele" [a redescoberta da alma]. Existe também outra cópia desta seção fortemente editada por uma mão não identificada, que pode ter feito parte do trabalho de prepará-lo para publicação por esse tempo (*JFA*).

apêndice. As estipulações flexíveis de datas propostas por Jung a respeito do acesso ao *Líber Novus* foram semelhantes às que ele deu por essa mesma época a respeito da publicação de sua correspondência com Freud[253].

Em 12 de outubro de 1957, Jung disse a Jaffé que ele nunca terminara o *Livro Vermelho*[254]. De acordo com Jaffé, na primavera de 1959, Jung, após um longo tempo de saúde debilitada, retomou o *Líber Novus* para completar a última imagem que permanecera inacabada. Mais uma vez ele se ocupou em transcrever o manuscrito para o volume caligráfico. Jaffé anota: "Mas também agora ele não pôde ou não quis concluí-lo. Isso tinha a ver, disse ele, com a morte"[255]. A transcrição caligráfica termina abruptamente no meio da frase, e Jung acrescentou um posfácio, que também terminou abruptamente no meio da frase. O pós-escrito e as discussões de Jung sobre sua doação a um arquivo sugerem que Jung tinha consciência de que a obra acabaria sendo estudada em algum momento. Após a morte de Jung, o *Líber Novus*, de acordo com a vontade dele, permaneceu com sua família.

Em sua conferência de Eranos em 1971, intitulada "As fases criativas na vida de Jung", Jaffé citou duas passagens do esboço do *Líber Novus*, observando que "Jung pôs uma cópia do manuscrito à minha disposição com permissão de citá-lo caso surgisse alguma oportunidade"[256]. Esta foi a única vez que ela o fez. Quadros do *Líber Novus* foram mostrados também num documentário da BBC sobre Jung, narrado por Laurens van der Post, em 1972. Esses quadros despertaram um amplo interesse pelo livro. Em 1975, após a muito bem recebida publicação das *Cartas Freud/Jung*, William McGuire, representando a Princeton University Press, escreveu ao advogado do espólio de Jung, Hans Karrer, apresentando uma proposta de publicação do *Líber Novus* e de uma coleção de fotografias das gravuras em pedra e dos quadros de Jung e da Torre. Propôs uma edição fac-similar, possivelmente sem o texto. Escreveu que "faltam-nos

---

253 Pode-se observar que a publicação das cartas Freud-Jung, decisiva em si mesma, enquanto o *Líber Novus* e o grosso das outras correspondências de Jung permaneceram inéditos, lamentavelmente agravou a equivocada visão freudocêntrica de Jung: como vemos, no *Líber Novus*, Jung está se movendo num universo tão afastado da psicanálise quanto se possa imaginar.

254 *MP*, p. 169.

255 JUNG & JAFFÉ. *Erinnerungen, Träume, Gedanken von C.G. Jung*. Olten: Walter Verlag, 1988, p. 387. Os outros comentários de Jaffé neste ponto são inexatos.

256 JAFFÉ. "The creative phases in Jung's life". *Spring*: An Annual of Archetypal Psychology and Jungian Thought, 1972, p. 174.

informações sobre o seu número de páginas, a quantidade relativa de texto e quadros e o conteúdo e interesse do texto"[257]. Ninguém da editora tinha realmente visto ou lido a obra nem sabia muito sobre ela. Este pedido foi negado.

Em 1975, algumas reproduções do volume caligráfico do *Liber Novus* foram mostradas numa exposição para comemorar o centenário de Jung em Zurique. Em 1977, nove quadros do *Liber Novus* foram publicados por Jaffé em *C.G. Jung: Word and Image* e, em 1989, alguns outros quadros afins foram publicados por Gerhard Wehr em sua biografia ilustrada de Jung[258].

Em 1984, o *Liber Novus* foi fotografado profissionalmente e foram preparadas cinco edições fac-similares. Estas foram dadas às cinco famílias diretamente descendentes de Jung. Em 1992, a família de Jung, que havia apoiado a publicação das Obras Completas de Jung em alemão (concluída em 1995), iniciou um exame dos materiais inéditos de Jung. Como resultado de minhas pesquisas, descobri uma transcrição integral e uma transcrição parcial do *Liber Novus* e apresentei-as aos herdeiros de Jung em 1997. Na mesma época, outra transcrição foi apresentada aos herdeiros por Marie-Louise von Franz. Fui convidado a apresentar informes sobre o assunto e a conveniência de sua publicação, e fiz uma apresentação sobre o assunto. Com base nestes informes e discussões, os herdeiros decidiram em maio de 2000 liberar a obra para publicação.

---

257 McGuire papers, Biblioteca do Congresso. Em 1961, Aniela Jaffé mostrara o *Liber Novus* a Richard Hull, tradutor de Jung, e ele escrevera suas impressões a McGuire: "Ela [AJ] nos mostrou o famoso 'Livro Vermelho', cheio de verdadeiros desenhos loucos com comentários em escrita monacal; não me causa surpresa que Jung o mantenha guardado a sete chaves! Quando ele entrou e o viu – felizmente fechado – sobre a mesa, disse rispidamente a ela: 'Das soll nicht hier sein. Nehmen Sie's weg!' [Isto não deveria estar aqui. Leve-o embora!], embora ela me tivesse escrito anteriormente que ele tinha dado permissão para eu vê-lo. Reconheci diversos dos mandalas que estão incluídos em "O simbolismo do mandala". Daria uma maravilhosa edição fac-similar, mas eu não considerei prudente levantar a questão ou sugerir a inclusão de desenhos na autobiografia (o que a Sra. Jaffé insistiu que eu fizesse). Deveria realmente fazer parte, em algum momento, do seu *opus*: assim como a autobiografia é um suplemento essencial para seus outros escritos, assim o *Livro Vermelho* o é para a autobiografia. O *Livro Vermelho* causou-me profunda impressão; não há dúvida que Jung passou por tudo quanto uma pessoa insana experimenta, e até mais. Nas palavras da autoanálise de Freud: Jung é em si mesmo um hospício ambulante! A única diferença entre ele e um internado regular é sua espantosa capacidade de manter-se distanciado da terrível realidade de suas visões, de observar e compreender o que estava acontecendo e forjar de sua experiência um sistema de terapia que funciona. Não fosse essa proeza singular, ele seria um doido varrido louco. O material bruto de sua experiência é mais uma vez o mundo de Schreber; só por causa de sua capacidade de observação e distanciamento e esforço de compreender, pode-se dizer dele o que Coleridge, em seus Cadernos, disse de um grande metafísico (e que *motto* não daria para a autobiografia!): 'Ele olhava para sua própria Alma através de um Telescópio / O que parecia totalmente irregular, ele via e mostrava que eram belas Constelações e acrescentava à Consciência mundos ocultos dentro de outros mundos'" (17 de março de 1961, arquivo de Bollingen, Biblioteca do Congresso). A citação de Coleridge foi de fato usada como *motto* para *Memórias, Sonhos, Reflexões*.

258 JAFFÉ, Aniela (org.). *C.G. Jung*: Word and Image. Ilustr. 52-57, 77-79, junto com uma imagem relacionada, a ilustr. 59. · WEHR, Gerhard. *An Illustrated Biography of Jung*, p. 40, p. 140-141.

O trabalho no *Liber Novus* esteve no centro da autoexperimentação de Jung. Ele é nada menos que o livro central de sua obra. Com sua publicação, estamos agora em condição de estudar o que aconteceu ali com base em documentação primária em contraste com as fantasias, fofocas e especulações que constituem boa parte do que se escreveu sobre Jung, e de compreender a gênese e constituição de sua obra posterior. Por quase um século, essa leitura simplesmente não foi possível e a vasta literatura que surgiu sobre a vida e obra de Jung não teve acesso à mais importante fonte documentária individual. A presente publicação marca uma cesura e abre a possibilidade de uma nova era na compreensão da obra de Jung. Fornece uma abertura única para ver como ele recuperou sua alma e, ao fazê-lo, elaborou uma psicologia. Por isso, esta introdução não termina com uma conclusão, mas com a promessa de um novo começo.

Nota dos tradutores da edição inglesa*

Mark Kyburz, John Peck e Sonu Shamdasani

No início do *Liber Novus*, Jung experimenta uma crise de linguagem. O espírito das profundezas, que imediatamente desafia o uso da linguagem feito por Jung junto com o espírito da época, informa a Jung que no terreno de sua alma a linguagem por ele conseguida não servirá mais. Sua própria capacidade de saber e falar já não pode mais explicar por que ele profere o que diz ou movido por qual compulsão ele fala. Todas essas tentativas tornam-se arbitrárias no domínio das profundezas, e até mesmo mortíferas. Jung é levado a entender que aquilo que ele poderia dizer nessas ocasiões é ao mesmo tempo "loucura" e, de modo instrutivo, aquilo que é[1]. De fato, numa perspectiva mais ampla, a linguagem que ele irá encontrar para sua experiência interior formaria uma vasta *Commedia*: "Acreditas tu, homem dessa época, que a zombaria é menos que a adoração? Onde estão tuas medidas, falso medidor? A soma da vida na zombaria e na adoração é que decide, não teu julgamento"[2].

Ao traduzir este registro acumulado de encontros imaginais de Jung com seus personagens interiores, proveniente de um período de dezesseis anos a começar pouco antes da Primeira Guerra Mundial, deixamos Jung permanecer um homem que se desprendeu das suas amarras, mas também ficou preso no turbilhão que ficou conhecido pelo nome de modernismo literário. Procuramos não modernizar mais nem tornar mais arcaica a linguagem e as formas em que ele expressou seu testemunho pessoal.

A linguagem do *Liber Novus* segue três grandes registros estilísticos e cada um deles apresenta ao tradutor diferentes dificuldades. Um primeiro registro relata fielmente as fantasias e diálogos interiores dos encontros imaginais de Jung, enquanto um segundo permanece firme e criteriosamente conceitual. Um terceiro registro escreve num estilo mântico e profético, ou romântico e ditirâmbico. A relação entre esses aspectos – informativo, reflexivo e romântico – da linguagem de Jung permanece comedial de uma forma que Dante ou Goethe teriam reconhecido. Ou seja, em cada capítulo os registros descritivo, conceitual e mântico roçam continuamente um com o outro, enquanto ao mes-

* Embora estas referências tratem da tradução inglesa, há observações interessantes e úteis sobre o estilo de Jung nesta obra, razão por que a mantivemos (Nota da edição brasileira)

1 Cf. adiante, p. 111.

2 Cf. adiante, p. 112.

mo tempo nenhum registro sozinho é afetado por seus parceiros. Todos os três registros estilísticos servem a estímulos psíquicos e cada capítulo compartilha um modo polifônico com os outros. Na seção dos *Aprofundamentos* desde 1917 esta polifonia amadurece, suas vozes misturando-se em várias proporções.

O leitor deduzirá rapidamente que este plano não foi premeditado, mas antes nasceu do experimento ao qual Jung se submeteu arduamente. A "Nota Editorial" esquematiza a evolução textual desta composição. Aqui basta apenas observar que Jung, cada vez, registra uma camada protocolar inicial de encontro narrativo, geralmente com um diálogo, e depois, na "segunda camada", uma elaboração lírica e comentário desse encontro. A primeira camada evita um tom elevado, ao passo que a segunda acolhe a elevação e modula-se em reflexões sermonáticas e mântico-proféticas sobre o sentido do episódio, que, por sua vez, esmiúçam os acontecimentos discursivamente. Esse modo de composição – que é único nas obras de Jung – não foi um arranjo temperamental. Ao invés, à medida que os episódios se acumulavam e seu interesse aumentava, transformou-se num experimento que era tanto literário quanto psicológico e espiritual. No vasto *corpus* publicado e inédito de Jung, não existe outro texto que tenha sido submetido a tão cuidadosa e contínua revisão linguística como o *Líber Novus*.

Esses três registros linguísticos já se apresentam como potenciais modelos para uma possível tradução. Nossa prática consistiu em deixá-los coabitar dentro das estruturas exploratórias vigentes no tempo do próprio Jung. A tarefa com que ele se deparou foi descobrir uma linguagem em vez de usar uma linguagem já disponível. Os próprios registros mântico e conceitual podem ser considerados traduções do registro descritivo. Ou seja, estes registros passam de um nível literal a níveis simbólicos que o amplificam, numa analogia moderna com os "modi diversi" de Dante em sua carta a Can Grande della Scala[3]. Em sentido bem real, o *Líber Novus* foi composto através de tradução intertextual. A retórica do livro, sua maneira de abordar, surge dessa estrutura interagente de tradução interna ou transvaloração. Uma tarefa crítica para qualquer tradução da obra, portanto, é transmitir intacta essa textura composicional.

---

3 Cf. a tradução e discussão desta carta em BOLDRINI, Lucia. *Joyce, Dante, and the Poetics of Literary Relations*. Nova York: Cambridge University Press, 2001, p. 30-35.

O fato de que quadros pintados de tipo acabado e híbrido iluminam o formato medieval de um fólio em escrita caligráfica dificultam ainda mais quaisquer reflexões sobre a tarefa linguística. A nova linguagem exigia uma escrita antiga renovada. Um estilo polifônico expressa-se à maneira de multimídia dentro de um movimento simbólico de recuo-avanço, medieval e antecipatório, para recuperar a realidade psíquica. Imagens verbais e visuais investem sobre Jung a partir do passado e do presente, enquanto visam o além: surge um instrumento composto de camadas, cujo estilo polifônico reflete em sua linguagem aquela mesma disposição em camadas compostas.

Diante da tarefa de traduzir um texto composto há quase cem anos, os tradutores têm geralmente a vantagem de dispor de modelos anteriores para consultar, como também de décadas de comentários e críticas de caráter erudito. Sem esses modelos à disposição, restou-nos imaginar como a obra poderia ter sido traduzida em décadas passadas. Nossa tradução, por conseguinte, evita diversos modelos inéditos ou hipotéticos para traduzir o *Liber Novus* para o inglês. Existem os surpreendentemente arcaizantes *Septem Sermones* de Peter Baynes de 1925, que se inspiram fortemente numa linguagem vitoriana. Ou a conceitualmente racionalizante versão que R.F.C. Hull poderia ter tentado, se lhe tivesse sido dado traduzi-lo ao lado de seus outros volumes da Série Bollingen das Obras Completas de Jung[4]; ou a elegante tradução literária da mão de um R.J. Hollingdale. Nossa versão ocupa, portanto, uma posição real numa sequência de muitas possibilidades. A consideração sobre esses modelos possíveis realçou questões de como vazar a linguagem dentro de mudanças históricas na prosa inglesa, como veicular as inumeráveis convergências e divergências entre a linguagem do *Liber Novus* e as Obras Completas de Jung, e como traduzir para o inglês uma obra que ao mesmo tempo repercute o alemão de Lutero e a paródia que Nietzsche faz do mesmo em *Assim falava Zaratustra*. Já que nossa versão toma esta posição, ao citarmos as Obras Completas de Jung nós consequentemente traduzimos de maneira nova ou modificamos discretamente as traduções publicadas.

---

4 Sobre a questão das traduções de Jung feitas por Hull, cf. SHAMDASANI. *Jung Stripped Bare by His Biographers, Even*, p. 47-51.

O *Liber Novus* foi contemporâneo do fermento literário que Mikhail Bakhtin chamou de imaginação em prosa dialógica[5]. O escritor e artista anglo-galês David Jones, autor de *In Parenthesis* e *The Anathemata*, referiu-se à ruptura da Primeira Guerra Mundial e seus efeitos sobre o senso histórico dos escritores, artistas e pensadores, chamando-a simplesmente "The Break" (A fratura)[6]. Junto com outros escritos experimentais destas décadas, o *Liber Novus* escava camadas arqueológicas da aventura literária, servindo-se da consciência conquistada a duras penas como pá e, ao mesmo tempo, precioso caco. Embora durante muitos anos tenha pensado efetivamente em publicar o *Liber Novus*, Jung preferiu não tornar-se famoso através dessa forma literária – tanto pelo estilo quanto pelo conteúdo – permitindo sua publicação. Por volta de 1921, com *Tipos psicológicos*, Jung já descobrira que seu santuário podia fornecer-lhe seus grandes temas, através da tradução para uma linguagem erudita.

Jung enuncia a tensão entre seus três registros linguísticos, dirigindo-se já a um futuro público leitor – que, entre diferentes camadas do texto, vai de um círculo restrito de amigos até um público mais amplo. Isto aparece nitidamente nas frequentes mudanças pronominais entre as versões, que mostram a maneira como ele estava constantemente reimaginando os possíveis leitores do texto. Jung adotou coerentemente essa postura dialógica – polifônica segundo a terminologia posterior de Bakhtin – mais uma vez atento a um hipotético futuro público e, no entanto, também totalmente alheio à questão do público, não por orgulho mas simplesmente em vista dos objetivos em jogo. Quadros e fantasias deste tesouro privado entraram anonimamente como intertextos criptografados na obra posterior de Jung, aninhando-se como chaves hermenêuticas para o conjunto escondido de sua obra.

Com efeito, podemos imaginar Jung rindo quando escreveu sobre o "3. Caso Z" na última seção de seu ensaio sobre "Aspectos psicológicos da Core" (1941)[7]. Ali ele resume como anônimos doze episódios tirados de seus encontros com a própria alma no *Liber Novus*, chamando-os "uma série de sonhos". Os comentários que ele lhes acrescenta impelem o aventureiro que ele fora, e o sujeito

---

5 Cf. HOLQUIST, Michael (org.). *The Dialogic Imagination*: Four Essays. Austin: University of Texas Press, 1981 [tradução de Caryl Emerson e Michael Holquist].

6 JONES, David. *Dai Greatcoat*: A Self-Portrait of David Jones in his Letters. Londres: Faber and Faber, 1980, p. 41ss. [organizado por Rene Hague].

7 OC, 9/1.

que ele se tornou nessa aventura, para o discurso de uma pretensa ciência. A comédia é ao mesmo tempo ampla e requintada: esse respeitoso hospedeiro da anima maneja também o indicador diagnóstico com toda a seriedade. Sua linguagem movia-se flexivelmente em ambos os contextos, mas ao fazê-lo mantinha também certos véus. Essa estratégia linguística refletia os objetivos mais amplos de Jung de permanecer fecundamente dual e contextual. Declarando que seus mistérios eram particulares, a não serem macaqueados de maneira alguma, Jung ofereceu-lhes, não obstante, também um modelo de processo espiritual formativo e, ao fazê-lo, procurou desenvolver uma linguagem que pudesse ser retomada por outros para articular suas respectivas experiências.

Esta é uma maneira de parafrasear a considerável anomalia da linguagem que Jung teve que encontrar através de noites sem dormir a partir de 1913. Essa linguagem mudava seus contornos, alterava sua escala e levava em consideração caprichos e modismos. Por isso não causa surpresa que, em suas passagens mais elevadas, Jung se tenha apoiado na ressonância da Bíblia de Lutero, ela mesma uma tradução que alcançara, na cultura alemã, a estabilidade de uma rocha. *Ein fester Burg*, "uma cidadela sólida": daí nos apoiarmos aqui na King James Version (KJV) da Bíblia para tonalidades comparáveis em inglês. No entanto, surge imediatamente um paradoxo: aquilo com que Jung contou nessa ressonância havia transplantado para o *Heimat* ou lar germânico um espírito diferente, como se pode igualmente dizer da profunda penetração do mesmo implante na cultura anglo-saxônica. Franz Rosenzweig, ao traduzir partes do Antigo Testamento com Martin Buber em meados da década de 1920, identificou a Bíblia de Lutero como o grande criador de espaço no espírito germânico, precisamente através dos movimentos de aproximação de Lutero à sua fonte: "Para consolo de nossas almas, devemos manter tais palavras, devemos tolerá-las, e assim dar ao hebraico algum espaço no qual ele se sai melhor do que o alemão"[8]. Daí nosso método de não amaciar os diversos estilos de Jung ou torná-los mais fluentes do que é necessário ou mesmo regularizar sua pontuação. Pensemos no estilo "desgrenhado" de Dante ou em outra máxima de Lutero citada nas notas de Rosenzweig: "A lama grudará na roda"[9].

---

8 BUBER, Martin & ROSENZWEIG, Franz. *Scripture and Translation*. Bloomington/Indianapolis: Indiana University Press, 1994, p. 49 [citando o Prefácio de Lutero a seu *Saltério alemão* – tradução de Lawrence Rosenwald e Everett Fox].

9 Ibid., p. 69.

No entanto, mesmo essas profundas concessões ao linguajar arcaico e original por sobre abismos de sentido não consegue aproximar a experiência desestabilizadora, feita na e através da linguagem, de que Jung é testemunha. Seus comentários posteriores na autobiografia publicada, sobre suas reservas quanto ao estilo empolado[10], na verdade encobrem suas pegadas no *Liber Novus*. A experiência original lançou a fala num turbilhão que anima a dimensão iniciática do livro. Também a linguagem empreende uma descida ao inferno e ao domínio dos mortos, que priva o indivíduo da fala precisamente como renova a capacidade de expressão.

Os exemplos seguintes dão alguma ideia do alcance desse fator, mapeando as dificuldades de qualquer ventriloquismo sincero como aquele a que Jung, com a pena na mão, se aventurou ao empreender uma sessão controlada consigo mesmo e seu chão. As ínfimas distorções espaciais de Hölderlin e o carvão ardente nos lábios de Isaías entram ambos nesta liga, junto com Platão sobre a "fúria correta" ou loucura divina: (1) "Minha alma sussurrou-me insistente e medrosamente: 'Palavras, palavras, não faças palavras demais. Cala-te e escuta: Tu reconheceste tua loucura e a admites? Viste que todas as tuas profundezas estão cheias de loucura?"[11] (2) Alma de Jung: "Existem tramas infernais de palavras, somente palavras... Sê cauteloso com palavras, escolhe-as bem... pois tu és o primeiro que nela se enreda. Pois palavras têm significados. Nas palavras puxas para cima o submundo. A palavra é o mais nulo e mais forte. Na palavra correm juntos o vazio e o cheio. Por isso, a palavra é uma imagem de Deus"[12]. (3) "Mas se a palavra for um símbolo, significa tudo. Quando o caminho entra na morte, e nós estamos envoltos em putrefação e nojo, sobe então na escuridão o caminho e sai da boca, como o símbolo salvador, a palavra"[13]. (4) A mulher morta: "Concede-me a palavra – pena que não possas ouvir! Como é difícil – dá-me a palavra!"[14] Ela então se materializa na mão de Jung como HAP, o falo. (5) Alma de Jung: "Tens a palavra que não pode ficar oculta"[15]. (6) Jung: "O que significa minha palavra? É o balbucio da criança..." Alma: "Elas não veem

10 Cf. adiante, p. 64.

11 Cf. adiante, p. 308.

12 Cf. adiante, p. 312

13 Cf. adiante, p. 344

14 Cf. adiante, p. 426.

15 Cf. adiante, p. 446.

o fogo, não acreditam em tuas palavras, mas veem tua marca e pressentem em ti, sem saber, o mensageiro do tormento que arde... Tu gaguejas, balbucias"[16]. Nos protocolos para sua autobiografia, Jung lembra ter trazido às experiências originais contidas no *Liber Novus* apenas uma "fala altamente canhestra"[17]. No entanto, um exemplo (7) desmente energicamente esta ênfase posterior: "Sei que Filêmon me embriagou e me inspirou uma linguagem estranha a mim mesmo e um outro sentir. Tudo isto desapareceu quando o Deus se elevou e só Filêmon possuía aquela linguagem"[18].

O último exemplo mostra que mais tarde Jung atribuiu a Filêmon a fala mântica e ditirâmbica da camada 2 em tudo aquilo que vem antes da seção dos *Aprofundamentos*. A intoxicação literal descrita aqui é linguística, uma versão dramatizada e ventríloqua da loucura divina de Platão. Enfatiza por isso nossa tentativa de traduzir fielmente os registros estilísticos do *Liber Novus*, de modo a apresentar um aspecto vital do experimento literário de Jung, quando empreende a tentativa de encontrar o linguajar mais apropriado para expressar as transformações da experiência interior. A busca da alma, empreendida por Jung, está portanto em harmonia com a busca de uma linguagem adequadamente dialógica e diferenciada.

Estes exemplos, com todas as sua oscilações, afetam uma leitura das Obras Completas de Jung e aconselham cautela ao aplicar seus instrumentos conceituais à tarefa de ler e entender o *Liber Novus*. Para dar apenas um exemplo, começa-se por ver que é uma simplificação excessiva equiparar as profundezas opostas e, no entanto, relacionadas de Logos e Eros com os registros conceituais e lírico-mânticos encontrados no *Liber Novus*. O "Comentário" de Jung aqui incluído sobre a relação Elias-Salomé mostra que essa relação faz parte do desenvolvimento, é uma encenação do mistério do "processo formativo" que acende o amor pelo que há de mais baixo em nós[19]. O espaço modal de linguagem do *Liber Novus* anima assim esse mistério, mas não corresponde diretamente a funções psicológicas opostas.

Este complexo respeito pela linguagem instrui os tradutores do *Liber Novus* ao navegar as tensões submundo/redentoras abarcadas por sua retórica. A

16 Cf. adiante, p. 447.

17 Cf. *MP*, p. 148.

18 Cf. adiante, p. 402.

19 Cf. Apêndice B.

grande força que está por trás da tensão mântica ocupou Jung no breve Epílogo que ele inseriu no volume caligráfico em 1959, dois anos antes de sua morte. Percorrendo mais uma vez os mares dessas páginas iluminadas, parece que ele julgou desnecessário qualquer recapitulação ulterior. Interrompendo no meio da frase, Jung deixou o livro subsistir por conta própria, como um dos filões de discurso dentro de toda sua obra. Este contraponto não exigiu nenhum comentário, como tampouco o exigiram os três registros de linguagem no próprio livro. O Ordálio era afinal *Commedia*, que não precisa de nenhuma justificação teórica retrospectiva. O *Liber Novus* sobreviveria aos tateamentos e bombardeios da recepção. Em 1957, Jung observara a Aniela Jaffé que tantas asneiras haviam sido ditas a respeito dele, que algumas a mais não o perturbariam[20]. Aquele ato de levantar a pena, portanto, entregou confiantemente o livro à sua trajetória para as profundezas, penetrando profundamente na pedreira em que se havia transformado, tendo suas Obras Completas e a torre junto ao lago em Bollingen como suas linhagens finais.

Nesta nota procuramos transmitir apenas os princípios gerais que orientaram nossa tradução. Uma discussão completa das escolhas com que nos confrontamos e uma justificação das decisões tomadas encheriam um volume tão extenso como este.

---

20 *MP*, p. 183.

Nota editorial

SONU SHAMDASANI

O *Líber Novus* é um *corpus* manuscrito inacabado e não está inteiramente claro como Jung pretendia completá-lo, ou como o teria publicado, caso tivesse decidido fazê-lo. Temos uma série de manuscritos, dos quais nenhuma versão sozinha pode ser considerada definitiva. Consequentemente existem várias maneiras como o texto poderia ser apresentado. Esta nota apresenta as razões editoriais que estão por trás da presente edição.

A sequência dos manuscritos existentes para o *Líber Primus* e o *Líber Secundus* é a seguinte:

Livros Negros 2-5 (novembro de 1913-abril de 1914).
Esboço manuscrito (verão de 1914-1915).
Esboço datilografado (por volta de 1915).
Esboço corrigido (com uma camada de mudanças por volta de 1915; uma camada de mudanças apr. meados da década de 1920).
Volume caligráfico (1915-1930, retomado em 1959, deixado incompleto).
Transcrição de Cary Baynes (1924-1925).
Manuscrito de Yale. Líber Primus, menos o prólogo (idêntico ao *Esboço datilografado*).
Esboço editorado do Líber Primus, menos o prólogo, com correções feitas por mão desconhecida (aprox. final da década de 1950; versão editada do *Esboço datilografado*).

Para os *Aprofundamentos*, temos:

Livros Negros 5-6 (abril de 1914-junho de 1916).
Septem Sermones caligráficos (1916).
Septem Sermones impressos (1916).
Esboço manuscrito (por volta de 1917).
Esboço datilografado (por volta de 1918).
Transcrição de Cary Baynes (1925) (27 páginas, incompleta).

O arranjo aqui apresentado começa com uma revisão da transcrição de Cary Baynes e uma nova transcrição do material restante contido no volume caligráfico junto com o *Esboço datilografado* dos *Aprofundamentos*, com comparações linha por linha com todas as versões existentes. As últimas trinta páginas são completadas do *Esboço*. As variações principais entre os diferentes manuscritos dizem respeito à "segunda camada" do texto. Estas mudanças representam o trabalho contínuo de Jung de compreender o significado psicológico das fantasias. Como Jung considerava o *Liber Novus* uma "tentativa de uma elaboração em termos da revelação", estas mudanças entre as diferentes versões apresentam esta "tentativa de uma elaboração" e, por isso, são uma parte importante da própria obra. Por isso as notas mostram mudanças significativas entre as diferentes versões e apresentam material que esclarece o sentido ou o contexto de uma seção determinada. Cada camada manuscrita é importante e interessante e uma publicação de todas elas – que chegaria a vários milhares de páginas – seria uma tarefa para o futuro[1].

O critério para incluir passagens dos manuscritos anteriores foi simplesmente a pergunta: será que esta inclusão ajuda o leitor a compreender o que está acontecendo? Além da importância intrínseca dessas mudanças, a anotação delas nas notas de rodapé serve a um segundo propósito – mostra com quanto cuidado Jung trabalhou em revisar continuamente o texto.

O *Esboço corrigido* tem duas camadas de correções feitas por Jung. O primeiro conjunto de correções parece ter sido feito depois que o *Esboço* foi datilografado e antes da transcrição no volume caligráfico, pois parece que foi esse manuscrito que Jung transcreveu[2]. Outro conjunto de correções sobre aproximadamente 200 páginas do texto datilografado parece ter sido feito *depois* do volume caligráfico, e eu calcularia que estas foram feitas em algum momento dos meados da década de 1920. Essas correções modernizam a linguagem e relacionam a terminologia com a terminologia de Jung do período dos *Tipos Psicológicos*. São também acrescentados esclarecimentos suplementares. Jung chegou a corrigir material do *Esboço* que foi cancelado no volume caligráfico. Apresentei algumas das mudanças importantes nas notas de rodapé. A partir delas o leitor pode ver como Jung teria revisado todo o texto se tivesse completado essa camada de correções.

Foram acrescentadas subdivisões no *Liber Secundus*, capítulo 21, "O mago", e nos *Aprofundamentos* para fácil referência. Estas são indicadas por números entre

---

1 Leitores interessados podem comparar esta edição com as seções do *Esboço* dos Kurt Wolff papers na Universidade de Yale e com a transcrição de Cary Baynes nos Contemporary Medical Archives na Wellcome Collection, em Londres. É bem possível que possam ainda vir à luz alguns outros manuscritos.

2 Existem também algumas marcas pintadas nesse manuscrito.

chaves: { }. Onde foi possível, a data de cada fantasia foi dada de acordo com os *Livros Negros*. A "segunda camada" acrescentada no esboço é indicada por [2] e o manuscrito retorna à sequência das fantasias nos *Livros Negros* no início do capítulo seguinte. Nas passagens em que foram acrescentadas subdivisões, o retorno à sequência dos *Livros Negros* é indicado por [1].

Os vários manuscritos têm diferentes sistemas de dividir em parágrafos. No *Esboço*, os parágrafos consistem muitas vezes de uma ou duas frases e o texto é apresentado como um poema em prosa. No outro extremo, no volume caligráfico, existem longas passagens de texto sem nenhuma divisão em parágrafos. A maneira mais lógica de divisão em parágrafos é a da transcrição de Cary Baynes. Ela aproveitou frequentemente a presença de iniciais coloridas para dividir em parágrafos. Como é pouco provável que ela tenha reparagrafado o texto sem a aprovação de Jung, seu esquema foi tomado como ponto de partida para esta edição. Em alguns casos, a divisão em parágrafos foi tornada mais conforme ao *Esboço* e ao volume caligráfico. Na segunda metade de sua transcrição, Cary Baynes transcreveu o *Esboço*, já que o volume caligráfico não fora completado. Aqui paragrafei o texto da mesma forma como foi estabelecido antes. Acredito que isto apresenta o texto na forma mais clara e fácil de seguir.

No volume caligráfico, Jung ilustrou certas iniciais e escreveu algumas em vermelho e azul, e às vezes aumentou o tamanho do texto. O plano aqui procura seguir essas convenções. Já que as iniciais em questão nem sempre são as mesmas em português e em alemão, a escolha de qual inicial colocar em vermelho na edição portuguesa orientou-se por sua correspondente localização no texto. O restante do texto, além do que Jung transcreveu no volume caligráfico, foi estabelecido seguindo as mesmas convenções, para manter coerência. No caso dos *Septem Sermones*, a coloração da fonte seguiu a versão impressa de Jung de 1916.

A decisão de incluir os *Aprofundamentos* no final e como parte do *Liber Novus* baseia-se nas seguintes razões editoriais: o material dos *Livros Negros* começa em novembro de 1913. O *Liber Secundus* encerra-se com material de 19 de abril de 1914 e os *Aprofundamentos* começam com material do mesmo dia. Os *Livros Negros* prosseguem consecutivamente até 21 de julho de 1914 e recomeçam a 3 de junho de 1915. Nesse intervalo, Jung escreveu o *Esboço manuscrito*. Quando Cary Baynes transcreveu o *Liber Novus* entre 1924 e 1925, a primeira metade de sua transcrição seguiu o próprio *Liber Novus* até ao ponto a que Jung chegou em sua própria transcrição para o volume caligráfico. Ele continua seguindo o esboço e depois avança 27 páginas nos *Aprofundamentos*, terminando no meio da frase.

No final do *Liber Secundus*, a alma de Jung ascendera ao céu seguindo o Deus renascido. Jung pensa agora que Filêmon é um charlatão e aproxima-se do seu "eu", com o qual deve conviver e que ele deve educar. Os *Aprofundamentos* continuam diretamente a partir desse ponto com um confronto com seu "eu". A ascensão do Deus renascido é mencionada, e sua alma retorna e explica por que ela desaparecera. Filêmon reaparece e instrui Jung sobre como estabelecer a relação correta com sua alma, com os mortos, com Deus e com os daímones. Nos *Aprofundamentos*, Filêmon aparece inteiramente e assume o significado que Jung lhe atribui tanto no seminário de 1925 quanto nas *Memórias*. Só nos *Aprofundamentos* certos episódios do *Liber Primus* e do *Liber Secundus* tornam-se claros. Da mesma forma, a narrativa dos *Aprofundamentos* não faz sentido se não se leu o *Liber Primus* e o *Liber Secundus*.

Em dois lugares dos *Aprofundamentos*, o *Liber Primus* e o *Liber Secundus* são mencionados de uma forma que sugere nitidamente fazerem parte da mesma obra:

> E então estourou a guerra. Abriram-se então meus olhos sobre muita coisa que eu havia vivido antes, e isso me deu também a coragem de dizer tudo o que escrevi nas partes anteriores deste livro[3].

> Desde que o Deus se elevou para os espaços superiores, também ΦΙ-ΛΗΜΩΝ ficou diferente. Inicialmente foi para mim um mago que vivia num país distante, mas depois senti sua proximidade e, desde que o Deus se elevou, sei que ΦΙΛΗΜΩΝ me embriagou e me inspirou uma linguagem estranha a mim mesmo e um outro sentir. Tudo isso desapareceu quando o Deus se elevou e só ΦΙΛΗΜΩΝ possuía aquela linguagem. Mas eu senti que ele trilhava outros caminhos e não o meu. A grande maioria do que escrevi nas primeiras partes deste livro foi ΦΙΛΗΜΩΝ que me inspirou[4].

Estas referências às "partes anteriores deste livro" sugerem que tudo isto constitui na verdade um só livro e que os *Aprofundamentos* foram considerados por Jung como parte do *Liber Novus*.

---

3 Cf. adiante, p. 418.

4 Cf. adiante, p. 426.

Esta opinião é apoiada pelo número de conexões internas entre os textos. Um exemplo é o fato de que os mandalas do *Líber Novus* estão estreitamente ligados à experiência do si-mesmo, e a percepção de sua centralidade é descrita só nos *Aprofundamentos*. Outro exemplo ocorre no *Líber Secundus*, capítulo 15: quando Ezequiel e seus companheiros anabatistas chegam, eles dizem a Jung que estão indo aos lugares santos de Jerusalém, porque não estão em paz já que não completaram plenamente a vida. Nos *Aprofundamentos*, os mortos reaparecem, dizendo a Jung que estiveram em Jerusalém, mas não encontraram o que ali procuravam. Nesse momento aparece Filêmon e começam os *Septem Sermones*. Talvez Jung tenha pretendido transcrever os *Aprofundamentos* no volume caligráfico e ilustrá-los, já que existem muitas páginas em branco.

A 8 de janeiro de 1958, Cary Baynes perguntou a Jung: "Você se lembra que me mandou copiar um bom pedaço do próprio *Livro Vermelho* enquanto você esteve na África? Cheguei até ao início dos *Aprofundamentos*. Isto vai além do que Frau Jaffé colocou à disposição de K.W. [Kurt Wolff] e ele gostaria de lê-lo. Está OK?"[5] Jung respondeu a 24 de janeiro: "Não tenho objeções a que você empreste suas notas do 'Livro Vermelho' a Mr. Wolff"[6]. Aqui parece que também Cary Baynes considerava os *Aprofundamentos* como parte do *Líber Novus*.

Nas citações feitas nas notas, as elipses foram indicadas por três pontos. Não foram acrescentadas novas ênfases.

---

5 *JA*.
6 *JA*.

Nota à edição sem ilustrações

Desde a publicação da edição original desta obra, que incluiu uma reprodução fac-similar das páginas caligráficas numa escala de um por um, houve um clamor por uma edição mais portátil sem as ilustrações, como um complemento para facilitar um estudo aprofundado da obra. A julgar pela edição impressa privadamente por Jung dos *Septem Sermones ad mortuos*, uma edição só com o texto talvez tenha sido uma das formas de publicação que ele considerou em algum momento. Esta edição reproduz a tradução completa, a introdução e as notas da edição original da obra, agora disposta numa só coluna, semelhante ao formato do manuscrito e do texto datilografado de Jung. As remissões recíprocas no texto para as ilustrações fac-similares foram mantidas, a fim de possibilitar aos leitores encontrar rapidamente a localização e as imagens correspondentes, quando lidas ao lado da edição original. À parte umas poucas correções, o texto não tem alterações. As referências ao seminário de Jung de 1925 foram atualizadas de acordo com a edição revista de 2012.

Abreviações e nota sobre a paginação

[IH] – Inicial historiada – uma letra inicial preenchida com uma representação em miniatura de uma figura individual ou de uma cena completa.

ILUSTRAÇÃO 000 – Indica o número da página em que a ilustração aparece nos *fac-símiles*.

Quando passagens são citadas nas notas a partir do *esboço corrigido*, palavras deletadas aparecem tachadas e palavras adicionadas estão entre colchetes.

[2] – "Camada dois", acrescentada no *esboço*.

{00} – Subdivisões adicionadas em citações longas para facilidade de referência.

BO – Borda ornamental.

BP – Bas de page.

AFJ – Arquivos da Família de Jung.

Introduction to Jungian Psychology: C.G. Jung, *Introduction to Jungian Psychology: Notes on the Seminar Given By Jung on Analytical Psychology in 1925*, editado por William McGuire, revisado por Sonu Shamdasani (Princeton: Bollingen/Philemon Series, Princeton University Press) 2012.

CFB – Cary Baynes Papers, Contemporary Medical Archives, Wellcome Library, Londres.

Cartas – *Cartas de C.G. Jung*, sel. e ed. por Aniela Jaffé em colaboração com Gerhard Adler, trad. Edgar Orth (Petrópolis: Vozes. 1999, 2002, 2003), 3 vols.

JA – Coleção de Jung. Coleções de História das Ciências, Arquivos do Instituto Federal de Tecnologia da Suiça, Zurique.

Memórias, Sonhos e Reflexões, C.G. Jung/Aniela Jaffé, trad. Dora Ferreira da Silva. Apresentação de Sérgio Brito. Rio de Janeiro: Nova Fronteira, 6. ed. 2006.

MP – Protocolos das entrevistas de Aniela Jaffé a C.G. Jung sobre *Memórias, Sonhos, Reflexões*, Biblioteca do Congresso, Washington D.C. (original em alemão).

MPA – Minutas da Associação de Psicologia Analítica, Clube Psicológico, Zurique (original em alemão).

MSZ – Minutas da Sociedade Psicanalítica de Zurique, Clube Psicológico, Zurique (original em alemão).

OC – Obra Completa de C.G. Jung. Petrópolis: Vozes. 1978-2003. 18 vols.
Para facilitar mover-se entre o fac-símile e a tradução, foram usados os seguintes expedientes:

Na tradução do *Liber Primus*, os números no final da cabeça esquerda referem-se aos fólios do fac-símile. Por exemplo, fol. ii(v) / fol. iii(r) indica que o material da tradução é do fólio ii verso e fólio iii reto do fac-símile. A quebra de uma página a outra no fac-símile é indicada por uma barra vermelha / no texto da tradução e os números do fólio são divididos por uma barra vermelha nas margens da página.

No *Liber Secundus*, são usados números de página: 3 / 5 na cabeça refere-se às páginas 3 até 5 do fac-símile. Uma barra vermelha no texto e 3 / 4 na margem indicam uma quebra entre as páginas 3 e 4 do fac-símile.

Liber Primus

[fol. i(r)][1]

O caminho do que há de vir

Isaias dixit: quis credidit auditui nostro et brachium Domini cui revelatum est? Et ascendet sicut virgultum coram eo et sicut radix de terra sitienti non est species ei neque decor et vidimus eum et non erat aspectus et desideravimus eum: despectum et novissimum virorum virum dolorum e scientem infirmitatem et quasi absconditus vultus eius et despectus unde nec reputavimus eum. vere languores nostros ipse tulit et dolores nostros ipse portavit et nos putavimus eum quasi leprosum et percussum a Deo et humiliatum. cap.liii/i-iv.

parvulus enim natus est nobis filius datus est nobis et factus est principatus super umerum eius et vocabitur nomen eius Admirabilis consiliarius Deus fortis Pater futuri saeculi princeps pacis. caput ix/vi.

[Isaías disse: Quem creu naquilo que ouvimos, e a quem se revelou o braço de Javé? Ele cresceu diante dele como um rebento, como raiz que brota de uma terra seca; não tinha beleza nem esplendor que pudesse atrair o nosso olhar, nem formosura capaz de nos deleitar. Era desprezado e abandonado pelos homens, um homem sujeito à dor, familiarizado com a enfermidade, como uma pessoa de quem todos escondem o rosto; desprezado, não fazíamos caso nenhum dele. E, no entanto, eram as nossas enfermidades que ele levava sobre si, as nossas dores que ele carregava. Mas nós o tínhamos como vítima do castigo, ferido por Deus e humilhado][2].

1 Os manuscritos medievais eram numerados por fólios em vez de por páginas. O lado da frente do fólio é o *rectum* (a página da direita de um livro aberto), e o lado de trás é o *versum* (a página à esquerda de um livro aberto). No *Liber Primus*, Jung seguiu esta prática. Voltou à paginação contemporânea no Liber Secundus.

2 Essas passagens são tiradas da Bíblia de Lutero. Em 1921, Jung citou os três primeiros versos dessa passagem (da Bíblia de Lutero), observando: "O nascimento do Salvador, isto é, o aparecimento do símbolo, acontece justamente onde não é esperado e exatamente onde a solução é a mais improvável" (*Tipos psicológicos*. OC, 6, § 484s.).

[“Porque um menino nos nasceu, um filho nos foi dado, ele recebeu o poder sobre seus ombros, e lhe foi dado este nome: Conselheiro-maravilhoso, Deus-forte, Pai-eterno, Príncipe-da-paz” (Is 9,6)[3].]

Ioannes dixit: et Verbum caro factum est et habitavit in nobis et vidimus gloriam eius quasi unigeniti a Patre plenum gratiae et veritatis. Ioann.cap.i/xiiii.

[João disse: E o Verbo se fez carne e habitou entre nós, e nós vimos sua glória, glória que Ele tem junto ao Pai como filho único, cheio de graça e de verdade (Jo 1,14).]

Isaias dixit: laetabitur deserta et invia et exultabit solitudo et florebit quasi lilium. germinans germinabit et exultabit laetabunda et laudans. tunc aperientur oculi caecorum et aures sordorum patebunt. tunc saliet sicut cervus claudus aperta erit lingua mutorum: quia scissae sunt in deserto aquae et torrentes in solitudine et quae erat arida in stagnum et sitiens in fontes aquarum. in cubilibus in quibus prius dracones habitabant orietur viror calami et iunci. et erit tibi semita et via sancta vocabitur. non transibit per eam pollutus et haec erit vobis directa via ita ut stulti non errent per eam. cap. xxxv.

[Isaías disse: Alegrem-se o deserto e a terra seca, rejubile-se a estepe e floresça; como o narciso, cubra-se de flores, sim, rejubile-se com grande júbilo e exulte... Então se abrirão os olhos dos cegos, e os ouvidos dos surdos se desobstruirão. Então o coxo saltará como o cervo, e a língua do mudo cantará canções alegres, porque a água jorrará do deserto, e rios, da estepe. A terra seca se transformará em brejo, e a terra árida em mananciais de água. Onde repousavam os chacais surgirá um campo de juncos e de papiros. Ali haverá uma estrada – um caminho que será chamado caminho sagrado. O impuro não passará por ele, ele mesmo andará por esse caminho, de modo que até os estultos não se desgarrarão (Is 35,1-8)[4].]

3 Em 1921, Jung cita essa passagem, observando: “A natureza do símbolo redentor é a de uma criança, isto é, a atitude de criança ou atitude não preconcebida faz parte do símbolo e de sua função. A atitude ‘de criança’ faz com que automaticamente surja no lugar do voluntarismo próprio e da intencionalidade racional um outro princípio orientador tão onipotente quanto divino. O princípio orientador é de natureza irracional, razão por que se manifesta sob a capa do maravilhoso. Isto foi muito bem expresso por Is 9,5. Esses atributos indicam as qualidades essenciais do símbolo redentor... O critério da ação ‘divina’ é a força irresistível do impulso inconsciente” (OC, 6, § 491-492).

4 Em 1955/1956, Jung observou que a união dos opostos dos poderes destrutivos e construtivos do inconsciente formam um paralelo com a realização do estado messiânico descrito por Isaías nesta passagem (OC, 14, § 258).

manu prop[ria] script[um] a C.G.Jung an[n]o Do[mini] mcmxv in dom[u] s[ua] Kusnacht Turic[ense?].

[Escrito de próprio punho por C.G. Jung no ano do Senhor de 1915 em sua casa de Küsnacht/Zurique.]

/ [IH i(v)] [2] Quando falo em espírito dessa época[5], preciso dizer: ninguém e nada pode justificar o que vos devo anunciar. Justificação para mim é algo supérfluo, pois não tenho escolha, mas eu devo. Eu aprendi que, além do espírito dessa época, ainda está em ação outro espírito, isto é, aquele que governa a profundeza de todo o presente[6]. O espírito dessa época gostaria de ouvir sobre lucros e valor. Também eu pensava assim e meu humano ainda pensa assim. Mas aquele outro espírito me força a falar apesar disso para além da justificação, de lucros e de sentido. Cheio de vaidade humana e cego pelo ousado espírito dessa época, procurei por muito tempo manter afastado de mim aquele outro espírito. Mas não me dei conta de que o espírito da profundeza possui, desde sempre e pelo futuro afora, maior poder do que o espírito dessa época que muda com as gerações. O espírito da profundeza submeteu toda vaidade e todo orgulho à força do juízo. Ele tirou de mim a fé na ciência, ele me roubou a alegria da explicação e do ordenamento, e fez com que se extinguisse em mim a dedicação aos ideais dessa época. Forçou-me a descer às coisas mais simples e que estão em último lugar.

fol. i(r) /i(v)

O espírito da profundeza tomou minha razão e todos os meus conhecimentos e os colocou a serviço do inexplicável e do absurdo. Ele me roubou fala e escrita sobre tudo que não estivesse a serviço disto, isto é, da interfusão de sentido e absurdo, que produz o sentido supremo.

Mas o sentido supremo é o trilho, o caminho e a ponte para o porvir. É o Deus que vem – não é o próprio Deus, mas sua imagem que se manifesta no sentido supremo[7]. Deus é uma imagem, e aqueles que o adoram devem adorá-lo na imagem do sentido supremo.

---

5 No *Fausto* de Goethe, Fausto diz: "O que significa para vós o espírito dos tempos, /isto é no fundo o espírito do próprio Senhor, /no qual os tempos se espelham" (*Faust* I, linhas 577-579).

6 O *esboço* continua: "isto me disse alguém que não me conhecia, mas a quem cabia evidentemente sabê-lo: 'Que tarefa notável tu tens! Precisas revelar às pessoas todo teu mais íntimo e mais inferior'. Mas a isto me recusei, pois não detestava outra coisa mais do que isso que me pareceu lascívia e falta de respeito" (p. 1).

7 Em *Transformações e símbolos da libido* (1912), Jung interpretou Deus como um símbolo da libido (OC, B, § 111). Na versão reformulada, Jung deu grande ênfase à distinção entre a imagem de Deus e a existência metafísica de Deus (cf. passagens acrescentadas à edição revista e com novo título (1952) de *Símbolos da transformação* (OC, 5, § 95).

O sentido supremo não é um sentido e não é um absurdo, é imagem e força ao mesmo tempo, glória e força juntas.

O sentido supremo é começo e meta. É ponte de passagem para o outro lado e realização[8].

Os outros deuses morreram em sua temporalidade, mas o sentido supremo não morre, ele se transforma em sentido e então em absurdo, e do fogo e do sangue da colisão de ambos reergue-se o sentido supremo rejuvenescido.

A imagem de Deus tem uma sombra. O sentido supremo existe realmente e lança uma sombra. Pois o que poderia existir real e corporalmente e não ter nenhuma sombra?

A sombra é a tolice. É desprovida de força e não tem existência em si. Mas a tolice é a irmã inseparável e imortal do sentido supremo.

Como as plantas, assim também crescem as pessoas, algumas na luz, outras na sombra. São muitas as que precisam da sombra e não da luz.

A imagem de Deus lança uma sombra que é tão grande quanto ele próprio.

O sentido supremo é grande e pequeno, é amplo como o espaço do céu estrelado e estreito como a célula do corpo vivo.

O espírito dessa época em mim queria muito conhecer a grandeza e amplidão do sentido supremo, mas não sua pequenez. Mas o espírito da profundeza venceu este orgulho, e eu tive de engolir o pequeno como um remédio da imortalidade. Ele queimou naturalmente minhas entranhas, pois era inglório, não heroico, e era até mesmo ridículo e repugnante. Mas a tenaz do espírito da profundeza me segurou, e eu tive de tomar a mais amarga de todas as bebidas[9].

O espírito dessa época tentou-me com as ideias de que tudo isso pertencia ao lado sombrio da imagem de Deus. Isto seria engano pernicioso, pois a sombra é a tolice. Mas o pequeno, o estreito e o cotidiano não é nenhuma tolice, e sim uma das duas essências da divindade. Eu me recusava a reconhecer que o cotidiano pertencesse à imagem da divindade. Eu afugentava esses pensamen-

---

8 Os termos *hinübergehen* (ir para o além), *Übergang* (transição), *Untergang* (declínio) e *Brücke* (ponte) sobressaem no *Zaratustra*, de Nietzsche, em relação à passagem do homem para o *Übermensch* (além-homem). Exemplo: "A grandeza do homem consiste em ser uma ponte e não uma meta: o que se pode amar no homem é ser ele ascensão e um declínio. Amo aos que não sabem viver senão com a condição de perecer, porque, perecendo, eles passam além" (Petrópolis: Vozes, 2007, "Prólogo", 4, p. 22 [Trad. de Mario Ferreira dos Santos – Palavras sublinhadas como no exemplar de Jung].

9 Jung parece estar se referindo a episódios que ocorrem mais tarde no texto: a cura de Izdubar (*Liber Secundus*, cap. 9), e o beber da bebida amarga, preparada pelo solitário (*Liber Secundus*, cap. 20).

tos, eu me escondia deles atrás das estrelas mais altas e mais geladas. Mas o espírito da profundeza me apanhou e forçou a bebida amarga entre meus lábios[10].

O espírito dessa época disse-me em voz baixa: "Este sentido supremo, esta imagem de Deus, esta interfusão do quente e do frio, isto és tu e somente tu". Mas o espírito da profundeza falou-me[11]: "Tu és uma imagem do mundo infinito, todos os últimos mistérios do vir a ser e do cessar de ser moram em ti. Se não possuísses tudo isso, como poderias conhecer?"

Em consideração à minha fraqueza humana, o espírito da profundeza deu-me esta palavra. Também esta palavra é supérflua, pois não falo por causa dela, mas porque eu preciso. Pelo fato de o espírito me roubar a alegria e a vida se eu não falar, por isso eu falo[12]. Sou o servo que o traz, e que não sabe o que sua mão carrega. Queimaria sua mão se não o colocasse lá onde o senhor manda que o coloque.

O espírito de nossa época falou-me e disse: "Que necessidade poderia ser essa que te obriga a falar tudo isso?" Esta tentação foi difícil. Queria refletir qual necessidade interna ou externa poderia forçar-me a isso, e porque não encontrei nenhuma necessidade compreensível, estive prestes a imaginar uma. Com isso, o espírito dessa época quase consentiu que, em vez de falar, eu continuasse a pensar em fundamentos e explicações. Mas o espírito da profundeza me falou e disse: "Entender uma coisa é ponte e possibilidade de voltar ao trilho. Mas explicar uma coisa é arbitrariedade e às vezes até assassinato. Contaste os assassinos entre os eruditos?"

Mas o espírito dessa época aproximou-se de mim e colocou à minha frente grossos livros que continham todo o meu saber; suas páginas eram de metal, e um estilete de ferro gravara nelas palavras implacáveis; ele apontou para aquelas palavras implacáveis, falou para mim e disse: "Aquilo que tu falas, isto é a loucura".

É verdade, é verdade, é a dimensão, a embriaguez e a feiura da loucura o que eu falo.

---

10 O *esboço* continua: "Quem bebe esta bebida jamais terá sede nem no aquém e nem no além, pois bebeu a passagem para o além e a realização. Ele bebeu o metal derretido que se solidifica em duro metal em sua alma e espera por nova fusão e mistura" (p. 4).

11 O volume caligráfico tem: "~~este sentido supremo~~".

12 O *esboço* continua: "Quem sabe, este me compreende e vê que não minto. Cada qual pergunte à sua profundeza se ele precisa daquilo que eu falo" (p. 4).

Mas o espírito da profundeza aproximou-se de mim e falou: "O que tu falas é. O tamanho é, a embriaguez é, a trivialidade desprezível, doente, ignorante é, percorre todos os caminhos, mora em todas as casas e rege o dia de toda a humanidade. Também os astros eternos são banais. Ela é a grande senhora e a única essência da divindade. Zomba-se dela, também a zombaria é. Acreditas tu, homem dessa época, que a zombaria é menos que a adoração? Onde estão tuas medidas, falso medidor?[13] A soma da vida na zombaria e na adoração é que decide, não teu julgamento".

Preciso falar também do ridículo. Vós, pessoas vindouras! Conhecereis o sentido supremo no fato de ele ser a zombaria e a adoração, uma zombaria sangrenta e uma adoração sangrenta: o sangue sacrificial une os polos. Quem sabe disso zomba e adora no mesmo respirar.

Mas depois disso apresentou-se diante de mim minha condição de ser humano e falou: "Que solidão, que frieza do abandono colocas sobre mim quando falas assim! Lembra-te da destruição do sendo e dos rios de sangue do sacrifício monstruoso que a profundeza exige"[14].

Mas o espírito da profundeza disse: "Ninguém pode nem deve impedir o sacrifício. Sacrifício não é destruição. Sacrifício é pedra angular do que virá. Não tivestes mosteiros? Não foram para o deserto inúmeros milhares? Deveis trazer mosteiros dentro de vós mesmos. O deserto está em vós. O deserto vos chama e vos puxa de volta, e se estivésseis chumbados com ferro ao mundo dessa época, o chamado do deserto quebra todas as correntes. Verdadeiramente, eu vos preparo para a solidão".

Depois disso, calou-se meu ser humano. Mas ao meu ser espiritual aconteceu algo que preciso chamar de graça.

Minha linguagem é imperfeita. Não que eu queira brilhar com palavras, mas por incapacidade de encontrar aquelas palavras é que falo em imagem. Pois não posso pronunciar de outro modo as palavras da profundeza.

A graça que me aconteceu deu-me fé, esperança, ousadia suficiente para não continuar resistindo ao espírito da profundeza, mas falar suas palavras. Mas antes que pudesse cobrar ânimo para assim proceder, precisei de um sinal

---

13 Lit. *Vermessener*. Isso traz também a conotação do adjetivo *vermessen*, ou seja, uma falta ou perda de medida, e por isso implica confiança excessiva, presunção.

14 Uma referência à visão que se segue.

visível que me mostrasse que o espírito da profundeza em mim é também ao mesmo tempo o senhor da profundeza do que acontece no mundo.

[15]Aconteceu em outubro de 1913, quando estava sozinho numa viagem, que fui de repente surpreendido em pleno dia por uma visão: vi um dilúvio gigantesco que encobriu todos os países nórdicos e baixos entre o Mar do Norte e os Alpes. Estendia-se da Inglaterra até a Rússia, das costas do Mar do Norte até quase os Alpes. Eu via as ondas amarelas, os destroços flutuando e a morte de incontáveis milhares.

Esta visão durou duas horas, ela me desconcertou e me fez mal. Não fui capaz de interpretá-la. Passaram-se duas semanas e então a visão voltou mais impetuosa do que antes, e uma voz interior falou: "Observa bem, é totalmente real e assim será. Não podes desesperar por isso". Eu lutei novamente por duas horas com esta visão, mas ela me manteve preso. Isto me deixou esgotado e perturbado. E pensei que meu espírito havia ficado doente[16].

Daí em diante voltou o medo do pavoroso acontecimento que deveria ficar diretamente diante de nós. Uma vez também vi um mar de sangue sobre os países nórdicos.

Em 1914, no começo e no final de junho e no início de julho tive por três vezes o mesmo sonho: eu estava num país estranho e, de repente, durante a noite, e bem no meio do verão sobreveio do universo um frio inexplicável e terrível; todos os mares e rios ficaram congelados, todo o verde morreu queimado pelo frio.

O segundo sonho foi bem semelhante a este. O terceiro, no início do mês de julho, foi assim:

Eu estava num distante país de língua inglesa[17]. Era preciso que eu voltasse ao meu país o mais rápido possível num navio bem veloz[18]. Cheguei rapidamente a casa[19]. Em casa deparei-me com o fato de que em pleno verão havia

---

15 O *esboço* corrigido tem: "No começo" (p. 7)

16 Jung discutiu esta visão em várias oportunidades, acentuando diferentes detalhes: no seminário de 1925 *Introduction to Jungian Psychology* (p. 44s.), para Mircea Eliade (ver acima, p. 28) e em *Memórias* (p. 210). Jung estava a caminho de Schaffhausen, onde vivia sua sogra e cujo quinquagésimo sétimo aniversário era no dia 17 de outubro. A viagem de trem leva aproximadamente uma hora.

17 O *esboço* continua: "com um amigo (cuja falta de perspicácia e imprudência já me haviam chamado a atenção mais vezes" (p. 8).

18 O *esboço* continua: "meu amigo queria voltar num veleiro pequeno e vagaroso, o que eu achei bobagem e imprudência" (p. 8).

19 O *esboço* continua: "e encontrei lá curiosamente também meu amigo que obviamente havia aproveitado o mesmo navio rápido, sem que eu o percebesse" (p. 8-9).

irrompido um frio tremendo a partir do mundo ambiente, que congelou todo ser vivo. Havia ali uma árvore carregada de folhas, mas sem frutos; as folhas se haviam transformado, pela ação do gelo, em doces bagos de uva, cheios de suco medicinal[20]. Colhi as uvas e as dei de presente a uma grande multidão que aguardava[21].

Na realidade aconteceu o seguinte: Na época em que estourou a grande guerra entre as nações da Europa eu me encontrava na Escócia[22]; obrigado pela guerra, decidi voltar para casa no navio mais rápido pelo caminho mais curto. Encontrei o frio monstruoso que tudo congelou, encontrei o dilúvio, o mar de sangue, e encontrei minha árvore sem frutos, cujas folhas o gelo havia transformado em remédio. E eu colhi as frutas maduras e as dei a vós e não sei o que dei de presente a vós, que doce-amarga bebida da embriaguez que deixou um gosto de sangue em vossa língua.

Acreditai-me[23]: *não é nenhuma doutrina nem alguma instrução que vos dou. Donde haveria de buscar para querer instruir-vos? Eu vos informo o caminho dessa pessoa, seu caminho, mas não o vosso caminho. Meu caminho não é o vosso caminho, portanto / não vo-lo posso ensinar*[24]. *O caminho está em nós, mas não em deuses, nem em doutrinas, nem em leis. Em nós está o caminho, a verdade e a vida.*

fol. i(v) /ii(r)

Ai daqueles que vivem segundo exemplos! A vida não está com eles. Se viveis segundo um exemplo, viveis então a vida do exemplo, mas quem deve viver vossa vida a não ser vós mesmos? Portanto, vivei a vós mesmos[25].

Os indicadores do caminho caíram, trilhas indeterminadas estão diante de nós[26]. *Não sejais gulosos em engolir os frutos de campos estranhos. Não sabeis que vós mesmos sois o campo fértil que produz tudo o que vos aproveita?*

Mas quem sabe disso hoje em dia? Quem conhece o caminho para o eterno e fértil campo da alma? Procurais o caminho através de coisas exteriores, ledes livros e ouvis opiniões: de que serve?

---

20 Vinho congelado é feito deixando-se as uvas na vinha até que fiquem congeladas. Depois são espremidas, e o gelo retirado, resultando em um vinho doce, muito saboroso e altamente concentrado.

21 O *esboço* continua: "Este foi meu sonho. Todo esforço de interpretá-lo foi em vão. Esforcei-me durante vários dias. Mas a impressão que deixou foi poderosa" (p. 9). Jung também conta esse sonho em *Memórias* (p. 211).

22 Ver introdução, p. 25.

23 No esboço isto é dirigido a "meus amigos" (p. 9).

24 Cf. o contraste com Jo 14,6: "Jesus lhe respondeu: Eu sou o caminho, a verdade e a vida. Ninguém vem ao Pai senão por mim".

25 O *Esboço* continua: "Isto não é uma lei, mas um anúncio do fato de que havia passado o tempo do exemplo e da lei e da linha reta previamente traçada" (p. 10).

26 O *esboço* continua: "Minha língua seque se eu vos apresentar leis, se vos engambelar com doutrinas. Quem procura isso sairá com fome de minha mesa" (p. 10).

Só existe um caminho, e este é o vosso caminho[27].

Procurais o caminho? Eu vos previno contra o meu caminho. Pode ser um descaminho para vós.

Cada qual anda o seu caminho.

Não quero ser para vós nenhum salvador, nenhum legislador, nenhum educador. Já não sois crianças[28].

O legislar, o querer melhorar, o tornar mais fácil transformou-se em um erro e um mal. Cada qual procure seu caminho. O caminho conduz ao amor mútuo em comunidade. As pessoas vão ver e sentir a semelhança e comunhão de seus caminhos.

Leis e doutrinas comuns precisa a pessoa para o estar só, a fim de escapar da pressão da comunidade não desejada, mas o estar só torna a pessoa hostil e venenosa.

Daí, portanto, a dignidade à pessoa e permiti que fique só, a fim de que encontre sua comunidade e a ame.

A violência está contra a violência, desprezo contra desprezo, amor contra amor. Daí à humanidade a dignidade e confiai que a vida encontrará o melhor caminho.

O único olho da divindade é cego, o único ouvido da divindade é surdo, sua ordem é cruzada pelo caos. Portanto, sede pacientes com o aleijado do mundo e não superestimai sua beleza perfeita[29].

O reencontro da alma

[I H ii(r)][30]

Cap. I.[31]

[2] Quando tive, em outubro de 1913, a visão do dilúvio, isto aconteceu numa época que foi muito importante para mim como pessoa. Naquele tempo,

---

27 O *Esboço* continua: "existe uma só lei, e essa é a vossa lei. Existe uma só verdade, e essa é a vossa verdade" (p. 10).

28 O *esboço* continua: "Não se deve fazer da pessoa uma ovelha, mas da ovelha uma pessoa. Isto exige o espírito da profundeza que está além do tempo presente e passado. Falai e escrevei para aqueles que querem ouvir e ler. Mas não corrais atrás das pessoas, para não manchar a dignidade da humanidade – ela é um bem tão raro. É preferível um declínio triste com dignidade do que um ser sadio sem dignidade. Quem quer ser um médico de almas trata a pessoa como doente. Ele ofende a dignidade humana. É uma impertinência dizer que a pessoa está doente. Quem quer ser um pastor de almas trata as pessoas como ovelhas. Fere a dignidade humana. É um desrespeito dizer que a pessoa é como uma ovelha. Quem vos dá o direito de dizer que a pessoa está doente ou é uma ovelha? Dai-lhe a dignidade para que possa encontrar sua ascensão ou decadência, seu caminho" (p. 11).

29 O *esboço* continua: "Isto é tudo, meus prezados amigos, que posso dizer-vos sobre os fundamentos e intenções de minha mensagem que me é imposta, como ao burro paciente, o peso opressor. Ele se alegra ao descarregá-lo" (p. 12).

30 No texto, Jung identifica o pássaro branco como sendo sua alma. Para a explanação de Jung da pomba na alquimia, ver *Mysterium coniunctionis* (1955/1956. OC, 14, § 81).

31 O *esboço corrigido* tem: "Primeira noite" (p. 13).

por volta dos meus quarenta anos de vida, havia alcançado tudo o que eu desejara. Havia conseguido fama, poder, riqueza, saber e toda a felicidade humana. Cessou minha ambição de aumentar esses bens, a ambição retrocedeu em mim, e o pavor se apoderou de mim[32]. A visão do dilúvio tomou conta de mim, e eu senti o espírito da profundeza, mas eu não o entendia[33]. Mas ele me forçou com um desejo interior insuportável e eu disse[34]:

[1] "Minha alma, onde estás? Tu me escutas? Eu falo e clamo a ti – estás aqui? Eu voltei, estou novamente aqui – eu sacudi de meus pés o pó de todos os países e vim a ti, estou contigo; após muitos anos de longa peregrinação voltei novamente a ti. Devo contar-te tudo o que vi, vivenciei, absorvi em mim? Ou não queres ouvir nada de todo aquele turbilhão da vida e do mundo? Mas uma coisa precisas saber: uma coisa eu aprendi: que a gente deve viver esta vida.

Esta vida é o caminho, o caminho de há muito procurado para o inconcebível, que nós chamamos divino[35]. Não existe outro caminho. todos os outros caminhos são trilhas enganosas. Eu encontrei o caminho certo, ele me conduziu a ti, à minha alma. Eu volto retemperado e purificado. Tu ainda me conheces? Quanto tempo durou a separação! Tudo ficou tão diferente! E como te encontrei? Maravilhosa foi minha viagem. Com que palavras devo descrever-te? Por que trilhas emaranhadas uma boa estrela me conduziu a ti? Dá-me tua mão, minha quase esquecida alma. Que calor de alegria rever-te, minha alma muito tempo renegada! A vida reconduziu-me a ti. Vamos agradecer à vida o fato de eu ter vivido, todas as horas felizes e tristes, toda alegria e todo sofrimento.

32 O *esboço do manuscrito* tem: "Prezados amigos!" (p. 1). O *esboço* tem: "Prezados amigos!" (p. 1). Em sua preleção na ETH a 14 de junho de 1935, Jung observou: "Por volta do trigésimo quinto ano, existe um ponto em que as coisas começam a mudar, é o primeiro momento do lado sombrio da vida, do descer para a morte. É evidente que Dante encontrou este ponto e os que leram *Zaratustra* saberão que Nietzsche também o descobriu. Quando chega este momento crítico, as pessoas o enfrentam de diversas maneiras: algumas não o aceitam; outras mergulham nele; e para outras ainda algo importante acontece a partir de fora. Se não vemos algo, o Destino no-lo faz ver" (HANNAH, B. (org.). *Modern Psychology* – Vol. 1 and 2: Notes on Lectures given at the Eidgenössische Technische Hochschule, Zürich, by Prof. Dr. C.G. Jung, October 1933-July 1935, 2. ed. Zurique: Ed. Privada, 1959, p. 223).

33 A 27 de outubro de 1913, Jung escreveu a Freud rompendo relações com ele e demitindo-se do cargo de editor do *Jahrbuch für Psychoanalytische und Psychopathologische Forschungen* (McGUIRE, W. & SAUERLANDER, W. (orgs.). *Sigmund Freud C.G. Jung Briefwechsel*. Frankfurt am Main: Fischer Verlag, 1974, p. 612).

34 Em novembro de 1913 (nas notas a seguir, as datas das fantasias específicas foram tiradas dos *Livros Negros*). Após "desejo", o *esboço* tem: "no começo do mês seguinte tomar minha caneta e escrever isto" (p. 13).

35 Esta afirmação ocorre diversas vezes nos escritos tardios de Jung – cf., por exemplo, PRATT, J. "Notes on a talk given by C.G. Jung: 'Is analytical psychology a religion?'" *Spring Journal of Archetypal Psychology and Jungian Thought*, 1972, p. 148.

Minha alma, contigo deve continuar minha viagem. Contigo quero caminhar e subir para minha solidão"[36].

[2] Foi isto que o espírito da profundeza me obrigou a falar e ao mesmo tempo viver contra mim mesmo, pois não o esperava. Naquele tempo estava ainda totalmente preso ao espírito dessa época e pensava de outro modo sobre a alma humana. Eu pensava e falava muita coisa da alma, sabia muitas palavras eruditas sobre ela, eu a analisei e fiz dela um objeto da ciência[37]. Não tomei em consideração que minha alma não pode ser objeto de meu juízo e saber; antes, meu juízo e saber são objetos de minha alma[38]. Por isso obrigou-me o espírito da profundeza a falar para a alma, a invocá-la como um ser vivo e subsistente em si mesmo. Eu tinha de entender que havia perdido minha alma.

Disso aprendemos o que o espírito da profundeza pensa da alma: ele a vê como um ser vivo subsistente em si mesmo, e assim contradiz o espírito dessa época, para o qual a alma é um objeto dependente da pessoa, que se deixa julgar e ordenar e cuja extensão nós podemos compreender. Tive de reconhecer que aquilo que anteriormente eu designei como minha alma não foi na verdade minha alma, mas um sistema doutrinário morto[39]. Por isso tive de falar à minha alma como a algo distante e desconhecido, que não tem existência através de mim, mas através do qual eu tenho existência.

Aquele cuja cobiça se aparta das coisas externas, este chega ao lugar da alma[40]. Se não encontrar a alma, será acometido pelo horror do vazio, e o medo vai expulsá-lo com um chicote de várias tiras para uma aspiração desesperada e para uma cobiça cega das coisas ocas deste mundo. Tornar-se-á um bobo de sua cobiça ilimitada e se perderá de sua alma para nunca mais encontrá-la. Correrá

---

36 Mais tarde Jung descreveu sua transformação pessoal ocorrida neste tempo como um exemplo do início da segunda metade da vida, que frequentemente assinalou um retorno à alma, depois de alcançadas as metas e as ambições da primeira metade da vida (*Símbolos da transformação*, 1952. OC, 5, p. xxvi). Veja também: "As etapas da vida humana", 1930. OC, 8/2).

37 Jung se refere aqui à sua obra mais antiga. Ele escreveu por exemplo em 1905: "O experimento de associações ao menos nos fornece os meios de traçar o caminho da pesquisa experimental para chegar aos segredos da psique doentia" (OC, 2, § 897).

38 Em *Tipos psicológicos* (1920), Jung observou que na psicologia, as concepções são "um produto da constelação psicológica subjetiva do pesquisador" (OC, 6, § 8). Esta reflexão constituiu tema importante em sua obra posterior (cf. SHAMDASANI. *Jung and the Making of Modern Psychology*: The Dream of a Science. Cambridge: Cambridge University Press, 2003, § 1).

39 O *esboço* continua: "um sistema morto de ensino, por mim excogitado e montado com as chamadas experiências e julgamentos" (p. 16).

40 Em 1913, Jung chama este processo de introversão da libido ("A questão dos Tipos Psicológicos". OC, 6).

atrás de todas as coisas, vai puxá-las todas para si, mas não encontrará nelas sua alma, pois só a encontrará dentro de si mesmo. É óbvio que sua alma está nas coisas e nas pessoas, mas o cego agarra as coisas e as pessoas, mas não sua alma nas coisas e nas pessoas. Não sabe nada a respeito de sua alma. Como poderia distingui-la das pessoas e das coisas? Ele encontraria, sim, sua alma na própria cobiça, mas não nos objetos da cobiça. Se ele possuísse sua cobiça, e não sua cobiça o possuísse, teria colocado uma mão sobre a alma, pois sua cobiça é imagem e expressão de sua alma[41].

Possuindo a imagem de uma coisa, possuímos a metade da coisa.

A imagem do mundo é a metade do mundo. Quem possui o mundo, mas não sua imagem, possui só a metade do mundo, pois sua alma é pobre e sem bens. A riqueza da alma consiste de imagens[42]. Quem possui a imagem do mundo possui a metade do mundo, mesmo quando seu humano é pobre e sem bens[43]. Mas a fome transforma a alma em fera que engole o prejudicial e com isso se envenena. Meus amigos, é sábio alimentar a alma, senão criareis dragões e demônios em vossos corações[44].

---

41 Em 1912, Jung havia escrito: "É um erro comum *julgar o desejo segundo a qualidade do objeto*... A natureza só é bela devido ao desejo e ao amor, que lhe concede a pessoa. Os atributos estéticos que daqui emanam aplicam-se primeiramente à libido que sozinha constitui a beleza da natureza" (*Transformações e símbolos da libido*. OC, B, § 147).

42 Em *Tipos psicológicos*, Jung articulou esta primazia da imagem através de sua noção de *esse in anima* (OC, 6, § 63s., 73s.). Em suas anotações diárias, Cary Baynes comentou a respeito desta passagem: "O que me impressionou especialmente foi o que o Sr. falou sobre o fato de a "Bild" ser metade do mundo. Essa é a coisa que torna a humanidade tão estúpida. Não entenderam essa coisa. O mundo, essa é a coisa que os mantém extasiados. Eles nunca consideraram "das Bild" seriamente a não ser que tenham sido poetas" (8 de fevereiro de 1924, escritos de Baynes).

43 O *esboço* continua: "Quem ambiciona coisas, este empobrece com o aumento de riquezas exteriores, e sua alma sucumbe a uma doença crônica" (p. 17).

44 O *esboço* continua: "Esta alegoria do reencontro da alma, meus amigos, deve mostrar-vos que só me vistes como meia pessoa, pois eu me havia perdido de minha alma. Com certeza, não o percebestes; pois quantos estão hoje com sua alma? Mas sem alma não há caminho para além deste tempo" (p. 17). Em suas anotações diárias, Cary Baynes comentou esta passagem: "8 de fevereiro [1924]. Cheguei à conversação do Sr. com sua alma. Tudo que o Sr. diz é dito de maneira correta e é sincero. Não é o grito do homem jovem despertando para a vida, mas o do homem maduro que viveu plena e ricamente à maneira do mundo e no entanto, quase que abruptamente, certa noite, ouve alguém dizer que ele não atingiu a essência. A visão veio no auge de sua força, quando o Sr. poderia seguir em frente exatamente como o Sr. era, com perfeito sucesso material. Eu não sei como o Sr. teve força suficiente para prestar-lhe atenção. Concordo realmente com tudo o que o Sr. diz e o entendo. Todos os que perderam a conexão com sua própria alma ou que souberam como dar-lhe vida precisam ter uma oportunidade de ver este livro. Até agora cada palavra para mim está viva e fortalece-me justamente onde me sinto fraca. Mas, como o Sr. diz, hoje o mundo está muito longe de ter esta disposição. Isto não tem muita importância, um livro pode sacudir o mundo inteiro se for escrito com fogo e sangue" (escritos de Baynes).

Alma e Deus

[IH ii (r)2][45]

Cap. ii.

Na segunda noite chamei minha alma[46]:

“Estou cansado, minha alma, já dura demais o meu caminhar, minha busca por mim fora de mim. Passei através das coisas e fui encontrar-te atrás da miscelânea. Mas em minha viagem equivocada através das coisas descobri a humanidade e o mundo. Encontrei pessoas. E reencontrei a ti, minha alma, primeiramente em imagem na pessoa e, depois, a ti mesma. Encontrei-te lá onde menos esperava. De lá subiste para mim de um poço escuro. Tu te anunciaste previamente em sonhos[47]; eles queimavam em meu coração. Eles me impeliram para tudo o que era mais destemido e ousado e forçaram-me a elevar-me acima de mim mesmo. Tu me fizeste ver verdades das quais nada suspeitava antigamente. Fizeste-me percorrer caminhos cujo comprimento interminável me teria assustado se o conhecimento deles não estivesse escondido em ti.

Andei durante muitos anos, tanto que esqueci que possuía uma alma[48]. Onde estavas tu neste tempo todo? Que além te abrigava e te dava guarida? Oh, que tu tenhas de falar através de mim, que minha linguagem e eu sejamos para ti símbolo e expressão! Como devo decifrar-te?

Quem és tu, criança? Como criança, como menina, meus sonhos te representaram[49]; nada sei de teu mistério[50]. Perdoa, se falo como em sonho, como um bêbado – tu és Deus? Deus é uma criança, uma moça?[51] Perdoa, se falo coisas confusas. Ninguém me escuta. Eu falo no silêncio contigo, e tu sabes que

---

45 Em 1945, Jung comentou o simbolismo do pássaro e da cobra em conexão com a árvore em “A árvore filosófica” (OC, 13).

46 14 de novembro de 1913.

47 O *esboço* continua: “que me eram obscuros e que eu procurava captar com minha capacidade insuficiente” (p. 18).

48 O *esboço* continua: “Eu pertencia às pessoas e às coisas. Não pertencia a mim”. No *Livro Negro* 2, Jung afirma que vagueou por onze anos (p. 19). Parou de escrever neste livro em 1902, retomando-o no outono de 1913.

49 *Livro Negro* 2: “Somente através da alma da mulher encontrei-te novamente” (p. 8).

50 *Livro Negro* 2: “Vê, eu trago uma ferida comigo que ainda não sarou: minha ambição de causar impressão” (p. 8).

51 *Livro Negro* 2: “Preciso dizer-me francamente: Serve-se ele da imagem de uma criança, que mora dentro de cada pessoa? Não foram Hórus, Tages e Cristo crianças? Também Dioniso e Hércules eram crianças divinas. Não se denominou o Deus humanado, Cristo, a si mesmo *Filho do Homem*? Qual teria sido nisso sua ideia mais profunda? Será que o nome de Deus é a de *Filha do Homem*? (p. 9).

não sou um bêbado, um alienado mental e que meu coração se revolve sob a ferida da qual a treva faz escárnio: "Tu mentes para ti. Falas assim para iludir os outros e fazer com que acreditem em ti. Queres ser profeta, mas corres atrás de tua ambição". A ferida ainda sangra, e eu estou longe de poder não escutar a própria fala do deboche.

Como soa estranho para mim chamar-te criança, tu que seguras em tua mão coisas infinitas[52]. Eu andei pelos caminhos do dia e tu foste, invisível comigo, unindo significativamente pedaço a pedaço e fizeste-me ver em cada pedaço um todo.

Tu retiraste aquilo em que eu pensava me segurar e me deste aquilo de onde eu nada esperava, e sempre de novo aduziste destinos de lados diferentes e inesperados. Onde eu semeava, tu me roubavas a colheita e onde eu não semeava, tu me davas frutos em cêntuplo. E sempre de novo perdia o fio, para encontrá-lo outra vez onde jamais teria esperado. Tu seguraste minha fé quando estava só e à beira do desespero. Tu fizeste com que em todos os momentos decisivos eu acreditasse em mim mesmo.

[2] Como um viandante cansado, que não procurou nada no mundo a não ser por ela, devo aproximar-me de minha alma. Devo aprender que por trás de tudo está, em última análise, minha alma, e se eu percorrer o mundo, acontecerá no fim que encontrarei minha alma. Mesmo as pessoas mais queridas não são meta e fim do amor que procuram, são símbolos da própria alma.

Meus amigos, adivinhais vós para qual solidão vamos subir?

Devo aprender que a espuma de meu pensar são meus sonhos, a linguagem de minha alma. Preciso carregá-los em meu coração e movimentá-los de cá para lá em meus sentidos, como as palavras da pessoa mais cara. Os sonhos são as palavras-guia da alma. Como então não deveria amar minha alma e fazer de suas imagens enigmáticas o objeto de minhas considerações diárias? Tu achas que o sonho é tolo e deselegante. O que é belo? O que é deselegante? O que é inteligente? O que é tolo? O espírito dessa época é tua medida. Mas o espírito

---

52 O *esboço* continua: "Quão espessa era a escuridão antiga! Quão forte e interesseira era minha paixão, subjugada por todos os demônios da ambição, da busca de fama, cobiça, estagnação, avidez de todo tipo, e quão ignorante eu era então! A vida me arrancou para fora e eu corri conscientemente para longe de ti e o fiz assim todos esses anos. Reconheço que tudo era bom. E eu pensava que tu estavas perdida, ou ao menos me parecia que eu estava perdido. Mas não estavas perdida. Eu andei pelos caminhos do dia. Tu ias invisível comigo e me conduziste de degrau em degrau, juntando pedaço a pedaço" (p. 20-21).

da profundeza o sobrepuja nas duas pontas. Só o espírito dessa época conhece a diferença entre grande e pequeno; mas esta diferença é ilusória como o espírito que a conhece. / fol. ii(r) /ii(v)

O espírito da profundeza ensinou-me inclusive a considerar como dependentes dos sonhos meu agir e meu decidir. Os sonhos preparam a vida e eles te determinam sem que entendas sua linguagem[53]. Nós gostaríamos de aprender esta linguagem, mas quem é capaz de ensiná-la e aprendê-la? Pois só a erudição não basta; existe um saber do coração, que dá esclarecimentos mais profundos[54]. O saber do coração não é possível encontrá-lo em nenhum livro e em nenhuma boca de professor, mas ele nasce de ti como o grão verde, da terra preta. A erudição pertence ao espírito dessa época, mas este espírito não abrange de forma nenhuma o sonho, pois a alma está em toda a parte onde o saber ensinado não está.

Mas como posso conseguir o saber do coração? Só poderás conseguir este saber vivendo plenamente tua vida. Tu vives tua vida plenamente quando tu vives também aquilo que nunca viveste, mas sempre deixaste para que os outros o vivessem e pensassem[55]. Tu dirás: "Eu não posso viver ou pensar tudo o que os outros vivem e pensam". Mas deves dizer: "A vida que eu ainda poderia viver, eu deveria viver e o pensar que eu ainda poderia pensar, eu deveria pensar". Tu queres fugir de ti, para não teres de viver aquilo que não foi vivido até agora[56].

---

53 Em 1912 Jung endossou a ideia de Maeder da função premonitória do sonho ("Tentativa de uma apresentação da teoria psicanalítica". OC, 4, § 452). Num debate na Sociedade Psicanalítica de Zurique a 31 de janeiro de 1913, Jung disse: "O sonho não é só satisfação de desejos infantis, mas é também simbólico para o futuro... O sonho dá a resposta através do símbolo, que a gente deve entender" (*MSZ*, p. 5). Sobre o desenvolvimento da teoria do sonho de Jung, cf. meu ensaio *Jung and the Making of Modern Psychology*: The Dream of a Science, seção 2.

54 Isto é um eco da famosa afirmação de Blaise Pascal: "O coração tem razões que a razão desconhece" (*Pensées*, 423 [ed. inglesa: Londres, Penguin, 1660/1995, p. 127]). O exemplar que Jung tinha da obra de Pascal contém numerosas notas marginais.

55 Em 1912, Jung afirmou que a escolaridade era insuficiente se alguém quisesse tornar-se um "conhecedor da alma humana". Para conseguir isso, a pessoa tinha de "pendurar no cabide as ciências exatas, tirar a beca professoral, despedir-se do gabinete de estudos e caminhar pelo mundo com um coração humano: no horror das prisões, nos asilos de alienados, nas tabernas dos subúrbios, nos bordéis e casas de jogo, nos salões elegantes, na bolsa de valores, nos 'meetings' socialistas, nas igrejas, nas seitas predicantes e extáticas, no amor e no ódio, em todas as formas de paixão vividas no próprio corpo" ("Novos caminhos da psicologia". OC, 7, § 409).

56 Em 1931, Jung fez um comentário sobre as consequências patogênicas da vida não vivida dos pais sobre seus filhos: "Via de regra, o fator que atua psiquicamente de um modo mais intenso sobre a criança é a vida que os pais não viveram. Esta afirmação poderia parecer algo sumária e superficial, sem a seguinte restrição: esta parte da vida a que nos referimos seria aquela que os pais poderiam ter vivido se não a tivessem ocultado mediante subterfúgios mais ou menos gastos" ("Introdução à obra de Frances G. Wickes, 'Análise da alma infantil'". OC, 17, § 87).

Mas não podes fugir de ti mesmo. Isto está todo o tempo contigo e exige realização. Se te colocares cega e surdamente esta exigência, tu te colocarás cega e surdamente contra ti mesmo. Então jamais alcançarás o saber do coração.

O saber do coração é como teu coração é.

De um coração mau, conheces coisa má.

De um coração bom, conheces coisa boa.

Para que vosso conhecimento seja completo, considerai que vosso coração é ambos: bom e mau. Tu perguntas: "Mas como? Devo também viver o mal?"

O espírito da profundeza exige: "A vida que ainda poderias viver, deverias viver. O bem decide, não teu bem, não o bem dos outros, mas o bem".

O bem está entre mim e os outros, na comunidade. Também eu vivia o que antes não fazia, e o que ainda podia fazer, eu vivia na profundeza, e a profundeza começou a falar. A profundeza me ensinou a outra verdade. Portanto juntou em mim sentido e absurdo.

Tive de reconhecer que sou apenas símbolo e expressão da alma. No sentido do espírito da profundeza, sou, enquanto estou neste mundo visível, um símbolo de minha alma, e sou totalmente servo, submissão, totalmente obediência. O espírito da profundeza ensinou-me a dizer: "Sou o servo de uma criança". Eu aprendo através dessa palavra sobretudo a extrema humildade, como aquilo que me faz mais falta.

O próprio espírito dessa época fez com que eu acreditasse em minha razão; deixou-me ver uma imagem de meu si-mesmo* como um chefe de ideias maduras. Mas o espírito da profundeza ensinou-me que sou um servidor e servidor de uma criança. Esta palavra repugnou-me e eu a odiei. Mas tive de reconhecer e admitir que minha alma é uma criança e que meu Deus é uma criança em minha alma[57].

Se sois rapazes, então vosso Deus é uma mulher.

Se sois mulheres, então vosso Deus é um rapaz.

---

* Não se trata aqui do arquétipo do si-mesmo que só seria definido posteriormente por Jung. Desde criança, Jung esteve intrigado com manifestações de um "outro eu" interior que não o ego consciente. Conf. seus diálogos com a pedra, em *Memórias*, p. 49. Entretanto, o conceito teórico do arquétipo do si-mesmo é posterior ao *Livro Vermelho* (Nota do Prof.-Dr. Walter Boechat).

57 No seminário de 1925, Jung anotou a respeito de seus pensamentos nessa época: "Estas ideias sobre *anima* e *animus* levaram-me a adentrar ainda mais nos problemas sentidos supremos, e mais coisas afloraram para reexame. Nessa época, eu concordava com o princípio kantiano de que existiam coisas que nunca poderiam ser resolvidas e que, portanto, não se deveria especular sobre elas, mas me parecia que, se eu pudesse encontrar essas ideias precisas sobre a *anima*, valia bem a pena tentar formular uma concepção de Deus. Mas não consegui chegar a nada de satisfatório e pensei, por algum tempo, que talvez a figura da *anima* fosse a divindade. Eu disse a mim mesmo que talvez os homens tivessem originariamente um Deus feminino; mas, cansando-se de ser governados pelas mulheres, derrubaram este Deus. Pus praticamente todo o problema sentido supremo na *anima* e concebi-a como o espírito dominante da psique. Desta forma, travei uma discussão psicológica comigo mesmo acerca do problema de Deus" (*Introduction to Jungian Psychology*, p. 50).

Se sois homens, então vosso Deus é uma moça.

Deus está onde vós não estais.

Portanto: é sábio que se tenha um Deus. Isto serve para vossa perfeição.

Uma moça é futuro parturiente.

Um rapaz é futuro gerativo.

Uma mulher é: ter parido.

Um homem é: ter gerado.

Portanto: se sois crianças enquanto seres atuais, então vosso Deus descerá da altura da maturidade para a velhice e a morte.

Mas se sois seres adultos que geraram ou pariram, seja no corpo ou no espírito, então vosso Deus subirá de um berço radioso para a altura incomensurável do futuro, para a maturidade e plenitude do tempo que há de vir.

Quem ainda tem sua vida diante de si é uma criança.

Quem vive sua vida no presente é adulto.

Se vós, portanto, viveis tudo o que podeis viver, sois adultos.

Quem é criança nesta época, para este Deus morre. Quem nesta época é adulto, para este Deus continua vivendo.

Este mistério quem o ensinou foi o espírito da profundeza.

Feliz e infeliz daquele cujo Deus é adulto!

Feliz e infeliz daquele cujo Deus é uma criança!

O que é melhor: que a pessoa tenha vida diante de si, ou que Deus tenha vida diante de si?

Não sei responder. Vivei; o inevitável decide.

O espírito da profundeza me ensinou que minha vida está abrangida pela criança divina[58]*. De sua mão me veio todo o inesperado, todo o vivo.*

Esta criança é o que sinto em mim como a juventude eternamente borbulhante[59]*.*

Na pessoa infantil tu sentes a transitoriedade sem esperança. Tudo o que vês passando, para ela é ainda porvir. Seu futuro é cheio de transitoriedade.

---

58 Em 1940, Jung apresentou um estudo do motivo da criança divina, num volume em colaboração com o classicista húngaro Karl Kerényi, *A criança divina* (cf. "A psicologia do arquétipo da criança". OC, 9/1). Jung escreveu que o motivo da criança ocorre frequentemente no processo de individuação. Ele não representa a infância literal do indivíduo, como se enfatiza por sua natureza mitológica. Compensa a unilateralidade da consciência e prepara o terreno para o futuro desenvolvimento da personalidade. Em determinadas condições de conflito, a psique inconsciente produz um símbolo que une os opostos. A criança é esse símbolo. Ela antecipa o si-mesmo, que é produzido mediante a síntese dos elementos conscientes e inconscientes da personalidade. As fatalidades típicas que sobrevêm à criança indicam o tipo de acontecimentos psíquicos que acompanham a gênese do si-mesmo. O nascimento maravilhoso da criança indica que isto acontece psiquicamente, em contraposição a fisicamente.

59 Em 1940, Jung escreveu: "Um aspecto fundamental do motivo da criança é o seu caráter de futuro. A criança é o futuro em potencial" ("A psicologia do arquétipo da criança". OC, 9/1, § 278).

Mas a transitoriedade de tuas coisas que estão chegando nunca experimentou ainda um sentido humano.

Tua continuidade de vida é viver para o além. Tu geras e dás à luz o porvir, tu és fecundo, tu vives para o além.

O infantil é estéril, seu porvir é o já gerado e novamente murchado. Não vive para o além[60].

Meu Deus é uma criança; não vos admireis, pois, que o espírito dessa época se revolte em deboche e zombaria. Ninguém vai rir de mim assim como eu rio de mim.

Vosso Deus não deve ser um homem do deboche, mas vós mesmos sereis homens do deboche. Vós deveis caçoar de vós mesmos e vos revoltar contra isso. Se ainda não o aprendestes dos velhos livros sagrados, ide, bebei o sangue e comei o corpo do escarnecido[61] e torturado por causa de nossos pecados, para que vos torneis totalmente sua natureza, negando seu estar-fora de vós, deveis ser ele mesmo, não *christiani*, mas *Christi*, caso contrário não servireis para o Deus que virá.

Haverá algum entre vós que acredita poder poupar-se o caminho? Poder eximir-se astuciosamente do sofrimento de Cristo? Eu digo: este se ilude para seu próprio prejuízo. Ele se deita sobre pregos e fogo. Do caminho de Cristo ninguém pode ser poupado, pois este caminho conduz ao que virá. Vós todos deveis tornar-vos Cristos[62].

Vós não superareis a velha doutrina fazendo menos, mas fazendo mais. Cada passo para mais perto de minha alma estimula o riso de deboche de meus demônios, aqueles bisbilhoteiros e envenenadores covardes. Para eles era fácil zombar, pois eu tinha coisas estranhas a fazer.

---

60 O *esboço* continua: "Meus amigos, vedes que a graça está com os adultos, não com o infantil. Agradeço a meu Deus esta mensagem. Não vos deixeis iludir pela doutrina do cristianismo! Sua doutrina é boa para os espíritos maduros do tempo antigo. Hoje tornou-se boa para os espíritos imaturos. Para nós, o cristianismo já não é uma mensagem portadora de graça, e assim mesmo precisamos da graça. Isto que vos digo é um caminho do porvir, meu caminho para a graça" (p. 27).

61 Isto é, Cristo. Cf. Jung, "O símbolo da transformação na missa" (1942. OC, 11/3).

62 Em "Resposta a Jó", Jung observou: "Com a inabitação da terceira pessoa divina, isto é, do Espírito Santo no homem, opera-se uma cristificação de muitos" (1952. OC, 11, § 758).

Sobre o serviço da alma

[IH ii(v)]

Cap. iii.

[63]Na noite seguinte, tive de escrever, fiel a seu teor original, todos os sonhos de que me lembrava[64]. O sentido desse procedimento era obscuro para mim. Por que tudo isso? Perdoa o barulho que se levanta em mim. Tu queres que eu faça isto. Que coisas estranhas me dizem respeito? Sei demais para não ver que ando sobre uma ponte oscilante. Para onde levas? Perdoa meu medo repleto de saber. Meus pés vacilam em seguir-te. Para que névoa e escuridão conduz tua vereda? Tenho de aprender também a perder o sentido? Se tu o exiges, que assim seja. Esta hora te pertence. O que existe, onde não há sentido algum? Só tolice e loucura, assim me parece. Será que existe também um sentido supremo? Isto é teu sentido, minha alma? Eu coxeio atrás de ti, apoiado em muletas da razão. Eu sou um homem e tu andas como um Deus. Que tortura! Preciso voltar a mim, para minhas coisas mínimas. Eu via como pequenas as coisas de minha alma, lamentavelmente pequenas. Tu me obrigas a vê-las grandes, fazê-las grandes. É esta tua intenção? Eu vou atrás, mas tenho pavor. Escuta minha dúvida, caso contrário não posso ir atrás, pois teu sentido é um sentido supremo e teus passos são passos de um Deus.

Eu entendo, também não devo pensar; também o pensar não deve existir mais? Devo entregar-me totalmente em tuas mãos – mas quem és tu? Não confio em ti – nem sequer confiança tenho – é isto meu amor por ti, minha alegria em ti? Confio em qualquer pessoa honrada, mas em ti não, minha alma? Tua mão pesa sobre mim, mas eu quero, eu quero. Não tentei amar pessoas e confiar nelas e não devo fazê-lo contigo? Esquece minha dúvida, eu sei, é deselegante duvidar de ti. Tu sabes que posso deixar pesadamente o orgulho de mendigo sobre o próprio pensar. Eu esquecia que também tu pertences a meus amigos e que tens o primeiro direito à minha confiança. O que dou àqueles não deve pertencer a ti? Eu reconheço minha injustiça. Eu te desprezava, ao que me parece. Minha alegria em reencontrá-la era falsa. Reconheço que também a zombaria tinha razão em mim.

63 15 de novembro de 1913.

64 No *Livro Negro* 2, Jung escreveu aqui dois sonhos-pivô, quando ele tinha 19 anos de idade, que o levaram a voltar-se para as ciências naturais (p. 13s.) e que são descritos em *Memórias* (p. 115ss.)

Preciso aprender a amar-te[65]. Devo abandonar também a autoavaliação? Eu tenho medo. Então a alma falou-me e disse: "Este medo depõe contra ti". É verdade, ele depõe contra ti. Ele mata a sagrada confiança entre ti e mim.

[2] *Que dureza de destino! Quando vos dirigis à vossa alma, ireis sentir falta logo de imediato de sentido. Acreditais que estais aprendendo no sem sentido, no eterno desordenado. Tendes razão! Nada vos redime do desordenado e insensato, pois esta é a outra metade do mundo.*

Vosso Deus é uma criança, na medida em que não fordes infantis. A criança é ordem, sentido? Ou desordem, capricho? Desordem e insensatez são as mães da ordem e do sentido. Ordem e sentido são feitos e não a se fazer.

Vós abris a porta da alma para deixar entrar em vossa ordem e em vosso sentido as torrentes escuras do caos. Misturai ao ordenado o caos, e gerareis a criança divina, o sentido supremo além do sentido e do absurdo.

Vós temeis abrir a porta? Também eu tenho medo, pois esquecemos que o Deus é terrível. Cristo ensinou: Deus é amor[66]*. Mas deveis saber que também o amor é terrível.*

Eu falava a uma alma amorosa e, quando cheguei mais perto, fui acometido de pavor e ajuntei um monte de dúvidas e não imaginava que quisesse com isso proteger-me de minha terrível alma.

Tendes pavor da profundeza; deve causar-vos pavor, por sobre isso passa o caminho daquele que vem. Tu deves resistir à tentação do medo e da dúvida e nisso reconhecer até o sangue que teu medo é justificado e tua dúvida, razoável. Senão, / como seria uma verdadeira tentação e uma verdadeira vitória?

fol. ii(r) /iii(v)

Cristo venceu a tentação do demônio, mas não a tentação de Deus para o bem e o razoável[67]*. Cristo está pois submetido à tentação*[68].

---

65 No *Livro Negro* 2, Jung observou aqui: "Aqui está alguém ao meu lado e me cochicha algo de ruim no ouvido: 'Tu escreves para ser impresso e ser divulgado às pessoas. Queres provocar sensação através do incomum. Nietzsche, porém, o fez melhor do que tu. Tu imitas Santo Agostinho'" (p. 20). A referência é às *Confissões*, de Santo Agostinho (400 d.C.), uma obra devocional que escreveu quando tinha 45 anos de idade, na qual narra sua conversão ao cristianismo numa forma autobiográfica (*Confissões*. Oxford: Oxford University Press, 1991 [Trad. de H. Chadwick]). As *Confissões* são dirigidas a Deus, e recordam os anos de seu desgarramento de Deus e a maneira de seu retorno. Fazendo eco a isso, nas seções de abertura do *Liber Novus*, Jung dirige-se à sua alma e recorda os anos de seu desgarramento dela, e a maneira de seu retorno. Em suas obras publicadas, Jung cita várias vezes Agostinho e se refere frequentemente às *Confissões*, em *Transformações e símbolos da libido*.

66 A Primeira Epístola de João: "Deus é amor, e quem permanece no amor permanece em Deus, e Deus nele" (1Jo 4,16).

67 Cristo foi tentado pelo demônio durante quarenta dias no deserto (Lc 4,1-13).

68 Mt 21,18-20: "Ao voltar à cidade de manhã cedo, sentiu fome. Viu uma figueira perto do caminho, foi até ela, mas não achou nada a não ser folhas. Então lhe disse: 'Jamais nasça fruto de ti'. E a figueira secou imediatamente. Vendo isso, os discípulos se admiraram e disseram: 'Como a figueira secou de repente!'" (21,18-20). O evangelho segundo Marcos conta: "No dia seguinte, ao saírem de Betânia, Jesus sentiu fome. Viu de longe uma figueira coberta de folhas e foi ver se encontrava alguma coisa. Mas nada encontrou a não ser folhas, pois não era tempo de figos. Disse, então, à figueira: 'Jamais alguém coma fruto

Isto ainda tendes de aprender: não ficar submetido a nenhuma tentação, mas fazer tudo voluntariamente; então estareis livres e além do cristianismo.

Tive de reconhecer que era obrigado a me submeter àquilo que eu temia, e mais, que devo inclusive amar aquilo de que tinha pavor. Isto temos de aprender daquele santo que, ao sentir nojo dos doentes da peste, tomava o pus de suas feridas e notava que tinha um odor como o das rosas. As ações dos santos não eram em vão[69].

Tu és dependente de tua alma em todas as coisas que se referem à tua salvação e à obtenção da graça. Por isso nenhum sacrifício pode ser pesado demais para ti. Se tuas virtudes te estorvam na salvação, livra-te delas, pois se tornaram um mal para ti. Tanto o escravo da virtude quanto o escravo do vício não encontram o caminho[70].

Se achas que és o senhor de tua alma, torna-te seu servo; se fores seu servo, assume o poder sobre ela, pois então ela precisa de domínio. Que estes sejam teus primeiros passos.

Doravante, durante seis noites, o espírito da profundeza se calou em mim, pois eu oscilava entre medo, teimosia e nojo e era totalmente refém de minha paixão. Não podia nem queria escutar a profundeza. Mas na sétima noite, o espírito da profundeza me falou: "Olha para tua profundeza, reza para tua profundeza, desperta os mortos"[71].

Mas fiquei desamparado e não sabia o que fazer. Eu olhei para dentro de mim e a única coisa que lá encontrei foi a lembrança de antigos sonhos, que anotei fielmente, não sabendo para que isto serviria. Eu queria jogar tudo fora e voltar para a luz do dia. Mas o espírito me segurou e me obrigou a voltar para dentro de mim.

---

de ti'. E seus discípulos ouviram isto" (11,12-14). Em 1944, Jung escreveu: "O Cristo – meu Cristo – não conhece nenhuma fórmula de maldição. Também não aprova a maldição da inocente figueira pelo rabi Jesus". "Por que não adoto a 'verdade católica'?" (OC, 18, § 1.468).

69 O *esboço* continua: "Eles podem servir para vossa redenção" (p. 34).

70 Em *Assim falava Zaratustra*, Nietzsche escreveu: "E mesmo que se tivessem todas as virtudes, uma, pelo menos, dever-se-ia de ter: mandar dormir a tempo as próprias virtudes". "Das cátedras da virtude" (Petrópolis: Vozes, 2007, p. 44). Em 1939, Jung comentou o conceito oriental de libertação das virtudes e vícios em "Comentário ao livro tibetano da grande libertação" (OC, 11, § 826).

71 Em 22 de novembro de 1913. No *Livro Negro* 2 está escrito: "diz uma voz" (p. 22). Em 21 de novembro, Jung havia feito uma apresentação à Sociedade Psicanalítica de Zurique de "Formulierungen zur Psychologie des Unbewussten" (Formulações à psicologia do inconsciente).

O deserto

[IH iii(r)].

Cap. iv.

[72]Sexta noite. Minha alma leva-me ao deserto, ao deserto de meu próprio si-mesmo. Não pensava que meu si-mesmo fosse um deserto, um deserto seco e quente, poeirento e sem bebida. A viagem conduz através da areia quente, vadeando lentamente, sem objetivo visível de esperança. Como é horrível este deserto! Parece-me que o caminho leva bem longe das pessoas. Ando meu caminho passo a passo e não sei quanto tempo vai durar minha viagem.

Por que é um deserto meu si-mesmo? Será que vivi por demais fora de mim, nas pessoas e nas coisas? Por que evitei meu si-mesmo? Eu não me era caro? Mas eu evitei o lugar de minha alma. Eu era meus pensamentos, depois que não era mais as coisas e as outras pessoas. Mas eu era o meu si-mesmo, colocado diante de meus pensamentos. Eu devo também elevar-me acima de meus pensamentos ao encontro de meu próprio si-mesmo. Para lá vai minha viagem e, por isso, ela conduz para longe das pessoas e das coisas, à solidão. Isto é solidão, estar consigo mesmo? Solidão só quando o si-mesmo é um deserto[73]. Devo fazer do deserto um jardim? Devo povoar um país deserto? Devo abrir o jardim encantado do deserto? O que me leva para o deserto, e o que devo fazer lá? Existe uma ilusão de que não posso mais confiar ao meu pensamento? Verdadeira é apenas a vida, e tão só a vida me leva ao deserto, realmente não meu pensar que gostaria de voltar para as pessoas, para as coisas, pois lhe é sinistro estar no deserto. Minha alma, o que devo fazer aqui? Mas a minha alma falou-me e disse: "Espera". Eu escuto a terrível palavra. Ao deserto pertence a dor[74].

Pelo fato de eu dar à minha alma tudo o que podia dar, cheguei ao lugar da alma e descobri que este lugar era um deserto quente, seco e estéril. Nenhuma cultura do espírito é suficiente para fazer de tua alma um jardim. Eu cuidei de

---

72 28 de novembro de 1913.

73 *Livro Negro 2*: "Eu escuto as palavras: 'Um anacoreta em seu próprio deserto'. Vêm-me à mente os monges do deserto sírio" (p. 33).

74 *Livro Negro 2*: "Penso no cristianismo no deserto. Aqueles antigos iam exteriormente para o deserto. Iam também para o deserto de seu próprio si-mesmo? Ou seu si-mesmo não era tão seco e árido quanto o meu? Lá lutavam com o demônio. Eu luto com o esperar. Acho que não é menor minha luta, pois ela é na verdade um inferno quente" (p. 35).

meu espírito, do espírito dessa época em mim, mas não daquele espírito da profundeza, que se volta para as coisas da alma, do mundo da alma. A alma tem seu mundo que lhe é próprio. Nele só entra o si-mesmo, ou a pessoa que se tornou totalmente seu si-mesmo, que, portanto, não está nas coisas, nem nas pessoas e nem em seus pensamentos. Afastando meu desejo das coisas e das pessoas, afastei meu si-mesmo das coisas e das pessoas, mas foi precisamente assim que me tornei presa fácil de meus pensamentos, sim eu me transformei totalmente em meus pensamentos.

[2] Também de meus pensamentos tive de me separar, desviando deles meu desejo veemente. E imediatamente percebi que meu si-mesmo se transformava em deserto, onde somente brilhava o sol dos desejos não satisfeitos. Eu fora vencido pela esterilidade infinita desse deserto. E como poderia lá florescer alguma coisa, se faltava a força criadora do desejo? Onde existe a força criadora do desejo, ali brota do chão a semente que lhe é própria. Mas não te esqueças de esperar. Não viste como tua força criadora se voltou para o mundo, como debaixo dela e através dela se movimentaram as coisas mortas, como cresceram e floresceram e como teus pensamentos fluíram em ricas torrentes? Se tua força criadora se voltar agora para o lugar da alma, verás como tua alma vai reverdecer e como seu campo produzirá frutos maravilhosos.

Ninguém pode furtar-se ao esperar, e a maioria não conseguirá suportar esse tormento, mas se lançarão outra vez com gula sobre as coisas, pessoas e pensamentos, cujos escravos se tornarão a partir desse momento. Pois então ficou claro que esta pessoa é incapaz de perseverar além das coisas, pessoas e pensamentos e, por isso, tornam-se seus senhores, e ela se tornará seu bufão, pois não pode ficar sem eles, nem mesmo o tempo necessário para que sua alma se tenha tornado um campo produtivo. Também aquele cuja alma é um jardim precisa das coisas, pessoas e pensamentos, mas ele é seu amigo e não seu escravo e bufão.

Todo o futuro já existia na imagem: para encontrar sua alma, os antigos iam para o deserto[75]. Isto é uma imagem. Os antigos viviam seus símbolos, pois para

75 Por volta de 285 d.C., Santo Antão foi viver como eremita no deserto do Egito, e outros eremitas o seguiram, os quais ele e Pacômio organizaram em comunidade. Isto constitui a base do monacato cristão, que se espalhou pelos desertos da Palestina e da Síria. No século IV havia milhares de monges no deserto do Egito.

eles o mundo ainda não se tornara real. Por isso iam para a solidão do deserto, para ensinar-nos que o lugar da alma é deserto solitário. Lá encontravam a plenitude das visões, os frutos do deserto, as flores maravilhosas e singulares da alma. Pensa diligentemente nas imagens que os antigos nos legaram. Elas mostram o caminho daquele que vem. Olha para trás para a ruína dos ricos, para o crescimento e a morte, para o deserto e os mosteiros, são as imagens daquele que vem. Tudo está predito. Mas quem sabe interpretá-lo?

Se dizes que o lugar da alma não existe, então ele não existe. Mas se dizes que ele existe, então ele existe. Observa o que diziam os antigos na imagem: a palavra é ato criador. Os antigos diziam: no princípio era a palavra[76]. Considera isto e medita nele.

As palavras que oscilam entre a tolice e o sentido supremo são as mais antigas e as mais verdadeiras.

Experiências no deserto

[IH iii(r) 2]

[77]Após duro combate cheguei a um pedaço de caminho mais perto de ti. Como foi dura esta batalha! Entrei num matagal de dúvida, confusão e riso irônico. Reconheço que devo ficar sozinho com minha alma. Eu venho de mãos vazias a ti, minha alma. O que tu queres ouvir? Mas a alma me falou e disse: “Quando você vem a um amigo, você vem para tirar?” Eu sei, não devia ser assim, mas parece-me que sou pobre e vazio. Eu gostaria de sentar-me perto de ti e sentir ao menos o hálito de tua presença vivificadora. Meu caminho é areia quente. Durante todos os dias, estradas areentas, poeirentas. Minha paciência é às vezes pouca e uma vez fiquei desesperado comigo, como tu sabes.

Respondeu então a alma e falou: “Tu falas comigo como se fosses uma criança que se queixa à sua mãe. Não sou tua mãe”. Não quero queixar-me, mas permite dizer-te que minha estrada é longa e cheia de poeira. Tu és para mim como uma árvore que dá sombra no deserto. Gostaria de usufruir de tua

---

76 Jo 1,1: “No princípio era a Palavra, e a Palavra estava com Deus, e a Palavra era Deus”.
77 11 de dezembro de 1913.

sombra. Mas a alma respondeu: "Tu és um amante do prazer. Onde está tua paciência? Teu tempo ainda não acabou. Esqueceste por que foste ao deserto?"

Minha fé é fraca, minha face está cega por causa do brilho ofuscante do sol do deserto. O calor pesa sobre mim como chumbo. A sede me atormenta, e eu não ouso imaginar a duração infinda de meu caminho e, sobretudo, não vejo perspectiva diante de mim. Mas a alma respondeu: "Falas como se ainda não tivesses aprendido nada. Não podes esperar? Tudo deve cair maduro e acabado em teu colo? Tu estás cheio, sim, regurgitas de intenções e desejos! Não sabes ainda que o caminho para a verdade só está aberto para os sem intenção?"

Eu sei, minha alma, que tudo o que dizes é também meu pensamento. Mas pouco vivo de acordo com isso. A alma disse: "Como, diz-me, pensas tu que teus pensamentos deveriam ajudá-lo? Eu gostaria de referir-me sempre ao fato de ser um homem, só um ser humano, que é fraco e que às vezes não faz o seu melhor. Mas a alma falou: "Pensas assim do ser pessoa humana?" Tu és dura, minha alma, mas tens razão. Quão pouco jeitosos somos com a vida! Deveríamos crescer como uma árvore, que também desconhece sua lei. Nós nos amarramos com intenções, não lembrados de que a intenção é limitação e mesmo exclusão da vida. Acreditamos que com uma intenção podemos iluminar uma escuridão, e assim apontamos para longe da luz[78]. Como podemos iludir-nos e querer saber de antemão donde virá para nós a luz?

Permite que te apresente apenas uma queixa: eu sofro de riso irônico, de meu próprio riso irônico. Mas a alma me falou: "Tu te menosprezas?" Acho que não. A alma respondeu: "Então escuta, tu me menosprezas? Ainda não sabes que não escreves um livro para alimentar tua vaidade, mas para que fales comigo? Como podes sofrer de riso irônico, se falas comigo com as palavras que eu lhe dou? Sabes ao menos quem eu sou? Tu me cercaste, limitaste e reduziste a uma fórmula morta? Mediste a profundidade de meu abismo e pesquisaste todos os caminhos para os quais ainda te levarei? Nenhum sorriso irônico pode afetar-te a não ser que sejas presunçoso até a medula de teus ossos". Tua verdade é dura. Gostaria de entregar-te minha vaidade, pois ela me ofusca. Vê,

78 No Comentário de "O segredo da flor de ouro" (1929), Jung criticou a tendência ocidental de transformar tudo em métodos e intenções. A lição mais importante, conforme os textos chineses e conforme o Mestre Eckhart, era deixar que os acontecimentos psíquicos acontecessem espontaneamente: "O deixar-acontecer, o *Sich-lassen*, na expressão de Mestre Eckhart, a ação da não ação foi, para mim, uma chave que abriu a porta para entrar no caminho: devemos deixar as coisas acontecerem psiquicamente" (OC, 13, § 20).

foi por isso também que pensei que minhas mãos estavam vazias quando hoje cheguei a ti. Não pensei que és tu que enches as mãos vazias, se elas apenas quiserem se estender, mas elas não o querem. Não sabia que eu era teu recipiente, vazio sem ti, mas transbordante contigo.

[2] Isto era a minha 25ª noite do deserto. Foi todo este tempo que minha alma precisou até ter despertado da vida de sombra para a própria vida e ter podido vir ao meu encontro como ser separado. E eu recebi duras palavras dela, mas salutares. Eu precisava ser educado, pois não conseguia vencer o sorriso irônico dentro de mim.

O espírito dessa época julga-se, como todos os espíritos da época em todos os tempos, sobremaneira esperto. Mas a sabedoria é simples, não só modesta. Por isso, o esperto zomba da sabedoria, pois a zombaria é sua arma. Ele usa a arma afiada e envenenada, porque foi ferido pela sabedoria simples. Se não tivesse sido ferido, não precisaria da arma. Somente no deserto compreendemos nossa assombrosa simplicidade, mas temos medo de reconhecê-la. Por isso rimos dela. Mas a zombaria / não atinge a simplicidade. A zombaria cai sobre o zombador, e no deserto, onde ninguém escuta e responde, fica asfixiado em seu próprio riso irônico.

fol. iii(r) /iii(v)

Quanto mais esperto fores, mais tola é tua simplicidade. Os totalmente espertos são totalmente tolos em sua simplicidade. Não podemos libertar-nos da esperteza do espírito dessa época aumentando nós mesmos nossa esperteza, mas aceitar aquilo que mais repugna à nossa esperteza, isto é, a simplicidade. Mas também não queremos tornar-nos tolos artificiais sucumbindo à simplicidade, mas ser tolos espertos. Isto leva ao sentido supremo. A esperteza emparelha com a intenção. A esperteza fascina o mundo, a simplicidade, porém, a alma. Portanto fazei o voto de pobreza do espírito, para terdes parte na alma[79].

Contra isso levantou-se o riso irônico de minha esperteza[80]. *Muitos vão rir de minha tolice. Mas ninguém vai rir mais do que eu mesmo já ri. Assim venci o riso irônico. Mas quando o tinha vencido, estava mais perto de minha alma, e ela podia falar-me, e logo pude ver que o deserto reverdeceu.*

---

79 Cristo pregava: "Bem-aventurados os pobres em espírito, porque deles é o reino dos céus" (Mt 5,3). Num certo número de comunidades cristãs, os membros faziam o voto da pobreza. Em 1934, Jung escreveu: "Da mesma forma que o voto de pobreza material, no cristianismo, afastava a mente dos bens do mundo, a pobreza espiritual renuncia às falsas riquezas do espírito, a fim de fugir não só dos míseros resquícios de um grande passado, que hoje se chama "Igreja" protestante, mas também de todas as seduções do perfume exótico, a fim de voltar a si mesma, em que à fria luz da consciência, a desolação do mundo se expande até as estrelas". Ele acrescenta que a aceitação do estado de pobreza espiritual era a verdadeira herança do protestantismo ("Sobre os arquétipos do inconsciente coletivo". OC, 9/1, § 29).

80 O *esboço* continua: "Também isto é uma imgem dos antigos de que eles viviam simbolicamente nas coisas: eles renunciavam à riqueza para, na pobreza voluntária, tornar-se participantes de sua alma. Por isso tive de confessar à minha alma minha extrema pobreza e necessidade. E contra isso levantou-se o sorriso irônico de minha esperteza" (p. 47).

Descida ao inferno no futuro

[IH iii(v)]

Cap. v.

[81]Na noite seguinte, o ar estava cheio de muitas vozes. Uma voz forte gritou: "Eu caio". Outras gritavam confusas e excitadas: "Para onde? O que tu queres?" Eu devo confiar-me a esta confusão? Eu estremeço. Isto é uma profundeza horrível. Tu queres que eu me entregue ao arbítrio de meu si-mesmo, à ilusão da própria escuridão? Para onde? Para onde? Tu cais, quero cair contigo, quem quer que sejas.

Então o espírito da profundeza abriu meus olhos, e eu observei as coisas interiores, o mundo de minha alma, multiforme e mutável. [Imagem iii (v) I]

Vejo paredes de pedra sombrias, ao longo das quais desço a uma grande profundidade[82] Estou enterrado até os tornozelos numa sujeira preta diante de uma gruta escura. Sombras pairam em torno de mim. Assalta-me o medo, mas sei que devo entrar. Eu rastejo através de fendas rochosas e chego a uma gruta interior, cujo chão está coberto de água preta. Mas lá adiante enxergo uma pedra com brilho vermelho, que devo alcançar. Eu passo pela água lamacenta. A caverna está cheia de um barulho horrendo de vozes aos gritos[83]. Eu pego a pedra; ela cobre uma abertura escura na rocha. Seguro a pedra na mão, olhando

---

81 12 de dezembro de 1913. O *esboço corrigido* tem: ~~IV O jogo do mistério. Primeira noite~~ (p. 34). *Livro Negro* 2 continua: "A luta do último tempo foi a luta contra o riso irônico. Um sonho, que me foi proporcionado por uma noite de insônia e por três dias de sofrimento, comparou-me (do começo ao fim) ao farmacêutico de Chamounix, de G. Keller. Eu conheço e reconheço este estilo. Aprendi que se deve dar seu coração à pessoa, o intelecto, porém, ao espírito da humanidade, a Deus. Então sua obra pode estar além da vaidade, pois não existe prostituta mais hipócrita do que o intelecto, quando ele substitui o coração" (p. 41). Gottfried Keller (1819-1890) foi um escritor suíço. "Der Apotheker von Chamounix: Ein Buch Romanzen". In: KELLER, G. *Gesammelte Gedichte*: Erzählungen aus dem Nachlass. Zurique, Artemis Verlag, 1984, p. 351-417.

82 O *esboço* continua: "Diante dela estava um anão todo de couro, que guardava a entrada" (p. 48).

83 O *esboço corrigido* continua: "A pedra precisa ser levantada, é a pedra ~~do tormento~~, da luz vermelha" (p. 35). O *esboço corrigido* tem: "É um cristal hexagonal, que emitia uma luz fria, avermelhada" (p. 35). Albrecht Dieterich situa a apresentação do submundo em *As rãs*, de Aristófanes (que, no entendimento dele, é de origem órfica), como tendo um lago grande e um lugar com cobras (*Nekyia*: Beiträge zur Erklärung der neuentdeckten Petrusapokalypse. Leipzig: Teubner, 1983, p. 71). Jung sublinhou esses motivos em seu exemplar. Dieterich faz referência à sua descrição novamente na p. 83, que Jung assinalou à margem e sublinhou "Finsternis und Schlamm". Dieterich também se refere a uma representação órfica de uma torrente de lodo no submundo (p. 81). Na lista de referências no verso de seu exemplar, Jung anotou "81 Schlamm".

interrogativamente ao meu redor. Não quero prestar atenção nas vozes, elas me repugnam[84]. Mas eu quero saber. Aqui alguma coisa deve tomar a palavra. Coloco meu ouvido na abertura. Ouço o ruído forte de torrentes subterrâneas. Vejo a cabeça sangrenta de uma pessoa na torrente escura. Está boiando ali um ferido, um assassinado. Contemplo longamente esta imagem com horror. Vejo um escaravelho grande e negro andando na torrente escura.

No mais profundo da torrente brilha um sol avermelhado, iluminando a água escura. Vi então – e o horror tomou conta de mim – um emaranhado de cobras descendo pelas paredes escuras das pedras para a profundeza onde o sol brilhava com maior intensidade. Milhares de cobras rodearam e encobriram o sol. Fez-se noite completa. Um raio vermelho de sangue, sangue vermelho-escuro veio à tona, jorrou longamente e depois secou. Eu estava paralisado de pavor. O que eu via?[85] [Imagem iii (v) 2]

Cura as feridas que a dúvida me causa, minha alma. Também isto deve ser vencido, para que eu conheça teu sentido supremo. Como tudo está longe, e quão afastado estou! Meu espírito é um espírito torturante, ele despedaça minha visão interior, gostaria de desintegrar e rasgar tudo. Ainda sou vítima de meu pensar. Quando posso oferecer descanso ao meu pensar, quando meus pensamentos, aqueles cães danados, vão rastejar a meus pés? Como posso esperar alguma vez escutar em tom mais alto tua voz, ver mais claramente tuas manifestações, se todos os meus pensamentos uivam em volta de mim?

Estou perplexo, mas quero estar perplexo, pois jurei, minha alma, confiar em ti, mesmo que me conduzas através de ilusões. Como tornar-me partici-

---

84 *Livro Negro* 2: "Este buraco escuro – para onde leva, isto eu quero saber, o que ele diz? Um oráculo? É este o lugar da Pítia?" (p. 43).

85 Jung narrou este episódio em seu seminário de 1925, realçando diversos detalhes. Comentou que: "Quando saí da fantasia, dei-me conta de que meu mecanismo havia funcionado às mil maravilhas, mas eu estava muito confuso quanto ao sentido de todas essas coisas que eu vira. A luz na caverna de cristal era, a meu ver, como a pedra da sabedoria. O assassinato secreto do herói eu não pude entender absolutamente. O escaravelho evidentemente eu reconheci que era um antigo símbolo solar, e o sol poente, o disco vermelho luminoso, era arquetípico. As serpentes pensei que podiam estar ligadas a material egípcio. Não pude dar-me conta então de que tudo era tão arquetípico que eu não precisava procurar ligações. Consegui estabelecer ligação entre o quadro e o mar de sangue sobre o qual eu fantasiara anteriormente. / Embora eu não pudesse na ocasião entender o significado do herói assassinado, logo depois tive um sonho no qual Siegfried era assassinado por mim. Era um caso de destruir o ideal do herói de minha eficiência. Este precisa ser sacrificado a fim de se poder fazer uma nova adaptação; numa palavra, isto está ligado ao sacrifício da função superior a fim de conseguir a libido necessária para ativar as funções inferiores" (*Introduction to Jungian Psychology*, p. 52s.). (O assassinato de Siegfried ocorre mais adiante, cap. 7). Jung citou também anonimamente e discutiu esta fantasia em sua preleção na *ETH* a 14 de junho de 1935 (*Modern Psychology*. Vol. 1 e 2, p. 223).

pante de teu sol, se não beber a amarga poção sonífera e não bebê-la até o fim? Ajuda-me a não me afogar no próprio saber. A totalidade de meu saber ameaça cair sobre mim. Meu saber tem uma multidão de falantes com voz de leão; o ar treme quando eles falam, e eu sou sua vítima indefesa. Afasta de mim o esclarecimento inteligente, a ciência[86], aquele carcereiro mau que amarra as almas e as tranca em celas sem luz. Mas protege-me sobretudo da serpente do julgamento, que é uma serpente terapêutica só da superfície, mas em tua profundeza é veneno infernal e morte cruel. Eu gostaria de descer para tua profundeza como puro, com veste branca, e não chegar apressado como um ladrão, roubar e fugir sem fôlego. Deixa-me perseverar no assombro divino[87], para estar pronto a contemplar tuas maravilhas. Deixa-me deitar minha cabeça sobre uma pedra diante de tua porta, a fim de estar pronto para receber tua luz.

[2] Quando o deserto começa a dar frutos, vai produzir uma vegetação estranha. Tu te julgarás louco e, em certo sentido, serás louco[88]. Na medida em que o cristianismo deste século sente falta da loucura, sente falta da vida divina. Observai por que os antigos nos ensinaram em imagens: a loucura é divina[89].

---

86 "A ciência" está apagada no *esboço corrigido* (p. 37).

87 "Bem-aventurado" é substituído no *esboço corrigido* (p. 38).

88 Esta frase foi substituída no *esboço corrigido* por: "Cresce loucura" (p. 38).

89 O tema da loucura divina tem uma longa história. Seu *locus classicus* foi a discussão de Sócrates sobre ela no *Fedro*: a loucura, "desde que venha como um dom do céu, é o canal através do qual recebemos as maiores bênçãos" (PLATÃO. *Phaedrus and Letters VII and VIII*. Londres: Penguin, 1986, p. 46, 244 [Trad. de W. Hamilton]). Sócrates distinguiu quatro tipos de loucura divina: 1) adivinhação inspirada, como na profetiza de Delfos; 2) casos em que indivíduos, quando antigos pecados deram origem a perturbações, prorromperam em profecia e incitaram à oração e ao culto; 3) possessão pelas Musas – o homem de técnica nunca tocado pela loucura das Musas nunca será um bom poeta; 4) o amante. Na Renascença o tema da loucura divina foi retomado pelos neoplatônicos, como Ficino, e por humanistas como Erasmo. A discussão de Erasmo é particularmente importante, porque funde a concepção platônica clássica com o cristianismo. Para Erasmo, o cristianismo era o tipo mais elevado de loucura inspirada. Assim como Platão, Erasmo distinguiu dois tipos de loucura: "Assim, enquanto a alma usa corretamente seus órgãos corporais, um homem é chamado sensato; mas na verdade, quando ela rompe suas cadeias e procura ser livre, fugindo de sua prisão, então chama-se a isso insanidade. Se isto acontece através de doença ou de uma deficiência dos órgãos, então de comum acordo é, simplesmente, insanidade. E no entanto encontramos também homens deste tipo predizendo coisas futuras, conhecendo línguas e escritos que nunca haviam estudado antes – anunciando de modo geral algo divino" (*In Praise of Folly*. Londres: Penguin, 1988, p. 128-129 [Trad. de M.A. Screech]). Erasmo acrescenta que, se a insanidade "acontece através de fervor divino, pode não ser o mesmo tipo de insanidade, mas é tão parecida com ela que a maioria das pessoas não faz distinção". Para pessoas leigas, as duas formas de insanidade pareciam ser a mesma coisa. A felicidade que os cristãos procuravam "nada mais era que um certo tipo de loucura". Os que experimentam isto "experimentam algo que se assemelha muito à loucura. Falam de forma incoerente e anormal, proferem sons sem sentido e seu rosto muda bruscamente de expressão... de fato, eles estão verdadeiramente fora de si" (Ibid., p. 129-133). Em 1815, o filósofo F.W.J. Schelling discutiu a loucura divina de uma forma que apresenta certa proximidade com a análise de Jung, observando que "os antigos não falaram em vão de uma loucura divina e sagrada". Schelling relacionou isto com a "autodilaceração interior da natureza". Sustentou que "nada

Mas porque os antigos viveram esta imagem nas coisas, tornou-se uma ilusão para nós, pois nós nos tornamos artífices da realidade do mundo. É indubitável: quando penetras no mundo da alma, ficas como doido, e um médico vai julgar-te doente. Isto que eu digo aqui pode parecer doentio. Mas ninguém melhor do que eu para dizer que é doentio.

Assim venci a loucura. Se não sabeis o que é loucura divina, renunciai ao julgamento e esperai pelos frutos[90]. Mas se sabeis que existe uma loucura divina, que nada mais é do que a vitória sobre o espírito dessa época pelo espírito da profundeza, falai então de loucura doentia, quando o espírito da profundeza não pode mais retroceder e obriga a pessoa a falar em línguas em vez de falar numa linguagem humana, e a faz crer que ela mesma é o espírito da profundeza. Falai também de loucura doentia quando o espírito dessa época não abandona uma pessoa e a obriga a ver sempre apenas a superfície, a negar o espírito da profundeza e considerar a si mesma o espírito dessa época. O espírito dessa época é não divino, o espírito da profundeza é não divino, a balança é divina.

Pelo fato de estar preso ao espírito dessa época, teve de me acontecer o que me aconteceu nesta noite, isto é, que o espírito da profundeza irrompeu com poder e removeu qual onda violenta o espírito dessa época. Mas o espírito da profundeza havia conseguido este poder pelo fato de eu, durante 25 noites no deserto, ter falado à minha alma e lhe ter declarado todo o meu amor e submissão. Mas durante os 25 dias dediquei todo meu amor e minha submissão às coisas, às pessoas e aos pensamentos dessa época. Somente à noite eu ia para o deserto.

Nisso podeis distinguir a loucura doentia da loucura divina. Quem faz uma coisa e deixa de fazer a outra pode ser chamado de doente, pois sua balança está fora do prumo.

Quem, no entanto, poderia resistir ao mundo, quando é acometido pela embriaguez e loucura divinas? Amor, alma e Deus são belos e assustadores. Os

---

de grande pode ser realizado sem uma constante tentação de loucura, que sempre deve ser superada, mas nunca deve faltar totalmente". Por um lado, havia espíritos sóbrios nos quais não havia nenhum vestígio de loucura, junto com homens de inteligência que produziam obras intelectuais frias. Por outro lado, "existe um tipo de pessoa que domina a loucura e precisamente neste domínio completo sobre ela mostra a mais alta força do intelecto. O outro tipo de pessoa é dominado pela loucura e é alguém que é realmente louco" (*The Ages of the World*. Albânia: Suny Press, 2000, p. 102-104 [trad. de J. Wirth]).

90 Uma aplicação da noção de regra pragmática de William James. Jung leu o *Pragmatism* de James em 1912, e a obra causou um forte impacto sobre seu pensamento. No prefácio às suas preleções na Fordham University, Jung afirmou que tomara a regra pragmática de James como seu princípio diretor (OC, 4, p. 98). Cf. meu *Jung and the Making of Modern Psychology*: The Dream of a Science, p. 57-61).

antigos traziam para este lado do mundo algo da beleza de Deus e, por isso, este mundo ficou tão belo que pareceu perfeito aos olhos do espírito dessa época e melhor do que o seio da divindade. O assombroso e o terrível do mundo estava sob a abertura e na profundeza de nosso coração. Quando o espírito da profundeza se apossa de vós, havereis de sentir a crueldade e gritar de dor. O espírito da profundeza está grávido de ferro, fogo e homicídio. Com razão temeis o espírito da profundeza, pois ele está cheio de horror.

Vós vistes nesses dias o que o espírito da profundeza abrigou. Vós não o acreditáveis, mas o teríeis sabido se o tivésseis perguntado ao vosso medo[91].

Sangue brilhou para mim da luz vermelha do cristal e, quando o levantei para descobrir seu segredo, ali estava diante de mim o horror: na profundeza daquele que vem estava o homicídio. O herói louro jazia assassinado. O escaravelho é a morte, que é necessária para a renovação; por isso brilhava como brasa atrás dele um novo sol, o sol da profundeza, o sol enigmático, um sol da noite. E assim como o sol nascente da primavera faz reviver a terra morta, também o sol da profundeza dá vida ao morto, e surge o terrível combate entre luz e treva. Aí vem à tona a fonte poderosa de sangue e de há muito não esgotada. Esta era o que vem, o que agora experimentais em vosso corpo, e é ainda mais do que isto (tive esta visão na noite de 12 de dezembro de 1913).

Profundeza e superfície devem misturar-se para que surja nova vida, mas a nova vida não nasce fora de nós, e sim dentro de nós. O que acontece fora de nós nesses dias é a imagem que os povos vivem nas coisas, para deixar estas imagens a épocas inesquecivelmente distantes, a fim de que delas aprendam para seu próprio caminho, assim como aprendemos para nós das imagens que os antigos viveram nas coisas.

A vida não vem das coisas, mas de nós. Tudo o que acontece fora já passou.

---

91 O *esboço* continua: "Tão estranho me era o espírito da profundeza que precisei de 25 noites para conseguir entendê-lo. E mesmo então me era tão estranho que eu não podia ver nem perguntar. Tinha de vir a mim como estranho de longe de um lado inaudito. Tinha de chamar-me. Eu não podia interrogá-lo a seu respeito e de sua natureza. Ele se anunciava em voz alta, como no tumulto da guerra com a gritaria múltipla das vozes dessa época. O espírito dessa época levantou-se dentro de mim contra o estrangeiro e provocou uma gritaria de batalha com seus muitos servos. Eu ouvia o fragor dessa batalha nos ares. Surgiu então o espírito da profundeza e me conduziu ao lugar do mais interior. Mas o espírito dessa época me mostrou seu rosto de couro, isto é: curtido, ressecado e sem vida. Ele não podia impedir-me de penetrar no submundo escuro do espírito da profundeza. Com surpresa percebi que meus pés afundavam na água de lama preta do rio da morte" [O *esboço corrigido* acrescenta: "pois lá há morte", p. 41]. O mistério do cristal com brilho vermelho era meu próximo objetivo" (p. 54-55).

Por isso, quem observa de fora aquilo que acontece só vê o que já passou e que sempre é a mesma coisa. Mas quem olha de dentro sabe que tudo é novo. As coisas que acontecem são sempre as mesmas. Mas a profundeza criadora da pessoa não é sempre a mesma. As coisas não significam nada, só significam em nós. Nós criamos o significado das coisas. O significado é e sempre foi artificial; nós o criamos.

Por isso procuramos em nós mesmos o significado das coisas, a fim de que o caminho daquele / que vem possa ficar revelado e nossa vida possa continuar fluindo.

fol. iii(r) /iv(v)

Aquilo de que precisais procede de vós mesmos, isto é, o significado das coisas. O significado das coisas não é o sentido que lhes é próprio. Este sentido encontra-se nos livros eruditos. As coisas não têm sentido.

O significado das coisas é o caminho da salvação por nós criado. O significado das coisas é a possibilidade da vida neste mundo, criada por vós. Ele é domínio sobre este mundo e a afirmação de vossa alma neste mundo.

Este sentido das coisas é o sentido supremo, que não está nas coisas nem na alma, mas o Deus que está entre as coisas e a alma, o medianeiro da vida, o caminho, a ponte e a ultrapassagem[92].

Eu não teria podido enxergar aquilo que vem, se não o tivesse podido ver em mim mesmo.

Portanto, eu estou envolvido em cada assassinato, em mim também brilha o sol da profundeza conforme o qual o assassinato é consumado; em mim também estão as milhares de serpentes, que queriam engolir o sol. Eu mesmo sou assassino e assassinado, sacrificante e vítima[93]. De mim flui a fonte do sangue.

Vós todos tendes participação no assassinato[94]. Em vós estará o renascido, e nascerá o sol da profundeza, e milhares de serpentes vão desenvolver-se a partir de vossa matéria morta e cair sobre o sol para sufocá-lo. Vosso sangue fluirá para lá. Isto os povos demonstram nos dias atuais através de ações inesquecíveis, que serão inscritas com sangue em livros inesquecíveis para memória eterna[95].

---

92 O *esboço* continua: "Minha alma é meu sentido supremo, minha imagem de Deus, não o próprio Deus nem o próprio sentido supremo. O Deus se revela no sentido supremo da comunidade das pessoas" (p. 58).

93 Em "O símbolo da transformação na missa" (1942), Jung comenta o motivo da identidade do sacrificador e do sacrificado, com especial referência às visões de Zózimo de Panópolis, um filósofo da natureza e alquimista do século III d.C. Jung observou: "O que eu ofereço é minha pretensão egoica, na qual eu mesmo me entrego. Cada sacrifício é por isso mais ou menos um autossacrifício" (vol. XIII), Cf. também o Katha Upanixade, capítulo 2, verso 19. Jung citou os dois versos seguintes do Katha Upanixade sobre a natureza do si-mesmo em 1921 (OC, 6, § 329). À margem do exemplar de Jung há uma linha traçada junto a esses versos em *Livros sagrados do Oriente*, vol. XV, pt. 2, p. 11. Em "Sonhos", Jung observou em conexão com um sonho: "Minha intensa relação inconsciente com a Índia no Livro Vermelho" (p. 9).

94 Jung elaborou o tema da culpa coletiva em "Depois da catástrofe" (1945) (OC, 10).

95 Referência aos acontecimentos da Primeira Guerra Mundial. No outono de 1914 (quando Jung escreveu esta seção da "camada dois") houve a batalha do Marne e a primeira batalha de Ypres.

Mas quando, eu vos pergunto, as pessoas vão atacar seus irmãos com a força das armas e ações sangrentas? Fazem isso quando não sabem que seus irmãos são elas mesmas. Elas mesmas são ofertantes, mas se prestam mutuamente o serviço da oferta. Elas todas têm de ofertar-se, pois ainda não chegou o tempo em que a pessoa volta contra si mesma a faca do sangue para sacrificar aquele que ele mata em seu irmão. Mas quem as pessoas matam? Elas matam os nobres, os bravos, os heróis. São a estes que visam, mas não sabem que com estes significam a si próprias. Elas deveriam sacrificar o herói dentro de si mesmas, mas, como não o sabem, matam seu bravo irmão.

O tempo ainda não está maduro. Mas através desse sacrifício de sangue deve amadurecer. Enquanto for possível matar o irmão em vez de a si mesma, o tempo não está maduro. Precisam acontecer coisas terríveis até que as pessoas amadureçam. De outro modo, a pessoa não ficará madura. Eis a razão por que tudo isso, que acontece em nossos dias, deve ser assim, para que a renovação possa vir. Pois a fonte de sangue que segue ao encobrimento do sol é também a fonte da nova vida[96].

Assim como se apresentam para vós os destinos dos povos nas coisas, da mesma forma acontecerá em vossos corações. Se o herói estiver assassinado em vós, então nasce para vós o sol da profundeza, brilhando de longe e de lugar inaudito. Mas imediatamente vai reviver em vós tudo o que parecia morto até agora e se transformará em serpentes venenosas que querem encobrir o sol, e vós caireis na noite e na confusão. Vosso sangue jorrará das muitas feridas desse combate horrível. Vosso pavor e vosso desespero serão grandes, mas desse sofrimento nascerá a nova vida. Nascimento é sangue e sofrimento. Vossa escuridão que vós não pressentistes, porque estava morta, vai reviver e sentireis a pressão do totalmente mau e contrário à vida, que ainda agora jaz sepulto na matéria de vosso corpo. Mas as serpentes são pensamentos e sentimentos incrivelmente maus.

Pensáveis que conhecíeis aquele abismo? Ó vós, inteligentes! É outra coisa vivê-lo experimentalmente. Tudo virá a vós. Pensai em todos os horrores e dia-

---

96 Em sua preleção na *ETH* a 14 de junho de 1935, Jung comentou (parcialmente em referência a esta fantasia, a que ele se referiu anonimamente): "O motivo do sol aparece em muitos lugares e épocas e o sentido é sempre o mesmo – que nasceu uma nova consciência. É a luz da iluminação que é projetada no espaço. É um acontecimento psicológico; o termo médico 'alucinação' não faz sentido em psicologia. / A catábase desempenha um papel muito importante na Idade Média e os antigos mestres concebiam o sol nascente nesta catábase como uma nova luz, a 'lux moderna', a joia, o lápis" (*Modern Psychology*, p. 231).

bólicas atrocidades que as pessoas causaram a seus irmãos. Isto deve chegar a vós em vossos corações. Sofrei-o em vós mesmos através de vossa própria mão e sabei que é vossa mão infame e demoníaca que vos causa o sofrimento, mas não vosso irmão, que luta com seus próprios demônios[97].

Eu gostaria que vísseis o que significa o herói assassinado. Aquelas pessoas anônimas, que matam príncipes em nossos dias, são profetas cegos, que representam nas coisas o que só vale para a alma[98]. Através do assassinato de príncipes ficais sabendo que o príncipe, o herói em nós, está ameaçado[99]. Se deve parecer um bom ou mau sinal, não nos vamos preocupar com isso. O que hoje é ruim, em cem anos será bom e em duzentos, novamente ruim. Mas temos de reconhecer o que acontece: existem anônimos em vós que ameaçam vossos príncipes, o legítimo soberano.

Mas nosso soberano é o espírito dessa época, que em nós tudo comanda e dirige, é o espírito universal no qual hoje pensamos e agimos. Ele detém um poder extraordinário, pois trouxe a este mundo bens incomensuráveis e cativou as pessoas com delícias inacreditáveis. Está adornado com as mais belas e heroicas virtudes e gostaria de fazer subir a humanidade a uma altura brilhante do sol, numa subida inaudita[100].

O herói quer desdobrar tudo o que pode. Mas o espírito anônimo da profundeza conduz para cima tudo o que a pessoa não pode. O não poder prejudica a ulterior subida. Mais altura exige maior virtude. Não a possuímos. Temos de primeiro criá-la, aprendendo a viver com nosso não poder. A ele temos de dar vida, pois como poderia evoluir para o poder senão assim?

---

97 O *esboço* continua: "Sei, meus amigos, que estou falando aqui em enigmas. Mas o espírito da profundeza me fez ver muitas coisas para ajudar o meu entendimento. Desejo contar-vos ainda mais coisas de minhas visões, a fim de entenderdes melhor as coisas que o espírito da profundeza gostaria que vós vísseis. Feliz de quem pode ver essas coisas! Quem não as vê deve vivê-las como destino cego, em imagem" (p. 61).

98 Em "O eu e o inconsciente" (1927), Jung se refere aos elementos individuais que caem no inconsciente, onde geralmente se transformam em algo de essencialmente pernicioso, destrutivo e anárquico. No aspecto social, este princípio negativo se manifesta através de crimes espetaculares como regicídios, perpetrados por indivíduos de predisposição profética" (OC, 7, § 240).

99 Assassinatos políticos eram frequentes no início do século XX. O fato específico a que se alude aqui é o seguinte: a 28 de junho de 1914, o arquiduque Franz Ferdinand, herdeiro do império austro-húngaro, foi assassinado por Gavrilo Princip, um estudante sérvio de 19 anos. Martin Gilbert descreve este fato, que desempenhou um papel decisivo nos acontecimentos que levaram à eclosão da Primeira Guerra Mundial, como "um momento crítico na história do século XX". *A History of the Twentieth Century* – Volume One: 1900-1933. Londres: William Morrow, p. 308.

100 O *esboço* continua: "Quando eu aspirava ao meu maior poder no mundo, enviou-me o espírito da profundeza pensamentos anônimos e visões que apagaram o que tendia para cima, o que, no sentir dessa época, era o heroico em mim" (p. 62).

Não podemos matar nosso não poder e elevar-nos acima disto. Mas era exatamente o que queríamos. O não poder virá sobre nós e vai exigir sua parte na vida. Nós nos perderemos em nosso poder e haveremos de acreditar no sentido do espírito dessa época de que é uma perda. Mas não é uma perda, e sim um ganho, não em bens exteriores, mas em capacidade interior.

Quem aprende a viver com seu não poder aprendeu muito. Isto nos levará a valorizar as menores coisas e a uma sábia limitação, que é exigida pela altura maior. Quando todo o heroico estiver apagado, caímos de volta na indigência do humano e em coisa ainda pior. Nossos fundamentos mais profundos entram em agitação, pois nossa maior tensão, que corresponde ao fora de nós, vai excitá-las. Cairemos no lodaçal e nosso submundo, no lixo de todos os séculos em nós[101].

O heroico em ti é que és comandado pelo pensamento de que isto ou aquilo seja o bem, que esta ou aquela obra seja indispensável, que esta ou aquela coisa seja rejeitável, que este ou aquele objetivo deva ser alcançado pelo trabalho ambicionado lá adiante, que este ou aquele prazer deva ser reprimido por todos os meios e inexoravelmente. Com isso pecas contra o não poder. Mas o não poder existe. Ninguém deve negá-lo, criticá-lo ou levantar a voz contra ele[102].

Divisão do espírito

[IH iv (r)]

Cap. vi.

Mas na quarta noite eu gritei: "Descer ao inferno é o mesmo que tornar-se inferno"[103]. Tudo está terrivelmente confuso e emaranhado. Neste caminho do

---

101 O *esboço* continua: "Tudo o que esquecemos se tornará novamente vivo em nós, toda paixão humana e divina, as negras serpentes e o sol avermelhado da profundeza" (p. 64).

102 A 9 de junho de 1917 houve um debate sobre a psicologia da guerra mundial na Associação de Psicologia Analítica, após uma apresentação feita por Vodoz sobre "Das Rolandlied". Jung argumentou que "pode-se hipoteticamente colocar a guerra mundial no nível do sujeito. Também nos detalhes o princípio autoritário (o agir movido por princípios) e o princípio instintivo estão em contradição. O inconsciente coletivo alia-se ao instintivo". A respeito do herói, ele disse: "O herói – a figura amada do povo, deve cair. Todos os heróis sucumbem por si, quando difundem em certa medida a atitude de herói e com isso fracassam" (*MPA*, vol. 2, p. 10). A interpretação psicológica da Primeira Guerra Mundial no nível subjetivo descreve o que é desenvolvido neste capítulo. A conexão entre psicologia individual e coletiva que ele articula aqui constitui um dos *leitmotivs* de sua obra posterior (cf. *Presente e futuro*, 1957. OC, 10/1).

103 Em *Além do bem e do mal*, Nietzsche escreveu: "Quem luta com monstros deve ter cuidado para não se tornar um monstro. E se olhas demoradamente um abismo, o abismo olha para dentro de ti" (Petrópolis: Vozes, 2009, § 146).

deserto não há apenas areia escaldante, mas existem também coisas invisíveis, assustadoramente envolventes, que habitam o deserto. Isto eu não sabia. O caminho só é aparentemente livre, o deserto é só aparentemente vazio. Parece estar habitado por seres enfeitiçados que me atacam com intenções assassinas e transformam em aspecto daimoníaco minha face. Eu assumi provavelmente uma forma horrenda, na qual já não me posso reconhecer. Parece que sou uma figura monstruosa de animal, pela qual troquei meu ser humano. Este caminho está cercado de magia infernal; laços invisíveis foram atirados sobre mim e me amarram.

Mas o espírito da profundeza aproximou-se de mim e falou: "Desce para tua profundeza, afunda-te". Eu, porém, me revoltei contra ele e falei: "Como posso afundar-me? Sou incapaz de fazer isso comigo".

Então o espírito me dirigiu palavras que me pareceram ridículas, e ele disse: "Senta-te e descansa".

Mas eu gritei revoltado: "Assustador, isto soa como tolice, exiges também isto de mim? Tu derrubas deuses que são poderosos e que significam o máximo para nós. Minha alma, onde estás? Confiei-me a um animal imbecil, cambaleio qual bêbado ao encontro da sarjeta, falo coisas sem nexo como um doido? É este o teu caminho, minha alma? O sangue me ferve, e eu gostaria de estrangular-te se te pudesse agarrar. Tu teces as trevas mais densas, e eu fico preso como um louco em tua rede. Mas eu quero, ensina-me".

Mas a alma falou-me e disse: "Meu caminho é luz".

Eu, porém, respondi irritado: "Tu chamas luz aquilo que nós seres humanos chamamos as piores trevas? Tu chamas o dia de noite?"

A isto minha alma falou palavras que me irritaram: "Minha luz não é deste mundo".

Eu exclamei: "Não sei nada daquele outro mundo".

A alma respondeu: "Não deve ele existir, só porque nada sabes dele?" Eu: "E nosso saber? Também nosso saber nada vale para ti? O que deve existir, se não há saber? Onde há certeza? Onde terreno firme? Onde luz? Tuas trevas não são apenas mais negras que a noite, mas também sem fundo. Se o saber não deve existir, então, quem sabe, também não linguagem e palavras?"

A alma: "Também nenhuma palavra".

Eu: "Perdão, talvez eu ouça mal, talvez te interprete mal, talvez eu me deixe seduzir por minhas próprias mentiras e macaquices, talvez fazendo uma careta para mim em meu espelho, talvez um louco em meu próprio manicômio. Talvez tropeces em minha demência?"

A alma: "Tu te enganas, a mim não mentes. Tuas palavras são mentiras para ti, não para mim".

Eu: "Mas poderia eu revolver-me numa furiosa tolice, tramar o absurdo, a estupidez perversa?"

A alma: "Quem te dá pensamentos e palavra? Tu os crias? Não és meu servo, um recebedor, que está deitado diante da minha porta e recolhe minha esmola? E tu ousas pensar que aquilo que imaginas e falas poderia ser tolice? Não sabes que isto provém de mim e me pertence?"

Mas eu exclamei cheio de raiva: "Então também minha revolta deve vir de ti, então tu te revoltas em mim contra ti mesma". A isso, a alma falou as palavras ambíguas: "Isto é guerra civil"[104].

Fui acometido de dor e raiva, e respondi: "Que comédia e lenga-lenga! – mas eu quero. Eu também posso rastejar pela lama, o banal mais odiado. Posso também comer pó, isto pertence ao inferno. Não vou retroceder, eu resisto. Quereis continuar imaginando tormentos, monstros com pernas de aranha, monstros teatrais horríveis – ridículos. Para frente, estou preparado. Preparado, minha alma, que és um demônio, a lutar também contigo. Tu colocas uma máscara de Deus, e eu te venero. Depois colocas uma máscara de demônio, ai, uma máscara horrível, a do banal, do eterno medíocre. Só uma vantagem! Permite que volte um pouco para trás e reflita! Vale a pena a luta com esta máscara? Vale a pena a veneração da máscara de Deus? Eu não posso, arde-me nas juntas a vontade de lutar. Não, não vencido posso sair do campo de batalha. Quero pegar-te, esmagar-te, palhaço, macaco. Ai, a luta é desigual, minhas mãos agarram o ar. Mas teus golpes também são ar e eu percebo, são farsas".

Estou novamente no caminho do deserto. Foi uma visão do deserto, uma visão dos solitários que percorrem a longa estrada. Nela estão à espreita assaltantes invisíveis e assassinos traiçoeiros que atiram projéteis envenenados. A seta mortífera está cravada em meu coração?

104 *Livro Negro 2*: "És neurótico? Nós somos neuróticos?" (p. 53).

[2] Como a primeira visão me havia dito, o assassino traiçoeiro saiu da profundeza e veio para cima de mim, assim, como no destino dos povos dessa época, avançou um anônimo e levantou a arma assassina contra o príncipe[105].

Eu me senti transformado numa fera impetuosa. Meu coração fervia de raiva contra o elevado e amado, contra meu príncipe e herói, assim como o anônimo do povo, impelido por seu instinto assassino, lançou-se sobre seu querido príncipe.

Pelo fato de eu trazer o assassinato dentro de mim, eu o previ[106]. Pelo fato de eu trazer a guerra em mim, eu a previ. Senti-me enganado e alvo de mentira por parte de meu rei. Por que me senti assim? Ele não era aquilo que eu queria que ele fosse. Ele dava outra coisa do que eu esperava. Ele devia ser rei no meu sentido e não no seu sentido. Ele devia ser o que eu chamava de ideal. Minha alma me parecia oca, insossa e insignificante. Mas o que eu pensava, referia-se na verdade a meu ideal.

fol. iv(r) /iv(v)

Era uma / visão do deserto, eu lutava contra minhas próprias imagens refletidas em espelho. Havia guerra civil dentro de mim. Eu era meu próprio assassino e o próprio assassinado. A seta mortal estava gravada em meu coração, e eu não sabia o que ela deveria significar. Meus pensamentos eram homicídio e pavor mortal que se espalhava como veneno em toda a parte de meu corpo. E assim era o destino dos povos: o assassinato de um era a seta envenenada que voava ao coração da pessoa e atiçava a guerra mais violenta. Este assassinato é a revolta do não poder contra o querer, uma traição de Judas que gostaríamos tivesse sido cometida por outro[107]. Nós procuramos sempre ainda o bode que deve carregar os nossos pecados[108].

---

105 Ver nota 99, p. 140.

106 O *esboço* continua: "Meus amigos, se soubésseis a profundeza que o futuro carrega em vós! Quem desce para sua própria profundeza contempla aquilo que vem" (p. 70).

107 O *esboço* continua: "Assim como Judas foi um elo necessário na corrente da obra da salvação, também nossa traição de Judas com relação ao herói é uma passagem necessária para a salvação" (p. 71). Em *Transformações e símbolos da libido* (1912), Jung discute o ponto de vista do abade Oegger na história de Anatole France, em *O jardim de Epicuro*, que sustentava que Deus tinha escolhido Judas como um instrumento para completar a obra redentora de Cristo (OC, B, § 52).

108 Cf. Lv 16,7-10: "Tomando depois os dois bodes, ele os apresentará diante do Senhor à entrada da tenda de reunião. Depois Aarão lançará as sortes sobre os dois bodes, uma para o Senhor e outra para Azazel. Aarão oferecerá o bode que coube por sorte ao Senhor, fazendo um sacrifício pelo pecado. Quanto ao bode que tocou por sorte a Azazel, será apresentado vivo diante do Senhor, para fazer a expiação e mandá-lo ao deserto, para Azazel".

Tudo o que fica velho demais torna-se um mal, portanto também o vosso mais elevado. Aprendei isso dos sofrimentos de Deus crucificado que é possível também trair e crucificar um Deus, isto é, o Deus do ano velho. Quando um Deus deixa de ser o caminho da vida, então precisa diminuir discretamente[109].

O Deus fica doente quando ultrapassa a altura do zênite. Por isso arrebatou-me o espírito da profundeza quando o espírito dessa época me havia conduzido para a altura[110].

Assassinato do herói

[IH iv(v)][111]

Cap. vii.

Na noite seguinte, contudo, tive uma visão[112]: eu estava numa montanha alta com um adolescente. Era antes da aurora, o céu no lado leste já estava claro. Soou então sobre as montanhas a trompa de Siegfried em tom festivo[113]. Sabíamos que nosso inimigo mortal estava chegando. Estávamos armados e emboscados num estreito caminho de pedras, com a finalidade de matá-lo. De repente, apareceu ao longe, vindo do cume da montanha num carro feito de ossos de pessoas falecidas. Desceu com muita destreza e glorioso pelo flanco rochoso e chegou ao caminho estreito onde o esperávamos escondidos. Ao surgir numa curva do caminho, atiramos contra ele, e ele caiu mortalmente ferido. Em seguida preparei-me para fugir, e uma chuva violenta desabou. Depois[114] passei por um tormento mortal e eu senti como certo que eu mesmo deveria me matar, se não conseguisse resolver o enigma do assassinato do herói[115].

---

109 O *esboço* continua: "isto nos ensinaram os antigos" (p. 72).

110 O *esboço* continua: "Quem vai para o deserto vai experimentar tudo o que pertence ao deserto. Isto tudo nos descreveram os antigos. Deles podemos aprender. Abri os livros antigos e aprendei o que virá a vós na solidão. Tudo vos será doado e nada economizado, a graça e o sofrimento" (p. 72).

111 Referência à lamentação pela morte do herói.

112 18 de dezembro de 1913. No *Livro Negro* 2, Jung observou: "A noite seguinte foi pavorosa. Eu acordei logo de um sonho terrível" (p. 56). O *esboço* diz: "subiu da profundeza uma visão impressionante" (p. 73).

113 Siegfried foi um príncipe heroico que aparece nas antigas epopeias germânicas e nórdicas. Na *Canção dos nibelungos*, do século XII, é descrito da seguinte maneira: "E com quanto garbo Siegfried cavalgava! Trazia uma grande lança, de haste grossa e ponta larga; sua bela espada chegava até aos calcanhares; e a vistosa corneta que este senhor carregava era feita do ouro mais brilhante" (Londres: Penguin, 2004, p. 129 [Trad. de A. Hatto]). Na *Canção dos nibelungos*, sua esposa Brunilda é levada por artimanhas a revelar o único lugar onde ele poderia ser ferido e morto. Wagner reelaborou esta epopeia em *O anel do nibelungo*. Em 1912, em *Transformações e símbolos da libido*, Jung apresentou uma interpretação psicológica de Siegfried como símbolo da libido, citando principalmente o libreto do *Siegfried* de Wagner (OC, B, § 568s.).

114 O *esboço* continua: "Depois desta visão" (p. 73).

115 No *Livro Negro* 2, Jung anotou: "Subi com facilidade um caminho inacreditavelmente íngreme e depois ajudei minha esposa, que seguia devagar, a subir também. Algumas pessoas caçoavam de nós, mas achei

Veio então ao meu encontro o espírito da profundeza e disse a frase:

"A verdade maior é uma e a mesma que o absurdo". Esta frase me aliviou, e como uma chuva após longo tempo de calor veio abaixo com força em mim tudo o que estava tenso demais.

Tive então uma segunda visão[116]: Vi um jardim maravilhoso, nele caminhavam figuras vestidas de seda branca, todas envoltas em capas brilhantes e coloridas, algumas eram avermelhadas, outras azuladas e esverdeadas[117]. [Imagem iv(v)]

Eu sei que passei por cima e além da profundeza. Através da culpa, tornei-me um renascido[118].

[2] Nós também vivemos em nossos sonhos, não vivemos só de dia. Às vezes executamos nossos maiores feitos no sonho[119].

Naquela noite, minha vida estava ameaçada, pois eu tinha de matar meu senhor e Deus, não num duelo aberto; pois quem dos mortais poderia matar

---

bom, pois indicava que não sabiam que eu havia matado o herói" (p. 57). Jung contou novamente este sonho no seminário de 1925, acentuando diversos detalhes. Antepôs-lhe as seguintes observações: "Siegfried não me era uma figura especialmente simpática e não sei por que meu inconsciente ficou absorvido por ele. O Siegfried de Wagner, de modo especial, é exageradamente extrovertido e às vezes efetivamente ridículo. Nunca gostei dele. No entanto, o sonho mostrou que ele era meu herói. Não pude entender a forte emoção que tive com o sonho". Após narrar o sonho, Jung concluiu: "Senti uma imensa compaixão por ele [Siegfried], como se eu próprio tivesse sido atingido. Devo, portanto, ter tido um herói que eu não apreciava, e foi meu ideal de força e eficiência que eu matei. Eu havia matado meu intelecto, ajudado a fazê-lo por uma personificação do inconsciente coletivo, o homenzinho trigueiro comigo. Em outras palavras, destituí minha função superior... A chuva que caiu é um símbolo da liberação da tensão; ou seja, as forças do inconsciente estão liberadas. Quando isto acontece, produz-se o sentimento de alívio. O crime é expiado, porque, logo que a função principal é destituída, existe uma chance de outras facetas da personalidade aflorarem" (*Introduction to Jungian Psychology*, p. 61-62). No *Livro Negro* 2, e em suas anotações posteriores sobre este sonho em *Memórias* (p. 215), Jung disse ter sentido que precisaria matar-se a si mesmo, caso não conseguisse resolver este enigma.

116 O *esboço* continua: "caí de novo no sono. Tive uma grande visão" (p. 73-74).

117 O *esboço* continua: "Essas luzes penetraram em mim espiritual e sensivelmente. E novamente caí no sono como um convalescente" (p. 74). Jung recontou este sonho a Aniela Jaffé e comentou que depois de ter sido confrontado com a sombra, como no sonho de Siegfried, este sonho expressou a ideia de que ele era uma coisa e outra coisa ao mesmo tempo. O inconsciente alcança para além da pessoa, à semelhança de uma aura de santo. A sombra era semelhante à esfera colorida de luz que rodeava as pessoas. Ele pensou que se tratava de uma visão do além, onde as pessoas são completas (*MP*, p. 170).

118 O *esboço* continua: "O mundo intermédio é um mundo das coisas mais simples. Não é um mundo da intenção e do dever-ser, mas um mundo do talvez, com possibilidades indeterminadas. Aqui só existem pequenas estradas vicinais, nenhuma estrada larga para movimento das tropas militares, em cima nenhum céu, embaixo nenhum inferno" (p. 74). Em outubro de 1916, Jung deu algumas palestras no Clube de Psicologia sobre "Adaptação, individuação e coletividade" nas quais comentou sobre a importância da culpa: "assim o primeiro passo da individuação é uma *culpa* trágica. A acumulação de culpa exige *expiação* (OC, 18/2, § 1.094).

119 O *esboço* acrescenta: "Vós achais graça disso? O espírito dessa época gostaria de fazer que acreditásseis que a profundeza não é nenhum mundo e nenhuma realidade" (p. 74).

um Deus num duelo? Tu só podes atingir teu Deus num assassinato a traição[120], se tu quiseres vencê-lo.

Mas isto é o mais amargo para a pessoa mortal: nossos deuses querem ser vencidos, pois necessitam de renovação. Quando as pessoas matam seus príncipes, eles o fazem porque não conseguem matar seus deuses e porque não sabem que deveriam matar seus deuses dentro de si.

Quando o Deus fica velho, ele se torna sombra, tolice, vai para baixo. A maior verdade torna-se a maior mentira; o dia mais claro torna-se a noite mais escura.

Assim como o dia pressupõe a noite e a noite, o dia, assim o sentido pressupõe o absurdo e o absurdo, o sentido.

O dia não existe por si, a noite não existe por si.

O verdadeiro, que existe por si mesmo, é dia e noite.

Portanto, o verdadeiro é sentido e absurdo.

O meio-dia é um instante, a meia-noite é um instante, a manhã vem da noite, o anoitecer caminha para a noite, mas também o anoitecer vem do dia e a manhã caminha para o dia.

Portanto, o sentido é um instante e passagem de absurdo em absurdo, e o absurdo é só um instante e passagem de sentido em sentido[121]

Lastimável que Siegfried, o louro de olhos azuis, o herói alemão, tivesse que tombar por minhas mãos, o mais fiel e mais valente! Ele tinha tudo em si que eu considerava o maior, o mais belo, ele era minha força, minha valentia, meu orgulho. Numa luta de iguais, eu teria perecido, só me restava, pois, o assassinato à traição. Se eu quisesse continuar vivendo, só poderia ser através de astúcia e maldade.

Não julgueis! Pensai no selvagem louro das matas alemãs que teve de denunciar ao deus branco asiático o trovão que empunha o martelo, que foi pregado na cruz como um ladrão de galinhas. O desprezo embaçou o próprio ser dos valentes. Mas sua força vital ordenou-lhes que continuassem a viver, e eles traíram seus deuses belos e selvagens, suas árvores sagradas e a veneração às matas alemãs[122].

---

120 O *esboço* continua: "para o Judas" (p. 75).

121 O *esboço* continua: "Minha visão mostrou-me que não estava sozinho no meu ato. Tive como ajudante um adolescente, portanto alguém mais jovem do que eu; eu mesmo como um remoçado" (p. 76).

122 O *esboço* continua: "Assim como Wotan, Siegfried também tinha de morrer" (p. 76). Em 1918, Jung escreveu sobre os efeitos da introdução do cristianismo na Alemanha: "O cristianismo dividiu o barbarismo germânico em sua metade inferior e superior e conseguiu assim – pela repressão do lado mais

Isto significa Siegfried para os alemães! O que quer dizer que Siegfried morre para o alemão! Por isso quase preferi matar a mim mesmo para poupá-lo. Mas eu queria continuar vivendo com um novo Deus[123].

Depois da morte na cruz, Cristo foi para o reino dos mortos, tornou-se inferno. Assumiu assim a figura do anticristo, do dragão. A imagem do anticristo, que os antigos nos transmitiram, dá notícia do novo Deus, cuja vinda os antigos previram.

Deuses são inevitáveis. Quanto mais tu foges de Deus, mais certamente cairás em suas mãos.

A chuva é a grande torrente de lágrimas que virá sobre os povos, a torrente de lágrimas da distensão, depois que a limitação da morte sobrecarregou os povos com um peso terrível. É o choro do morto em mim que precede o sepultamento e o renascimento. A chuva é a fecundação da terra, ela produz o novo trigo, o Deus que brota jovem[124].

Concepção do Deus

[IH iv(v)2]

Cap. viii.

Na segunda noite depois disso, falei à minha alma e disse: "Fraco e artificial parece-me este mundo novo. Artificial é uma palavra complicada, mas a semente de mostarda que se desenvolveu em árvore, a palavra que foi concebida no seio de uma virgem, tornou-se um Deus ao qual estava submissa a terra"[125].

---

escuro – domesticar o lado mais claro e torná-lo apropriado à cultura. Enquanto isso, porém, a metade inferior está esperando a libertação e uma segunda domesticação. Mas, até lá, continua associada aos vestígios da era pré-histórica, ao inconsciente coletivo, o que significa uma peculiar e crescente ativação do inconsciente coletivo" ("Sobre o inconsciente". OC, 10, § 17). Desenvolveu esta situação em "Wotan" (OC, 10, 1936).

123 No *esboço*, esta frase é assim: "Mas nós queremos continuar vivendo com um novo Deus, um herói além de Cristo" (p. 76). Nas *Memórias*, Jung relatou a Aniela Jaffé que ele havia pensado de si mesmo como um herói vencedor, mas o sonho indicava que o herói tinha de ser morto. Este exagero da vontade foi demonstrado naquela época precisamente pelos alemães, como na Linha Siegfried. "Uma voz dentro dele dizia: 'Se não entendes o sonho, deves matar-te'" (MP, p. 98. · *Memórias*, 216). A Linha Siegfried original foi uma linha defensiva estabelecida pelos alemães no norte da França em 1917 (era na verdade uma subdivisão da Linha Hindenburg).

124 O tema do deus que morre e ressuscita desempenha papel importante na obra de FRAZER, J. *The Golden Bough*: A Study in Magic and Religion. Londres: Macmillan, 1911-1915. Ela foi usada por Jung em *Transformações e símbolos da libido*.

125 Uma referência à parábola de Cristo do grão de mostarda. Mt 13,31-2: "O Reino dos Céus é semelhante a um grão de mostarda, que um homem toma e semeia em seu campo. É a menor das sementes, mas depois de crescida é a maior das hortaliças, chegando a tornar-se árvore" (cf. Lc 13,18-20; Mc 4,30-32).

Quando assim falei, apareceu de repente o espírito da profundeza, encheu-me de tontura e névoa e falou com voz forte estas palavras: [BO iv(v)] *"Concebi teu embrião tu que vens!*

Eu o concebi na mais profunda necessidade e humildade.

Eu o envolvi em panos ridículos e deitei no berço de pobres palavras.

E escárnio o adorou, teu filho, teu filho maravilhoso, o filho de alguém que está para vir, que deve anunciar o Pai, um fruto que é mais velho do que a árvore da qual nasceu.

Conceberás com dores, e alegria é teu nascimento.

Medo é teu arauto, dúvida está à tua direita; decepção, à tua esquerda.

Perecemos em nosso ridículo e insensatez quando te enxergamos.

Nossos olhos ficaram cegos e nosso saber emudeceu quando captamos teu brilho.

Tu, nova fagulha do fogo eterno em cuja noite nasceste.

Tu vais extorquir de teus fiéis verdadeiras orações, e em tua homenagem precisam falar em línguas, que para eles são um horror.

Tu virás sobre eles na hora de sua ignomínia, tu te revelarás naquilo que eles odeiam, temem e abominam[126]*.*

Tua voz, a harmonia mais rara, nós vamos perceber na gagueira do desordenado, do jogado fora e do amaldiçoado como sem valor.

Teu reino tocarão com as mãos aqueles que adoraram também antes da mais profunda humildade e cujo desejo os impeliu através da torrente de lodo do mal.

Tu darás teus dons àqueles que rezam com horror e dúvida, e tua luz vai brilhar para aqueles cujos joelhos devem dobrar-se contra sua vontade e cheios de revolta.

Tua vida está com aquele que venceu a si mesmo / [BO v(r)] *e negou sua vitória contra si mesmo*[127]*.*

fol. iv(r) /v(v)

Também eu sei que a liberalidade da graça só é dada àquele que acredita no mais elevado e trai a si mesmo deslealmente por trinta moedas de prata[128]*.*

---

126 Em Mc 16,17, Cristo afirmou que aqueles que acreditam falarão novas línguas. A questão de falar em línguas é discutida em 1Cor 14 e é tema central do movimento pentecostal.

127 O tema da autossuperação é importante na obra de Nietzsche. Em *Assim falava Zaratustra*, Nietzsche escreve: "Eu vos ensino o além-homem. O homem é algo que precisa ser superado. Que fizestes para superá-lo? Até agora todos os seres criaram alguma coisa que os ultrapassou: e quereis ser refluxo dessa grande maré e retornar ao animal em vez de superar o homem?" ("Prólogo de Zaratustra 3"; sublinhado conforme o exemplar de Jung). Para a discussão de Jung sobre este tema em Nietzsche, ver JARRET, J. (org.). *Nietzsche's Zaratustra*: Notes of the seminar given in 1934-1939. Vol. 2. Princeton: Princeton University Press, 1988, p. 1.502-1.508.

128 Judas traiu Jesus por trinta moedas de prata (Mt 26,14-16).

Os que sujarem suas mãos limpas e que trocarem seu melhor saber pelo erro e tirarem suas virtudes de um covil de assassinos são convidados para teu grande banquete.

O astro de teu nascimento é uma estrela falsa e um planeta.

Estes, ó filho do que virá, são os milagres que se tornarão testemunhas de que és um verdadeiro Deus".

[2] Quando meu príncipe havia caído, o espírito da profundeza abriu minha visão e permitiu que eu observasse o nascimento do novo Deus.

A criança divina opôs-se a mim a partir do tremendamente ambíguo, do feio--bonito, do mau-bom, do ridículo-sério, do doente-sadio, do inumano-humano e do não divino-divino[129].

Compreendi que o Deus[130], que procuramos no absoluto, não há de ser encontrado no belo, bom, sério, elevado, humano, nem mesmo no divino absolutos. Lá esteve uma vez Deus.

Entendi que o novo Deus está no relativo. Se Deus é o belo e bom absolutos, como deve abranger a plenitude da vida, que é bela e feia, boa e má, ridícula e séria, humana e inumana? Como pode o ser humano viver no seio da divindade, se a divindade só se aceita em sua metade?[131]

Se tivermos subido perto da altura do bem e do belo, nosso ruim e feio jazem em tormento extremo. Seu tormento é tão grande e o ar da altura tão rarefeito, que a pessoa mal ainda pode viver. Por isso o bom e o belo se solidificam em ferro da ideia absoluta[132], e o ruim e feio tornam-se poça de lama, cheia de vida infame.

Por isso, o Cristo teve de descer ao inferno após sua morte, caso contrário sua subida ao céu se teria tornado impossível. O Cristo teve de se tornar antes seu anticristo, seu irmão subterrâneo.

Ninguém sabe o que aconteceu nos três dias em que Cristo esteve no inferno. Mas eu cheguei a sabê-lo[133]. As pessoas de antigamente diziam que lá ele pregou aos adormecidos[134]. É verdade o que eles dizem, mas sabeis como isto aconteceu?

---

129 Ver nota 58, p. 123.

130 Esta concepção da natureza abrangente do novo Deus é desenvolvida de forma completa mais adiante em "Aprofundamentos" (Sermão, 2, p. 455s.).

131 O tema da integração do mal na divindade desempenhou um papel importante nas obras de Jung – cf. *Aíon*, 1951. OC, 9/2, cap. 5, e *Resposta a Jó*, 1952. OC, 11/4.

132 A concepção da ideia absoluta foi desenvolvida por Hegel. Este entendeu-a como a culminação e a unidade autodiferenciadora da sequência dialética que originou o cosmos. Cf. *Hegel's Logic* (Londres, Thames and Hudson, 1975 [Trad. de W. Wallace]). Jung refere-se a isto em 1921 em *Tipos psicológicos* (OC, 6, § 735).

133 Esta frase foi cortada no *esboço corrigido* e substituída por: "mas é possível adivinhá-lo".

134 1Pd 4,6 afirma: "Pois, para isso foi anunciada a boa-nova aos mortos, a fim de que, julgados como homens na carne, vivam segundo Deus no espírito".

Era loucura e momice, uma terrível mascarada infernal dos mais sagrados mistérios. De que outra forma poderia Cristo ter salvo seu anticristo? Lede os livros desconhecidos dos antigos e aprendereis ali muitas coisas. Atendei bem, Cristo não ficou no inferno, mas subiu para a altura do além[135].

Nossa convicção do valor do bom e do belo tornou-se forte e imperdível, por isso pode a vida estender-se para mais além e preencher ainda tudo que estava amarrado e desejoso. Mas o amarrado e desejoso são precisamente o feio e o mau. Tu te revoltas contra o feio e o mau?

Nisso podes perceber quão grandes são sua força e seu valor da vida. Tu pensas que isto está morto em ti? Mas este morto pode transformar-se também em serpentes[136]. As serpentes vão apagar o príncipe de teu dia.

Viste que beleza e alegria sobrevieram às pessoas quando a profundeza desencadeou esta grande guerra? E assim mesmo foi um pavoroso começo[137].

---

135 O tema da descida de Cristo aos infernos desempenha um importante papel em diversos evangelhos apócrifos. No "Credo dos Apóstolos" afirma-se que "ele desceu aos infernos. Ao terceiro dia ressuscitou novamente dos mortos". Jung comentou o aparecimento deste motivo na alquimia medieval (*Psicologia e Alquimia*, 1944. OC, 12, § 61n., 440, 451. · *Mysterium coniunctionis* 1955/1956. OC, 14, § 173). Uma das fontes a que Jung se referia (OC, 12, § 61n.) era *Nekyia: Beiträge zur Erklärung der neuentdeckten Petrusapokalypse* de Albrecht Dieterich, que comentava um fragmento apocalíptico do Evangelho de Pedro, em que Cristo fornece uma descrição detalhada do inferno. O exemplar que Jung tinha desta obra contém numerosas marcações nas margens e no final estão mais dois pedaços de papel com uma lista de referências de páginas e observações. Em 1951, ele deu a seguinte interpretação psicológica do motivo da descida de Cristo aos infernos: "O âmbito da integração é indicado pelo 'descensus ad inferos', descida de Cristo aos infernos, descida cujos efeitos redentores abrangem inclusive os mortos. O seu equivalente psicológico é a integração do inconsciente coletivo, parte constitutiva e indispensável da individuação" (*Aion*. OC, 9/2, § 72). Em 1938 ele anotou: "A descida aos infernos, durante os três dias em que permanece morto, simboliza o mergulho do valor desaparecido no inconsciente, onde, vitorioso sobre o poder das trevas, estabelece uma nova ordem de coisas e de onde volta, para elevar-se até o mais alto dos céus, ou seja, até a claridade suprema da consciência" (*Psicologia e religião*. OC, 11, § 149). A expressão "livros desconhecidos dos antigos" refere-se aos evangelhos apócrifos.

136 O *esboço* continua: "Mas a serpente também é vida. Os antigos disseram em imagem que foi a serpente que preparou um fim para a magnificência juvenil do paraíso, diziam até mesmo que foi o próprio Cristo aquela serpente" (p. 83). Jung comenta este motivo em *Aion* (1950. OC, 9/2, § 291).

137 O *esboço corrigido* tem: "um começo do inferno" (p. 70). Em 1933 Jung recordou: "No início da guerra eu estava em Inverness, e retornei passando pela Holanda e pela Alemanha. Cruzei com os exércitos que iam em direção oeste e tive a sensação de que se tratava daquilo que em alemão chamamos de *Hochzeitsstimmung*, uma festa de amor em todo o país. Tudo estava decorado com flores, era uma explosão de amor, todos eles se amavam uns aos outros e tudo era bonito. Sim, a guerra era importante, um grande empreendimento, mas a coisa principal era o amor fraterno por todo o país, todo mundo era irmão de todo mundo, podia-se ter tudo o que alguém possuísse, seja o que for. Os camponeses abriam suas adegas e distribuíam o que tinham. Isto aconteceu até no restaurante e no bar da estação ferroviária. Eu estava com muita fome, não tivera nada para comer por cerca de 24 horas, e eles tinham alguns sanduíches que haviam sobrado, e, quando perguntei quanto custavam, disseram: 'Oh! nada, pode pegar!' E quando cruzei a fronteira da Alemanha, fomos levados para uma enorme barraca cheia de cerveja e linguiça e pão e queijo, e não pagamos nada, era uma grande festa de amor. Fiquei absolutamente desnorteado" (DOUGLAS, C. *Visions Seminars*. 2. ed. (Princeton: Princeton University Press, 1997, p. 974-975).

Se não tivermos a profundeza, como teremos a altura? Mas vós temeis a profundeza e não quereis admitir que a temeis. Mas é bom que tenhais medo, dizei-o em voz alta que tendes medo. É sabedoria ter medo. Só os heróis dizem que estão isentos de medo. Mas vós sabeis o que acontece ao herói.

Com medo e tremor, olhando desconfiados ao redor de vós, ide assim para a profundeza, mas não um sozinho; em dois ou mais, a segurança é maior, pois a profundeza está cheia de assassinato. Assegurai-vos também sobre o caminho da volta. Ide com cuidado, como se fôsseis covardes, a fim de vos antecipardes ao assassino de almas[138]. A profundeza gostaria de vos engolir por completo e afogar na lama.

Quem desce ao inferno também se torna inferno, por isso não esqueçais de onde viestes. A profundeza é mais forte do que nós; portanto, sede espertos e não heróis, pois nada é mais perigoso do que ser um herói por conta própria. A profundeza gostaria de manter-vos; a muitos ela não mais devolveu, por isso as pessoas fugiram da profundeza e lhe fizeram violência.

O que teria acontecido se a profundeza, devido à violência, se tivesse transformado na morte? Mas a profundeza se transformou na morte; por isso emitiu a morte milhares de vezes quando acordou[139]. Não podemos matar a morte, pois já lhe tomamos toda a vida. Se ainda quisermos vencer a morte, então temos de avivá-la.

Por isso, levai em vossa viagem também taças de ouro, cheias de bebida doce da vida, vinho tinto e dai-o à matéria morta para que readquira vida. A matéria morta vai transformar-se na serpente negra. Não vos assusteis, a serpente apagará imediatamente o sol de vosso dia, e uma noite de maravilhosas luzes falsas virá sobre vós[140].

Fazei força para despertar a morte. Cavai profundas covas e jogai nelas oferendas, a fim de que cheguem ao morto. Pensai com coração bondoso no mal, este é o caminho da subida. Mas antes da subida tudo é noite e inferno.

---

138 A expressão "Assassino de almas" fora usada por Lutero e Zwinglio e, mais recentemente, por Daniel Paul Schreber em sua obra *Denkwürdigkeiten eines Nervenkranken*. Lepzig: Oswald Mutze, 1903. Jung discutiu esta obra em 1907 em "A psicologia da dementia praecox" (OC, 3). Em discussões a respeito de Schreber na Associação de Psicologia Analítica a 9 e 16 de julho de 1915, após apresentações de Schneiter, Jung chamou a atenção para paralelos gnósticos das imagens de Schreber (*Minutes of the Association for Analytical Psychology*, vol. 1, p. 88s.).

139 A referência é à carnificina da Primeira Guerra Mundial.

140 Isto se refere à visão do capítulo V, "Descida ao inferno no futuro". Em 1940, Jung escreveu: "A ameaça da própria singularidade por dragões e cobras indica de modo particular o perigo de a consciência recentemente adquirida ser tragada novamente pela alma instintiva, o inconsciente" ("A psicologia do arquétipo da criança", 9/1, § 282).

O que pensais da natureza do inferno? O inferno é quando a profundeza chega a vós com tudo o que não mais ou ainda não dominais. O inferno é quando não podeis alcançar o que poderíeis alcançar. O inferno é quando deveis pensar, sentir e fazer tudo aquilo que sabeis que não quereis. O inferno é quando sabeis que ele é vosso dever e vosso querer e que vós mesmos sois responsáveis por isso. O inferno é quando sabeis que todo o sério que tendes em vista com relação a vós também é ridículo, que todo delicado também é bruto, todo o bom também é mau, todo o alto também é baixo, que todas as obras boas também são obras más.

Mas o inferno mais profundo é quando percebeis que o inferno também não é nenhum inferno, mas um céu alegre, não um céu em si, mas um tanto céu e um tanto inferno.

Esta é a ambiguidade de Deus, ele nasce de uma ambiguidade escura e sobe para uma ambiguidade luminosa. Inequivocidade é unilateralidade e conduz à morte[141]. Mas a ambiguidade é o caminho da vida[142]. Se o pé esquerdo não vai, então vai o direito, e tu caminhas; é isto que Deus quer[143].

Vós dizeis: o Cristo-Deus é inequívoco, ele é o amor[144]. Mas o que é mais ambíguo do que o amor? O amor é o caminho da vida, mas vosso amor só então é um caminho da vida quando ele tem um esquerdo e um direito. Nada é mais fácil do que brincar de ambiguidade, e nada mais difícil do que viver a ambiguidade. Quem brinca é criança, seu Deus é velho e morre. Quem vive é adulto, seu Deus é jovem e passa para o outro lado. Quem brinca esconde a morte interior. Quem vive sente o passar para o outro lado e o imortal. Portanto deixai aos brincalhões a brincadeira. Deixai cair o que quer cair; se o segurardes, ele vos arrasta junto. Existe um verdadeiro amor que não se preocupa com o próximo[145].

---

141 O *esboço corrigido* tem: "a um fim" (p. 73).

142 Em 1952, Jung escreveu a Zwi Werblowsky a respeito da ambiguidade intencional de seus escritos: "A linguagem que falo precisa ser ambígua, deve ter *duplo sentido*, para fazer justiça à natureza psíquica com seu duplo aspecto. Eu procuro consciente e intencionalmente a expressão de duplo sentido, porque é superior à univocidade e corresponde à natureza do ser" (*Cartas II*, p. 245).

143 O *esboço* continua: "Olhai para as imagens dos deuses que os antigos e os antiquíssimos nos legaram: sua natureza é ambígua e de muitos sentidos (p. 87).

144 1Jo 4,16: "Deus é amor; quem permanece no amor permanece em Deus, e Deus nele".

145 O *esboço* continua: "Quem distorce esta e outras palavras é um brincalhão, pois não respeita a palavra falada. Presta atenção, tu ganhas a ti mesmo a partir daquilo que lês num livro. Tu lês num livro tanto para dentro como para fora" (p. 88).

Quando o herói havia sido assassinado, o sentido reconhecido como absurdo, quando todo o tenso descia ruidosamente de nuvens prenhes, quando tudo se havia tornado covarde e pensava na própria salvação, tomei consciência então do nascimento de Deus[146]. O Deus inclinou-se para mim em meu coração, quando eu estava perturbado por escárnio e admiração, por pesar e sorriso, por sim e não.

Da fundição dos dois nasceu o único. Ele nasceu como criança de minha própria alma humana, que como uma virgem a concebeu com muito temor. Corresponde assim à imagem que os antigos nos legaram disto[147]. Mas quando a mãe, minha alma, estava grávida de Deus, eu não o sabia. Pareceu-me inclusive como se minha alma fosse o próprio Deus, ainda que ele só morasse em seu corpo[148].

E assim cumpriu-se a imagem dos antigos: eu perseguia minha alma para matar a criança dentro dela. Pois eu sou também o pior inimigo de meu Deus[149]. Mas reconhecia que também minha hostilidade está decretada em Deus. Ele é zombaria, ódio e raiva, pois também isto é um caminho da vida.

Devo dizer que o Deus não podia vir a ser antes que o herói tivesse sido assassinado. O herói, como nós o entendemos, tornou-se inimigo de Deus, pois o herói é perfeição. Os deuses invejam a perfeição do ser humano, pois o perfeito não precisa dos deuses. Mas como ninguém é perfeito, precisamos dos deuses. Os deuses amam o perfeito, pois é o caminho total da vida. Mas os deuses não estão com aquele que gostaria de ser perfeito, pois é um imitador do perfeito[150]. A imitação foi um caminho da vida, quando o ser humano ainda precisava do exemplo heroico[151]. A maneira de ser do macaco é um caminho da vida para o macaco, e para o ser humano, enquanto é amacacado. O amacacado do ser hu-

---

146 O *esboço corrigido* tem "~~nascimento do novo~~" (concepção de um) Deus (p. 74).

147 Referência à Virgem Maria.

148 Cf. nota 57, p. 122.

149 Parece uma referência ao ferimento de Izdubar no *Liber Secundus*, cap. 8, Primeiro Dia. Cf. adiante, p. 247.

150 A importância da totalidade sobre a perfeição é tema importante na obra posterior de Jung. Cf. *Aion* (1951). OC, 9/2, § 123. · *Mysterium coniunctionis* (1955). OC, 14, § 616.

151 Em 1916, Jung escreveu: "O homem possui uma faculdade muito valiosa para os propósitos coletivos, mas extremamente nociva para a individuação: sua tendência à *imitação*. A psicologia coletiva não pode prescindir da imitação" ("A estrutura do inconsciente". OC, 7, § 463) . Em "A psicologia do arquétipo da criança" (1940), Jung escreveu sobre o perigo da identificação com o herói: "Tal identificação é frequentemente obstinada e preocupante para o equilíbrio anímico. Se essa identificação puder ser dissolvida através da redução da consciência à sua medida humana, a figura do herói vai diferenciar-se gradativamente até o símbolo do si-mesmo" (OC, 9/1, § 303).

mano dura por um espaço de tempo colossal, mas chegará o tempo em que vai cair um pedaço do amacacado do ser humano.

Será um tempo de salvação e de descida da pomba e do fogo e salvação eternos.

Então não haverá mais nenhum herói e ninguém que o possa imitar. Pois, a partir desse tempo, toda imitação é amaldiçoada. O novo Deus ri da imitação e do seguimento. Ele não precisa de repetidor e de nenhum discipulado. Ele força a pessoa através dele mesmo. O Deus é seu próprio partidário na pessoa. Ele imita a si mesmo.

Pensamos que em nós há o individual e que fora de nós há o geral. Fora de nós é geral em relação a fora de nós, mas é ser individual em relação a nós. Em nós é ser individual em relação a nós, mas geral em relação a fora de nós. Somos individuais quando estamos em nós, mas gerais em relação a fora de nós. Mas quando estamos fora de nós, somos individuais e egoístas no geral. Nosso si-mesmo sofre necessidade quando estamos fora de nós e assim preenche com suas necessidades o geral; desta maneira o geral é falsificado em relação ao individual. Quando estamos em nós, preenchemos a necessidade do si-mesmo, nós prosperamos, tornamo-nos conscientes das necessidades do geral e podemos satisfazê-las[152].

Quando colocamos um Deus fora de nós, ele nos arranca do si-mesmo, pois o Deus é mais forte do que nós. Nosso si-mesmo sucumbe à miséria. Mas quando o Deus entra no si-mesmo, então ele nos arranca do fora de nós[153]. Chegamos ao ser individual em nós. Assim o Deus torna-se geral em relação ao fora de nós; individual, porém, em relação a nós. Ninguém possui meu Deus, mas meu Deus possui a todos, inclusive a mim. Os deuses de todas as pessoas individuais possuem sempre todas as outras pessoas, inclusive a mim mesmo. E assim é sempre apenas o único Deus apesar de sua multiplicidade. A ele pertences em ti mesmo, mas só pelo fato de teu si-mesmo te prender. Ele te prende no prosseguimento de tua vida.

---

152 Jung abordou a questão do conflito entre individuação e coletividade em 1916, em "Individuação e coletividade". OC, 18, § 1.103.

153 Cf. comentários de Jung em "Individuação e coletividade" de que "o indivíduo precisa agora consolidar-se, separando-se totalmente da divindade e tornando-se ele mesmo. Com isso e ao mesmo tempo separa-se da sociedade. Exteriormente mergulha na solidão e, internamente, no inferno, no afastamento de Deus". OC, 18, § 1.103.

O herói tem de sucumbir por causa de nossa redenção, pois ele é exemplo e exige imitação. Mas a medida da imitação está cheia[154]. Nós devemos ser salvos para a solidão em nós e para Deus no fora de nós. Ao entrarmos nesta solidão, começa a vida de Deus. Quando estamos em nós, o espaço fora de nós está livre, mas repleto de Deus.

Nosso relacionamento com as pessoas passa por este espaço vazio, portanto através de Deus. Mas antigamente passava pelo egoístico, pois estávamos fora de nós. Por isso me disse previamente o espírito, que a friagem do espaço cósmico se depositaria sobre a terra[155]. Com isso, mostrou-me em imagem que Deus vai colocar-se entre os seres humanos com o chicote da friagem glacial e tocar cada indivíduo para o calor de seu próprio rebanho claustral. Pois as pessoas vagueavam como doidas fora de si.

A ambição egoísta procura ao final a si mesma. Tu te encontrarás a ti mesmo em tua ambição, portanto não digas que a ambição é fútil. Se tu ambicionas a ti mesmo, geras no abraço a ti mesmo o Filho de Deus. Tua ambição é o Deus-Pai, teu si-mesmo a deusa-mãe, mas o Filho é o novo Deus, teu senhor.

Quando abraças teu si-mesmo, parece-te que o mundo ficou frio e vazio. É neste vazio que entra o Deus que virá.

Quando estás em tua solidão e todo espaço ao teu redor se tornou frio e infinito, então te afastaste das pessoas, mas ao mesmo tempo chegaste perto delas como nunca antes. A ambição egoísta conduziu-te apenas aparentemente às pessoas, mas na verdade conduziu-te para longe delas e no final a ti mesmo naquilo que estava mais longe para ti e para as outras pessoas. Mas se estiveres na solidão, teu Deus vai conduzir-te ao Deus das outras pessoas e com isso à verdadeira proximidade, à proximidade do si-mesmo na outra pessoa.

Quando estás em ti mesmo, tomas consciência de teu não poder. Hás de perceber quão pouco és capaz de imitar heróis e tu mesmo seres um herói. Portanto, não mais obrigarás os outros a serem heróis. Eles sofrem do não poder como tu. O não poder também quer existir, mas ele vai perturbar vossos deuses. [BP v(r)] /

fol. v(r) /v(v)

154 Uma interpretação do assassinato de Siegfried no *Liber Primus*, cap. vii, "Assassinato do herói".

155 Refere-se ao sonho mencionado no prólogo, p. 107.

Mysterium. Encontro

[IH v(v)]

Cap. ix.

Na noite em que meditei sobre a natureza de Deus, veio-me à mente uma imagem: eu estava deitado numa profundeza escura. Um homem velho estava diante de mim. Tinha a aparência de um daqueles antigos profetas[156]. A seus pés havia uma cobra preta. A certa distância vi uma casa cheia de colunas. Uma linda moça saiu da porta. Caminhava inseguramente, e percebi que era cega. O velho me acenou e eu o sigo para a casa ao pé de um rochedo muito alto. Atrás de nós vem rastejando a cobra. No interior da casa reina a escuridão. Estamos num salão alto com paredes cintilantes. No plano de fundo há uma pedra de aquarela clara. Quando olhei no seu reflexo, apareceu-me a imagem de Eva, da árvore e da serpente. Depois avistei Ulisses e seus companheiros no vasto mar. De repente abriu-se à direita uma porta para um jardim iluminado pelo sol. Saímos, e o velho me falou: "Sabes onde estás?"

Eu: "Sou aqui um estranho e tudo é maravilhoso, assustador como um sonho. Quem és tu?"

E: "Eu sou Elias[157] e esta é minha filha Salomé"[158].

Eu: "A filha de Herodíades, a mulher sanguinária?"

E: "Por que julgas assim? Tu vês, ela é cega. Ela é minha filha, a filha do profeta".

---

156 No *Livro Negro* 2, Jung observa: "com barba grisalha e veste oriental" (p. 231).

157 Elias foi um dos profetas do Antigo Testamento. Aparece pela primeira vez em 1Rs 17, trazendo uma mensagem de Deus a Acab, rei de Israel. Em 1953, o carmelita Père Bruno escreveu a Jung perguntando como se estabelecia a existência de um arquétipo. Jung respondeu tomando Elias como exemplo, descrevendo-o como um personagem altamente mítico, o que não o impedia de ter sido provavelmente uma figura histórica. Aproximando descrições de Elias feitas ao longo da história, Jung descreveu-o como um "arquétipo vivo", que representava o inconsciente coletivo e o si-mesmo. E observou que esse arquétipo constelado deu origem a novas formas de assimilação e representava uma compensação por parte do inconsciente (OC, 18, § 1.518-1.531).

158 Salomé era filha de Herodíades e enteada do rei Herodes. Em Mt 14 e Mc 6, João Batista havia dito ao rei Herodes que não lhe era lícito estar casado com a mulher de seu irmão, e Herodes colocou-o na prisão. Salomé (que não é nomeada, mas simplesmente chamada filha de Herodíades) dançou diante de Herodes no aniversário deste, e ele prometeu dar-lhe tudo que ela desejasse. Ela pediu a cabeça de João Batista, que então foi decapitado. No final do século XIX, a figura de Salomé fascinou pintores e escritores, entre os quais Guillaume Apollinaire, Gustave Flaubert, Stéphane Mallarmé, Gustave Moreau, Oscar Wilde e Franz von Stuck, recebendo destaque em muitas obras. Cf. DIJKSTRA, B. *Idols of Perversity*: Fantasies of Feminine Evil in Fin-de-Siècle Culture. Nova York, Oxford University Press, 1986, p. 379-398.

Eu: “Que milagre vos uniu?”

E: “Nenhum milagre. Foi assim desde o começo. Minha sabedoria e minha filha são uma coisa só”.

Fiquei estupefato, não consegui entender.

E: “Pensa bem: sua cegueira e minha visão fizeram de nós companheiros desde a eternidade”.

Eu: “Perdoa minha perplexidade, estou mesmo no submundo?”

S: “Tu me amas?”

Eu: “Como posso amar-te? Como chegas a esta pergunta? Só vejo uma coisa: tu és Salomé, um tigre, o sangue do santo está grudado em tuas mãos. Como poderia amar-te?”

S: “Tu vais me amar”.

Eu: “Eu? Amar-te? Quem te dá o direito de tais pensamentos?”

S: “Eu te amo”.

Eu: “Afasta-te de mim, tenho horror de ti, fera”.

S: “Estás sendo injusto comigo. Elias é meu pai e conhece os segredos a fundo. As paredes de sua casa são de pedras preciosas. Seus poços contêm águas com força curativa e seu olho vê as coisas futuras. E o que não darias tu por um só olhar nas coisas infinitas daquele que vem? Não valeriam para ti até mesmo um pecado?”

Eu: “Tua tentação é satânica. Eu anseio pelo mundo do alto. Aqui é horrível. Como o ar está carregado e pesado!”

E: “O que queres? Podes escolher”.

Eu: “Mas eu não pertenço aos mortos. Eu vivo à luz do dia. Por que devo atormentar-me aqui por causa de Salomé, se já tenho o bastante em suportar minha própria vida?”

E: “Escutaste o que Salomé disse”.

Eu: “Não consigo acreditar que tu, o profeta, podes reconhecê-la como filha e companheira. Ela não foi gerada de semente infame? Ela não foi pura cobiça e luxúria criminosa?”

E: “Mas ela amava um santo”.

Eu: “E derramou ignominiosamente seu precioso sangue”.

E: “Ela amava o profeta que anunciava o mundo do novo Deus. Amava-o, entendes? Pois ela é minha filha”.

Eu: “Pensas tu que, pelo fato de ser tua filha, ela amava em João o profeta, o pai?”

E: “Em seu amor podes reconhecê-la”.

Eu: “Mas como ela o amava? Chamas isto de amor?”

E: “O que era então?”

Eu: “Fico horrorizado. A quem não causaria horror se Salomé o amasse?”

E: “Tu és medroso? Pensa bem, eu e minha filha somos um desde eternidades”.

Eu: “Tu me propões enigmas terríveis. Como é possível que esta mulher depravada e tu, profeta de teu Deus, sejais um?”

E: “Por que te admiras? Tu vês que estamos juntos”.

Eu: “O que vejo com meus próprios olhos, isto é precisamente o inconcebível para mim. Tu, Elias, que és um profeta, a boca de Deus, e ela um monstro sedento de sangue. Vós sois o símbolo dos mais extremos opostos”.

E: “Nós somos reais, e não um símbolo”.

Vi como a cobra preta subiu na árvore e se escondeu nos galhos. Tudo ficou escuro e incerto. Elias ergueu-se, eu o segui e voltamos em silêncio pelo salão[159]. A dúvida me dilacerava. Tudo é tão irreal e, assim mesmo, resta um pedaço de meu desejo. Será que voltarei? Salomé me ama, eu a amo? Ouço música selvagem, o tambor, uma noite abafada de luar, a rígida-ensanguentada cabeça do santo[160] – sou tomado pelo medo. Precipito-me para fora. É noite escura em torno de mim. Quem matou o herói? Salomé me ama por causa disso? Eu a amo e por isso matei o herói? Ela é uma com o profeta, uma com João e também uma comigo? Ai, era ela a mão de Deus? Eu não a amo, eu a temo. Então o espírito da profundeza falou para mim e disse: “Nisso reconheces sua força de Deus”. Tenho de amar Salomé?[161]

---

159 No *Livro Negro* 2, Jung observa: “O cristal luzia fracamente. Penso novamente na imagem de Ulisses, como circunavegou a ilha rochosa das sereias na longa viagem sem rumo. Devo eu, não devo eu?” (p. 74).

160 Isto é, a cabeça de João Batista.

161 No Seminário de 1925, Jung contou novamente: “Usei a mesma técnica da descida, mas desta vez fui muito mais fundo. A primeira vez devo dizer que cheguei a uma profundidade de aproximadamente mil pés, mas desta vez foi uma profundidade cósmica. Foi como ir até à lua, ou como a sensação de pular no espaço vazio. Primeiro a imagem mental foi de uma cratera, ou de uma cadeia de montanhas, e minha associação sensível foi a de um morto, como se eu fosse uma vítima. Era o estado de espírito da terra do além. Pude ver duas pessoas, um velho de barba branca e uma jovem muito bonita. Presumi que eram reais e prestei atenção ao que estavam dizendo. O velho disse que era Elias e eu fiquei muito chocado, mas ela era ainda mais perturbadora porque era Salomé. Eu disse para mim mesmo que havia uma estranha mistura: Salomé e Elias, mas Elias assegurou-me que ele e Salomé estavam juntos desde toda a eternidade. Também isto perturbou-me. Com eles estava uma serpente negra que tinha simpatia por mim. Ative-me a Elias como o mais razoável do grupo, pois parecia ter juízo. Eu estava excessivamente hesitante quanto a Salomé. Tivemos uma longa conversa, mas eu não entendi. Evidentemente, pensei que o fato de meu pai ser clérigo era a explicação para o fato de eu ter figuras como esta. O que pensar deste velho? Salomé não devia ser tocada. Só muito mais tarde é que achei perfeitamente natural a associação dela com Elias. Sempre que alguém empreende viagens como esta encontra uma jovem e um velho”

[2] [162]*Este jogo, que eu vi, é meu jogo, não o vosso jogo. É meu segredo, não o vosso. Não podeis imitar-me. Meu segredo permanece virginal e meus mistérios são invioláveis, pertencem a mim e não podem jamais pertencer-vos. Vós tendes os vossos*[163].

Quem entra no que é seu precisa tatear pelo próximo, precisa apalpar seu caminho pedra por pedra. Precisa abraçar o inútil e o valioso com o mesmo amor. Uma montanha é um nada, e um grão de areia oculta reinos ou também não. O julgamento precisa abandonar-te, inclusive o saber, mas sobretudo o orgulho, ainda que repouse sobre méritos. Bem pobre, miserável, humilde, ignorante, passa pela porta. Vira tua raiva contra ti mesmo, pois só tu estorvas a ti mesmo tanto no contemplar como no viver. O jogo dos mistérios é delicado como o ar e fumaça tênue, e tu és matéria bruta, de peso incômodo. Mas tua esperança, que é teu maior bem e maior poder, deixa ir em frente e servir-te de guia no mundo da escuridão, pois ela é da mesma substância que as conformações daquele mundo[164] [Imagem v(v)][165].

O cenário do jogo dos mistérios é um lugar fundo como a cratera de um vulcão. Meu interior profundo é um vulcão que lança para fora a lava incandescente do que nunca se formou, do indiscernível. Assim meu íntimo dá à luz

---

(*Introduction to Jungian Psychology*, p. 68-69). A seguir, Jung refere-se a exemplos deste tipo presentes na obra de Melville, Meyrink, Rider Haggard e na lenda gnóstica de Simão Mago (cf. adiante, n. 154, p. 487), Kundry e Klingsor do Parsifal de Wagner (cf. adiante, n. 221, p. 322s.) e na *Hypnerotomachia* de Francesco Colonna. Em *Memórias*, ele disse a respeito da serpente: "Nos mitos a serpente está frequentemente associada ao herói. Existem numerosos relatos de sua afinidade... Por isso a presença da serpente era um indício de um mito do herói" (p. 206). A respeito de Salomé, Jung disse: "Salomé é uma figura da *anima*. Ela é cega porque não vê o sentido das coisas. Elias é a figura do velho profeta sábio e representa o fator de inteligência e conhecimento; Salomé representa o elemento erótico. Poder-se-ia dizer que as duas figuras são personificações de Logos e Eros. Mas esta definição seria excessivamente intelectual. Faz mais sentido deixar as figuras serem o que elas foram para mim naquele tempo – a saber, acontecimentos e experiências" (*Introduction to Jungian Psychology*, p. 96-97). Em 1955/1956, Jung escreveu: "Partindo de considerações puramente psicológicas, procurei em outro lugar caracterizar a consciência masculina com o conceito de *Logos* e a feminina com o de *Eros*. Assim, por 'Logos' entendi o distinguir, julgar e reconhecer e por 'Eros' entendi o pôr em relação" (*Mysterium coniunctionis*. OC, 14, § 224). Sobre a interpretação que Jung dá de Elias e Salomé em termos de Logos e Eros respectivamente, cf. apêndice B, "Comentários".

162 O *esboço corrigido* tem: *Reflexão doutrinal* (p. 86). O *esboço* e o *esboço corrigido* têm: "Isto, meus amigos, é um jogo de mistérios para o qual o espírito da profundeza me trasladou. Eu havia conhecido ~~o nascimento do novo Deus~~ [a concepção], e por isso o espírito da profundeza me deixou participar das cerimônias subterrâneas,que deveriam instruir-me sobre as intenções e obras de Deus. Através desses jogos deveria eu ser iniciado nos mistérios da salvação" (*esboço corrigido* p. 86).

163 O *esboço* continua: "No mundo renovado não podeis possuir nada exteriormente, a não ser que vós mesmos o crieis a partir de vós. Tu só podes entrar em teus próprios mistérios. O espírito da profundeza tem outra coisa a te ensinar do que a mim. Eu só devo informar-vos sobre o novo Deus e sobre as cerimônias e mistérios de seu serviço. Mas este é o caminho. É a porta das trevas" (p. 100).

164 O *esboço* continua: "O jogo dos mistérios realizou-se no mais profundo de meu ser íntimo, que é precisamente aquele outro mundo. Tu precisas prestar atenção, é também um mundo e sua realidade é grande e assustadora. Tu choras e ris, tremes e às vezes poreja de ti o suor do medo da morte. O jogo dos mistérios representa a mim mesmo e, através de mim, é representado de novo aquele mundo ao qual pertenço. Portanto, meus amigos, aprendeis daquilo que vos digo aqui muita coisa sobre o mundo e, através dele, sobre vós. Mas com isso não percebestes nada de vossos mistérios, sim, vosso caminho está mais escuro do que antes, pois meu exemplo vai ser um estorvo para vós em vosso caminho. Vós podeis seguir-me, mas não em meu caminho, e sim no vosso" (p. 102).

165 Isto retrata a cena na fantasia.

filhos do caos, da mãe primeva. Quem entra na cratera vira matéria caótica, derrete-se. O formado nele se dissolve e se une de forma nova com os filhos do caos, os poderes das trevas, os dominadores e sedutores, os coercitivos e aliciadores, os demoníacos e divinos. Essas forças ultrapassam de todos os lados meu determinado e limitado e me unem com todas as formas e com todos os seres e coisas distantes, pelas quais sou informado sobre seu ser e sua natureza.

Pelo fato de eu ter caído na fonte do caos, no primordial, torno-me eu mesmo refundido na união com o primordial que é ao mesmo tempo o que já foi e o que será. Em primeiro lugar, chego ao primordial em mim. Mas assim, por ser parte da matéria do mundo e da constituição do mundo, chego também ao primordial do mundo em geral. Como ser formado e determinado participei da vida, mas só através de minha consciência formada e determinada e por meio disso no pedaço formado e determinado do todo cósmico, mas não no não formado e indeterminado do mundo, que também me é dado. Mas só é dada minha profundeza, não minha superfície, que é consciência formada e determinada.

Os poderes de minha profundeza são o predeterminar e o prazer[166]. O predeterminar e o pensar prévio[167] são o Prometeu[168], que, mesmo sem ideias determinadas, dá forma e determinação ao caótico[169], que cava os canais e apresenta o objeto ao prazer. O pensar prévio também está antes do pensar propriamente dito. Mas o prazer é a força que, sem forma e determinação, deseja e destrói formas. Ele ama a forma que ela assume em si, mas destrói a forma que ela não assume. O que pensa previamente é um vidente, mas o prazer é cego. Ele não prevê, mas deseja aquilo que toca. O pensar prévio não tem força e por isso não é movente. O pensar prévio precisa do prazer para alcançar a configuração. O prazer precisa do pensar prévio para chegar à forma de que necessita[170]. Quando o prazer não tem o formante vai diluir-se no multiforme e, através de interminável partição, ficará despedaçado e impotente, perdido no

---

166 Uma interpretação subjetiva das figuras de Elias e Salomé.

167 No *esboço corrigido* "Predeterminar ou pensar previamente" é substituído por "a ideia". Esta substituição ocorre durante o resto desta seção (p. 89).

168 Na mitologia grega, Prometeu criou a humanidade a partir do barro. Ele podia predizer o futuro e seu nome significa "previsão". Em 1921 Jung escreveu uma extensa análise do poema épico de Carl Spitteler *Prometheus und Epimetheus* (1881) junto com o *Prometheus Fragment* (1773) de Goethe (*Tipos Psicológicos*. OC, 6, cap. 5).

169 O *esboço corrigido* tem: "limitação" (p. 89).

170 O *esboço* continua: "Por isso veio a mim o pensador prévio como Elias, o profeta, e o prazer como Salomé" (p. 103).

infinito. Se uma forma não toma para si o prazer e o condensa não pode chegar ao mais elevado, pois ele corre como água, sempre de cima para baixo. Todo prazer entregue a si mesmo corre para o mar profundo e termina na morte imóvel da irradiação no espaço infinito. O prazer não é mais velho do que o pensar prévio, e o pensar prévio não é mais velho do que o prazer. Ambos têm a mesma idade e são intimamente unos por natureza. Só no ser humano torna-se manifesta a separação dos dois princípios.

Além de Elias e Salomé, encontro como terceiro princípio a serpente[171]. Ela é uma estranha entre os dois princípios, ainda que ligada a ambos. A serpente me ensina a diversidade incondicional de natureza dos dois princípios em mim. Quando olho a partir do pensar prévio para além do prazer, vejo em primeiro lugar a repugnante e venenosa serpente. Quando sinto a partir do prazer para além do pensar prévio, sinto primeiramente a fria e horrível serpente[172]. A serpente é a natureza terrena do ser humano da qual não tem consciência. Sua maneira muda de acordo com o país e o povo, pois é o segredo que lhe aflui da mãe-terra nutriz[173].

A condição terrena (*numen loci*) separa o pensar prévio e o prazer no ser humano, mas não em si. A serpente tem sobre si o peso da terra, mas também seu mutável e germinante, do qual tudo provém. Sempre é a serpente que faz com que o ser humano sucumba ora a um ora a outro princípio de tal forma que se torne erro. Não se pode viver só com pensar prévio ou só com o prazer. Tu precisas dos dois. Não podes ficar ao mesmo tempo no pensar prévio e no prazer, mas deves ficar alternadamente no pensar prévio e no prazer, obedecendo às leis respectivas, ou seja, infiel ao outro. Mas as pessoas dão preferência a um ou outro. Uns preferem o pensar e baseiam sobre ele a arte da vida. Exercitam seu pensar e sua cautela, e perdem assim seu prazer. Por isso são velhos e têm um rosto severo. Outros amam o prazer, exercitam seu sentir e

---

171 O *esboço* continua: "O animal de horror mortífero que estava deitado entre Adão e Eva" (p. 105).

172 O *esboço corrigido* tem: "A serpente não é só um princípio separador, mas também unificador" (p. 91).

173 Ao comentar isto no seminário de 1925, Jung observou que havia na mitologia muitos relatos da relação entre um herói e uma serpente, de modo que a presença da serpente indicava que "será novamente um mito do herói" (p. 89). Mostrou um diagrama de uma cruz com Racional/Pensamento (Elias) no alto, Sentimento (Salomé) ao pé, Irracional/Intuição (Superior) à esquerda e Sensação/Inferior (Serpente) à direita (p. 90). Jung interpretou a serpente negra como a libido introvertida: "A serpente desencaminha aparentemente o movimento psicológico para o reino de sombras, mortos e imagens falsas, mas também para a terra, para a concretização... Na medida em que a serpente leva para as sombras, ela desempenha a função da *anima*; ela leva você para as profundezas, conecta o superior e o inferior... a serpente é também o símbolo da sabedoria" (*Introduction to Jungian Psychology*, p. 102-103).

vivenciar. Perdem assim o pensar. Por isso são jovens e cegos. Os que pensam baseiam o mundo sobre o pensado, os sensitivos, sobre o sentido. Tu encontras verdade e erro em ambos.

A exemplo da serpente, o caminho da vida ziguezagueia da direita para a esquerda e da esquerda para a direita, do pensar para o prazer e do prazer para o pensar. Portanto, a serpente é um adversário e símbolo da inimizade, contudo uma ponte sábia que liga direita e esquerda através do desejo, segundo a necessidade de nossa vida.

[174]O lugar onde Elias e Salomé moram juntos é um espaço escuro e claro. O espaço escuro é o espaço do pensar prévio. Ele é escuro, por isso aquele que o habita precisa de visão[175]. Este espaço é limitado, por isso o pensar prévio não conduz a uma vasta amplidão, mas à profundeza do passado e do futuro. O cristal é a ideia formada, que brilha no passado vindouro.

Eva / e a serpente me mostram que meu próximo caminho me leva para o prazer e daí outra vez para um longo caminho errado, como Ulisses. Ele navegou no erro quando astuciosamente sentiu prazer em Troia[176]. O jardim luminoso é o espaço do prazer. Quem o habita não precisa da visão[177]; ele sente o infinito[178]. Uma pessoa que pensa e que desce para seu pensar prévio encontra um próximo caminho no jardim de Salomé. Por isso a pessoa que pensa teme seu pensar prévio, apesar de viver com base nele. A superfície visível é mais segura do que os subfundamentos. O pensar protege contra o caminho errado, por isso conduz à petrificação.

fol. v(r) /vi(v)

Uma pessoa que pensa teme Salomé, pois ela quer sua cabeça, sobretudo quando ele é um santo. Uma pessoa que pensa não deve ser um santo, senão cai sua cabeça. Não ajuda nada esconder-se no pensar. Lá te alcança o entorpecimento. Deves voltar ao teu pensar prévio maternal para tomar renovação. Mas o pensar prévio conduz à Salomé.

---

174 O *esboço* continua: "Seguindo Elias e Salomé, sigo os dois princípios em mim e, através de mim, no mundo do qual sou parte" (p. 106).

175 O *esboço corrigido* tem: "i. e, do pensar. E sem pensar não se capta nenhuma ideia" (p. 92).

176 O *esboço* continua: "O que seria de Ulisses sem a viagem errada?" (p. 107). O *esboço corrigido* acrescenta: "Não teria havido Odisseia" (p. 92).

177 O *esboço corrigido* tem: "Bem mais do prazer, a fim de usufruir do jardim" (p. 92).

178 O *esboço corrigido* tem: "é impressionante que o jardim de Salomé fique tão perto do salão respeitável e misterioso das ideias. Esvoaça por isso um respeito pensante ou talvez mesmo um temor diante da ideia, devido à sua proximidade do paraíso?" (p. 92).

[179]Porque fui um pensador e porque avistei o princípio hostil do prazer a partir do pensar prévio, pareceu-me ele ser Salomé. Se tivesse sido um sentimental e tivesse tateado para além, para o pensar prévio, teria me parecido a um dáimon serpentiforme, caso o tivesse enxergado. Mas eu teria sido cego. Só teria sentido coisas escorregadias, mortas, perigosas, crenças ultrapassadas, coisas desinteressantes, coisas adocicadas e teria me afastado com o mesmo horror com o qual me afastei de Salomé.

Os prazeres da pessoa que pensa são maus, por isso ela não tem prazer. Os pensamentos do sentimental[180] são maus, por isso não tem pensamentos. Quem prefere pensar a sentir[181] deixa apodrecer seu sentir[182] no escuro. Não amadurece, mas faz brotar no mofo trepadeiras doentias que não alcançam a luz. Quem prefere sentir a pensar, este deixa seu pensar no escuro, onde tece sua teia em cantos sujos, tramas desoladoras em que ficam presas moscas e mariposas. O pensador sente o repugnante dos sentimentos, pois o sentimento nele é sobretudo repugnante. O sensitivo pensa o repugnante dos pensamentos, pois o pensar nele é sobretudo repugnante. Portanto, a serpente está entre aquele que pensa e aquele que sente. São mutuamente veneno e terapia.

No jardim teve que se revelar para mim que eu amo Salomé. Este conhecimento me atormentou, pois não o havia imaginado. O que um pensador não pensa, ele acha que não existe e o que um sensitivo não sente, ele acha que não existe. Tu começas a vislumbrar o todo quando dominas teu contraprincípio, pois o todo repousa sobre dois princípios que nascem de uma só raiz[183].

Elias dizia: "Em seu amor deves reconhecê-la". Não só tu santificas o objeto, mas o objeto santifica também a ti. Salomé amava o profeta, e isto a santificava. O profeta amava a Deus, e isto o santificava. Mas Salomé não amava a Deus, e isto a dessantificava. O profeta não amava Salomé, e isto o dessantificava. Portanto eram veneno e morte um para o outro. Que o pensador receba seu prazer e o sentimental, seu próprio pensar. Isto conduz ao caminho[184].

---

179 O *esboço* continua: "Eu era um pensador. O que poderia causar-me maior admiração do que a união interna dos princípios hostis do pensar prévio e do prazer?" (p. 108).

180 Em vez disso, o *esboço corrigido* tem: "que sente prazer" (p. 94).

181 No *esboço corrigido* está: "prazer" (p. 94).

182 No *esboço corrigido* está: "prazer" (p. 94).

183 O *esboço* continua: "como disse um de vossos poetas: 'O poço suporta dois ferros'" (p. 110).

184 Em 1913 Jung apresentou seu ensaio "A questão dos tipos psicológicos", no qual notava que a libido ou energia psíquica num indivíduo estava dirigida caracteristicamente para o objeto (extroversão) ou para o sujeito (introversão) (OC, 6). A partir do verão de 1915, ele manteve sobre essa questão uma

Instrução

[IH vi(r)]

Cap. x.

Na noite seguinte[185] fui conduzido a uma segunda imagem: estou de pé na profundeza rochosa que me parece uma cratera. Diante de mim vejo a casa cheia de colunatas. Vejo Salomé andando para a esquerda ao longo da parede da casa, apalpando o caminho como cega. É seguida pela serpente. Na porta está o velho, que me acena. Hesitante, eu me aproximo. Chama Salomé de volta. Parece uma pessoa doente. Não consigo descobrir nada de sua maldade em sua natureza. Suas mãos são brancas e seu rosto, de expressão meiga. Diante dos dois está a serpente. Estou diante deles, sem jeito, como um garoto bobo, dominado pela indecisão e ambiguidade. O velho me olha perquiridor e diz: "O que queres aqui?"

Eu: "Perdoa, não é impertinência nem presunção que me trazem aqui. Estou aqui como por acaso; não sei o que quero. Um desejo, que ficou ontem em mim em tua casa, foi que me trouxe aqui. Vê, profeta, estou cansado, minha cabeça está pesada como chumbo. Estou perdido em minha ignorância. Já brinquei demais comigo. Foram jogos hipócritas que eu fazia comigo, e todos me teriam causado repugnância se eu não tivesse sido esperto de jogar no mundo das pessoas o que os outros de nós esperam. A mim me parece que seria mais real. Contudo não gosto de estar aqui".

Calados, Elias e Salomé entraram na casa. Fui atrás com relutância. Atormentava-me um sentimento de culpa. Seria má consciência? Gostaria de voltar, mas não posso. Estou diante do jogo incendiário do cristal fulgurante. Vejo

---

extensa correspondência com Hans Schmid, em que ele agora caracterizava os introvertidos como sendo dominados pela função do pensar e os extrovertidos como sendo dominados pela função do sentir. Caracterizou também os extrovertidos como sendo dominados pelo mecanismo de prazer-dor, procurando encontrar o amor do objeto, e inconscientemente buscando o poder tirânico. Os introvertidos buscavam inconscientemente o prazer inferior e precisavam ver que o objeto era também um símbolo de seu prazer. A 7 de agosto de 1915, Jung escreveu a Schmid: "*Os opostos precisam ser equilibrados no próprio indivíduo*" (ISELIN, H.K. (org.). *Zur Entstehung von C.G. Jungs "Psychologischen Typen"*, p. 66). Esta ligação entre pensar e introversão e entre sentir e extroversão foi mantida em sua análise deste tema em 1917 em "*Psicologia dos processos inconscientes*". Em *Tipos Psicológicos*, em 1921, este modelo havia-se expandido para englobar dois grandes tipos de atitude de introvertidos e extrovertidos, ulteriormente subdivididos pela predominância de uma das quatro funções psicológicas de pensar, sentir, sensação e intuição.

185 22 de dezembro de 1913. Em 19 de dezembro de 1913, Jung deu uma palestra na Associação Psicanalítica de Zurique sobre "A psicologia do inconsciente".

no brilho a mãe de Deus com a criança. Diante dela está Pedro em adoração – Pedro sozinho com a chave – o Papa com a tiara tríplice – um Buda sentado imóvel no círculo de fogo – uma deusa ensanguentada de quatro braços[186] – Salomé é aquilo com as mãos torcidas em desespero[187] – isto me envolve, é minha própria alma e agora vejo Elias na imagem da pedra.

Elias e Salomé estão diante de mim sorrindo.

Eu: "Este olhar é angustiante, e o sentido dessas imagens é obscuro para mim, Elias; gostaria de pedir-lhe, dá luz".

Elias se afasta em silêncio e vai em frente para a esquerda. Salomé vai para a direita e entra numa arcada. Elias me conduz a uma sala ainda mais escura. No teto está pendurada uma lâmpada de luz avermelhada. Sento-me numa cadeira, esgotado. Elias está diante de mim, encostado num leão de mármore, no meio da sala.

E: "Estás com medo? Tua ignorância acusa de culpa tua má consciência. Não saber é culpa, mas tu presumes que a necessidade de saber proibido seja a causa de teu sentimento de culpa. Por que achas que estás aqui?"

Eu: "Eu não sei. Eu mergulhei neste lugar quando eu, ignorante, desejei o não ignorado. E assim estou aqui, admirado e confuso, um portão ignorante. Eu percebo coisas maravilhosas em tua casa, coisas que me assustam e cujo significado desconheço".

E: "Não seria tua lei estar aqui, senão como estarias aqui?"

Eu: "Acomete-me o sentimento de fraqueza mortal, meu pai".

E: "Tu foges. Não podes livrar-te de tua lei".

Eu: "Como posso livrar-me daquilo que me é desconhecido, que não posso atingir nem com sentimento e nem com pressentimento?"

E: "Tu mentes. Não sabes que tu mesmo conheceste o que significa quando Salomé te ama?"

---

186 O *esboço* continua: "Kali" (p. 113).

187 *Livro Negro 2*: "ora aquela figura branca de menina com o cabelo preto – minha própria alma –, ora aquela figura branca de homem, que naquela época também me apareceu – ela é como o Moisés sentado de Michelangelo – é Elias" (p. 84). O Moisés de Michelangelo está na Igreja de São Pedro Acorrentado, em Roma. Foi objeto de um estudo de Freud, publicado em 1914 (*The Standard Edition of the Complete Psychological Works of Sigmund Freud*. 24 vols. Vol. 13, Londres: The Hogarth Press and The Institute of Psycho-analysis, 1953-1974 [org. por J. Strachey]). O pronome da terceira pessoa "aquilo" identifica aparentemente Salomé como Kali, cujas diversas mãos se retorcem mutuamente. Cf. nota 196, p. 250.

Eu: "Tens razão. Surgiu-me uma ideia duvidosa e incerta. Mas eu a esqueci de novo".

E: "Tu não a esqueceste. Ela queimou fundo em teu interior. Tu és covarde? Ou não consegues distinguir suficientemente esta ideia de ti mesmo, de forma que dela quisesses tomar posse?"

Eu: "A ideia foi muito longe, e eu temo ideias que voam longe. São perigosas, pois sou um ser humano, e tu sabes que as pessoas estão muito acostumadas a considerar ideias como coisas próprias suas, de modo que acabam se confundindo afinal com elas".

E: "Vais confundir-te com uma árvore ou um animal, só porque os vês e porque eles vivem contigo num mesmo mundo? Precisas ser tuas ideias, porque vives no mundo de tuas ideias? Tuas ideias estão tão fora de teu si-mesmo quanto as árvores e os animais estão fora de teu corpo"[188].

Eu: "Entendo. Meu mundo das ideias foi para mim mais palavra do que mundo. Eu pensei de meu mundo das ideias: ele é eu".

E: "Dizes a teu mundo humano e a cada ser fora de ti: tu és eu?"

Eu: "Eu entrei em tua casa, meu pai, com o medo de um aluno de escola. Mas tu me ensinaste sabedoria salutar[189]. Também posso contemplar minhas ideias como estando fora de mim. Isto me ajuda a voltar àquela conclusão assustadora que minha língua teme em pronunciar. Eu pensei que Salomé me ama porque sou parecido com João ou contigo. Esta ideia me pareceu inacreditável. Por isso a descartei e pensei que ela me ama porque sou muito contrário a ti, ela ama sua maldade na minha maldade. Esta ideia foi aniquiladora".

Elias ficou quieto. Desceu um peso sobre mim. Então entrou Salomé, aproximou-se de mim e colocou seu braço em meu ombro. Certamente me tomou por seu pai, em cuja cadeira eu estava sentado. Não ousei mexer-me nem falar.

S: "Sei que não és o pai. Tu és seu filho, e eu sou tua irmã".

Eu: "Tu, Salomé, minha irmã? Foi esta a terrível sensação que emitiste, aquele inominável horror de ti, de teu contato? Quem foi nossa mãe?"

---

188 Jung mencionou esta conversa no seminário de 1925 e comentou: "Só então aprendi a objetividade psicológica. Só então pude dizer a um paciente: 'Fique calmo, algo está acontecendo'. *Existem* coisas como ratos numa casa. Não se pode dizer que alguém está errado quando tem um pensamento. Para compreender o inconsciente devemos ver nossos pensamentos como acontecimentos, como fenômenos" (*Introduction to Jungian Psychology*, p. 103).

189 Em vez disso, o *esboço corrigido* tem: "verdade" (p. 100).

S: "Maria".

Eu: "Isto é um sonho infernal? Maria, nossa mãe? Que loucura se esconde nesta tua palavra? A mãe do Salvador, nossa mãe? Quando ultrapassei hoje vosso limiar, pressenti desgraça. Ai! Aconteceu. Perdeste o juízo, Salomé? Elias, guarda do direito divino, dize: Isto é um sortilégio demoníaco dos réprobos? Como pode ela dizer semelhante coisa? Ou ambos estais fora do juízo? Vós sois símbolos, e Maria é um símbolo. Eu estou apenas confuso demais para vos compreender agora".

E: "Tu podes chamar-nos de símbolos com o mesmo direito que podes chamar de símbolos também as outras pessoas iguais a ti. Nada enfraqueces e nada resolves ao nos chamar de símbolos".

Eu: "Tu me lanças numa confusão terrível. Vós quereis ser reais?"

E: "Com certeza somos aquilo que chamas de real. Aqui estamos nós, e tu tens de nos aceitar. Tu tens a escolha".

Eu me calei. Salomé afastou-se de mim. Olhei desconfiado ao redor de mim. Atrás de mim ardia uma chama amarelo-avermelhada num altar redondo. Em torno da chama se deitara a serpente em forma de círculo. Seus olhos faiscavam o reflexo amarelado. Encaminhei-me vacilante para a saída. Ao passar pelo salão, vi andando à minha frente um enorme leão. Fora era noite fria e estrelada.

[2] [190]Não é pouca coisa admitir seu desejo. Muitas pessoas precisam para isso de um esforço especial de sua lealdade. Muitos não querem saber onde está seu desejo, pois lhes pareceria impossível ou por demais doloroso. E, ape-

---

190 O *esboço corrigido* tem: *reflexão* (p. 103). No *esboço* e no *esboço corrigido* ocorre uma passagem longa. O que segue aqui é uma paráfrase: Eu me pergunto se isto é real, um mundo inferior, ou a outra realidade, e se foi a outra realidade que me impeliu para cá. Vejo aqui que Salomé, meu prazer, move-se para a esquerda, o lado do impuro e mau. Este movimento segue a serpente, que representa a resistência e a hostilidade contra este movimento. O prazer se afasta da porta. O pensar prévio [*esboço corrigido*: "a ideia", ao longo de toda esta passagem] está à porta, conhecendo a entrada para os mistérios. Por isso o desejo funde-se nos muitos, se o pensar prévio não o orienta e não o impele para a sua meta. Se encontramos um homem que apenas deseja, encontraremos, por trás do desejo, resistência contra o desejo dele. O desejo sem pensar prévio ganha muito, mas não conserva nada, por isso seu desejo é a fonte de constante decepção. Por isso Elias chama de volta Salomé. Se o prazer está unido com o pensar prévio, a serpente permanece diante deles. Para ter sucesso em alguma coisa, é preciso primeiro lidar com a resistência e a dificuldade, caso contrário a alegria deixa para trás dor e decepção. Por isso aproximei-me mais. Eu precisava primeiro superar a dificuldade e a resistência para conseguir o que eu desejava. Quando o desejo supera a dificuldade, torna-se visão e segue o pensar prévio. Por isso vejo que as mãos de Salomé estão puras, sem nenhum vestígio de crime. Meu desejo é puro se eu primeiro superar a dificuldade e a resistência. Se eu examino cuidadosamente o prazer e o pensar prévio, sou como um louco, que segue cegamente seus anseios. Se eu sigo meu pensamento, renuncio ao meu prazer. Os antigos diziam em imagens que o louco encontra o caminho certo. O pensar prévio tem a primeira palavra, por isso Elias perguntou-me o que eu queria. Sempre se deve perguntar a si mesmo o que se deseja, já que existem pessoas demais que não sabem o que querem. Eu não sabia o que eu queria. Você deve confessar a você mesmo seus anseios e aquilo por que você anseia. Assim você satisfaz seu prazer e alimenta seu pensar prévio ao mesmo tempo (*esboço corrigido*, p. 103-104).

sar disso, o desejo é o caminho da vida. Se não admites teu desejo, não segues a ti mesmo, mas trilhas caminhos estranhos, prescritos por outras pessoas. E assim não vives a tua vida, mas uma vida estranha. Mas quem deve viver tua vida, se tu não a vives? Não é apenas imbecilidade trocar sua própria vida por uma estranha, mas também uma brincadeira estúpida, pois nunca conseguirás viver realmente a vida de outra pessoa, tu apenas a finges, enganas o outro e a ti mesmo, pois só podes viver tua própria vida.

Se desistes de teu si-mesmo, vais vivê-lo em outra pessoa; tu te tornarás egoísta em relação a ela e, assim, enganarás a outra pessoa. Todos acreditam que tal vida é possível. Mas é apenas imitação simiesca. A fim de ceder a teus apetites simiescos, contaminas a outra pessoa, porque o macaco estimula o simiesco. Assim, fazes de ti e da outra pessoa um macaco. Através de imitação mútua viveis segundo a expectativa mediana, para a qual foi estabelecida em toda a época, através dos desejos de imitação de todos, uma imagem, um herói. Por isso o herói foi assassinado, pois tornamo-nos todos para ele macacos. Sabes por que não consegues abrir mão do simiesco? Por medo da solidão e da sujeição.

Viver a si mesmo significa: ser tarefa para si mesmo. Não digas nunca que é um prazer viver a si mesmo. Não será nenhuma alegria, mas um longo sofrimento, pois precisas tornar-te teu próprio criador. Se quiseres criar a ti mesmo, não comeces pelo melhor e mais elevado, mas pelo pior e mais baixo. Por isso dize que te repugna viver a ti mesmo. A confluência dos rios da vida não é alegria, mas dor, pois é violência contra violência, culpa, e rompe com coisas sagradas.

A imagem da mãe de Deus com a criança, que tenho diante dos olhos, dá-me o entendimento do mistério da transformação[191]. Quando pensamento prévio e prazer se unem em mim, surge um terceiro, o Filho divino, que é o sentido supremo, o símbolo, a passagem para uma nova criatura. Eu mesmo não me torno sentido supremo[192] ou símbolo, mas o símbolo torna-se em mim, de tal forma que ele tem sua substância, e eu a minha. Assim estou eu, como Pedro, em adoração diante do milagre da transformação e do tornar-se realidade de Deus em mim.

Ainda que eu mesmo não seja o filho de Deus, represento-o contudo como alguém que foi mãe para Deus e a quem por isso foi dado, em nome de Deus, a liberdade do atar e desatar. O atar e desatar acontece em mim[193]. Enquanto acontece em mim, e eu sou parte do mundo, acontece também através de mim

191 O *esboço corrigido* tem: "em sua manifestação exterior, na miséria da realidade terrena" (p. 107).

192 Em vez disso, o *esboço corrigido* tem: "Filho de Deus" (p. 107).

193 Cf. Mt 18,18: "Tudo que ligardes na terra será ligado nos céus, e tudo que desligardes na terra será desligado nos céus".

no mundo, e ninguém pode impedi-lo. Mas não acontece por via de minha vontade, e sim por via de efeito inevitável. Não sou eu que sou senhor sobre vós, mas o ser de Deus em mim. Com uma chave tranco o passado, com a outra abro o futuro. Isto acontece enquanto me transformo. O milagre da transformação é que comanda. Eu sou seu servo, igual ao Papa.

Vês que é muito desvairamento acreditar isto de si mesmo[194]. Não se aplica a mim, mas ao símbolo. O símbolo torna-se meu senhor e soberano infalível, vai firmar seu domínio e se transformar numa imagem rígida e enigmática, cujo sentido se volta totalmente para dentro e cujo prazer reluz para fora como fogo chamejante[195], um Buda na chama[196]. Enquanto assim me concentrava em meu símbolo, o símbolo de meu um me transforma em meu outro, e aquela deusa cruel de meu interior, meu prazer feminino, meu autêntico outro, o atormentador atormentado, naquilo a ser atormentado. Interpretei esta imagem o melhor que pude com palavras pobres.

[197]Segue no momento de tua confusão teu pensar prévio, não teu apetite cego, pois o pensar prévio te conduz ao difícil, que sempre deve chegar em

194 O *esboço* e o *esboço corrigido* continuam: "O papa em Roma tornou-se para nós uma imagem ~~e símbolo~~ de como se realiza a encarnação de Deus e de como ele (Deus) se torna o senhor visível dos homens. Portanto, o Deus vindouro torna-se o senhor do mundo. Isto acontece primeiramente (aqui) em mim. O sentido supremo torna-se meu senhor e soberano infalível, mas não só em mim, talvez também em muitos outros que eu não conheço" (*esboço corrigido* p. 108-109).

195 O *esboço corrigido* tem: "torno-me então como o Buda sentado no fogo" (p. 109).

196 O *esboço corrigido* continua: "Onde está a ideia, também está sempre o prazer. Se a ideia está dentro, o prazer está fora. Por isso me envolve então exteriormente um brilho de prazer pior. Uma divindade lasciva e ávida de sangue me dá o brilho falso. Isto provém do fato de eu ter de suportar totalmente o vir a ser de Deus e que por isso não posso separá-lo de mim inicialmente. Mas enquanto não estiver separado de mim, sou tomado pela ideia de que eu sou ela, e por isso sou também a mulher, que está ligada desde o começo à ideia. Ao receber a ideia e a apresentar à maneira de Buda, meu prazer é formado como a Kali indiana, pois ela é o outro lado de Buda. Mas Kali é Salomé, e Salomé é minha alma" (p. 109).

197 No *esboço*, ocorre aqui um longa passagem, da qual segue uma paráfrase: O torpor é como uma morte. Eu preciso de total transformação. Através disto, minha intenção, como a do Buda, dirigiu-se totalmente para dentro. Então aconteceu a transformação. Mudei então para o prazer, já que eu era um pensador. Enquanto pensador, rejeitei meu sentimento, mas eu havia rejeitado parte da vida. Então meu sentimento tornou-se uma planta venenosa e, quando acordei, ele era sensualidade em vez de prazer, a forma mais inferior e mais comum de prazer. Esta é representada por Kali. Salomé é a imagem do meu prazer, que sente dor porque foi excluído por muito tempo. Ficou evidente então que Salomé, isto é, meu prazer, era minha alma. Quando reconheci isto, meu pensamento mudou e subiu à ideia, e então apareceu a imagem de Elias. Isto me preparou para o jogo do mistério, e mostrou-me antecipadamente o caminho da transformação pelo qual eu tinha que passar no Mysterium. A convergência do pensar prévio com o prazer produz o Deus. Reconheci que o Deus em mim queria tornar-se homem, e considerei isto e respeitei isto, e tornei-me o servo do Deus, mas para nenhum outro senão eu mesmo [*esboço corrigido*: seria loucura e presunção supor que fiz isto também para outros, p. 110]. Mergulhei na contemplação da maravilha da transformação, e primeiro transformei-me no nível inferior do meu prazer, e depois, através disto, reconheci minha alma. Os sorrisos de Elias e Salomé indicam que estavam contentes com meu aparecimento, mas eu estrava em profundas trevas. Quando o caminho é escuro, é a ideia que fornece luz. Quando a ideia, no momento de confusão, possibilita as palavras e não o anseio cego, então as palavras levam você à dificuldade. Ao passo que a ideia leva você para a direita. É por isso que Elias volta-se para a esquerda, para o lado do pecaminoso e mau, e Salomé volta-se para o lado do correto e bom. Ela não vai ao jardim, o lugar do prazer, mas permanece na casa do pai (p. 125-127).

primeiro lugar. E ele chega. Quando procuras uma luz, cais inicialmente numa escuridão ainda mais profunda. Nesta escuridão encontrarás uma luz fraca, de chama avermelhada, que dá uma claridade muito pequena, mas suficiente para ver a coisa seguinte. É extenuante chegar a esta meta, que não parece meta alguma. E é bom assim: estou paralisado e por isso disposto a aceitar. Meu pensar prévio lança-me sobre o leão, minha força[198].

Eu persisti na forma santificada e não autorizei o caos a romper seus diques. Eu acreditava na ordem do mundo e odiava todo desordenado e sem forma. Por isso tinha de admitir antes de tudo que minha própria lei me havia trazido a este lugar. Enquanto Deus estivesse em mim, pensava eu, ele seria uma parte de meu si-mesmo. Eu pensava que meu eu o envolvia e por isso o considerava como meus pensamentos. Mas de meus pensamentos eu pensava que eram parte de meu eu. Assim eu colocava a mim mesmo em meus pensamentos e assim também a mim mesmo nos pensamentos de Deus, considerando-o / uma parte de meu si-mesmo. fol. vi(r) /vi(v)

Por causa de meus pensamentos, abandonei a mim mesmo; por isso meu si-mesmo ficou faminto e fez de Deus uma ideia egoísta. Se eu abandonar meu si-mesmo, a fome vai impelir-me a encontrar meu si-mesmo em meu conteúdo, portanto em meu pensamento. Por isso gostas de pensamentos razoáveis e ordenados, pois não suportarias que teu si-mesmo estivesse em pensamentos desordenados, isto é, impróprios. Através de teu desejo egoísta expulsas de teu pensamento tudo o que não te parece ordenado, isto é, não apropriado. A ordem tu a crias de acordo com o que sabes; mas os pensamentos do caos tu não os conheces, e assim mesmo eles existem. Meus pensamentos não são meu si-mesmo, e meu eu não abrange o pensamento. Teu pensamento tem este significado e ainda outro, não somente um, mas muitos significados. Ninguém sabe quantos.

Meus pensamentos não são meu si-mesmo, mas são exatamente como as coisas do mundo, vivas e mortas[199]. Assim como não sou prejudicado por viver

198 No *esboço* ocorre uma passagem da qual segue uma paráfrase: Se sou forte, também o são minhas intenções e pressuposições. Meu pensamento enfraquece e muda para a ideia. A ideia se torna forte; ela é sustentada por sua própria força. Reconheço isto no fato de Elias ser sustentado pelos leões. O leão é de pedra. Meu prazer está morto e transformado em pedra, porque não amei Salomé. Isto deu ao meu pensamento a frieza da pedra, e disto a ideia tomou sua solidez, que é necessária para subjugar meu pensamento. Ele precisava ser subjugado, já que lutava contra Salomé, porque ela lhe pareceu má (p. 128).

199 Em 1921, Jung escreveu: "Devido à realidade específica dos conteúdos inconscientes, podemos chamá-la de objeto com os mesmos direitos com que chamamos as coisas exteriores de objetos" (*Tipos psicológicos*. OC, 6, § 280).

num mundo parcialmente desordenado, também não sou prejudicado se viver em meu mundo de ideias parcialmente desordenado. Pensamentos são fenômenos da natureza dos quais não tens a posse e cujo significado só conheces bem imperfeitamente[200]. Os pensamentos crescem em mim como uma floresta, diversos animais a habitam. Mas o ser humano é autoritário em seu pensar e com isso mata o prazer da floresta e dos animais selvagens. O ser humano é violento em sua cobiça, e ele mesmo se torna floresta e animal selvagem. Assim como tenho a liberdade no mundo, também tenho a liberdade em meus pensamentos. A liberdade é limitada.

A certas coisas do mundo devo dizer: vós não deveis ser assim, porém diferentes. Mas antes disso observo cuidadosamente sua natureza, caso contrário não posso mudá-las; de modo semelhante procedo com certos pensamentos. Tu mudas aquelas coisas do mundo que, mesmo não sendo proveitoso, põem em risco teu bem-estar. Procede igualmente assim com os pensamentos. Nada é perfeito, muita coisa é conflituosa. O caminho da vida é transformação, não exclusão. O bem-estar é melhor juiz do que o direito.

Mas quando tomei consciência da liberdade em meu mundo de ideias, Salomé me abraçou, e eu me tornei profeta, pois tinha encontrado prazer não primordial na floresta e nos animais selvagens. Tinha muito mais vontade de equiparar-me ao observado, do que ter a felicidade de contemplar. Corro o risco de acreditar que eu mesmo tenho sentido, porque contemplo o significativo. Nisso ficamos sempre de novo malucos, e transformamos o observado em loucura e macaquice, porque não conseguimos abandonar a imitação[201].

Assim como meu pensar é o filho do pensar prévio, meu prazer é a filha do amor, da mãe inocente e concebedora de Deus. Além de Cristo, Maria deu à luz Salomé. Por isso diz Cristo no evangelho aos egípcios a Salomé: “Come qualquer verdura, mas não comas a verdura amarga”. E como Salomé quisesse saber

200 O *esboço* e o *esboço corrigido* têm: “~~Deveria considerar-me louco~~ ; [*esboço corrigido*: seria mais que absurdo] se eu pensasse que tinha gerado os pensamentos do mistério” (*esboço corrigido*, p. 115).

201 O *esboço* continua: “...reconheci o Pai, mas porque eu era um pensador, no entanto, não conheci a mãe, porém vi o amor na forma do prazer, e o chamei de prazer, e por isso ficou sendo Salomé para mim. Agora percebo que Maria é a mãe, a inocente, e receptora de amor e não de prazer, que em sua natureza fogosa e sedutora traz o germe do mal. /Se Salomé, o prazer maldoso, é minha irmã, então eu sou um santo pensador, e meu intelecto está arruinado. Eu preciso sacrificar meu intelecto e devo confessar que aquilo que vos disse sobre o prazer, de que ele é o princípio diante do pensar prévio, imperfeito e preconcebido. Eu olhava como um pensador a partir do ponto de vista de meu pensar, senão teria podido reconhecer que Salomé, como a filha de Elias, é um derivado do pensar e não o próprio princípio. Maria, a mãe virginal e inocente, aparece como sendo esse princípio” (p. 133).

o porquê, Cristo lhe disse: "Se tirardes o manto da vergonha e se os dois se tornarem um, e o masculino com o feminino, nem masculino e nem feminino"[202].

O pensamento prévio é gerador, o amor é recebedor[203]. Ambos estão além deste mundo. Aqui estão razão e prazer, o resto nós apenas pressentimos. Seria tola ilusão afirmar que estão neste mundo. Em torno desta luz há tanta coisa enigmática e serpentiforme. Eu recuperei da profundeza o poder, e como um leão ele anda diante de mim[204].

Solução

[I H vi(v)][205]

Cap. xi.

[206]Na terceira noite seguinte, fui tomado por um desejo profundo de continuar vivenciando o mistério. Grande era o conflito entre dúvida e desejo em mim. Mas de repente vi que estava numa alcantilada crista rochosa em região desértica. É dia de claridade ofuscante. Avistei acima de mim, num plano mais elevado, o profeta. Sua mão fez um gesto de afastamento, e eu desisti de minha intenção de subir. Esperei embaixo, olhando para cima. Olho: à direita para a noite escura, à esquerda para o dia claro. O rochedo divide dia e noite. No lado

---

202 O Evangelho dos Egípcios é um dos evangelhos apócrifos, que expõe um diálogo entre Cristo e Salomé. Cristo afirma que veio destruir a obra do feminino, a saber, a concupiscência, o nascimento e a deterioração. À pergunta de Salomé sobre quanto tempo a morte prevalecerá, Cristo respondeu: enquanto as mulheres gerarem filhos. Aqui Jung está se referindo à seguinte passagem: "Ela disse: 'Então eu fiz bem em não parir', imaginando que não é permitido gerar filhos. O Senhor respondeu: 'Come de todas as ervas, mas não comas das amargas'". O diálogo continua: "Quando Salomé perguntou quando isto será tornado público, o Senhor disse: 'Quando você calcar aos pés o manto da vergonha e quando de dois for feito um, e o masculino com o feminino, nem masculino nem feminino'" (*The Apocryphal New Testament.* Oxford: Oxford University Press, 1999, p. 18 [org. por J.K. Elliot]). Jung cita este *lógion*, ao qual teve acesso através dos *Stromateis* de Clemente, como exemplo da união dos opostos em *Visions*, vol. 1, p. 524 (1932), e como exemplo da *coniunctio* de masculino e feminino em "A psicologia do arquétipo da criança" (1940). OC, 9/1, § 295) e *Mysterium coniunctionis* (1955/1956). OC, 14, § 528.

203 O *esboço* e o *esboço corrigido* têm: "mas quando o jogo dos mistérios me mostrou isto, não o entendi, mas pensei que tinha gerado um pensamento desvairado. ~~Sou alienado, se acreditar nisso. E eu acreditei.~~ Por isso o medo tomou conta de mim, e eu queria esclarecer Elias e Salomé como meus pensamentos arbitrários e, assim, enfraquecê-los" (*esboço corrigido*, p. 118).

204 O *esboço* continua: "A imagem da noite fresca e estrelada, com o vasto céu, abriu-me os olhos para a infinitude do mundo interior que eu, como pessoa mais ávida, ainda achei muito fria. Não posso apoderar-me das estrelas, apenas contemplá-las. Por isso minha impetuosa avidez sente aquele mundo como escuro e frio" (p. 135).

205 Isto descreve uma cena na fantasia a seguir.

206 25 de dezembro de 1913.

escuro está deitada uma grande serpente negra, no lado claro, uma serpente branca. Levantam suas cabeças uma contra a outra, em atitude de luta. Elias está acima delas lá no alto. De repente, as serpentes precipitam-se uma contra a outra, e se trava uma luta feroz. A serpente negra parece ser mais forte. A branca recua. Grandes nuvens de pó levantam-se do lugar da batalha. Mas vejo: a serpente negra retira-se de novo. A parte dianteira de seu corpo tornou-se branca. Ambas as serpentes contorcem-se e desaparecem, uma na luz, a outra na escuridão[207].

Elias: "O que viste?"

Eu: "Eu vi a luta de duas serpentes muito fortes. Pareceu-me que a serpente negra venceria a branca, mas repara, a negra retirou-se, e sua cabeça e a parte dianteira de seu corpo ficaram brancas".

E: "Entendes isto?"

Eu: "Eu refleti, mas não consigo entender nada. Quer dizer que o poder da boa luz é tão grande que mesmo a escuridão, que lhe resiste, é iluminada por ela?"

Elias sobe à minha frente a uma altura muito grande; eu sigo atrás. No cume, chegamos a um muro, armado em blocos maciços. Era uma fortaleza ao redor de todo o cume[208]. No interior havia um grande pátio, e no meio dele, um imenso bloco de pedra, como um altar. Sobre esta pedra está o profeta e fala: "Este é o templo do sol. Este pátio é um recipiente que recolhe a luz do sol".

Elias desce da pedra, sua figura vai diminuindo ao descer, praticamente um anão, bem diferente dele mesmo.

Eu perguntei: "Quem és tu?"

"Eu sou Mime[209], e eu quero mostrar-lhe as fontes. A luz recolhida torna--se água e flui em diversas fontes do cume para os vales da terra". Depois disso,

---

207 No seminário de 1925, Jung disse: "Algumas noites mais tarde senti que as coisas deviam continuar, de modo que novamente procurei seguir o mesmo procedimento, mas *a coisa* não descia. Permaneci na superfície. Dei-me conta então de que eu tinha um conflito dentro de mim a respeito de descer, mas não pude entender o que era, apenas senti que dois princípios escuros estavam lutando um contra o outro, duas serpentes" (*Introduction to Jungian Psychology*, p. 104).

208 No seminário de 1925, Jung acrescentou: "Eu pensei: isto é um lugar sagrado dos druidas" (*Introduction to Jungian Psychology*, p. 104).

209 Em *O anel do nibelungo*, de Wagner, o anão nibelungo Mime é irmão de Alberich e mestre artesão. Alberich roubou o ouro do Reno das donzelas do Reno; renunciando ao amor, ele conseguiu forjar com ele um anel que conferia poder ilimitado. No *Siegfried*, Mime, que mora numa caverna, traz Siegfried para fora, para que mate o gigante Fafner, que foi transformado num dragão e agora possui o anel. Siegfried mata Fafner com a espada invencível forjada por Mime, e mata Mime, que queria matá-lo depois de recuperar o ouro.

desaparece numa fenda da rocha. Eu o sigo descendo para uma caverna escura. Ouço o rumorejar de uma fonte. Ouço, vinda lá de baixo, a voz do anão: "Aqui estão meus poços, sábio ficará quem deles beber".

Mas não consigo chegar até embaixo. Falta-me coragem. Saio da caverna e fico andando de cá para lá sobre as pedras do pátio. Tudo me parece estranho e incompreensível. Aqui é tudo solitário e de silêncio sepulcral. O ar é claro e fresco como na maior altura, em toda parte transbordando maravilhosamente a luz do sol, em volta de mim o grande muro. Uma serpente vem rastejando sobre as pedras. É a serpente do profeta. Como vem ela do submundo para o mundo da superfície? Sigo-a e vejo que rasteja na direção do muro. Recebo uma coragem estranha: lá está uma casa pequena, com um pórtico, muito pequena, encravada na rocha. A serpente torna-se infinitamente pequena. Sinto como eu também vou encolhendo. Os muros erguem-se em imponentes montanhas, e eu vejo: eu estou embaixo, no chão da cratera, no submundo, e estou diante da casa do profeta[210]. Ele sai pela porta de sua casa.

Eu: "Percebo, Elias, que me deixaste ver e viver todo tipo de coisas estranhas, antes que eu pudesse chegar a ti. Mas confesso que tudo é obscuro para mim. Teu mundo me aparece hoje numa nova luz. Há pouco ainda me sentia como se estivesse separado de teu lugar por distâncias astronômicas, lá onde pretendo chegar hoje e vejo: parece ser o mesmo lugar".

E: "Estiveste muito ansioso para vir aqui. Não fui eu que enganei, tu te enganaste a ti mesmo. Mas vê bem, quem quer ver, perde muita coisa; tu te enganaste".

Eu: "É verdade, eu desejava muito chegar a ti para perceber o ulterior. Salomé me assustou e me tornou confuso. Tive vertigens, pois o que ela dizia parecia-me monstruoso e como loucura. Onde está Salomé?"

---

210 No seminário de 1925, Jung interpretou este episódio da seguinte maneira: "A luta das duas serpentes: a branca significa um movimento para o dia, a negra para o reino das trevas, com aspectos morais também. Havia dentro de mim um conflito real, uma resistência a descer. Minha tendência mais forte era subir. Porque eu ficara tão impressionado no dia anterior com a crueldade do lugar que havia visto, minha tendência era realmente encontrar um caminho para o consciente subindo, como fiz na montanha... Elias disse que embaixo ou em cima era exatamente a mesma coisa. Confira o *Inferno* de Dante. Os gnósticos expressam esta mesma ideia com o símbolo dos cones invertidos. Assim, a montanha e a cratera são semelhantes. Não havia nada de estrutura consciente nestas fantasias, eram apenas fatos ocorridos. Por isso suponho que Dante tirou suas ideias dos mesmos arquétipos" (*Introduction to Jungian Psychology*, p. 104-105). McGuire sugere que Jung está se referindo à concepção de Dante "da forma cônica da cavidade do Inferno, com seus círculos, espelhando inversamente a forma do Céu, com suas esferas" (Ibid.). Em *Aíon*, Jung observou também que as serpentes eram um típico par de opostos e que o conflito entre serpentes era um motivo encontrado na alquimia medieval (1951. OC, 9/2, § 181).

E: "Como estás agitado! O que isto te importa? Vai até o cristal e prepara-te em sua luz".

Uma coroa de fogo envolveu de raios a pedra. O medo me atacou, o que vejo: o sapato grosseiro do camponês? O pé de um poderoso que esmaga uma cidade inteira? Vejo a cruz, o descimento da cruz, a lamentação – quão dolorosa é esta visão! Não quero mais – vejo a criança divina, na mão direita a serpente branca e na mão esquerda a serpente negra – vejo o monte verde, no alto dele a cruz de Cristo, e torrentes de sangue descem do cume do monte – não aguento mais, é insuportável – vejo a cruz e nela Cristo em sua última hora e tormento – em torno do pé da cruz movimenta-se a serpente negra – em redor dos meus pés ela se enroscou – eu estou enfeitiçado e abro meus braços. Salomé se aproxima. A serpente enrolou-se ao redor de todo o meu corpo, e minha aparência é a de um leão.

Salomé diz: "Maria foi a mãe de Cristo, entendes?"

Eu: "Eu vejo que uma força terrível e incompreensível me obriga a imitar o Senhor em seu último padecimento. Mas como poderia atrever-me a chamar Maria de minha mãe?"

S: "Tu és Cristo".

Estou parado em pé, com os braços abertos como um crucificado, meu corpo apertado e horrivelmente enrolado pela serpente: "Tu, Salomé, dizes que sou Cristo?"[211]

---

211 No seminário de 1925, Jung contou isto novamente, após a declaração de Salomé de que ele era Cristo: "Apesar de minhas objeções, ela manteve isto. Eu disse: 'isso é loucura', e me enchi de resistência cética" (*Introduction to Jungian Psychology*, p. 104). Ele interpretou este acontecimento da seguinte maneira: "A abordagem de Salomé e sua veneração por mim é obviamente esse lado da função inferior que está cercado por uma aura de mal. O indivíduo é assaltado pelo medo de que talvez isto seja loucura. É assim que a loucura começa, isto *é* a loucura... Você não pode tornar-se consciente destes fatos inconscientes sem entregar-se a eles. Se você puder superar seu medo do inconsciente e deixar-se descer, estes fatos adquirem uma vida própria. Você pode ser agarrado por estas ideias a tal ponto que você fica realmente louco, ou quase louco. Estas imagens têm tanta realidade, que se recomendam a si mesmas, e sentido tão extraordinário que se fica preso. Fazem parte dos antigos mistérios; na verdade, tais fantasias é que fizeram os mistérios. Comparem-se os mistérios de Ísis, narrados em Apuleio, com a iniciação e divinização do iniciado... Tem-se uma sensação especial ao passar por semelhante iniciação. A parte importante que levou à divinização foi o ato de a serpente enrolar-se em mim. A performance de Salomé foi a divinização. O rosto do animal no qual senti que o meu foi transformado era o famoso [Deus] Leontocéfalo dos mistérios de Mitra, a figura representada com uma serpente enrolada num homem, a cabeça da serpente encostada na cabeça do homem, e o rosto do homem no de um leão... Neste mistério de divinização você se transforma no veículo e é o veículo da criação no qual os opostos se conciliam". E acrescentou que "tudo isto é simbolismo mitraico do início ao fim" (Ibid., p. 98-99). Em *O asno de ouro*, Lúcio passa por uma iniciação aos mistérios de Ísis. A importância deste episódio é que ele é a única descrição direta de uma tal iniciação que chegou até nós. Sobre o acontecimento em si, Lúcio afirma: "*Aproximei-me dos próprios portões*

Sinto-me como se estivesse sozinho em pé, num alto monte, com os braços rígidos e abertos. A serpente aperta meu corpo com seus anéis aterradores, e o sangue jorra de meu corpo em fontes nos lados do monte para baixo. Salomé curva-se sobre meus pés e os envolve com seus cabelos negros. Fica muito tempo assim deitada. De repente ela grita: "Eu vejo luz!" Realmente ela enxerga, seus olhos estão abertos. A serpente cai de meu corpo e jaz como morta no chão. Passo por cima dela e me ajoelho aos pés do profeta, cujo semblante brilha como chama.

E: "Tua obra está acabada aqui. Outras coisas virão. Procura incansavelmente e sobretudo escreve fielmente o que vês".

Salomé olhava extasiada para a luz que se irradiava do profeta. Elias transformou-se numa poderosa chama de brilho branco, a serpente deitou-se em volta de seu pé, como paralisada. Salomé estava ajoelhada diante da luz em admirável arrebatamento. Brotaram-me lágrimas dos olhos, e eu saí apressadamente para a noite como alguém que não tem parte na glória do mistério. Meus pés não tocaram o chão desta terra, e minha sensação é a de desfazer-me no ar[212].

[2][213]Meu desejo[214] levou-me para cima, para o dia superclaro, cuja luz é o contrário do espaço escuro do pensar prévio[215]. O contraprincípio é, como eu acreditava entender, o amor celestial, a mãe. A escuridão que envolve o pensar

da morte e pus o pé no limiar de Perséfone, e no entanto foi-me permitido voltar, arrebatado através de todos os elementos. À meia-noite vi o sol brilhando como se fosse meio-dia; entrei na presença dos deuses do mundo inferior e dos deuses do mundo superior, fiquei perto deles e adorei-os". Em seguida, ele foi apresentado num púlpito no templo diante de uma multidão. Vestia trajes que tinham desenhos de serpentes e leões alados, segurava uma tocha e trazia uma grinalda de folhas de palmeira com as pontas voltadas para fora como raios de luz" (*The Golden Ass*. Harmondsworth, 1984, p. 241 [Trad. de R. Graves]). O exemplar de Jung de uma tradução desta obra tem uma linha na margem na altura desta passagem.

212 Em "Aspectos psicológicos da Core"(1951), Jung descreveu estas cenas como segue: "Em uma casa subterrânea, ou melhor, no mundo subterrâneo vive um mago e profeta velhíssimo, com uma 'filha', que não é sua filha verdadeira. Ela é dançarina, uma criatura muito flexível, mas está em busca de cura, pois ficou cega" (OC, 9/1, § 360). Esta descrição de Elias levou-o posteriormente à descrição de Filêmon. Jung observou que isto "esboça a desconhecida como uma figura mítica no além (isto é, no inconsciente). Ela é *soror* ou *filia mystica* de um hierofante ou 'filósofo', portanto é evidentemente um paralelo em relação àquelas sizígias místicas tais como as encontramos nas figuras de Simão Mago e Helena, Zósimo sob a Teosebeia, Comário e Cleópatra, etc. Nossa figura onírica está mais próxima à de Helena" (OC, 9/1, § 372).

213 O *esboço corrigido* tem: "reflexão" (p. 127). No *Livro Negro* 2, Jung copiou as seguintes citações da *Divina Comédia*, de Dante na tradução alemã (p. 104): "Pensativo, escuto o sopro do amor; aceito como verdade o que sempre me prediz, e copio tudo, nada inventando eu mesmo" (Dante. Purgatório. 24. Canto 52-54). "E logo a chama, que ainda se movimenta, para onde quer que a trilha do fogo vá, assim segue a forma aonde o espírito a carrega" (DANTE. Purgatório. 25. Canto 97-99).

214 O *esboço* tem: "A notícia do desejo reanimado da mãe" (p. 143).

215 O *esboço corrigido* tem: "Imagem primordial" (p. 127).

prévio[216] parece provir do fato de que ele se processa invisivelmente no interior e na profundeza[217]. Mas a claridade do amor parece provir do fato de o amor ser vida e agir visíveis. Meu prazer estava no pensar prévio e tinha lá seu jardim de delícias, cercado de pura escuridão e noite. Para meu prazer eu desci, mas para meu amor eu subi. Vejo Elias no alto, acima de mim: isto mostra que o pensar prévio está mais perto do amor do que eu, a pessoa. Antes que suba para o amor, uma condição precisa ser satisfeita, que se apresenta como a luta das duas serpentes. À esquerda é dia, à direita é noite. Claro é o reino do amor, escuro é o reino do pensar prévio. Os dois princípios se separaram rigorosamente, são até mesmo inimigos e assumiram a forma de serpentes. A figura da serpente significa a natureza demoníaca dos dois princípios. Reconheço nesta luta uma repetição daquela visão em que presenciei a batalha entre o sol e a serpente negra[218].

Naquela vez a adorável luz foi apagada, e o sangue começou a escorrer. Foi a Grande Guerra. Mas o espírito da profundeza[219] quer que esta guerra seja entendida como uma divisão na própria natureza de cada pessoa[220]. Pois, após a morte do herói, nosso impulso de vida não pôde imitar mais nada e por isso foi para a profundeza de cada pessoa e causou a assustadora divisão entre as forças da profundeza[221]. O pensar prévio é ser só, o amor é ser junto. Os dois precisam um do outro, mas mesmo assim se matam mutuamente. Pelo fato de as pessoas

---

216 O *esboço corrigido* tem: "A ideia ou a imagem primordial" (p. 127).

217 O *esboço corrigido* tem: "vive" (p. 127).

218 Isto é, no capítulo 5, "Descida ao inferno no futuro".

219 O *esboço* corrigido tem: "o espírito" (p. 127).

220 O *esboço* continua: "Por isso dizem todos que ele pode lutar pelo bem e pela paz, lá onde não é possível um duelar mútuo pelo bem. Mas como as pessoas não sabem que a divisão está em seu próprio interior, acham os alemães que os ingleses e russos não têm razão; os ingleses e russos porém dizem que os alemães não têm razão. Mas ninguém consegue julgar os rostos segundo ter razão e não ter razão. Quando a metade da humanidade está sem razão, cada pessoa está pela metade sem razão. Por isso é uma divisão em sua própria alma. Mas o ser humano é obcecado e sempre só conhece uma de suas metades. O alemão tem em si o inglês e o russo, que ele combate fora de si mesmo. De igual modo, o inglês e o russo têm em si o alemão que eles combatem. As pessoas veem a discórdia externa, mas não a interna, que é a única fonte da grande guerra. Mas antes que o ser humano possa ascender para a luz e o amor, há necessidade da grande batalha" (p. 145).

221 Em dezembro de 1916, em seu prefácio a *A psicologia dos processos inconscientes*, Jung escreveu: "Nada mais apropriado do que os processos psicológicos que acompanham a guerra atual – notadamente a anarquização inacreditável dos critérios em geral, as difamações recíprocas, os surtos imprevisíveis de vandalismo e destruição, a maré indizível de mentiras e a incapacidade do homem de deter o demônio sanguinário para obrigar o homem que pensa a encarar o problema do inconsciente caótico e agitado, debaixo do mundo ordenado da consciência. Esta Guerra Mundial mostra implacavelmente que o homem civilizado ainda é um bárbaro. Ao mesmo tempo, prova que um açoite de ferro está à espera, caso ainda se tenha a veleidade de responsabilizar o vizinho pelos seus próprios defeitos. *A psicologia do indivíduo corresponde à psicologia das nações*. As nações fazem exatamente o que cada um faz individualmente; e *do modo como o indivíduo age, a nação também agirá*. Somente com a transformação da atitude do indivíduo é que começará a transformar-se a psicologia da nação" (vol. 7, p. xix).

não saberem que a divisão está dentro delas mesmas, tornam-se desvairadas / e empurram a culpa uma para a outra. Se uma metade da humanidade está sem razão, então cada pessoa está pela metade sem razão. Mas não vê a divisão em sua alma, que é a fonte da desgraça externa. Se estás irritado contra teu irmão, pensa que estás irritado contra o irmão dentro de ti, isto é, contra aquilo em ti que é semelhante a teu irmão.

fol. vi(r) /vii(v)

Enquanto pessoa és parte da humanidade e por isso tens parte no todo da humanidade de tal forma como se fosses a humanidade toda. Se tu vences e matas o teu concidadão que se opõe a ti, então matas aquela pessoa também em ti e terás matado uma parte de tua vida. O espírito desse morto vai seguir-te e não permitirá que te alegres com tua vida. Tu precisas de teu todo para passar pela vida.

Se eu me abandono ao puro princípio, coloco-me num dos lados e me torno unilateral. Por isso meu pensar prévio torna-se, no princípio[222] da mãe celeste, um anão repulsivo que mora na caverna escura como um não nascido no útero. Tu não o seguirás, mesmo que te diga que poderias beber sabedoria em sua fonte. O pensamento prévio[223] vai aparecer-te lá como esperteza de anão, falsa e obscura, assim como me apareceu lá embaixo a mãe do céu como Salomé. O que falta oportunamente no princípio puro aparece como serpente. O herói ambiciona ao máximo o princípio puro e por isso é finalmente vencido pela serpente. Quando te diriges ao pensar[224], leva junto teu coração. Quando te diriges ao amor, leva junto tua cabeça. Vazio é o amor sem pensar, ou o pensar sem amor. A serpente espreita atrás do princípio puro. Por isso fiquei sem ânimo até encontrar a serpente que me levou imediatamente para o outro princípio. Na descida, eu encolhi.

Grande é quem está no amor, pois o amor é a obra atual do grande criador, do momento atual do vir a ser e do desaparecer do mundo. Poderoso é quem ama. Mas quem se afasta do amor sente-se poderoso.

Em teu pensar prévio conheces a nulidade de teu ser momentâneo como um dos menores pontos entre o infinito do passado e o infinito do porvir. Pequeno é o pensador, grande ele se julga quando se afasta do pensar. Mas quando

222 O *esboço corrigido* tem: "o profeta, a personificação da ideia" (p. 131).

223 O *esboço corrigido* tem: "ideia" (p. 131).

224 O *esboço corrigido* tem: "ideia" (substituída durante todo o parágrafo) (p. 131).

falamos da aparência, a coisa é outra. Para quem está no amor, a forma é um empecilho pequeno. Mas seu horizonte termina com a forma que lhe é dada. Para quem está no pensar, a forma é intransponível e alta como o céu. Mas ele vê na noite a variedade dos incontáveis mundos e de suas intermináveis rotações. Quem está no amor é um recipiente cheio e transbordante que aguarda o momento de doar. Quem está no pensamento prévio é profundo e vazio e espera o enchimento.

Amor e pensamento prévio estão num mesmo lugar. O amor não pode existir sem pensamento prévio, e pensamento prévio, sem amor. A pessoa humana está sempre por demais em um ou outro. Isto está relacionado com a natureza humana. Os animais e as plantas parecem ter o suficiente em todos os lados, só o ser humano oscila entre o demais e o de menos. Oscila quem está inseguro do quanto deve dar aqui e do quanto deve dar lá, alguém cujo saber e poder são suficientes, mas que ele mesmo deve fazer. O ser humano não cresce apenas por si mesmo, mas é também[225] criador por si mesmo. Deus se manifesta nele[226]. O ser humano é menos habilidoso para a divindade, e por isso oscila entre o demais e o de menos[227].

O espírito dessa época condenou-nos à precipitação. Não tens mais futuro nem passado, se servires ao espírito dessa época. Precisamos da vida da eternidade. Na profundeza guardamos futuro e passado. O futuro é velho e o passado é jovem. Tu serves ao espírito dessa época e pensas que podes fugir do espírito da profundeza. Mas a profundeza não demora muito e vai forçá-lo para dentro do mistério de Cristo[228]. Faz parte desse mistério que o ser humano não será

225 O *esboço corrigido* acrescenta: "consciente". *De dentro de si mesmo* é suprimido (p. 133).

226 Em vez disso, o *esboço* e o *esboço corrigido* têm: "A força criadora de Deus torna-se (nele), uma, pessoa [uma consciência pessoal] a partir do (inconsciente) coletivo (p. 133-134).

227 O *esboço* e o *esboço corrigido* têm: "mas por que, perguntas tu, aparece-te ~~o pensar prévio~~ [a ideia] na figura de um velho profeta judeu e ~~teu~~ [o] prazer na figura da pagã Salomé? Mas amigo, não te esqueças de que eu também sou um pensador volente no espírito dessa época e que estou totalmente sob o feitiço da serpente. Através da iniciação nos mistérios do espírito da profundeza, estou disposto a não relegar ainda totalmente todo o arcaico, que falta ao pensador no espírito dessa época, conforme o espírito dessa época sempre exige, mas reassumi-lo em meu ser pessoa, para tornar plena minha vida. Eu fiquei realmente pobre e bem afastado de Deus. Preciso assumir ainda em mim o divino e o mundano, pois o espírito dessa época nada mais tem para me dar e ainda me tirou o pouco que eu possuía da verdadeira vida. Tornou-me sobretudo imprudente e ganancioso, pois ele é só presente e me obrigou a caçar tudo o que é presente para satisfazer o momento atual" (p. 134-135).

228 O *esboço* e o *esboço corrigido* têm: "Como os ~~antigos profetas~~ [antigos] viveram antes do mistério de Cristo, assim estou também eu ainda antes do [desse] mistério ~~de Cristo~~ [enquanto reassumo o passado] apesar de eu viver dois mil anos ~~após ele~~ [mais tarde] e ter acreditado ser um cristão. Mas jamais fui um Cristo" (p. 136).

salvo pelo herói, mas que ele mesmo se torna um Cristo. Isto nos ensina simbolicamente o exemplo da vida dos santos.

Vê mal quem deseja ver. Foi minha vontade que me enganou. Foi minha vontade que provocou a grande divisão dos demônios. Portanto, não devo mais querer? Eu satisfiz minha vontade tão bem quanto pude. E assim saciei tudo o que tinha ambições dentro de mim. Ao final concluí que em tudo isso eu queria a mim mesmo, mas sem procurar a mim mesmo. Por isso não quis mais procurar-me fora de mim, mas dentro de mim. Quis então segurar a mim mesmo, e quis de novo ir adiante, sem saber o que queria, e assim caí no mistério.

Portanto, não devo mais querer? Vós quisestes esta guerra. Isto é bom. Se não a quisésseis de fato, o mal desta guerra seria pequeno[229]. Mas com vossa vontade tornais o mal grande. Mas não conseguis fazer dessa guerra o maior mal, nunca aprendereis a vencer a violência e o combate fora de vós[230]. Por isso é bom que queirais de todo o coração este maior mal[231]. Vós sois cristãos e seguidores de heróis e esperais por salvadores, que devem tomar sobre si vossos sofrimentos e poupar-vos o Gólgota. Com isso erigis para vós[232] um monte Calvário, que cobre toda a Europa. Se vos sucede fazer dessa guerra um mal terrível e lançar nesta fauce escancarada incontáveis vítimas, isto é bom, pois torna cada um de vós pronto para sacrificar a si mesmo. Pois como eu, assim vós vos aproximais da realização do mistério de Cristo.

Logo sentireis o punho de ferro na nuca. Este é o início do caminho. Quando sangue, fogo, gritos de aflição encherem este mundo, então vos reconhecereis em vossos atos: embebedai-vos no horror sangrento da guerra, saciai-vos de matar e destruir, então vossos olhos se abrirão de que sois vós mesmos que produzis tais frutos[233]. Vós estais a caminho se quereis tudo isso. O querer cria cegueira, e cegueira conduz ao caminho. Devemos querer o erro? Não deves,

---

229 Em *Assim falava Zaratustra*, escreveu Nietzsche: "Redimir os homens passados e em vez de dizer "é o passado", dizer-se então "é o que eu quis" – só isto é redenção para mim" ("Da Redenção", p. 191).

230 Em 11 de fevereiro de 1916, num debate na Associação de Psicologia Analítica, Jung disse: "Abusamos da vontade quando dizemos que o crescimento natural está submetido à vontade... A guerra nos ensina: querer não adianta nada – devemos ver como ficará. Nós estamos totalmente sujeitos ao poder absoluto do vir a ser" (*MPA*, vol. 1, p. 106).

231 O *esboço* e o *esboço corrigido* têm: "Pois vós sois [nós somos] interiormente ainda velhos judeus e pagãos com deuses abomináveis" (p. 137).

232 O *esboço corrigido* tem: "para nós" (p. 138).

233 O *esboço corrigido* tem: "e nós nos chamávamos cristãos, seguidores de Cristo. Sermos nós mesmos Cristo, este é o verdadeiro seguimento de Cristo" (p. 139).

mas irás querer aquele erro que tu consideras a melhor verdade, assim como procederam as pessoas desde sempre.

O símbolo do cristal significa a lei imutável do acontecimento que vem por si mesmo. Neste núcleo vês o que virá. Eu vi algo amedrontador e inconcebível (isto foi na noite de Natal de 1913). Eu vi o sapato grosseiro, o sinal do horror da guerra dos camponeses[234], dos incêndios criminosos e da atrocidade sanguinária. Não sabia interpretar de outro modo para mim este sinal a não ser de que estava diante de nós algo sangrento e terrível. Vi o pé de um poderoso que esmagava uma cidade inteira. De que outro modo poderia interpretar este sinal? Vi que aqui começava o caminho do autossacrifício. Serão todos arrebatados pelo terror dos grandes acontecimentos e vão querer entendê-los na cegueira como acontecimentos externos. É um acontecimento interior, é o caminho da realização do mistério de Cristo[235], pois os povos aprendem o autossacrifício.

O horror pode ser tão grande, que o olhar das pessoas pode voltar-se para dentro, que seu querer não mais procure o si-mesmo nos outros, mas em si mesmas[236]. Eu o vi, eu sei que este é o caminho. Eu vi a morte de Cristo e vi seu lamento, eu senti o tormento de sua morte, da grande morte. Eu vi um novo Deus, um menino que domina os demônios com sua mão[237]. Deus mantém em seu poder os princípios separados e os une. Deus vem a ser em mim através da união dos princípios. Ele é sua união.

Se queres um princípio, então estás no teu ser um, mas longe de teu ser outro. Se queres os dois princípios, um e outro, então suscitas a desunião dos princípios, pois não podes querer os dois ao mesmo tempo. Disso surge a necessidade em que aparece Deus, ele toma na mão teu querer dividido, na mão de uma criança, cuja vontade é simples e está além da desunião. Não podes

---

234 Isto se refere possivelmente à revolta dos camponeses alemães de 1525.

235 Em 1918, em seu prefácio à 2. ed. de *A psicologia do inconsciente*, Jung escreveu: "O espetáculo dessa catástrofe faz com que o homem, sentindo-se totalmente impotente, se volte para si mesmo, olhe para dentro e, como tudo vacila, busque algo que lhe dê segurança. Muitos ainda procuram fora de si mesmos... Mas são poucos os que buscam dentro de si, poucos os que se perguntam se não seriam mais úteis à sociedade humana se cada qual começasse por si, se não seria melhor, em vez de exigir dos outros, pôr à prova primeiro em sua própria pessoa, em seu foro interior, a suspensão da ordem vigente, as leis e vitórias que apregoam em praça pública" (OC, 7, p. xv).

236 O *esboço* tem: "Se isto não acontecer, o Cristo não será vencido e o mal precisa ficar ainda maior. Por isso eu te digo isso, meu amigo, para que o repitas aos teus amigos, e para que chegue aos ouvidos do povo" (p. 157).

237 O *esboço* continua: "eu vi que a partir do Cristo-Deus formou-se um novo Deus, um Héracles mais jovem" (p. 157).

aprendê-lo, ele só pode vir a ser em ti. Não podes querê-lo, ele tira de tua mão o querer e quer a si mesmo. Deseja a ti mesmo, isto leva ao caminho[238].

Mas no fundo tens horror de ti mesmo, por isso preferes correr a todos os outros do que a ti mesmo. Eu vi a montanha do sacrifício, e o sangue escorria em torrentes de seus lados. Quando vi como orgulho e força enchiam os homens, como brilhava a beleza nos olhos das mulheres quando a Grande Guerra rebentou, soube então que a humanidade estava a caminho do autossacrifício.

O espírito da profundeza[239] tomou conta da humanidade e a obrigou ao autossacrifício. Não procureis a culpa aqui ou ali. O espírito da profundeza apoderou-se do destino dos homens, assim como se apoderou de meu destino. Ele conduz a humanidade através da torrente de sangue para o mistério. No mistério, a própria pessoa torna-se os dois princípios, leão e serpente.

---

238 No *esboço* e no *esboço corrigido*, ocorre aqui uma longa passagem, da qual segue uma paráfrase: O Deus segura o amor na mão direita, o pensar prévio ["a ideia", substituída do princípio ao fim] na esquerda. O amor está no nosso lado favorável, o pensar prévio no desfavorável. Isto deveria recomendar a você o amor, na medida em que você faz parte deste mundo, e especialmente se você é um pensador. ~~O Deus possui ambos~~. A unidade deles é Deus. ~~O Deus~~ se desenvolve através da união de ambos os princípios em você [mim]. ~~Você~~ [eu] não se torna Deus através disto, ou se torna divino, mas Deus se torna humano. Ele se torna manifesto em você e através de você, como uma criança. ~~O divino virá a você como infantil ou imaturo, na medida em que você é um homem desenvolvido. O homem infantil tem um Deus velho, o velho Deus que nós conhecemos e cuja morte nós vimos. Se você é adulto, você só pode tornar-se mais infantil. Você tem a juventude diante de você e todos os mistérios do que está por vir. O infantil tem a morte diante dele, já que precisa primeiro tornar-se adulto. Você se tornará adulto na medida em que superar o Deus dos antigos e da sua infância~~. Você o supera não pondo-o de lado, obedecendo ao ~~espírito do tempo~~ [: Zeitgeist]. O espírito deste tempo oscila entre o sim e o não como um bêbado ["já que ele é a incerteza da consciência geral presente"]. ~~Você~~ ["Alguém", do princípio ao fim] só pode superar o velho Deus transformando-se você mesmo nele e experimentando você mesmo o sofrimento e morte dele. Você o supera e se torna você mesmo, como alguém que se procura a si mesmo e já não imita heróis. Você se liberta a si mesmo quando você se liberta do velho Deus e seu modelo. Quando você se tornou o modelo, você já não precisa mais do dele. ~~No fato de o Deus segurar em suas mãos o amor e a prudência na forma da serpente, foi-me mostrado que ele se apoderara da vontade humana~~. ["Deus unifica a oposição entre o amor e a ideia, e a segura em suas mãos".] O amor e o pensar prévio existiram desde toda a eternidade, mas não foram queridos. Todos querem sempre o espírito deste tempo, que pensa e deseja. Aquele que quer o espírito das profundezas, quer o amor e o pensar prévio. Se você quer os dois, você se torna Deus. Se você faz isto, o Deus nasce e toma posse da vontade dos homens e segura a vontade dele na mão de seu filho. O espírito das profundezas aparece em você como totalmente infantil. ~~Se você não quer o espírito das profundezas, ele é para você um tormento. O querer leva ao caminho~~. O amor e o pensar prévio estão no mundo do além, enquanto você não os quer e a vontade de você ~~está entre eles como a serpente~~ ["os mantém separados"]. Se você quer os dois, eclode em você a luta entre querer o amor e querer o ~~pensar prévio~~ ["o reconhecimento"]. Você verá que você não pode querer os dois ao mesmo tempo. Nesta necessidade o Deus nascerá, ~~como você experimentou no mysterium~~, e ele tomará a vontade dividida em suas mãos, nas mãos de uma criança, cuja vontade é simples e para além do ser dividida. O que é esta vontade divino-infantil? Você não consegue aprendê-la através de uma descrição, ela só pode vir a ser em você. Você tampouco pode querê-la. Você não pode aprendê-la ou ter empatia com ela a partir daquilo que eu digo. ~~É incrível como os homens são capazes de enganar-se a si mesmos e mentir para si mesmos. Que isto seja uma advertência. O que eu digo é o meu mistério e não o de você, o meu caminho e não o de você, já que o meu self pertence a mim e não a você. Você não deve aprender o meu caminho, mas o seu próprio. Meu caminho leva a mim e não a você~~ (p. 142-145).

239 O *esboço corrigido* tem: "o grande espírito" (p. 146).

Pelo fato de eu querer também meu ser outro, devo tornar-me um Cristo. Eu serei transformado em Cristo, devo suportá-lo. Assim jorra o sangue redentor. Através do autossacrifício, meu prazer será transformado e passa para um princípio mais alto. O amor enxerga, mas o prazer é cego. Os dois princípios são um só no símbolo da chama. Os princípios despem-se da forma humana[240].

---

240 A esta altura o *esboço corrigido* tem uma longa passagem, da qual segue uma paráfrase: Enquanto ~~você via como~~ o orgulho e a força encheram os homens e a beleza jorrou dos olhos das mulheres quando a guerra fascinou as pessoas, ~~você sabia que~~ a humanidade estava a caminho. Você sabia que esta guerra não era apenas aventura, atos criminosos e assassinatos, mas o mistério do autossacrifício. O ["grande", mudado do início ao fim] espírito ~~das profundezas~~ apoderou-se da humanidade e forçou-a, através da guerra, ao autossacrifício. ~~Não procure a culpa aqui ou ali~~. ["A culpa não está fora"]. – ~~É o espírito das profundezas que leva as pessoas ao Mysterium, assim como me levou a mim~~. Ele leva o povo ao rio de sangue, como me levou a mim. Experimentei no Mysterium aquilo ~~que as pessoas foram forçadas a fazer na atualidade~~ ["que aconteceu fora em grande escala"]. ~~Eu não o sabia, mas o Mysterium ensinou-me como minha vontade lançou-se aos pés do Deus crucificado~~. Eu ~~experimentei~~ [quis] o autossacrifício de Cristo. O Mysterium de ~~Cristo~~ completou-se diante dos meus olhos. ~~Meu pensar prévio~~ ["A ideia que estava acima de mim"] forçava-me a isto, mas eu resisti. ~~Meu desejo mais alto, meus leões, minha paixão mais ardente e mais forte~~, eu queria levantar contra a misteriosa vontade de autossacrifício. Assim eu era como um leão envolvido pela serpente, ["uma imagem do destino renovando-se eternamente"]. Salomé achegou-se a mim vindo da direita, do lado favorável. ~~O prazer despertou em mim~~. Experimentei que meu prazer me vem quando realizo o autossacrifício. Ouço que Maria, ~~o símbolo do amor~~, é também ~~a~~ [minha] mãe ~~de Cristo~~, já que o amor também gerou a Cristo. O amor traz o autossacrificador e o autossacrifício. O amor é também a mãe do meu autossacrifício. No fato de ouvir e aceitar isto, experimento que me torno Cristo, já que reconheço que o amor me transforma em Cristo. Mas ainda duvido, já que é quase impossível o pensador diferenciar-se de seu pensamento e aceitar que aquilo que acontece em seu pensamento é também algo fora dele mesmo. ~~Está fora dele no mundo interior. Eu me torno Cristo no Mysterium; ou melhor, eu vejo como fui transformado em Cristo e no entanto ainda sou inteiramente eu mesmo, de modo que eu podia ainda duvidar quando meu prazer me disse que eu era Cristo~~. [Salomé,] Meu prazer, disse-me ["que eu sou Cristo"] porque o amor, que é mais elevado que o prazer, mas que ainda está em mim escondido no prazer, levara-me ao autossacrifício e transformara-me em Cristo. O prazer aproximou-se de mim, envolveu-me com anéis e forçou-me a experimentar o tormento de Cristo e a derramar meu sangue pelo mundo. Minha vontade, que antes servia ao ~~espírito deste tempo~~ ["Zeitgeist", substituído do início ao fim], desceu ao espírito das profundezas e, assim como estava anteriormente determinada pelo espírito do tempo, está agora determinada pelo espírito das profundezas, pelo pensar prévio ["ideia", substituída do início ao fim] e o prazer. Determinou-me através da vontade de autossacrifício, e ao derramamento do sangue, a essência de minha vida. Note-se que é meu prazer mau que me leva ao autossacrifício. Sua parte mais recôndita é o amor, que será libertado do prazer através do sacrifício. Aqui aconteceu a maravilha de que meu prazer anteriormente cego começou a ver. Meu prazer era cego, e era amor. Já que minha vontade mais forte quis o autossacrifício, meu prazer mudou, entrou num princípio superior, que em Deus é um princípio com pensar prévio. O amor tem visão, mas o prazer é cego. O prazer quer sempre aquilo que está mais próximo, e explora a multiplicidade, indo de uma coisa a outra, sem uma meta, apenas buscando e nunca satisfeito. O amor quer aquilo que está mais afastado, o melhor e o que satisfaz. E vi algo mais, a saber, que o pensar prévio em mim tinha a forma de um antigo profeta, o que mostrava que era pré-cristão, e transformou-se num princípio que já não aparecia mais em forma humana, mas na forma absoluta de pura luz branca. ~~Assim o relativo humano transformou-se no absoluto divino através do Mysterium de Cristo~~. O pensar prévio e o prazer uniram-se em mim de uma forma nova e a vontade em mim, que parecia estranha e perigosa, a vontade do espírito das profundezas, ~~ficou paralisada aos pés~~ da chama cintilante. Tornei-me uma só coisa com minha vontade. Isto aconteceu em mim, eu apenas o vi ~~no jogo do mistério. Através disto, tornaram-se conhecidas muitas coisas que antes eu não sabia~~. ["como num jogo"]. Mas achei tudo duvidoso. Senti como se eu estivesse derretendo no ar, já que a terra do Mysterium [daquele espírito] ainda me era estranha. ~~O Mysterium mostrou-me as coisas que estavam diante de mim e precisavam ser levadas a cabo. Mas eu não sabia como nem quando~~. Mas aquela imagem de Salomé dotada de visão, ajoelhada em êxtase diante da chama branca, era um forte sentimento que veio para o lado de minha vontade e guiou-me através de todas as coisas que vieram depois. O que aconteceu foi minha viagem comigo mesmo, através de cujo sofrimento eu precisava alcançar o que ~~servia para a conclusão do Mysterium que eu havia visto~~ ["eu havia visto antes"] (p. 146-150).

O mistério mostrou-me em imagem o que eu devia viver depois. Eu não possuía nada daquelas amabilidades que o mistério me mostrou, mas teria que adquiri-las todas ainda[241].

finis part. prim. (fim da primeira parte)

241 Gilles Quispel informa que Jung contou ao poeta holandês Roland Horst que ele havia escrito *Tipos psicológicos* com base em trinta páginas do *Livro Vermelho*. Apud HOELLER, S. *The Gnostic Jung and the Seven Sermons to the Dead* (Wheaton, Ill., Quest, 1985, p. 6). É provável que ele tivesse em mente estes três capítulos precedentes do "Mysterium". O que é apresentado aqui desenvolve as noções do conflito entre funções opostas, da identificação com a função principal e do desenvolvimento do símbolo reconciliador como uma solução do conflito dos opostos, que são as questões centrais no cap. 5 de *Tipos psicológicos* (OC, 6), o "Problema dos tipos na poesia". No seminário de 1925, Jung disse: "Descobri que o inconsciente está elaborando enormes fantasias coletivas. Assim como, antes, eu estava apaixonadamente interessado em elaborar mitos, agora adquiri interesse exatamente igual pelo material do inconsciente. Esta é, na verdade, a única maneira de chegar à formação de um mito. E por isso o primeiro capítulo de *Psicologia do inconsciente* tornou-se exatissimamente verdadeiro. Observei a criação de mitos que acontecem, e adquiri um conhecimento do inconsciente, formando assim o conceito que desempenha esse papel nos *Tipos*. Tomei todo o meu material empírico de meus pacientes, mas a solução do problema tirei-a de dentro, de minhas observações dos processos inconscientes. Procurei fundir estas duas correntes de experiência exterior e experiência interior no livro dos *Tipos* e dei ao processo de fusão das duas correntes o nome de função transcendente" (*Introduction to Jungian Psychology*, p. 35).

Liber Secundus

As imagens do errante[1]

[IH 1][2],[3] nolite audire verba prophetarum, qui prophetant vobis et decipiunt vos: visionem cordis sui loquuntur, non de ore Domini. audivi quae dixerunt [prophetae] prophetantes in nomine meo mendacium, atque dicentes: somniavi, somniavi. usquequo istud est in corde prophetarum vaticinantium mendacium et prophetantium seductionem cordis sui? qui volunt facere ut obliviscatur populus meus nominis mei propter somnia eorum, quae narra[n]t unusquisque ad proximum suum: sicut obliti sunt patres eorum nominis mei propter Baal. propheta, qui habet somnium, narret somnium et qui habet sermonem meum, loquatur sermonem meum vere: quid paleis ad triticum? dicit dominus.

["Não ouçais as palavras dos profetas que vos profetizam! Eles vos enganam, anunciando *visões que provêm de seu coração* e não da boca do Senhor" (Jr 23,16)].

["Ouvi o que disseram os profetas que profetizam mentiras em meu nome. *Tive um sonho*! Tive um sonho! Até quando haverá entre os profetas os que profetizam mentiras e os que profetizam enganos de seu coração? Eles que tentam fazer o meu povo esquecer o meu nome, por meio de sonhos que contam uns aos outros: como seus pais esqueceram o meu nome por causa de Baal! O profeta que tem um sonho, que o conte! E o que tem uma palavra minha, que a fale com verdade! O que tem a palha em comum com o grão? – oráculo do Senhor" (Jr 23,25-28)]. / 1/2

1 O esboço manuscrito tem *A aventura do percurso errado* (p. 353).

2 Em seu ensaio sobre Picasso, em 1932, Jung descreveu as pinturas (quadros) de esquizofrênicos, levando em conta somente aqueles em que uma perturbação psíquica produziria provavelmente sintomas esquizoides, em vez de pessoas que sofriam dessa condição, como a seguir: "Do ponto de vista puramente formal predomina a característica da *fragmentação*, expressa nas assim chamadas linhas de ruptura, uma espécie de fendas de rejeição psíquica, traçadas através do quadro" (OC, 15, § 208).

3 Essas passagens em latim da Bíblia, também transcritas da Bíblia de Lutero, são todas citadas por Jung em *Tipos psicológicos* (1921), que ele introduziu com os seguintes comentários: "A forma pela qual Cristo apresentou ao mundo o conteúdo de seu inconsciente foi aceita e declarada obrigatória em geral. Todas as fantasias individuais perderam seu efeito e valor; foram perseguidas como heréticas, como no-lo atestam o movimento gnóstico e todas as heresias posteriores. O profeta Jeremias já se expressara neste sentido" (OC, 6, § 81).

O Vermelho[4]

Cap. i.

[IH 2][5] A porta do mistério está trancada atrás de mim. Sinto que minha vontade está paralisada, e que o espírito da profundeza me possui. Nada sei sobre um caminho. Por isso não posso querer isto ou aquilo, pois nada me indica se é isto ou aquilo que quero. Eu espero, sem saber o que eu espero. Mas já na noite seguinte senti que havia alcançado um ponto seguro[6].

[7]Julguei encontrar-me na torre mais alta de um castelo. Eu o percebo pelo ar: estou bem afastado no tempo. Longamente vagueia meu olhar por sobre torres solitárias e onduladas, uma variação de campos e matas. Eu usava uma capa verde. Pendia de meu ombro uma trompa. Eu era o guarda da torre. Olhei para fora para o espaço longínquo. Vi lá fora um ponto vermelho, vem se aproximando por uma estrada prodigiosa, desaparece às vezes na mata e surge de novo: é um cavaleiro com roupa vermelha, o Cavaleiro Vermelho. Vem ao meu castelo: já cavalga através do portão. Ouço passos na escada, os degraus rangem, batem à porta: um medo estranho se apodera de mim. Ali está o Vermelho, sua esbelta figura toda de vermelho, até mesmo seu cabelo é vermelho. Eu penso: deve ser o demônio.

O Vermelho: "Minhas saudações, homem da torre alta! Eu o vi de longe, observando e esperando. Tua espera me chamou".

Eu: "Quem és tu?"

O V.: "Quem eu sou? Tu pensas que sou o demônio. Não faças julgamentos apressados. Talvez possas conversar comigo sem saber quem eu sou. Que companheiro supersticioso tu és, para logo pensar no demônio?"

Eu: "Se não tens um poder sobrenatural, como pudeste perceber que eu estava em minha torre em atitude de espera, olhando para o desconhecido e novo? Minha vida no castelo é pobre, uma vez que fico sempre sentado aqui e ninguém sobe até mim".

---

4 O *esboço corrigido* tem: V *A grande Odisseia* I. O Vermelho (p.157).

5 Isto retrata Jung na cena de abertura dessa fantasia.

6 Este parágrafo foi acrescentado ao *esboço* (p. 167).

7 26 de dezembro de 1913.

O V.: “O que esperas então?”

Eu: “Espero muitas coisas, mas espero sobretudo que possa vir a mim algo da riqueza do mundo que não vemos”.

O V.: “Então estou no lugar certo junto de ti. Viajo há muito por todas as terras e procuro aqueles que, como tu, estão sentados numa torre alta e buscam coisas nunca vistas”.

Eu: “Tu me tornas curioso. Pareces ser de um tipo raro. Tua aparência não é comum, e – desculpe-me – também me parece que trazes contigo um ar estranho, algo mundano, atrevido ou folgazão, ou – dito francamente – algo pagão”.

O V.: “Tu não me ofendes; ao contrário, acertas bem no alvo. Mas não sou um velho pagão, como pareces crer”.

Eu: “Isto também não quero afirmar; para isso não és suficientemente vistoso e latino. Não tens nada de clássico em ti. Pareces ser um filho de nosso tempo, mas, devo observar, um pouco fora do comum. Tu não és um autêntico pagão, mas um pagão que corre ao lado de nossa religião cristã”.

O V.: “És de fato um bom decifrador de enigmas. Tu desempenhas teu papel bem melhor do que muitos outros que simplesmente me ignoraram”.

Eu: “Teu tom é reservado e irônico. Nunca tiveste teu coração atingido pelos sacrossantos mistérios de nossa religião cristã?”

O V.: “Tu és uma pessoa inacreditavelmente lerda e séria. És sempre assim tão insistente?”

Eu: “Eu gostaria – diante de Deus – ser sempre tão sério e fiel a mim mesmo, como procuro sê-lo. Para mim está se tornando difícil estar em tua presença. Tu trazes contigo uma espécie de ar de condenação, certamente és um integrante da escola negra de Salerno[8], onde se ensinam artes maléficas de pagãos e descendentes de pagãos”.

O V.: “Tu és supersticioso e alemão demais. Tu tomas ao pé da letra o que dizem as Sagradas Escrituras, caso contrário não poderias julgar tão duramente”.

/ Eu: “Longe de mim um julgamento duro. Mas o meu faro não me engana. Tu estás te esquivando e não queres te trair. O que escondes?” 2/3

8 Salerno é uma cidade ao sudoeste da Itália, fundada pelos romanos. Jung refere-se provavelmente à *Accademia Segreta*, criada nos anos 1540 e que promovia a alquimia.

(O Vermelho parece ficar mais vermelho, sua capa resplandece como ferro em brasa).

O V.: "Não escondo nada, seu ingênuo cordial. Divirto-me apenas com tua ponderosa seriedade e tua cômica sinceridade. O que é raro em nossa época, sobretudo nas pessoas que dispõem da razão".

Eu: "Eu creio que não podes entender-me de todo. Tu me avalias segundo aqueles que conheces de pessoas vivas. Mas devo dizer-te, por amor à verdade, que eu de fato não pertenço a esta época e a este lugar. Um feiticeiro me baniu para este lugar e para esta época desde tempos muito antigos. Na realidade não sou aquele que vês diante de ti".

O V.: "Falas coisas espantosas. Quem és então?"

Eu: "Isto não vem ao caso: estou diante de ti como aquele que sou atualmente. Por que estou aqui e sou assim, não sei. Mas sei que devo estar aqui para te dar satisfação da melhor forma possível. Sei tão pouco quem tu és, quão pouco tu sabes quem eu sou".

O V.: "Isto soa bem estranho. És por acaso um santo? Um filósofo não és, pois a linguagem erudita não está contigo. Mas um santo? É mais provável. Tua seriedade cheira a fanatismo. Tu tens uma atmosfera ética e uma simplicidade que lembram pão e água".

Eu: "Não posso dizer sim nem não: falas como um aprisionado no espírito dessa época. Faltam-te, ao que me parece, as metáforas".

O V.: "Por acaso frequentaste também a escola dos pagãos? Respondes como um sofista[9]. Como chegaste então ao ponto de me medir com a medida da religião cristã, se não és nenhum santo?"

Eu: "Parece-me que isto seria uma medida a ser utilizada mesmo por quem não é santo. Creio ter percebido que ninguém pode esquivar-se impunemente dos mistérios da religião cristã. Repito que aquele que nunca despedaçou seu coração com o senhor Jesus Cristo arrasta consigo um pagão, que o impede de chegar ao melhor".

---

9 Os sofistas eram filósofos gregos do século IV e V a.C., sediados em Atenas, incluindo pessoas como Protágoras, Górgias e Hípias. Davam aulas e aceitavam alunos, cobrando honorários; dedicavam especial atenção à retórica. O ataque de Platão a eles em alguns Diálogos, deu uma conotação negativa ao termo, como alguém que brinca com palavras.

O V.: "De novo este velho refrão? Para que isto, se não és nenhum santo cristão? Não serás de fato um maldito sofista?"

Eu: "Tu estás preso em teu mundo. Mas podes pensar que seria possível estimar corretamente o valor do cristianismo sem que seja necessariamente um santo".

O V.: "És um doutor em teologia, que examina o cristianismo a partir de fora e o avalia historicamente, portanto um sofista?"

Eu: "Tu és teimoso. O que penso é que não foi por acaso que o mundo todo se tornou cristão. Creio também que foi tarefa da humanidade ocidental trazer Cristo no coração e crescer com seu sofrimento, morte e ressurreição".

O V.: "Existem também judeus que são pessoas de bem e que não precisaram de teu elogiado evangelho".

Eu: "Ao que me parece, não és um bom conhecedor de pessoas: nunca percebeste que falta algo ao judeu, a um na cabeça, a outro no coração, e que ele mesmo sente que lhe falta alguma coisa?"

O V.: "Não sou judeu, mas tenho que defender os judeus: tu pareces um odiador de judeus".

Eu: "Com isso repetes todos aqueles judeus que sempre acusam um julgamento não muito favorável a eles de ódio aos judeus, ao passo que eles mesmos fazem as piadas mais picantes sobre sua própria raça. Pelo fato de os judeus sentirem bem nitidamente aquela determinada falta, mas não a quererem admitir, são tão suscetíveis a qualquer julgamento. Acreditas que o cristianismo passou pela alma da pessoa sem deixar vestígio? E acreditas que alguém que não o compartilhou interiormente terá parte em seus frutos?"[10]

O V.: "Tu tens argumentos. Mas tua seriedade? Poderias estar mais à vontade. Se não és nenhum santo, não vejo realmente por que precisas ser tão sério. Tu estragas totalmente teu prazer. Que, diabos, há em tua cabeça? Só o cristianismo com sua fuga lamurienta do mundo pode tornar as pessoas / tão tardas e fastidiosas". 3/4

Eu: "Acho que existem ainda outras coisas que pregam a seriedade".

---

10 O *esboço* continua: "Ninguém pode importar-se com um desenvolvimento psíquico de muitos séculos e colher o que não semeou" (p. 172).

O V.: "Ah, já sei, tu queres dizer a vida. Conheço este palavrório. Eu também vivo e ela não me preocupa nem um pouco. A vida não exige nenhuma seriedade; ao contrário, é melhor dançar pela vida"[11].

Eu: "Conheço a dança. Seria bom se tudo se resolvesse com a dança! A dança faz parte do tempo do ardor. Sei que há pessoas para as quais é sempre tempo de ardor e pessoas que também querem dançar a seu Deus. Os primeiros são ridículos, os outros brincam de tempos antigos, em vez de admitirem honestamente sua deficiência em possibilidades de expressão".

O V.: "Aqui, meu caro, tiro minha máscara. Agora transformo-me em algo sério, pois isto se refere a meu ramo. Seria imaginável ainda uma terceira coisa de que a dança fosse símbolo".

O vermelho do cavaleiro transformou-se num vermelho delicado, cor de carne. E olhai – ó maravilha – de minha capa verde brotam folhas em toda parte.

Eu: "Existe provavelmente também uma alegria diante de Deus, que poderíamos chamar de dança. Mas esta alegria eu ainda não a encontrei. Meu olhar perscruta as coisas que vêm. Vieram coisas, mas entre elas não estava a alegria".

O V.: "Não me reconheces, meu irmão, eu sou a alegria!"

Eu: "Deverias tu ser a alegria? Eu te vejo como através de uma névoa. Tua imagem desaparece diante de mim. Deixa-me pegar tua mão, amado, onde estás? Onde estás?"

A alegria? Era ele a alegria?

[2] Certamente era o demônio, este Vermelho, mas o meu demônio. Era minha alegria, a alegria da pessoa séria que vigia sozinha numa alta torre, sua alegria rósea, com odor de rosas, de um vermelho claro e quente[12]. Não a alegria secreta em seus pensamentos e em seu olhar, mas aquela estranha alegria

---

11 Em *Assim falava Zaratustra*, de Nietzsche, Zaratustra alerta para a superioridade de espírito da seriedade e adverte: "Homens superiores, o pior que tendes é não haverdes aprendido a dançar como é preciso dançar: a dançar por cima de vós mesmos" ("Do homem superior", XX, p. 368).

12 Num seminário de 1939, Jung discutiu a transformação histórica da figura do demônio. Disse: "Quando aparece vermelho, tem fogo, isto é, natureza de paixão: causa luxúria, ódio e amor indomável" (JUNG, L. & MEYER-GRASS, M. *Kinderträume*. Düsseldorf: Walter Verlag, 1987, p. 194. Edição brasileira: Seminários sobre sonhos de crianças. Petrópolis: Vozes 2011, p. 188).

do mundo que chega inesperadamente como um vento sul quente com ondas de perfumes de flores e de facilidade da vida. Sabeis de vossos poetas que pessoas sérias, quando olham para fora esperando as coisas da profundeza, são primeiramente procuradas pelo demônio em sua alegria primaveril[13]. Como uma onda, ela levanta a pessoa e a leva para fora. Quem prova dessa alegria esquece a si mesmo[14]. E não há nada mais doce do que esquecer a si mesmo. Não são poucos os que se esquecem do que foram. Porém mais numerosos são aqueles que estão tão firmemente enraizados, que nem mesmo a onda rósea consegue erradicá-los. Estão petrificados e são pesados demais, os outros são leves demais.

Eu discuti seriamente com o demônio e me portei com ele como se fosse uma pessoa real. Aprendi no mistério tratar como pessoas e seriamente aqueles livres-errantes desconhecidos, que habitam o mundo interior, pois eles são reais porque atuam[15]. Não adianta dizer no espírito dessa época: não há demônio. Comigo houve um. Tal coisa ocorreu em mim. Fiz com ele o que pude. Pude falar com ele. Com o demônio é inevitável uma conversa sobre religião, pois ele a provoca, se a gente não se quiser submeter incondicionalmente a ele. A religião é exatamente o assunto no qual não me entendo com o demônio. Tenho que discutir com ele, pois não posso esperar sem mais que ele, como personalidade autônoma, aceite meu ponto de vista.

Seria fuga se não procurasse me entender com ele. Se tiveres a rara oportunidade de falar com o demônio, não te esqueças de dialogar seriamente com ele. Ele é, em última análise, o teu demônio. O demônio é, como adversário de teu outro ponto de vista, aquele que te tenta e coloca pedras em teu caminho, lá onde você menos delas precisa.

Aceitar o demônio não significa passar para o lado dele, caso contrário a gente se torna demônio. Significa entender-se. Com isso assumes teu outro ponto de vista. Com isso o demônio perde algum terreno e tu também. E isto poderia ser muito bom.

---

13 O *esboço* continua: "Já percebestes, através de Fausto, de que espécie incondicional é esta alegria" (p. 175). A referência é ao *Fausto*, de Goethe.

14 O *esboço* tem: "Como sabeis através de Fausto, não são poucos os que esquecem o que foram, porque deixam levar tudo pela água" (p. 175).

15 Jung elaborou este ponto em 1928 ao apresentar o método da imaginação ativa: "Contra isso, o credo científico de nossa época desenvolveu uma fobia supersticiosa em relação à fantasia. *É verdadeiro aquilo que atua*. Ora, as fantasias do inconsciente atuam sem dúvida alguma" (OC, 7, § 353).

Apesar de a religião repugnar ao demônio, devido à sua especial seriedade e cordialidade, fica patente que é exatamente a religião pela qual o demônio pode ser levado a um entendimento. O que eu disse sobre a dança faz sentido, pois falei sobre algo que pertence a seu domínio. Ele só não leva a sério o que diz respeito a outra pessoa, pois é uma peculiaridade de todo demônio. Assim 4/5 chego à sua seriedade e alcançamos terreno comum /, onde o entendimento é possível. O demônio está convencido de que a dança não é ardor nem loucura, mas expressão de algo que não pertence nem a um, nem à outra, e sim à alegria. Nisso concordo com o demônio. Por isso ele se humaniza diante de meus olhos. Mas eu fico verde como árvore na primavera.

Mas que a alegria seja o demônio, ou o demônio seja a alegria, isto deve dar-te o que pensar. Eu pensei sobre isso uma semana inteira, mas temo que não foi o suficiente. Tu negas que tua alegria seja o demônio. Mas parece que na alegria há sempre algo de demoníaco. Se tua alegria não é nenhum demônio para ti, tampouco o é para teu próximo, pois a alegria é o maior desabrochar e reverdejar da vida. Isto te arrasta para a descida, e tu precisas tatear nova pista, pois a luz se apagou totalmente para ti no fogo da alegria. Ou tua alegria arrasta teu próximo e o atira para fora dos trilhos, pois a vida é como um grande fogo que incendeia tudo o que é combustível. Mas o fogo é o elemento do demônio.

Quando vi que o demônio era a alegria, teria preferido fazer um pacto com ele. Mas com a alegria não podes fazer pacto nenhum, pois ela some rapidamente de novo. É por isso também que não podes capturar teu demônio. Faz parte de sua natureza não ser capturável. Se ele se deixar prender, é bobo, e tu não terás nenhum ganho em possuir mais um demônio bobo. O demônio procura sempre serrar o galho em que estás sentado. Isto é útil e previne contra o adormecer e os vícios a ele ligados.

O demônio é um mau elemento. E a alegria? Que a alegria também traz em si o mal, tu o vês quando andas atrás dela, pois então chegas ao prazer, e do prazer diretamente ao inferno, ao teu inferno, especificamente teu, um inferno que é diferente para cada um[16].

Mediante o entendimento com o demônio, ele assumiu algo de minha seriedade, e eu, algo de sua alegria. Isto me deu coragem. Mas se o demônio tiver

16 O *esboço* continua: "Toda pessoa atenta conhece seu inferno, mas não seu demônio. Não existem só demônios alegres, mas também tristes" (p. 178).

ganho em seriedade, então é necessário preparar-se para alguma coisa[17]. É sempre arriscado aceitar a alegria, mas ela nos conduz à vida e à sua desilusão, da qual depende toda nossa vida[18].

O castelo na floresta[19]

Cap. ii.

[IH 5] [20]Na segunda noite imediatamente a seguir, entrei sozinho na floresta escura e notei que me havia perdido[21]. Estou numa estrada de terra muito ruim e vou tropeçando na escuridão. Cheguei finalmente a uma água escura e parada de charneca, no meio da qual havia um pequeno e velho castelo. Eu pensei que seria bom pedir aqui pousada para a noite. Bato no portão, espero muito tempo, começa a chover. Preciso bater de novo. Agora ouço alguém vindo: a pessoa abre a porta. Um senhor com vestes antiquadas, um servo, pergunta o que desejo. Peço hospedagem para a noite, e ele me faz entrar numa antessala escura. Depois me leva a subir uma escada de madeira, gasta e escura. Em cima, chego a um espaço mais amplo e mais alto, em forma de salão, com paredes brancas, ao longo das quais há arcas e armários pretos.

Sou levado a uma espécie de sala de recepções. É uma sala simples com velhos móveis estofados. A luz mortiça de um lampião antiquado ilumina a sala apenas o necessário. O servo bate numa porta lateral e depois a abre devagar. Olho rapidamente para lá: é o quarto de trabalho de um sábio, estantes de livros nas quatro paredes, uma grande mesa de trabalho à qual está sentado um velho em veste talar preta. Acena-me para que me aproxime. O ar no quarto é pesado, e o velho dá uma impressão preocupante. Ele não é sem dignidade, isto é, parece pertencer àqueles que têm tanta dignidade quanta a gente lhes dá. Tem aquela expressão modesta-temerosa da pessoa culta que há muito foi

---

17 O *esboço* continua: "Como o demônio conseguiu a seriedade, isto eu experimentei numa aventura posterior. Através da seriedade, ele se torna certamente mais perigoso para ti, mas, acredita-me, isto lhe fará mal" (p. 178-179).

18 O *esboço* continua: "Com a alegria recém-adquirida, saí para a aventura, sem saber para onde o caminho me levava. Evidentemente eu poderia ter sabido que o demônio sempre nos alicia em primeiro lugar através das mulheres. Como pensador, eu era sabido em pensamentos, não em matéria de vida. Ali eu era até mesmo tolo e confuso. Portanto, pronto para cair numa armadilha de pegar raposa" (p. 179).

19 O *esboço manuscrito* tem: *Segunda aventura* (p. 383).

20 28 de dezembro de 1913.

21 O *inferno*, de Dante, começa com o poeta perdido numa floresta escura. Há uma tira de papel nesta página do exemplar de Jung.

5/6 reduzida a nada pela quantidade de saber. Penso que ele é um verdadeiro / sábio que aprendeu a grande modéstia diante da incomensurabilidade do saber e que se dedicou completamente ao objeto da ciência, ponderando tímida e imparcialmente como se ele em pessoa tivesse que apresentar com responsabilidade o processo da veracidade científica.

Cumprimentou-me timidamente, como que ausente e afastando-me. Não me admirei, pois eu tinha a aparência de um homem comum. Só com esforço conseguia desviar os olhos de seu trabalho. Eu repeti meu pedido de hospedagem por uma noite. Após longa pausa, o velho disse: "Bem, tu queres dormir, dorme em paz". Vi que estava absorto e por isso lhe pedi que recomendasse ao servo para me mostrar um quarto de dormir. Disse: "Tu pedes muito, espera, não posso me distrair agora". Mergulhou de novo em seu livro. Esperei pacientemente. Após certo tempo, olhou-me admirado: "O que desejas aqui? – Oh, desculpa – eu havia esquecido totalmente que estavas esperando aqui. Chamarei imediatamente o servo". O servo veio e levou-me ao mesmo andar de antes, para um pequeno quarto com paredes brancas nuas e uma grande cama. Desejou-me boa-noite e se retirou.

Como eu estivesse cansado, tirei a roupa e me deitei na cama, após ter apagado a luz de uma vela de sebo. Os lençóis eram extremamente ásperos e o travesseiro, duro. Meu caminho errado levou-me a um lugar estranho: um velho e pequeno castelo, cujo sábio proprietário passava evidentemente sozinho suas noites com seus livros. Parece que não havia mais ninguém na casa, a não ser o servo, que morava acolá na torre. Um modo de vida ideal, mas solitário o desse velho com seus livros, pensei eu. E nisso se demoraram por longo tempo meus pensamentos, até que percebi que um outro pensamento não me abandonava, isto é, que o velho mantinha escondida aqui sua bela filha – ideia romântica absurda – um tema sem graça e já explorado – mas o romântico está em todas as juntas de cada pessoa – uma ideia genuinamente romântica – um castelo na floresta – solitário-crepuscular – um velho mumificado em seus livros, que guarda um tesouro valioso e o esconde ciosamente de todo mundo – que ideias ridículas me sobrevêm! É inferno ou purgatório que preciso conceber em minha viagem errada à semelhança dos sonhos infantis? Mas sinto-me incapaz de elevar meus pensamentos a algo mais forte ou mais bonito. Devo consentir nesses pensamentos. O que adiantaria repeli-los – eles voltam – melhor engolir este gole insípido do que mantê-lo na boca. Como será que ela se parece, esta heroína aborrecida? Certamente loura, pálida – olhos azuis – ansiosamente esperando de cada caminhante extraviado o salvador de sua prisão paterna – ah, eu conheço este absurdo trivial – prefiro dormir – por que, diabos, devo atormentar-me com essas fantasias ocas?

O sono não quer nada. Viro-me de um lado a outro – o sono não vem – devo eu ter em mim mesmo afinal esta alma não resgatada? Será que é ela que não me deixa dormir? Terei eu uma alma tão romântica? Só faltava isto – seria dolorosamente ridículo. Será que a mais insípida das bebidas não terá mais fim? Já deve ser meia-noite – e nada de sono ainda. O que será que não me deixa dormir? Será alguma coisa neste quarto? A cama estará enfeitiçada? É simplesmente macabro para onde a insônia pode levar uma pessoa – inclusive para as teorias mais disparatadas e mais supersticiosas. Parece fazer frio, eu estou com frio – talvez, e não durma por causa disso – aqui é realmente sinistro – Deus sabe o que acontece aqui – não escutei passos há pouco? Não, deve ter sido lá fora – viro para o outro lado, fecho os olhos com força, preciso dormir. A porta está se abrindo? Meu Deus, alguém está aí? Estou vendo bem? Uma moça esguia, pálida como a morte, está à porta? Céus, o que é isto? Ela se aproxima!

"Chegaste finalmente?", perguntou baixinho. Impossível – é um engano pavoroso – o romance quer tornar-se real – quer transformar-se em história estúpida de fantasmas? A que disparate estou condenado? É minha alma que alberga tais glórias românticas? Isto também deve acontecer comigo? Estou realmente no inferno – o pior despertar após a morte quando se ressuscita numa biblioteca pública. Desprezei as pessoas de minha época e seu gosto, tanto assim que devo viver e escrever no inferno os romances sobre os quais já cuspi há muito tempo? Será que a metade inferior do gosto médio da humanidade também tem direito à santidade e inviolabilidade, de modo que não possamos dizer nenhuma palavra desairosa / sobre isso, sem termos de pagar o pecado no inferno? 6/7

Ela fala: "Ah, tu também pensas o trivial de mim? Também tu te deixas seduzir pela malfadada ilusão de que eu pertenço a um romance? Também tu, de quem esperava que tivesse abandonado as aparências e se esforçasse para atingir a essência das coisas?"

Eu: "Perdão, mas existes realmente? É uma semelhança por demais infeliz com aquelas cenas de romances, desgastadas até a parvoíce, que eu pudesse aceitar que não fosses apenas um produto de meu cérebro insone. Minha dúvida não está realmente justificada, quando uma situação coincide de tal forma com o tipo do romance sentimental?"

Ela: "Infeliz, como podes duvidar de minha realidade?"

Caiu de joelhos, soluçando, aos pés de minha cama e escondeu o rosto nas mãos. Meu Deus, ela é de fato real, e eu lhe faço injustiça? Minha compaixão despertou.

Eu: "Mas, dize-me, por amor de Deus: tu és real? Devo levar-te a sério como realidade?"

Ela chorou e nada respondeu.

Eu: "Quem és então?"

Ela: "Eu sou a filha do velho. Ele me mantém aqui numa prisão insuportável, não por ciúme ou ódio, mas por amor, pois sou sua única filha e o retrato vivo de minha mãe, falecida muito jovem".

Recorri à minha razão: isto não é uma estupidez infernal? Palavra por palavra, o romance de uma biblioteca pública! Ó deuses, para onde me levastes? É para rir, é para chorar – é duro ser um belo sofredor, um destroçado tragicamente, mas tornar-se um macaco, vós belos e grandes? O banal e eternamente ridículo, o indizivelmente gasto e usado nunca vos foi depositado nas mãos, erguidas em oração, como dádiva do céu.

Ela continua deitada ali e chora – e se fosse real? Seria então digna de pena e toda pessoa teria compaixão dela. Se for uma moça decente, o que não lhe deve ter custado entrar no quarto de dormir de um homem desconhecido! E vencer de tal modo sua timidez?

Eu: "Minha querida criança, apesar de tudo e de todos, quero acreditar que és real. O que posso fazer por ti?"

Ela: "Afinal, finalmente uma palavra de boca humana!"

Ela se levanta, seu rosto brilha, ela é bonita. Uma pureza profunda está em seu olhar. Ela possui uma alma bela e afastada do mundo, uma alma que gostaria de chegar à vida da realidade, a toda a realidade deplorável, ao banho de lama e poço de saúde. Oh, sobre esta beleza da alma! Vê-la descer para o submundo da realidade – que espetáculo!

Ela: "O que podes fazer por mim? Já fizeste muito. Tu falaste a palavra libertadora quando não colocaste mais entre mim e ti o banal. Pois fica sabendo: eu estava enfeitiçada pelo banal".

Eu: "Ai de mim, agora de tornas bem fantástica".

Ela: "Sê razoável, prezado amigo, e não tropeces sobre o fantástico, pois o conto de fadas é só a avó do romance e mais universalmente válido do que o romance mais lido de tua época. E tu sabes que aquilo que, desde milênios, passa pela boca de todo o povo é com efeito o mais mastigado e que mais se aproxima da verdade humana mais elevada. Portanto, não deixes que o fantástico se interponha entre nós"[22].

Eu: "Tu és inteligente e não pareces ter herdado a sabedoria de teu pai. Dize-me, o que pensas das verdades divinas, das chamadas verdades últimas? Seria muito estranho para mim procurá-las na banalidade. De acordo com sua natureza devem ser bem excepcionais. Pensa apenas em nossos grandes filósofos".

Ela: "Quanto mais excepcionais essas verdades últimas, tanto mais inumanas também devem ser e tanto menos vão dizer-lhe algo de valor e significativo sobre a natureza e o ser humanos. Só o que é humano e que tu insultas como banal e vulgar, isto / contém a sabedoria que tu procuras. O fantástico não fala 7/8 contra, mas a favor de mim e prova que sou humanamente universal e que não só preciso da libertação, mas também a mereço. Pois consigo viver no mundo da realidade tão bem ou talvez melhor do que muitos de minha espécie".

Eu: "Notável senhorita, tu és desconcertante. Quando vi teu pai, pensei que fosse convidar-me para uma conversa intelectual. Não o fez, e eu fiquei aborrecido, pois senti-me ultrajado em minha dignidade por seu pouco caso. Mas junto a ti encontrei coisa bem melhor. Tu me dás assunto para pensar. Tu és incomum".

Ela: "Tu te enganas, sou bem comum".

Eu: "Não posso acreditar nisso. Como é bela e adorável a expressão de tua alma em teus olhos! Feliz e invejável o homem que te libertar!"

Ela: "Tu me amas?"

Eu: "Por Deus, eu te amo – mas infelizmente já sou casado".

Ela: "Portanto – vês tu: a realidade banal é inclusive um libertador. Agradeço-te, prezado amigo, e mando por ti uma saudação a Salomé".

---

22 Em seu "Satisfação do desejo e simbolismo nos contos de fada" (1908), o colega de Jung, Franz Riklin, argumenta que os contos de fadas foram as invenções espontâneas da alma humana primitiva e a tendência geral da satisfação do desejo (*The Psychoanalytic Review*, 1913, p. 95 [trad. de W.A. White]). Em *Transformações e símbolos da libido*, Jung considerou tanto os contos de fada quanto os mitos como representando imagens primordiais. Em sua obra posterior, considerou-os como expressão dos arquétipos, como em "Sobre os arquétipos do inconsciente coletivo" (OC, 9/1, § 6). A discípula de Jung Marie-Louise von Franz desenvolveu a interpretação psicológica dos contos de fada numa série de obras. Cf. *Psychologische Märcheninterpretation* – Eine Einführung. Munique: Kösel Verlag, 1986.

A estas palavras, desfez-se sua figura na escuridão. Luz mortiça da lua entrou no quarto. No lugar onde esteve, há algo escuro – é um buquê de rosas vermelhas[23].

[2] [24]Quando não te acontece nenhuma aventura externa, também não acontece nenhuma interna. O pedaço que assumes do demônio, ou seja, a alegria, providencia aventura para ti. Faz falta para ti conhecer teus limites. Se não os conheces, corres dentro das barreiras artificiais de tua imaginação e da expectativa de teus semelhantes. Mas tua vida suporta mal ser contida por barreiras artificiais. A vida quer saltar por sobre essas barreiras e tu te tornas desunido contigo mesmo. Essas barreiras não são teus verdadeiros limites, mas são limitação arbitrária que te impõe uma violência inútil. Procura então encontrar teus verdadeiros limites. Nós não os conhecemos de antemão, mas só os vemos e compreendemos quando nós os alcançamos. Mas isto também só te acontece quando tu tens equilíbrio. Sem equilíbrio, cais por cima e para fora de teus limites, sem perceber o que te aconteceu. Mas só consegues equilíbrio se alimentares teu oposto. Mas isto te repugna interiormente, pois não é heroico.

Meu espírito pensou em tudo o que é raro e incomum, espreita possibilidades não descobertas, pistas que vão para o oculto, luzes que brilham na noite. E quando meu espírito fez isto, todo o comum sofreu dano em mim, sem que eu o percebesse, e começou a querer vida, pois eu não a vivia. Por isso aconteceu-me esta aventura. O romântico me atacou. O romântico é um passo para trás. Para chegar ao caminho, nós devemos também dar alguns passos para trás[25].

Na aventura, vivo o que vi no mistério. O que lá vi como Elias e Salomé, isto transformou-se em vida no velho sábio e em sua pálida e aprisionada filha.

---

23 Em "Aspectos psicológicos da Core" (1951), Jung descreve este episódio assim: "Uma casa isolada numa floresta. Nela mora um velho sábio. Aparece de repente sua filha, uma espécie de fantasma, queixando-se de que as pessoas sempre a consideram como mero fantasma" (OC, 9/1, § 361). Jung comentou (seguindo suas observações sobre o episódio de Elias e Salomé, acima nota 212, p. 318): "O sonho 3 apresenta o mesmo tema, porém num plano mais semelhante ao do conto de fadas. Aqui a *anima* é caracterizada como um ser fantasmagórico" (ibid., § 373).

24 O *esboço* continua: "Meu amigo, não percebes nada de minha vida exteriormente visível. Só ouves de minha vida interior a contrapartida da vida exterior. Mas se pensas por isso que eu só tenho minha vida interior e que esta é minha única vida, estás enganado. Pois precisas saber que tua vida interior não fica mais rica à custa da vida exterior, mas fica mais pobre. Se não vives exteriormente, não ficarás mais rico interiormente, apenas mais sobrecarregado. Isto não contribui para teu benefício, e é um começo do mal. Nem tua vida exterior ficará mais rica e mais bela à custa da vida interior, mas só mais pobre e mais miserável. O equilíbrio encontra o caminho" (p. 188).

25 O *esboço* continua: "Voltei à minha Idade Média, onde ainda fui romântico e lá vivi a aventura" (p. 190).

O que eu vivo é um retrato deturpado do mistério. No caminho do romântico cheguei à disformidade e medianidade da vida, em que meus pensamentos se apagam e na qual esqueço praticamente a mim mesmo. O que amava antes disso, devo agora vivenciar como bagaço e ressequido, e o que desprezava antes, tive que invejar como ascendente e desejar desamparado. Eu aceitei o ridículo dessa aventura. Mas aconteceu isto, vi também que a moça se transformava e mostrava um sentido próprio seu. Se perguntarmos pelo desejo do ridículo, isto basta para transformá-lo.

O que se passa com a masculinidade? Sabes quanta feminilidade falta ao homem para seu aperfeiçoamento? Sabes quanta masculinidade falta à mulher para seu aperfeiçoamento? Vós procurais o feminino na mulher e o masculino no homem. E assim há sempre apenas homens e mulheres. Mas onde estão as pessoas? Tu, homem, não deves procurar o feminino na mulher, mas deves procurá-lo e reconhecê-lo em ti, pois tu [o] possuis desde o começo. Mas gostas de desempenhar o papel da masculinidade, porque isto flui pelo caminho desimpedido do tradicional. Tu, mulher, não deves procurar o masculino no homem, mas deves aceitar em ti o masculino, pois tu / o possuis desde o começo. Mas isto te diverte e é fácil fazer o papel de mulherzinha, por isso o homem te despreza, pois ele despreza o feminino. Mas a pessoa é masculina e feminina, não é só homem ou só mulher. De tua alma não sabes dizer de que gênero ela é. Mas se prestares bem atenção, verás que o homem mais masculino tem alma feminina, e que a mulher mais feminina tem alma masculina. Quanto mais homem és, tanto mais afastado está de ti o que a mulher realmente é, pois o feminino em ti mesmo te é estranho e desprezível[26]. 8/9

Se tomares do demônio um pedaço de alegria e com isso saíres para a aventura, aceitas para ti teu prazer. Mas o prazer alicia imediatamente tudo o que desejas, e agora depende de ti se teu prazer te vai corromper ou elevar. Se fores do demônio, vais andar às escuras atrás da variedade e nisto te perder. Mas se ficares contigo mesmo, como pessoa que é seu si-mesmo e não do demônio, então te recordarás de tua humanidade. Tu te comportarás para com a mulher

---

26 Em *Tipos psicológicos* (1921), Jung escreveu: "Mulher muito feminina tem alma masculina; homem muito masculino tem alma feminina. Deve-se este contraste ao fato de o homem não ser plenamente viril em todas as coisas, mas possuir, via de regra, certos traços femininos. Quanto mais viril sua atitude externa, mais suprimidos são os traços femininos; aparecem, então, no inconsciente" (OC, 6, § 759 [884]). Ele designa a alma feminina do homem de *anima*, e a alma masculina da mulher de *animus*, e descreve como as pessoas projetam suas imagens da alma sobre os membros do sexo oposto (ibid.).

não simplesmente como homem, mas como pessoa, isto é, como se fosses do mesmo gênero dela. Tu te recordarás de teu feminino. Poderá parecer-te como se fosses pouco viril, até certo ponto estúpido e efeminado. Mas tu deves aceitar o ridículo, senão ele sofre necessidade em ti e, quando menos te prevines contra ele, vai de repente cair sobre ti e tornar-te ridículo.

É difícil para o homem mais masculino aceitar seu feminino, pois lhe parece ridículo, sinal de fraqueza e de deselegância. Sim, parece-te como se tivesses perdido todas as virtudes, como se tivesses sido rebaixado. O mesmo se dá com a mulher que aceita seu masculino[27]. Parece-te uma escuridão. Tu és escravo daquilo que precisas em tua alma. O homem mais masculino precisa da mulher, por isso é seu escravo. Torna-te tu mesmo mulher[28], e ficarás livre da escravização à mulher. Não te é permitido abandonar a mulher enquanto não souberes caçoar de toda tua masculinidade. Fica-te bem usar uma vez vestes femininas: vão zombar de ti, mas à medida que te tornas mulher, alcanças a liberdade em relação à mulher e de sua tirania. A aceitação do feminino leva ao aperfeiçoamento. O mesmo vale para a mulher que aceita seu masculino.

O feminino no homem está ligado ao mal. Encontro-o no caminho do prazer. O masculino na mulher está ligado ao mal. Por isso repugna à pessoa aceitar seu próprio outro. Mas, se o aceitas, acontece o que está vinculado ao aperfeiçoamento da pessoa: quando te tornaste objeto de caçoada para ti, vem voando para perto o pássaro branco da alma, que estava longe, mas que tua humildade atraiu[29]. O mistério chega perto de ti, e acontecem coisas ao teu redor como milagres. Brilha o fulgor áureo, pois o sol emerge de seu sepulcro. Como homem, não tens alma, pois ela está na mulher; como mulher, não tens alma, pois ela está no homem. Mas quando te tornas pessoa, tua alma vem a ti.

Se permaneces dentro dos limites arbitrária e artificialmente criados, andas como entre dois muros: não enxergas a incomensurabilidade do mundo. Mas se derrubas os muros que limitam tua visão e quando a incomensurabilidade

27 Para Jung, a integração da *anima* para o homem, e do *animus* para a mulher era necessária para o desenvolvimento da personalidade. Em 1928, ele descreveu este processo, que exigiu a retirada das projeções dos membros do sexo oposto, diferenciando-as e tomando consciência delas em "O eu e o inconsciente" (OC, 7, § 296s. Cf. tb. *Aion*, 1951. OC, 9/2, § 20s.).

28 Em vez dessa frase, o *esboço corrigido* tem: "Mas se ele assumir em si mesmo o feminino, ficará livre da escravidão da mulher" (p. 178).

29 Albrecht Dieterich observou: "Muitas vezes, a alma já é de antemão um pássaro na crença popular" (*Abraxas* – Studien zur Religionsgeschichte des späten Altertums. Leipzig: [s.e.], 1891, p. 184).

e sua infinita incerteza se tornarem assustadores para ti, desperta em ti o antiquíssimo adormecido cujo mensageiro é o pássaro branco. Então precisas da mensagem do velho domador do caos. No turbilhão do caos moram os eternos milagres. Teu mundo começa a ficar maravilhoso. A pessoa não faz parte só de um mundo ordenado, mas pertence também ao mundo maravilhoso de sua alma. Por isso precisaríeis incutir horror em vosso mundo ordenado a fim de que percais o gosto pelo estar demasiado fora.

Vossa alma sofre necessidade, pois em seu mundo pesa a cobiça. Quando olhais para fora de vós, vedes a mata ao longe e as montanhas e para além disso vosso olhar sobe para os espaços siderais. Mas quando olhais para dentro de vós, vedes novamente o que está perto, longe e infinito, pois o mundo interior é tão infinito quanto o mundo exterior. Assim como tendes parte na natureza multiforme do mundo através de vosso corpo, assim tendes parte na natureza multiforme do mundo interior através de vossa alma. Este mundo interior é realmente infinito e em nada mais pobre do que o exterior. O ser humano vive em dois mundos. Um demente vive aqui ou lá, mas nunca aqui e lá.

[30]Tu pensas talvez que uma pessoa, que dedica sua vida à pesquisa, leve uma vida espiritual e viva sua alma em / maior medida do que qualquer outra pessoa. 9/10 Mas também esta vida é externa, tão externa como a vida de uma pessoa que vive as coisas externas. Um tal pesquisador não vive as coisas externas, mas os pensamentos externos, portanto não a si mesmo, porém seu objeto. Se dizes de uma pessoa que ela se perdeu totalmente na exterioridade e desperdiça em devassidão seus anos, deves dizer o mesmo desse velho. Ele aviltou-se em todos os livros e em todos os pensamentos de outros. Por isso sua alma passa por necessidade, precisa humilhar-se e correr ao quarto de todos os estranhos, para mendigar aquele reconhecimento que ela lhe nega.

Por isso vês aqueles velhos sábios correndo atrás de reconhecimento de modo ridículo e desprezível. Ficam ofendidos quando não se menciona seu nome, desolados, quando alguém diz melhor a mesma coisa, intransigentes, quando alguém muda uma coisinha em sua opinião. Se fores a uma reunião de pessoas sábias, verás esses velhos lastimáveis com seus grandes méritos e suas

---

30 O *esboço* e o *esboço corrigido* têm: "À medida que eu era este velho, enterrado em livros ~~e árida ciência~~, justo e ponderado, arrancando grãos de areia do deserto sem fim, sofre meu [si-mesmo] ~~assim chamado alma, isto é, meu si-mesmo interior~~, grande necessidade (p. 180).

almas famintas, que estão sedentas de reconhecimento, mas que nunca conseguem mitigar sua sede. A alma exige tua tolice, não teu saber.

Pelo fato de não me elevar acima do sexual-masculino e assim não ultrapassar o humano, transforma-se o ridículo feminino para mim numa natureza plena de sentido. O mais difícil é estar além do sexual e ficar dentro do humano. Se te elevas acima do sexual, com a ajuda de uma proposição geral, tu mesmo te tornas aquela proposição e ultrapassas o humano. Ficarás portanto seco, duro e inumano.

Tu gostarias de ultrapassar o sexual a partir de fundamentos humanos e jamais a partir de fundamentos de uma proposição geral que continua sendo sempre a mesma nas mais diversas situações e que, por isso, não tem valor pleno para cada situação em particular. Quando atuas a partir do humano, atuas a partir da respectiva situação, sem princípio geral, só de acordo com a situação. Assim correspondes à situação, talvez com violação de uma proposição geral. Mas isto não deve molestá-lo demais, pois tu não és a proposição. Existe um outro humano, um demasiado humano, e quem entrou neste humano, a este faz bem lembrar-se do benefício da proposição geral[31]. Pois também a proposição geral tem sentido e não foi colocada por brincadeira. Há muito trabalho respeitável do espírito humano nela. Pessoas dessa espécie não estão além da sexualidade devido a um princípio geral, mas devido à sua imaginação na qual se perderam. Tornaram-se sua própria imaginação e arbitrariedade, para seu próprio prejuízo. Faz-lhes falta lembrar-se do sexual a fim de que acordem de seus sonhos para a realidade.

É tão doloroso quanto uma noite em claro sentir o além a partir do aquém, isto é, o outro e o oposto em mim. Aproxima-se cautelosamente qual febre, qual névoa venenosa. E quando teus sentidos estão excitados e tensos ao máximo, então vem o demoníaco como algo tão insípido e gasto, tão morno e sem sabor, que sentes enjoo. Aqui gostarias muito de não mais sentir teu além. Assustado e enojado, desejas estar de volta à beleza muito alta de teu mundo visível. Cospes e amaldiçoas tudo o que está além de teu belo mundo, pois sabes que é náusea, escória, imundície do animal humano, que se alimenta em casas

---

31 *Humano, demasiado humano* é o título de uma obra de Nietzsche, publicada em três fascículos a partir de 1878. Descreve a observação psicológica como a reflexão sobre o "humano, demasiado humano" (Cambridge: Cambridge University Press, 1996, p. 31 [trad. de R.J. Hollingdale]).

bolorentas, que se arrasta em todas as trilhas, que mete o nariz em todos os cantos do mundo e que, desde o berço até a morte, só desfruta daquilo que já andou na boca de todos.

Mas não gostarias de parar aqui, não coloques a náusea entre teu aquém e teu além. O caminho para teu além passa pelo inferno, por teu inferno todo especial, cujo chão consiste de entulho que atinge os joelhos, cujo ar foi respirado milhares de vezes, cujo fogo é a paixão de anões e cujo demônio são os letreiros quiméricos.

Todo o odiado e todo o nojento é teu inferno todo especial. Poderia ser diferente? Todo inferno diferente seria ao menos digno de ser visto ou divertido. Mas isto não é nunca o inferno. Teu inferno está construído de todas as coisas que tu atiras com uma maldição e um pontapé para fora de teu santuário. Quando entras em teu inferno, não penses jamais que entras como alguém que sofre em termos de beleza ou como um desprezador orgulhoso, mas entras como um imbecil curioso e admiras as migalhas que caíram de tua mesa[32]. / 10/11

Tu preferirias tudo bem irritado, mas percebes ao mesmo tempo como lhe vai bem a ira. Teu ridículo infernal estende-se por milhas. Feliz de ti quando consegues praguejar! Vais sentir que o praguejar redime a vida. Quando passares, portanto, pelo inferno, não te esqueças de prestar atenção em tudo o que vais encontrando. Entende-te calmamente com tudo o que quer despertar teu desprezo ou tua raiva; assim abres caminho para a maravilha que eu vivenciei com a moça pálida. Tu dás alma ao desalmado e, através disso, pode surgir alguma coisa do pavoroso nada. Assim teu outro será salvo para a vida. Teus valores vão puxá-lo daquilo que és atualmente para frente e para além de ti mesmo. Mas teu sendo vai puxar-te para o chão como chumbo. Não podes viver as duas coisas ao mesmo tempo. Por isso salva-te o caminho. Tu não podes estar ao mesmo tempo na montanha e no vale, mas teu caminho leva-te da montanha para o vale e do vale para a montanha. Muita coisa começa divertido e conduz para a escuridão. O inferno tem círculos[33].

---

32 Em outubro de 1916, em sua palestra no Clube de Psicologia sobre "Individuação e coletividade", Jung ponderou que, através da individuação, "o indivíduo precisa agora consolidar-se, separando-se totalmente da divindade e tornando-se ele mesmo. Com isso separa-se ao mesmo tempo da sociedade. Exteriormente mergulha na solidão e internamente no inferno, no afastamento de Deus"(OC, 18/2, § 1.103).

33 Na descrição de Dante, em a *Divina Comédia*, o inferno tem nove círculos.

Um dos degradados[34]

Cap. iii.

[IH 11] Na noite seguinte[35] encontrei-me de novo andando em terras cobertas de neve de aspecto familiar. Um céu de anoitecer cinzento encobria o sol. O ar é de frio úmido. Alguém juntou-se a mim, que não parecia confiável. Tinha um olho só e ainda uma série de cicatrizes no rosto. Está vestido de maneira pobre e suja, um vagabundo. Tinha uma barba preta comprida, que não via tesoura há muito tempo. Para qualquer emergência, eu tinha um bom bastão. "Está um frio maldito", disse ele após algum tempo. Concordei. Após pausa ainda mais longa, perguntou: "Para onde o senhor vai?"

Eu: "Eu vou até o próximo vilarejo, onde pretendo passar a noite".

Ele: "Também queria fazer o mesmo, mas não vai dar para uma cama".

Eu: "Falta dinheiro? Bem, veremos. O senhor não tem emprego?"

Ele: "Pois é, os tempos estão difíceis. Até poucos dias atrás, era empregado de um serralheiro. Aí ele ficou sem trabalho. Agora estou na estrada e procuro emprego".

Eu: "Não quer empregar-se numa lavoura? No campo sempre há falta de força de trabalho".

Ele: "O emprego na lavoura não me serve. Significa levantar cedo de manhã, o trabalho é pesado e o salário é baixo".

Eu: "Mas no campo é sempre mais bonito do que numa cidade".

Ele: "No campo é monótono, a gente não vê ninguém".

Eu: "Existem pessoas também na aldeia".

Ele: "Mas não se tem atrações intelectuais, os camponeses são rudes.

Eu o olhei admirado. Por Deus, ele também quer atrações intelectuais? Ele deveria ganhar honestamente seu sustento e, depois disso, pensar numa atração

11/12 intelectual. /

Eu: "Mas dize-me, qual a atração intelectual que o senhor encontra na cidade?"

34 O *esboço manuscrito* tem: *Terceira aventura* (p. 440). O *esboço corrigido* tem: "O vagabundo", que vem coberto por um papel (p. 186).

35 29 de dezembro de 1913

Ele: "À noite pode-se ir aos cinematógrafos. É formidável e barato. Lá é possível ver tudo o que se passa no mundo".

Devo pensar no inferno, lá também existem cinematógrafos para aqueles que desprezaram este instituto na terra e nele não entraram, porque todos os outros encontraram nele seu gosto.

Eu: "O que lhe interessou mais no cinematógrafo?"

Ele: "A gente vê todo tipo de belas habilidades. Havia um que corria pelas casas acima. Um outro trazia a cabeça debaixo do braço. Outro ainda ficava em meio ao fogo sem se queimar. É realmente maravilhoso o quanto as pessoas sabem fazer".

E isto o homem chama de atrações intelectuais! De fato – isto parece maravilhoso: os santos também não traziam as cabeças debaixo do braço?[36] São Francisco e Santo Inácio também não se elevaram do chão orando – os três homens num forno em chamas?[37] Não é uma ideia blasfema considerar a *Acta Sanctorum* como um cinematógrafo histórico?[38] Ah, os milagres de hoje são simplesmente algo menos mítico do que técnico. Olho para meu acompanhante com ternura – ele vive a história do mundo – e eu?

Eu: "De certo, isto é muito bem feito. Viu mais alguma coisa do gênero?

Ele: "Sim, eu vi como o rei da Espanha foi assassinado".

Eu: "Mas ele não foi assassinado".

Ele: "Bem, isto não importa, então foi um outro desses malditos reis capitalistas. Um ao menos se foi. Pena que não levou a todos, então o povo estaria livre".

Não ousei dizer mais nada: *Guilherme Tell*, uma obra de Friedrich Schiller – o homem está no meio, na torrente da história heroica. Alguém que dá aos povos adormecidos a notícia do assassinato do tirano[39].

---

36 O emblema da cidade de Zurique traz este motivo, mostrando os mártires do final do século terceiro, Félix, Régula e Exuperâncio.

37 Parece ser uma referência a Sidrac, Misac e Abdênago, em Daniel 3, aos quais Nabucodonosor mandou jogar na fornalha por se recusarem a adorar o ídolo de ouro que ele havia erigido. Eles saíram ilesos do fogo, o que levou Nabucodonosor a decretar que seria decapitado desde então quem falasse contra o Deus deles.

38 A *Acta Sanctorum* é uma coletânea da vida e lendas dos santos, ordenada de acordo com seus dias comemorativos, publicada pelos jesuítas da Bélgica, conhecidos como padres bolandistas. A publicação começou em 1643 e chegou a 63 fólios.

39 Em *Guilherme Tell* (1805), Friedrich Schiller dramatizou a revolta dos cantões suíços contra o controle pelo império dos Hapsburgos da Áustria no começo do século catorze, o que levou à fundação da confederação suíça. No quarto ato, terceira cena, Guilherme Tell mata Gessler, o representante imperial. Stussi, o guarda florestal, anunciou: "O tirano do país está morto. Daqui para frente não teremos mais opressão. Somos homens livres" (TELL, W. Chicago: University of Chicago Press, 1973, p. 119 [Trad. de W. Mainland]).

Chegamos à hospedaria, uma propriedade rural – uma sala so-frivelmente limpa – alguns homens sentados a um canto, bebendo cerveja. Sou tratado por "senhor" e levado para o melhor canto, onde uma toalha quadriculada cobria a parte superior da mesa. O outro sentou-se na parte inferior da mesa, e resolvi encomendar-lhe uma boa janta. Ele me olhava impaciente e faminto – com seu único olho.

Eu: "Onde o senhor perdeu seu olho?"

Ele: "Numa briga. Mas eu também esfaqueei ele bastante. Ele recebeu uma pena de três meses de prisão. Eu recebi seis meses. Mas era bonito na prisão. Naquele tempo, a construção era totalmente nova. Eu trabalhava na serralheria. Não havia muito que fazer, mas a comida era boa. A prisão não é tão ruim".

Olhei ao redor para certificar-me de que ninguém estava escutando que eu estava em companhia de um ex-presidiário. Parece que ninguém havia percebido nada. Ao que tudo indicava, eu estava numa sociedade limpa. Há no inferno também presídios para aqueles que nunca estiveram num deles em vida? Além do mais – não será um sentimento muito bonito ter chegado uma vez bem ao fundo do poço, ao chão da realidade, a partir do qual não existe nenhum para baixo, mas no máximo ainda um para cima? Onde se tem diante de si toda a altura da realidade?

Ele: "Depois de cumprida a pena, fiquei ao desamparo, porque me mandaram embora. Fui, então, para a França. Lá era bonito".

Que nuances apresenta a beleza! É possível aprender alguma coisa de pessoas assim.

Eu: "Qual foi o motivo de sua briga?"

Ele: "Foi por causa de uma moça. Ela teve um filho bastardo com ele, mas eu queria casar com ela assim mesmo. De resto, ela era direita. Depois, ela não quis mais. Nunca mais tive notícias dela".

Eu: "Que idade o senhor tem agora?"

Ele: "Faço 35 na primavera. Preciso encontrar um trabalho decente, então nos casaremos. Eu encontrei um. Mas eu tenho um problema nos pulmões. Isto, no entanto, melhorará em breve".

12/13 / Teve um violento acesso de tosse. Não eram boas perspectivas e eu me admirava em silêncio do inabalável otimismo do pobre diabo.

Após o jantar, fui para a cama num quarto bem simples. Escutei como o outro arrumava seu alojamento ao lado. Tossiu várias vezes. Depois ficou quieto. Mas de repente acordei de novo com seus gemidos e gorgolejar lúgubres, misturados com tosse semissufocada. Escutei com atenção preocupada – sem dúvida, era o outro. É como uma coisa perigosa. Levantei-me depressa e vesti apenas o necessário. Abri a porta de seu quarto. O brilho da lua entrava de cheio. O homem jazia vestido sobre um colchão de palha. De sua boca saía um fio escuro de sangue que fez uma poça no chão. Ele gemia semissufocado e expectorava sangue. Quis levantar-se, mas caiu de novo para trás. Apressei-me em socorrê-lo. Mas vi que a morte já havia colocado a mão sobre ele. Está tudo sujo de sangue. Minhas mãos estão cheias de sangue. Solta um suspiro de estertor. A tensão se desfaz, um leve estremecimento perpassa seus membros. E então tudo está morto e quieto.

Onde estou? Existem também falecimentos no inferno para aqueles que nunca pensaram na morte? Olho para minhas mãos cobertas de sangue – como se eu fosse um assassino... Não é o sangue de meu irmão que se cola em minhas mãos? A lua desenha em preto minha sombra na parede branca do quarto. O que faço aqui? Para que este espetáculo pavoroso? Olho interrogativamente para a lua como testemunha. O que interessa isto à lua? Ela já não viu coisa pior? Isto é indiferente para suas montanhas anulares de eterna duração – um pouco mais ou menos. A morte? Não revela ela o embuste terrível da vida? Por isso é totalmente indiferente para a lua se e como alguém parte daqui. Somente nós damos muita importância a isso – com que direito?

O que fez este homem? Ele trabalhou, passou algum tempo sem fazer nada, riu, bebeu, comeu, dormiu, sacrificou seu olho pela mulher e, por amor a ela, perdeu sua honra de cidadão, além disso viveu sofrivelmente o mito humano, admirou os autores de coisas maravilhosas, elogiou o assassinato do tirano e sonhou obscuramente com a liberdade do povo. E então – então morreu lamentavelmente – como todos os outros. Isto é válido em geral. Eu me sentei sobre o fundamento mais baixo. Quanta sombra sobre a terra! Todas as luzes somem na última desesperança e solidão. Isto é uma última verdade, não um enigma. Que ilusão pôde fazer-nos acreditar num enigma?

[2] Nós estamos sobre as pedras agudas da miséria e da morte.

Um vagabundo juntou-se a mim e quer entrar em minha alma, portanto sou muito vagabundo. Onde se meteu minha vagabundagem, enquanto eu não a praticava? Eu fui um jogador da vida, alguém que a pensava como difícil e a vivia na facilidade. O vagabundo estava bem longe e esquecido. A vida tornara-se dura e mais sombria. O inverno não terminava mais, e o vagabundo estava na neve e sentia frio. Juntei-me a ele, pois precisava dele. Ele torna a vida fácil e simples. Ele conduz à profundeza, ao fundamento, em que eu vejo a altitude. Sem a profundeza, não tenho a altitude. Talvez eu esteja na altitude, mas é exatamente por isso que não me dou conta dela. Preciso por isso do nível profundo para minha renovação. Se eu estiver sempre na altitude, eu a desgasto, e então o melhor se torna para mim um horror.

Mas como não quero que meu melhor se torne um horror, eu mesmo me transformo num horror, num horror para mim, num horror para os outros, num terrível espírito de tortura. Sê honesto e dize que teu melhor tornou-se um horror para ti, assim livrarás a ti e a outros de um tormento inútil. Uma pessoa que não consegue mais descer de sua altitude é doente e tormento para si e para os outros. Quando atingires tua profundeza, verás tua altitude brilhar claramente sobre ti, digna de desejo e longe, como se fosse inalcançável, pois no mais íntimo de ti preferes ainda não alcançá-la, por isso ela te parece inalcançável. Tu gostas de exaltar tua altitude, mesmo no tempo de teu nível profundo, e dizer-te que só a abandonaste com pesar e que não viveste neste tempo todo em que passaste sem ela. Bons costumes, que quase se transformaram em outra natureza em ti, fizeram que assim falasses. Mas sabes que bem no fundo isto não é verdade.

Em teu nível profundo não te distingues em nada mais de teus irmãos humanos. Não te envergonhes e não te arrependas, pois à medida que vives a vida de teus irmãos e desces à sua inferioridade, / embarcas também na torrente sagrada da vida em geral, na qual não és mais um indivíduo em alta montanha, mas um peixe entre peixes, uma rã entre rãs.

13/14

Tua altitude é tua própria montanha, que pertence a ti e só a ti. Lá estás em tua individualidade e vives tua vida particularíssima, não vives a vida da história e dos fardos e bens imperdíveis, nunca perdidos da humanidade. Lá vives o ser contínuo, mas não o tornar-se. O tornar-se pertence à altitude e é doloroso. Como podes tornar-te, se nunca és? Por isso precisas do nível profundo, pois lá tu és. Por isso precisas da altitude, pois lá te tornas.

Quando vives no teu nível profundo a vida comum, tomas consciência de teu si-mesmo. Quando estás em tua altitude, tu és teu melhor e só tomas consciência de teu melhor, mas não daquilo que és como sendo na vida comum. O que nós somos como tornando-se não se sabe nunca. Mas na altitude, a imaginação é mais forte. Imaginamos que sabemos o que somos como tornando-nos e tanto mais quanto menos queremos saber o que somos como sendo. Por isso não gostamos do nível profundo, apesar de, ou sobretudo porque somente lá atingiremos um conhecimento claro de nós mesmos.

Para o tornando-se tudo é enigmático, para o sendo não. Quem sofre por causa do enigmático pensa em seu nível profundo; resolve os enigmas de que sofremos, mas não aqueles em que nos alegramos.

Ser aquele que tu és é banho do renascimento. O ser do nível profundo não é um persistir incondicional, mas um crescimento infinitamente vagaroso. Tu pensas estar parado quieto como água de cisterna, mas tu te derramas lentamente no mar, que cobre em toda parte a terra nos lugares mais profundos e é tão grande que a terra firme parece apenas uma ilha, encaixada no seio do mar infindo.

Como gota do mar participas das correntes das marés altas e baixas. Devagar avanças para a terra e devagar retornas, num respirar de infinda duração. Tu viajas longas distâncias em correntezas imperceptíveis, banhas litorais desconhecidos e não sabes como chegaste lá. Levantas-te com as ondas da grande tempestade e despencas de novo na profundeza. E não sabes como isto te acontece. Antes pensavas que teu movimento vinha de ti e que havia necessidade de tua decisão e de teu esforço para que te movimentasses e saísses do lugar. Mas com todo o esforço nunca terias chegado àquele movimento e àquelas paragens a que o mar e o grande vento do mundo te levam.

Sobre infindas planícies azuis afundas em negras profundezas; peixes luminosos passam por ti, ramagem maravilhosa te envolve. Tu te esgueiras através de fendas e de plantas entrelaçadas, balouçantes, de folhas escuras, e o mar aflui novamente para ti em água verde-clara sobre litorais de areia branca, e uma onda te espumeja para a praia e te engole outra vez, e uma grande onda mansa te ergue e te conduz para novas planícies e profundezas, para plantas entrelaçadas, peixes de rabos longos e polvos viscosos deslizando devagar, e água verde, e areia branca, e ondas de arrebentação.

Mas de longe brilha para ti em luz dourada tua altitude sobre o mar, como a lua que emerge da maré alta, e tu tomas consciência de longe de teu si-mesmo. E o desejo apanha a ti e a vontade para seu próprio movimento. Tu queres ir do ser para o tornar-se, pois reconheceste que a respiração do mar existe e que seu fluir e refluir que te leva de lá para cá, onde parte nenhuma te prende, e onde suas ondas, que te jogam para litorais estranhos e te engolem novamente, te gorgolejam para baixo e para cima.

Tu viste que isto foi a vida do todo e a morte de cada indivíduo. Ali te sentiste envolvido pela morte geral, pela morte no lugar mais profundo da terra, pela morte em tua própria profundeza, respirando e fluindo estranhamente. Oh – tu desejas sair, desespero e medo mortal tomam conta de ti em toda esta morte, que respira devagar e que flui eternamente para lá e contra. Todas essas águas claras e escuras, quentes, mornas e frias. Todos esses zoófitos ondeados, balouçantes e oscilantes, todas essas maravilhas noturnas vão tornar-se horror para ti e tu desejas sol, ar límpido e seco, rochedo firme, lugar determinado e linha reta, o imóvel e seguro, regra e objetivo premeditado, estar só e intenção própria.

De noite veio-me o conhecimento da morte, do morrer que engloba o mundo todo. Vi como nós vivemos para dentro da morte, como o cereal dourado 14/15 e ondulante vem abaixo sob a foice do ceifeiro, / à semelhança de uma onda mansa do mar na praia. Quem está posicionado na vida comum tomará consciência, assustado, da morte. Por isso o medo da morte o empurra para a solidão. Lá ele não vive, mas toma consciência da vida e se alegra, pois na solidão ele é um tornando-se e venceu a morte. Ele vence a morte através da vitória sobre a vida comum. Na solidão ele não vive, pois ele não é o que é, mas ele se torna.

Alguém tornando-se toma consciência da vida, alguém sendo, nunca, pois está no meio da vida. Ele precisa da altitude e da solidão para tomar consciência da vida. Mas na vida torna-se consciente da morte. E é bom que tomes consciência da morte comum, pois então sabes para que servem tua solidão e tua altitude. Tua altitude é como a lua, que caminha solitariamente iluminando e eternamente clara observa as noites. Às vezes ela se esconde, e então estás totalmente no escuro da terra, mas sempre de novo completa-se até a claridade plena. O morrer da terra lhe é estranho. Ela vê de longe a vida na terra, ela mesma imóvel e clara, sem vapor envolvente e sem mar em movimento. Sua forma imutável está firme desde a eternidade. Ela é a luz solitária e clara da noite, o ser individual e o pedaço próximo da eternidade.

A partir dela tu vês de modo frio, imóvel e radiante. Com uma luz prateada do além e com crepúsculos verdes, soterras o horror longínquo. Tu o vês, mas teu olhar é claro e frio. Tuas mãos estão vermelhas de sangue vivo, mas o luar de teu olhar é imóvel. É o sangue vital de teu irmão; sim, é teu próprio sangue, mas teu olhar permanece brilhando e abrange o todo do horror e a rotundidade da Terra. Teu olhar repousa sobre mares prateados, sobre cumes cheios de neve, sobre vales azuis, e não ouves o gemer e uivar do animal humano.

A lua está morta. Tua alma foi para a lua, para o guarda das almas[40]. E assim a alma entrou na morte[41]. Eu entrei na morte interior e vi que o morrer exterior é melhor do que a morte interior. E eu resolvi morrer fora e viver dentro. Por isso eu me desviei[42] e procurei os lugares da vida interior.

O eremita

Cap. iv. Dies I.[43]

[IH 15] Novamente na noite seguinte[44], encontrei-me em novos caminhos; ar quente e seco me circundava, e eu vi: o deserto, areia amarela em toda a extensão, amontoada em dunas, um sol causticante, um céu azul como aço liquefeito, o ar tremulando sobre a terra, à minha direita um vale profundamente escavado com um leito seco de rio, algumas gramíneas amareladas e algumas sarças cobertas de poeira. Na areia vejo pegadas de pés descalços que vão do vale rochoso para o planalto. Eu os segui ao longo de uma duna elevada. Onde ela entra em declive, as pegadas mudam para outra direção, parecem frescas, ao

40 Em *Transformações e símbolos da libido* (1912) Jung cita crenças de diferentes culturas de que a lua foi o lugar de reunião das almas que haviam partido (OC, B, § 496). Em *Mysterium coniunctionis* (1955/1956), Jung comenta este motivo na alquimia (OC, 14, § 150).

41 O *esboço* continua: "Eu aceitei o vagabundo, vivi e morri com ele. Ao vivê-lo, eu o assassinei, pois a gente mata o que a gente vive" (p. 217).

42 O *esboço corrigido* tem: "da morte" (p. 200).

43 (Primeiro dia.) O *esboço manuscrito* tem: "*Quarta aventura: primeiro dia* (p. 476). O *esboço corrigido* tem: "Dies I. Noite" (p. 201).

44 30 de dezembro de 1913, No *Livro Negro* 3, Jung observou: "Todo tipo de coisas me desviam para longe de minha ciência à qual eu acreditava estar dedicado firmemente. Através dela, queria servir à humanidade, e agora, minha alma, tu me levas para essas coisas novas. Sim, o *mundo do meio*, intransitável, multiplamente cintilante. Esqueci que cheguei a um mundo novo, que antes me era estranho. Não vejo caminho nem trilha. Aqui deverá tornar-se verdade o que acreditei sobre a alma, que ela sabia melhor seu próprio caminho e que nenhum desígnio lhe poderia prescrever um caminho melhor. Sinto que é tirado um grande pedaço da ciência. Deve estar certo, por amor à alma e por amor à sua vida. Dolorosa é apenas a ideia de que isto só aconteceu para mim e que talvez ninguém consiga tirar alguma luz daquilo que eu produzo. Mas minha alma exige esta produção. Devo poder dizê-lo também só para mim sem esperança – por amor a Deus. Deveras um caminho duro. Contudo aqueles eremitas dos primeiros séculos cristãos – o que faziam de diferente? E eram, por acaso, as piores e mais imprestáveis pessoas que viviam naquele tempo? De modo nenhum, pois eram aqueles que tiravam a mais inexorável consequência da necessidade psicológica de seu tempo. Eles deixavam mulher e filhos, riqueza, fama – ciência e se dirigiam ao deserto – por amor a Deus. Assim seja" (p. 1-2).

lado estão pegadas velhas, semiapagadas. Sigo-as com atenção: vão novamente pela encosta da duna e desembocam numa outra pegada – mas é a mesma / que eu já havia seguido, ou seja, aquela que subiu do vale.

15/16

Sigo, admirado, as pegadas agora para baixo. Logo chego às rochas quentes, avermelhadas, carcomidas pelo vento. Sobre a pedra, perde-se a pegada, mas vejo onde o rochedo cai em degraus e eu desço. O ar está quente e a pedra queima minhas solas dos pés. Agora estou embaixo; aqui estão de novo as pegadas. Elas vão ao longo das curvas do vale e percorrem curta distância. Estou de repente diante de pequena cabana de adobe, coberta de juncos. Uma bamboleante armação de madeira formava a porta sobre a qual estava desenhada uma cruz em vermelho. Abri devagar. Um homem magro, de cabeça calva, pele marrom-escura, envolto num manto branco de linho, está sentado numa esteira, com o dorso encostado na parede. Sobre seus joelhos está um livro em pergaminho amarelado com bela escrita preta – um livro em grego, dos evangelhos sem dúvida. Estou junto a um eremita do deserto líbio[45].

Eu: "Estou perturbando o senhor, pai?"

E: "Tu não perturbas. Mas não me chames de pai. Sou um homem como tu. O que desejas?"

Eu: "Venho sem desejo algum. Vim por acaso a este lugar do deserto e encontrei lá em cima pegadas na areia, que me trouxeram por diversas voltas a ti".

E: "Tu encontraste as pegadas de minha caminhada diária à hora do arrebol e à hora do pôr do sol".

Eu: "Perdoa-me se interrompo tua concentração. Mas para mim é uma oportunidade única estar junto a ti. Nunca tinha visto um eremita".

E: "Daqui para baixo podes ver não poucos neste vale. Alguns têm cabanas como eu, outros moram em túmulos que os antigos escavaram nessas rochas. Eu moro no lugar mais alto do vale, porque aqui é o ponto mais solitário e mais quieto e porque aqui tenho mais próximo o sossego do deserto".

Eu: "Já estás há muito tempo aqui?"

---

45 No capítulo seguinte, o eremita é identificado com Amônio. Numa carta de 31 de dezembro de 1913, Jung observou que se trata de um eremita do terceiro século d.C. (*AFJ*). Há três personagens históricos de nome Amônio em Alexandria daquela época: Amônio, um filósofo cristão do terceiro século, considerado por um tempo o responsável pela divisão medieval dos evangelhos; Amônio Ceto, nascido cristão, mas que voltou à filosofia grega, e cuja obra apresenta uma transição do platonismo para o neoplatonismo; e um Amônio neoplatônico do século quinto, que tentou conciliar Aristóteles e a Bíblia. Em Alexandria havia bom entendimento entre neoplatonismo e cristianismo, e alguns dos discípulos deste último Amônio converteram-se ao cristianismo.

E: "Vivo aqui provavelmente há uns dez anos, mas de fato não consigo lembrar-me exatamente quanto tempo faz. Pode fazer alguns anos mais. O tempo passa tão depressa".

Eu: "O tempo passa rápido para ti? Como é possível? Tua vida deve ser tremendamente monótona".

E: "Certamente, o tempo passa rápido para mim. Até rápido demais. Tu pareces ser um pagão".

Eu: "Eu? Não – não exatamente. Cresci na fé cristã".

E: "Então, como podes perguntar se o tempo é longo para mim? Deves saber com que se ocupa alguém que está triste. Longo se torna o tempo só para os ociosos".

Eu: "Perdoa-me de novo – minha curiosidade é grande – com que te ocupas tu?"

E: "És por acaso uma criança? Em primeiro lugar vês que aqui eu leio e, depois, tenho minha distribuição regular do tempo".

Eu: "Mas eu não vejo nada aqui com que poderias te ocupar. Este livro já o deves ter lido todo várias vezes. E se são os evangelhos, como suponho, certamente já os sabes de cor".

E: "Com que infantilidade tu falas! Tu sabes que se pode ler um livro diversas vezes – talvez o saibas quase de cor, e apesar disso, quando olhas para as linhas que estão diante de ti, vão aparecer coisas novas para ti, ou terás mesmo ideias totalmente novas, que não tinhas antes. Cada palavra pode agir criativamente em teu espírito. E mais, se puseres de lado o livro por uma semana e o retomares, depois que teu espírito sofreu nesse meio tempo diversas transformações, nascerá para ti mais do que uma nova luz".

Eu: "Tenho dificuldade em entender isso. No livro está sempre apenas uma única e mesma coisa, certamente um conteúdo maravilhosamente profundo, mesmo divino, mas não tão rico que pudesse encher anos incontáveis".

E: "Tu és surpreendente. Como lês este livro sagrado? Tu vês de fato sempre apenas um único e mesmo sentido nele? Donde vens tu? És realmente um pagão".

Eu: "Rogo-te, não me leves a mal se falo como um pagão. Permite apenas que fale contigo. Estou aqui para aprender de ti. Considero-me um aluno ignorante, que o sou deveras nessas coisas".

E: "Se te chamo pagão, não consideres isto um insulto. Também eu fui antigamente um pagão e pensava, se bem / me lembro, exatamente como tu. Como posso então condenar tua ignorância?"

16/17

Eu: "Agradeço tua paciência. Mas interessa-me muito saber como tu lês e o que extrais do livro".

E: "Não é fácil responder à tua pergunta. É mais fácil explicar as cores a um cego. Antes de mais nada precisas saber de uma coisa: uma sequência de palavras não tem apenas um sentido. Mas as pessoas se esforçam por dar a um ordenamento de palavras apenas um único sentido, isto é, por ter uma linguagem inequívoca. Este esforço é universal e limitado e pertence aos graus mais profundos do plano criador de Deus. Nos graus mais elevados da introspecção dos fundamentos divinos, conheces que os ordenamentos de palavras têm mais de um sentido válido. Só ao onisciente é dado conhecer todos os sentidos das sequências das palavras. Aos poucos, e com esforço, conseguimos captar algum sentido mais".

Eu: "Se entendo bem, é tua opinião que também as Sagradas Escrituras do Novo Testamento têm um sentido duplo, um sentido exotérico e esotérico, assim como o afirmam de seus livros sagrados alguns letrados judeus".

E: "Longe de mim tal sinistra superstição. Percebo que és bem inexperiente nas coisas de Deus".

Eu: "Preciso reconhecer minha profunda ignorância nessas coisas. Mas estou curioso para perceber e assimilar o que tu entendes por sentido múltiplo do ordenamento das palavras".

E: "Infelizmente não estou em condições de lhe dizer tudo o que sei a este respeito. Mas tentarei esclarecer-lhe ao menos os elementos básicos. Para tanto e devido à tua ignorância, vou começar por um outro lado: precisas saber que eu, antes de conhecer o cristianismo, fui professor de retórica e filósofo na cidade de Alexandria. Eu tinha grande afluência de estudantes, entre os quais muitos romanos, também alguns bárbaros da Gália e Bretanha. Eu não lhes ensinava apenas a história da filosofia grega, mas também os sistemas mais novos, entre eles também o sistema de Filo, que nós chamávamos "o judeu"[46]. Era um

46 Filo, o judeu, também chamado Fílon de Alexandria (20 a.C.-50 d.C.), foi um filósofo judeu de língua grega. Suas obras são uma fusão da filosofia grega e do judaísmo. Para Fílon, Deus, a quem se referia pelo termo platônico "O Uno", era transcendente e incognoscível. Certos poderes desciam de Deus para o mundo. A faceta de Deus que nos é conhecível através da razão é o Logos divino. Houve muito debate

crânio, mas tremendamente abstrato, como costumam ser os judeus quando criam sistemas, e com isso era escravo de suas palavras. Então criei meu próprio sistema e urdi uma trama medonha de palavras na qual sufoquei não só meus ouvintes como também a mim mesmo. Digeríamos mal palavras e conceitos, nossas próprias palavras deploráveis, e lhes atribuíamos até potência divina. Acreditávamos mesmo em sua realidade e julgávamos possuir o divino e tê-lo fixado em palavras".

Eu: "Mas Filo, o judeu – certamente te referes a este –, foi um filósofo sério e grande pensador, e o próprio evangelista João não se recusou a assumir alguns pensamentos de Filo em seu evangelho".

E: "Tens razão. Este é o mérito de Filo. Ele cunhou uma linguagem, como tantos outros filósofos. Ele pertence aos artistas da linguagem. Mas as palavras não devem tornar-se deuses"[47].

Eu: "Aqui não te entendo. Não está dito no evangelho de João: Deus era a Palavra? Parece-me estar dito aí claramente o que tu condenaste há pouco".

E: "Cuida-te para não te tornares um escravo da palavra. Aqui está o evangelho. Lê a partir dessa passagem onde se diz: nela estava a vida. O que diz João ali?"[48]

Eu: "'E a vida era a luz dos homens. A luz brilha nas trevas, mas as trevas não a compreenderam. Houve um homem enviado por Deus, de nome João. Ele veio como testemunha, para dar testemunho da luz. Era esta a luz verdadeira que, vindo ao mundo, ilumina todas as pessoas. Ela estava no mundo, e por ela o mundo foi feito, mas o mundo não a conheceu'. É isto que leio aqui. Mas o que achas disso?"

---

sobre a exata relação entre o conceito de Logos de Fílon e o do Evangelho de João. Em 23 de junho de 1934, Jung escreveu a James Kirsch: "A gnose, da qual proveio o Evangelista João, é certamente judia, mas é helênica na essência, no estilo de Fílon judeu, do qual também se origina a doutrina do Logos" (JA).

47 Em 1957, Jung escreveu: "Até hoje não se percebeu com a necessária clareza e profundidade que a nossa época, apesar do excesso de irreligiosidade, está consideravelmente sobrecarregada com o que adveio da era cristã, a saber, com o *predomínio da Palavra*, daquele Logos que representa a figura central da fé cristã. A palavra tornou-se, ao pé da letra, o nosso Deus e assim permaneceu" (OC, 10, § 554).

48 Jo 1,1-10: "No princípio era a Palavra, e a Palavra estava com Deus, e a Palavra era Deus. No princípio ela estava com Deus. Todas as coisas foram feitas por meio dela, e sem ela nada se fez do que foi feito. Nela estava a vida, e a vida era a luz dos seres humanos. A luz brilha nas trevas, mas as trevas não a compreenderam. Houve um homem enviado por Deus, de nome João. Ele veio como testemunha, para dar testemunho da luz, a fim de que todos cressem por meio dele. Ele não era a luz, mas veio para dar testemunho da luz. Era esta a luz verdadeira que, vindo ao mundo, ilumina todas as pessoas. Ela estava no mundo, e por ela o mundo foi feito, mas o mundo não a conheceu".

E: "Eu te pergunto, este λογος (lógos) era um conceito, uma palavra? Ele era uma luz, até mesmo um homem e morou entre os homens. Tu vês, Filo só emprestou a palavra a João, para que João tivesse à disposição, além da palavra 'luz', também a palavra λογος, para descrever o Filho do Homem. Em João, o sentido do λογος foi atribuído ao homem vivo, mas em Filo foi atribuído ao λογος a vida, a vida divina inclusive ao conceito de morto. Com isso, o morto não ganha nenhum vida, e o vivo será morto. E isto também foi meu erro monstruoso".

Eu: "Percebo o que pensas. Este pensamento é novo para mim e parece-me

17/18 digno de consideração. Sempre me pareceu até agora / que era exatamente isto o mais significativo em João, de que o Filho do Homem é o λογος, erguendo o mais ínfimo até o espiritual mais elevado, até o mundo do λογος. Mas tu me levas a ver a coisa de modo invertido, ou seja, que João traz para baixo o sentido do λογος ao homem".

E: "Aprendi a reconhecer que João tem inclusive o grande mérito de ter elevado o ser humano acima do sentido do λογος".

Eu: "Tu tens pontos de vista estranhos que despertam ao máximo minha curiosidade. Como é isto? Tu pensas que o humano está acima do λογος?"

E: "A esta pergunta quero responder dentro do limite de tua compreensão: se o humano não tivesse sido o mais importante para Deus, ele, como Filho, não teria sido manifestado na carne, mas no λογος"[49]

Eu: "Isto me parece evidente, mas confesso que esta concepção é supreendente para mim. É especialmente admirável que tu, um eremita cristão, tenhas chegado a tais ideias. Jamais esperava isto de ti".

E: "Como já observei, tu fazes uma ideia totalmente errada de mim e de minha natureza. Tu desejas ver aqui um pequeno exemplo de minha ocupação. Só com a mudança de aprendizado passei muitos anos. Tu também já mudaste alguma vez de aprendizado? – Então deves saber que é preciso muito tempo para isso. Eu fui um professor de sucesso em minha profissão. Como sabes, essas pessoas dificilmente ou jamais mudam de aprendizado. Eu, por exemplo, vejo que o sol se pôs. Logo será noite total. A noite é o tempo do silêncio. Vou mostrar-lhe o lugar de passar a noite. A manhã eu a preciso para meu trabalho, mas após o meio-dia podes vir de novo, se quiseres. Continuaremos então a nossa conversa".

---

49 Jo 1,14: "E a Palavra se fez carne e habitou entre nós, vimos a sua glória, a glória do Filho único do Pai, cheio de graça e verdade".

Conduziu-me para fora da cabana, o vale está imerso em sombra azul. Já brilham as primeiras estrelas no céu. Levou-me ao redor do canto de um rochedo. Estamos diante da entrada de um túmulo[50], que foi escavado na pedra. Entramos: não longe da entrada havia um monte de juncos, coberto com uma esteira. Ao lado, uma moringa de água, e sobre uma toalha branca, tâmaras secas e um pão preto.

E: "Aqui está tua pousada e tua refeição da noite. Dorme bem e não te esqueças de tua oração da manhã, quando o sol se levantar".

[2] O solitário mora num deserto imenso, cheio de beleza admirável. Ele observa o todo no sentido interior. Para ele é odioso o multiforme quando lhe está próximo. Ele o observa de longe, em seu todo. Por isso estão para ele acima do multiforme, o fulgor prateado, a paz e a beleza. O que lhe está próximo precisa ser simples e natural, pois o multiforme e embaraçado, quando próximos, rasgam e quebram o fulgor prateado. Não pode haver nenhuma turvação do ar, nenhuma fumarada e nenhuma neblina ao seu redor, caso contrário não consegue observar o distante multiforme no todo. Por isso, o solitário prefere o deserto, onde tudo o que está perto é simples, e nenhuma turvação e embaralhamento há entre ele e o longínquo.

A vida do solitário seria fria, não fosse o grande sol, que aquece o ar e os rochedos. O sol e seu brilho eterno substituem no solitário o calor de sua vida.

Seu coração deseja ardentemente o sol.

Ele viaja para as terras do sol.

Sonha com o brilho tremeluzente do sol, com pedras de calor abrasador, expostas ao sol do meio-dia, com reflexos de calor dourado da areia seca. / 18/19

O solitário procura o sol, e ninguém está mais disposto do que ele para abrir seu coração. Por isso ama mais que tudo o deserto, porque ama seu profundo sossego.

Precisa de menos alimento, pois o sol e seu calor o alimentam. Por isso, o solitário ama sobretudo o deserto, pois é uma mãe para ele, que dá no tempo oportuno alimento e calor vivificantes.

No deserto, o solitário está livre de preocupações, por isso toda sua vida se volta para os pomares em flor de sua alma, que só conseguem medrar sob um sol quente. Em seus pomares crescem as preciosas frutas vermelhas, que escondem, sob pele esticada, doçura tumescente.

---

50 O *esboço* tem: "egípcio" (p. 227). Nesse contexto, água, tâmaras e pão eram oferendas aos mortos.

Tu pensas que o solitário é pobre. Não vês que ele caminha debaixo de árvores carregadas de frutas e que sua mão toca em centenas de grãos. Sob folhas escuras, nasce de um viçoso rebento a flor de um vermelho exuberante, e os frutos quase explodem devido ao sumo que pressiona. Resinas cheirosas gotejam de suas árvores, e sob seus pés desabrocha a semente que pressiona.

Quando o sol, como pássaro cansado, desce sobre a superfície plana do mar, o solitário se recolhe, suspende a respiração, não se mexe e é só expectativa até que a maravilha da renovação da luz se eleva no Oriente.

Existe uma expectativa bastante incerta para o solitário[51].

Os sustos do deserto e a morte por sede o envolvem, e tu não entendes como o solitário consegue 19/20 *viver.* /

Seu olhar, porém, repousa sobre os pomares e seu ouvido escuta as fontes, sua mão toca ao mesmo tempo as folhas e os frutos e sua respiração inala doces aromas de árvores ricamente floridas.

Não tem palavras suficientes para falar-te sobre a magnificência exuberante de seus pomares. Gagueja quando fala disso e parece pobre de espírito e vida. Sua mão não sabe onde pegar nessa abundância indescritível.

Ele te dá uma pequena e pouco vistosa fruta que caiu agora mesmo a seus pés. Parece-te sem valor; mas quando a observas, vês que esta fruta tomou um sol que nunca terias sonhado. Exala um aroma que perturba teu sentido olfativo, que te leva a sonhar com jardins de rosas, com vinhos doces e palmeiras sussurrantes. E tu seguras sonhando esta fruta na mão e tu gostarias de ter a árvore na qual ela cresceu, o pomar no qual esta árvore está e o sol que fecundou este pomar.

E tu mesmo queres ser aquele solitário que caminha com o sol por seus pomares, cujo olhar repousa sobre ramagens que pendem floridas, cuja mão acaricia o grão cêntuplo cuja respiração permite beber os aromas de milhares de rosas.

Extenuado pelo sol e embriagado por vinho espumante, vais deitar-te para repouso em túmulos antiquíssimos, cujas paredes ressoam de várias vozes e estão multicoloridas por milhares de anos solares do passado.

20/21 *Ao acordar, vês tudo vivo de novo o que já passou, e* / *quando dormes, descansas como tudo que já passou, e teus sonhos fazem ressoar de novo suaves hinos sacros, vindos de longe.*

Tu afundas no sono através dos milhares de anos solares e te ergues despertando através dos milhares de anos solares, e teus sonhos, cheios de coisas já sabidas enfeitam as paredes de teu quarto de dormir.

Tu te vês também no todo.

---

51 O *esboço* continua: “Seguindo rastos e círculos aleatórios, volto a mim mesmo e a ele, o solitário, cuja luz protegida vive na profundeza, protegida por maciços rochedos, tendo acima deserto escaldante e céu resplandecente” (p. 229).

Tu estás sentado, encostado na parede e observas o todo belo e enigmático. A *Summa*[52] está diante de ti como um livro, e um desejo indizível se apossa de ti para devorá-lo. Por isso te recostas, ficas como que paralisado e sentado por longo tempo. És totalmente incapaz de compreendê-lo. Cá e lá tremula uma luz, cá e lá cai uma fruta de alta árvore, que podes apanhar, cá e lá teu pé dá de encontro a ouro. Mas o que é isto, comparado com o todo que está exposto diante de ti e ao teu alcance? Tu estendes a mão, mas ela fica presa em teias invisíveis. Tu queres ver isto com exatidão, mas logo se interpõe algo nebuloso e através do qual não se pode enxergar. Gostarias de arrancar um pedaço para ti. Mas é liso e impenetrável como ferro polido. Por isso te recostas na parede e, quando tiveres rastejado através de todos os cadinhos incandescentes do inferno do desespero, estás sentado de novo e te recostas e observas a maravilha da *Summa* que jaz espalhada diante de ti. Cá e lá tremula uma luz, cá e lá cai uma fruta. Tudo é muito pouco para ti. Mas começas a te divertir e não dás atenção aos anos que vão passando. O que são anos? O que é tempo passando depressa para aquele que está sentado debaixo da árvore? Teu tempo passa como um sopro e tu esperas pela próxima luz, pela próxima fruta.

A Escritura está diante de ti e diz sempre a mesma coisa se acreditas em palavras. Mas se acreditas em coisas para as quais foram estabelecidas apenas palavras, nunca chegarás ao fim. E assim mesmo precisas caminhar pela estrada sem fim, pois a vida não flui sobre caminhos limitados, mas ilimitados. Mas a ausência de limites te[53] mete medo, pois o ilimitado é assustador, e teu humano se revolta contra isso; por isso procuras limites e restrições para que não te percas cambaleando para dentro do infinito. Restrição será imprescindível para ti. Tu gritas pela palavra que tem este único significado e nenhum outro, a fim de que escapes do ambíguo ilimitado. A palavra será Deus para ti, pois ela te protege das inúmeras possibilidades de interpretação. A palavra é magia protetora contra os demônios do infinito que querem arrancar tua alma e espalhá-la aos quatro ventos. Estás salvo se puderes finalmente dizer: isto é isto e somente isto. Tu

---

52 Palavra latina para "todo"/"toda", "inteiro"/"inteira".

53 O *esboço* tem "te" (Dich) e o *esboço corrigido* tem "me" (Mir), p. 232. Durante toda esta seção, o *esboço corrigido* substitui "te" por "me" e "tu" por "eu" (p. 214).

dizes a palavra mágica, e o ilimitado está preso no finito. Por isso as pessoas procuram e criam palavras[54].

Quem rompe o dique da palavra derruba deuses e profana o templo. O solitário é um assassino. Ele mata o povo, pois com isso pensa e quebra velhas muralhas sagradas. Ele chama para dentro os demônios do ilimitado. Ele fica sentado, recosta-se e não vê nem ouve o gemer da humanidade, tomado pela terrível embriaguez de fogo. Apesar disso não consegues encontrar as novas palavras, se não quebrares as velhas. Mas ninguém deve quebrar velhas palavras, porque encontra a palavra nova que é um dique resistente contra o ilimitado e traz em si mais vida do que a palavra velha. Uma palavra nova é um Deus novo para a pessoa velha. A pessoa permanece a mesma, se tu lhe crias também imagens novas de Deus. Ela continua sendo uma imitadora. O que era palavra deve tornar-se pessoa. A palavra criou e era antes do mundo. Brilhou como uma luz nas trevas, e as trevas não a entenderam[55]. Deve portanto surgir uma palavra que entenda as trevas, pois para que serve a luz que não entende as trevas? Mas tua luz deve alcançar o significado da luz.

O Deus da palavra é frio e morto e brilha de longe como a lua, enigmática e 21/22 inatingível. Deixa que a palavra volte a seu / criador, precisamente ao homem, e assim a palavra é elevada ao homem. Que o homem seja luz, limite, medida. Que seja vosso fruto que ansiosamente tentais pegar. As trevas não entendem a palavra, mas o homem; sim, elas o entendem, pois ele mesmo é um pedaço das trevas. Não descendo da palavra para o homem, mas subindo da palavra até o homem, isto entendem as trevas. As trevas são tua mãe, convém a elas ter respeito, pois a mãe é perigosa. Ela tem poder sobre ti, pois é tua genitora. Honra as trevas como a luz, assim iluminas tuas trevas.

Quando entendes as trevas, elas tomam posse de ti. Vêm sobre ti como a noite com uma sombra azul e inúmeras estrelas bruxuleantes. Silêncio e paz te encobrem quando começas a entender as trevas. Só quem não entende as trevas teme a noite. Através da compreensão das trevas, do noturno, do abissal em

54 Em 1940, Jung comentou sobre a magia protetora da palavra ("O símbolo da transformação na missa". OC, 11, § 442).

55 Cf. nota 48, p. 219..

ti, serás totalmente simples. E tu te preparas para dormir como todos durante os séculos, e dormes por debaixo do seio dos milênios, e tuas paredes ressoam de velhos cânticos sacros. Pois o simples é aquilo que sempre foi. Silêncio e noite azul estendem-se sobre ti, enquanto tu dormes no túmulo dos milênios.

Dies II.[56]

Cap. v.

[IH 22][57], [58]Acordei, o dia avermelhava o Oriente. Uma noite, uma noite maravilhosa ficou para trás, na profundeza mais longínqua dos tempos. Em que espaços distantes estive? Com que sonhei? Com um cavalo branco? Parece-me que vi este cavalo branco no céu oriental sobre o sol nascente. O cavalo falou-me: "O que disse isto?" Isto falou: "Vivas a quem está na escuridão, pois para ele o dia já passou". Eram quatro cavalos brancos com asas douradas. Puxavam o carro do sol para cima, nele estava de pé Hélio, com cabeça chamejante[59]. Eu estava aqui embaixo no desfiladeiro, admirado e assustado. Milhares de serpentes negras apressavam-se para seus buracos. Hélio continuava subindo para as largas trilhas do céu. Ajoelhei-me, levantei minhas mãos suplicantes para o alto e gritei: "Dá-nos tua luz, sedutor do fogo, abraçado, crucificado e ressuscitado, tua luz, tua luz". Com esse clamor, acordei. Não disse Amônio ontem à noite: "Não te esqueças de tua oração da manhã, quando o sol se levantar?" Pensei: talvez ele adore secretamente o sol. / 22/23

Do lado de fora soprava um vento fresco da manhã. Areia amarela escorre em finos veios pelas rochas abaixo. O vermelho estende-se sobre o céu, e eu vejo os primeiros raios se lançando para o firmamento. Silêncio e solidão majestosos ao redor. Lá uma grande lagartixa sobre uma pedra espera o sol. Estou como que paralisado e lembro-me com dificuldade de tudo o que aconteceu ontem e sobretudo do que disse Amônio. O que disse afinal? Que as sequências de palavras têm vários sentidos e que João trouxe para os homens o λογος.

---

56 O *esboço corrigido* tem: "(O eremita). Segundo dia. De manhã" (p. 219).

57 Em "A árvore filosófica" (1945), Jung observou: "Uma pessoa que está enraizada embaixo e no alto pareceria uma árvore tanto na posição normal, como na inversa. A meta não é o alto, mas o centro" (OC, 13, § 333). Comentou também sobre "a árvore invertida" no § 410s.

58 1º de janeiro de 1914.

59 Na mitologia grega, Hélio era o deus-sol, que dirigia pelo cosmo uma carruagem puxada por quatro corcéis.

Isto não soa muito cristão. Será que ele é um gnóstico?[60] Não, parece-me impossível, pois isto o foram os piores de todos os idólatras da palavra, como ele provavelmente diria.

O sol – o que me enche de tão grande júbilo interior? Não devo esquecer minha oração da manhã – mas onde está minha oração da manhã? Amado sol, não tenho oração, pois não sei como devo invocar-te. Agora rezei para o sol. Mas Amônio achava que eu devia rezar a Deus ao raiar da manhã. Mas ele não sabe – não temos mais oração. Como poderia ter noção de nossa nudez e pobreza? Para onde foram as orações? Aqui elas me faltam. Isto deve ser causado pelo deserto. Aqui parece que deveria haver oração. Será que este deserto é tão especialmente difícil? Penso que não é mais difícil do que nossas cidades. Mas por que não rezamos lá? Devo olhar para o sol, como se ele tivesse alguma coisa a ver com isso. Ah – sonhos antiquíssimos da humanidade, não é possível fugir deles.

O que farei nesta longa manhã toda? Não entendo como Amônio aguentou esta vida por um ano que seja. Ando para cima e para baixo no leito seco do rio e sento-me finalmente numa pedra. Diante de mim, algumas ervas amarelas. Um besouro preto vem se arrastando e vai empurrando uma bolinha diante de si – um escaravelho[61]. Ó pequeno e querido animalzinho, estás ainda no trabalho de viver teu belo mito? Como trabalha com seriedade e sem descanso! Tivesses apenas uma pálida ideia de que representas um mito antigo, pararias com tua quimera, assim como nós, humanos, paramos de representar mitologia.

O irreal causa nojo. Soa bem estranho neste lugar o que digo, e o bom Amônio certamente não concordaria com isso. Mas, o que procuro exatamente aqui? Não, não quero julgar de antemão, pois ainda não entendi realmente o que ele pensa de fato. Ele tem direito de ser ouvido. Além do mais, ontem eu pensava diferente, era-lhe até muito grato por querer me ensinar. Tomo no-

60 Durante este período, Jung estava ocupado com o estudo dos textos gnósticos, nos quais encontrou paralelos históricos com suas próprias experiências. Cf. RIBI, A. *Die Suche nach den eigenen Wurzeln*: Die Bedeutung von Gnosis, Hermetik und Alchemie für C.G. Jung und Marie-Louise von Franz und deren Einfluss auf das moderne Verständnis dieser Disziplin. Berna: Peter Lang, 1999.

61 Em "*Sincronicidade: um princípio de conexões acausais*" (1952), Jung escreveu: "O escaravelho é um símbolo clássico do renascimento. O livro *Am-Tuat* do Egito descreve a maneira como o deus-sol morto se transforma no Kheperâ, o escaravelho, na décima estação e, a seguir, na duodécima estação, sobe à barcaça que trará o deus-sol rejuvenescido de volta ao céu matinal do dia seguinte" (OC, 13, § 843).

vamente uma atitude crítica e superior, estou portanto no melhor caminho de nada aprender. Seus pensamentos, que não são tão ruins, são até bons. Não sei por que desejo sempre rebaixar a pessoa.

Querido besouro, para onde foste, não te vejo mais – ah, lá adiante já estás com tua bolinha mítica. Esses animaizinhos ficam absortos em seu trabalho de maneira bem diferente de nós – nenhuma dúvida, nada de desistir, nenhuma hesitação. Será que isto vem do fato de eles viverem seu mito?

Querido escaravelho, meu pai, eu te venero, bendito seja teu trabalho – eternamente – amém.

Que absurdo estou dizendo? Estou adorando um bicho – deve ser efeito do deserto. Ele parece exigir incondicionalmente oração.

Como é bonito aqui! A cor avermelhada das pedras é maravilhosa. Elas refletem o calor de cem mil sóis passados – esses grãozinhos de areia rolaram em mares fantasticamente primitivos nos quais nadavam monstros de formas jamais vistas. Onde estavas tu, ser humano, naqueles dias? Nesta areia quente estiveram deitados, aconchegados como crianças à sua mãe, teus antepassados pré-históricos ainda em forma animal.

Ó mãe pedra, eu te amo, aconchegado a teu corpo quente, estou deitado, teu filho tardio. Bendita sejas, mãe primitiva.

/ *Teus são meu coração, toda a glória e força. Amém.* 23/24

O que digo? Isto foi o deserto. Como tudo me parece ter vida! Este lugar é realmente terrível. Essas pedras – são mesmo pedras? Parece que se juntaram deliberadamente. Estão ordenadas como um exército perfilado. Dispuseram-se simetricamente em formações rochosas, as grandes ficam sós, as pequenas preenchem as lacunas e se juntam num grupo que precede o grande. Aqui as pedras foram Estados.

Estou sonhando ou acordado? Faz calor – o sol já vai alto – como andam depressa as horas! De fato, a manhã já passou – e como foi maravilhosa! Será que é o sol, ou serão essas pedras vivas, ou será o deserto que fazem zunir minha cabeça?

Vou subindo do vale para cima e logo estou diante da cabana do eremita. Está sentado em sua esteira, perdido em profunda meditação.

Eu: "Meu pai, aqui estou eu".

E: "Como passaste tua manhã?"

Eu: "Ontem, fiquei admirado quando disseste que o tempo passava muito depressa para ti. Não perguntei mais nada e não me admirei mais disso. Aprendi muita coisa. Mas não o suficiente para que continues sendo um enigma ainda maior para mim agora do que antes. O que não deves vivenciar no deserto, homem admirável! Até as pedras devem falar contigo".

E: "Alegro-me que tenhas aprendido a entender alguma coisa da vida de eremita. Isto facilitará nossa difícil tarefa. Não quero meter-me em teus segredos, mas sinto que vens de um mundo estranho que não tem nada a ver com o meu".

Eu: "O que dizes é verdade. Aqui eu sou um estranho, o mais estranho que já viste. Mesmo um homem das costas mais distantes da Bretanha estaria mais próximo de ti do que eu. Por isso, tem paciência, mestre, e permite que eu beba da fonte de tua sabedoria. Ainda que o deserto sedento nos rodeie, flui de ti uma torrente invisível de água viva".

E: "Fizeste tua oração?"

Eu: "Perdão, mestre, eu procurei, mas não encontrei oração alguma. Senti no entanto que eu rezava ao sol nascente".

E: "Não te preocupes por causa disso. Se tu não encontraste palavras, tua alma, contudo, encontrou palavras indizíveis para saudar o dia que raiava".

Eu: "Mas foi uma oração pagã a Hélio".

E: "Isso te basta".

Eu: "Mas, mestre, eu não rezei em meu sonho só ao sol, e sim também, em meu auto-esquecimento, ao escaravelho e à terra".

E: "Não te admires de nada e de modo nenhum condenes ou lamentes isso. Vamos ao trabalho. Gostarias de perguntar algo a respeito de nossa conversa de ontem?"

Eu: "Eu te interrompi ontem quando falavas de Filo. Querias explicar-me o que entendes pelo sentido múltiplo das sequências de palavras".

E: "Quero agora contar-te como fiquei livre do terrível enredamento da teia de palavras: certa vez aproximou-se de mim um liberto de meu pai, que desde minha infância me era afeiçoado, e me disse:

> 'Amônio, está tudo bem contigo?' 'Certamente', respondi, 'vês que sou letrado e tenho grande êxito'.
>
> Ele: 'Eu quero dizer, estás feliz e completamente vivo?'

Eu ri: 'Estás vendo que tudo está bem'.

Disse o idoso: 'Eu vi como deste preleções. Parecias preocupado com o julgamento de teus ouvintes. Inserias chistes espirituosos para agradar o auditório. Reunias maneiras eruditas de falar para impressioná-lo. Tu eras inquieto e apressado, como se ainda tivesses que arrebatar todo o saber para ti. Tu não estás em ti mesmo'.

Ainda que essas palavras me tivessem parecido inicialmente ridículas, elas me impressionaram, e eu, contra a minha vontade, tive de / dar razão ao velho, pois ele estava certo. 24/25

Disse ele então: 'Meu prezado Amônio, tenho para ti uma excelente novidade: Deus tornou-se carne em seu Filho e trouxe a nós todos a salvação'.

'O que dizes', exclamei, 'queres evidentemente significar Osíris[62], que deve aparecer em corpo mortal'.

'Não', retrucou ele, 'este homem viveu na Judeia e nasceu de uma virgem'.

Ri e respondi: 'Já sei, um mercador judeu levou para a Judeia a notícia de nossa rainha-virgem, cuja imagem vês na parede de um de nossos templos, e lá a contou como história da carochinha'.

'Não', insistiu o velho, 'ele era o Filho de Deus'.

'Então pensas naturalmente em Hórus[63], o filho de Osíris', respondi eu.

'Não, ele não era Hórus, mas um homem real e foi suspenso numa cruz'.

'Ah, pensas então em Seth, cujo castigo nossos antepassados relataram muitas vezes'.

O velho continuou em sua convicção e disse: 'Ele morreu e, ao terceiro dia, ressuscitou'.

'Nesse caso, trata-se de Osíris', falei já com certa impaciência.

'Não', exclamou ele, 'seu nome era Jesus, o Ungido'.

'Ah, tu queres dizer esse Deus judeu, que o povo da classe inferior venera no porto e cujos mistérios imundos ele celebra nos subterrâneos'.

'Ele era um homem e contudo Filho de Deus', disse o velho, e me olhou fixamente.

'Isto é absurdo, meu prezado velho', disse eu e o empurrei pela porta a fora. Mas como um eco em distantes rochedos escarpados repetiam-se as palavras em mim: uma pessoa humana e contudo Filho de Deus. Pareceu-me significativo, e foram estas palavras que me levaram ao cristianismo.

---

62 Osíris era o Deus egípcio da vida, morte e fertilidade. Seth era o Deus do deserto. Osíris foi assassinado e esquartejado por seu irmão Seth. Seu corpo foi recuperado por sua esposa Ísis, reajuntado e ressuscitado. Jung tratou de Osíris e Seth em *Transformações e símbolos da libido* (1912). OC, B, § 358s.

63 Hórus, filho de Osíris, era o Deus egípcio do céu. Ele lutou contra Seth.

Eu: "Mas não pensas que o cristianismo poderia ser ao final uma remodelação de vossas doutrinas egípcias?"

E: "Se dizes que nossas antigas doutrinas eram expressões menos pertinentes ao cristianismo então concordo de imediato contigo".

Eu: "Sim, mas aceitas então que a história das religiões visa a um objetivo último?"

E: "Meu pai comprou certa vez um escravo negro na região das nascentes do rio Nilo. Vinha de um país que nunca ouvira falar de Osíris ou de qualquer outro de nossos deuses, mas ele me contava coisas que numa linguagem simples diziam a mesma coisa que nós acreditávamos de Osíris e dos outros deuses. Aprendi a entender que aqueles negros incultos já possuíam, sem o saber, a maioria daquilo que as religiões dos povos cultos desenvolveram até uma doutrina acabada. Quem entendesse corretamente aquela linguagem poderia reconhecer nela não só as doutrinas pagãs, mas também a doutrina de Jesus. E é com isso que me ocupo agora: leio os evangelhos e procuro seu sentido vindouro. Conhecemos seu significado como está patente diante de nós, mas não conhecemos seu sentido oculto que aponta para o futuro. É um erro acreditar que as religiões sejam diferentes em sua essência. No fundo, trata-se sempre da mesma religião. Cada forma religiosa subsequente é o sentido das anteriores".

Eu: "E descobriste o significado vindouro?"

E: "Não, ainda não, é muito difícil, mas tenho esperança de que vou conseguir. Até agora quer parecer-me que preciso do estímulo de outros para isso, mas são tentações de satanás, eu o sei".

Eu: "Não chegas a acreditar que esta obra poderia antecipar seu êxito se estivesses mais perto de outras pessoas?"

E: "Talvez tenhas razão."

De repente ele olhou para mim como que em dúvida e desconfiado. "Mas", continuou ele, "eu amo o deserto, compreendes? Este deserto amarelo, cheio do calor do sol. Aqui tu vês diariamente a face do sol, aqui estás sozinho, aqui vês o glorioso Hélio – não isto é pagão – o que há comigo? Estou perturbado – tu és satanás – eu te conheço – afasta-te de mim, inimigo".

25/26 / Levantou-se de repente como enlouquecido e quis atirar-se sobre mim. Mas eu estou bem longe, no século vinte[64].

---

64 O *esboço corrigido* tem: "e a mim mesmo pareceu tão irreal como um sonho" (p. 228). Os eremitas cristãos estavam sempre de prontidão contra o aparecimento de satanás. Famoso exemplo de tentações pelo demônio ocorre na vida de Santo Antão, escrito por Santo Atanásio. Para prevenir seus monges, "ensina como o diabo se disfarça para levar à queda os santos. O diabo é, evidentemente, a voz do próprio

[2] [IH 26] *Quem dorme no túmulo dos milênios sonha um sonho glorioso. Sonha um sonho antiquíssimo. Sonha com o sol nascente.*

Se tu dormes este sono nesta época do mundo e sonhas este sonho, sabes que nesta época também nascerá o sol. Agora ainda estamos na escuridão, mas o dia está acima de nós.

Quem traz em si as trevas, a este está próxima a luz. Quem desce para dentro de suas trevas, este chega ao nascer da luz atuante, do Hélio que atrai o sol.

Seu carro sobe puxado por quatro corcéis brancos; em suas costas não há cruz e em seu lado não há chaga, mas ele é saudável e sua cabeça arde em fogo.

Não é um homem, objeto de escárnio, mas um ser glorioso e de poder indiscutível.

Eu não sei o que eu falo, eu falo no sonho. Ampara-me, pois cambaleio embriagado de fogo.

Bebi fogo nesta noite, pois desci pelos milênios abaixo e mergulhei no mais profundo do sol.

E ergui-me embriagado de sol, com a face ardente e minha cabeça em fogo.

Dá-me tua mão, uma mão humana, para que me mantenha preso à terra, pois / rodas girantes de fogo me levantam e desejo jubiloso me arrebata até o zênite. 26/27

No entanto vem o dia, verdadeiro dia, o dia desse mundo. E eu estou escondido no desfiladeiro da terra, bem embaixo e sozinho, na sombra alvorecente do vale. Esta é a sombra e a gravidade da terra.

Como posso rezar ao sol que nasce bem distante no Oriente sobre o deserto? Por que devo rezar a ele? Eu bebi o sol em mim, por que deveria rezar? Mas o deserto, o deserto em mim exige oração, pois o deserto quer encher-se de coisa viva. Eu gostaria de pedi-lo a Deus, ao sol e a algum dos outros imortais.

Eu peço porque sou vazio e um pedinte. No dia do mundo esqueço que eu bebi em mim o sol e estou embriagado de luz atuante e força que queima. Mas eu entrei na sombra da terra e vi que estou nu e que nada tenho para cobrir minha pobreza. Mal tocas a terra, liquidada está a vida que mora em ti; ela foge de ti para dentro das coisas.

E uma vida maravilhosa começa nas coisas. O que tu consideravas morto e inanimado revela vida secreta, intenção silenciosa e inexorável. Tu entraste numa engrenagem em que cada coisa percorre seu próprio caminho com gestos específicos, ao teu lado, acima de ti, abaixo de ti e através de ti, inclusive as pe-

---

inconsciente do eremita que se volta contra a repressão violenta da natureza individual" (OC, 6, § 82). As experiências de Antão foram elaboradas por Flaubert em seu livro *La tentation de Saint Antoine*, obra familiar a Jung (*Psicologia e alquimia*. OC, 12, § 59).

dras falam contigo e fios mágicos tecem uma trama de ti para a coisa e da coisa para ti. Coisas distantes e próximas atuam em ti e tu ages de maneira obscura sobre a coisa próxima e distante. E sempre estás desamparado e és vítima.

Mas se olhares bem, verás algo que nunca viste antes, isto é, que as coisas vivem tua vida, que elas se alimentam de ti: os rios carregam tua vida para o vale, com tua força cai uma pedra sobre a outra, também plantas e animais crescem através de ti e tu morres neles. Uma folha dançando ao vento dança em ti, o animal irracional[65] adivinha teus pensamentos e te representa. A terra inteira suga sua vida de ti e tudo se espelha em ti.

Não acontece nada naquilo em que não estás enredado de maneira secreta; pois tudo se ordenou em torno de ti e representa teu mais íntimo. Nada em ti está oculto às coisas por mais distante, precioso e secreto que seja. As coisas o possuem. Teu cachorro rouba teu pai falecido de há muito e tu o achas parecido com ele. A vaca no pasto adivinhou tua mãe e, cheia de tranquilidade e certeza, ela te fascina. As estrelas insinuam-se em teus segredos mais profundos, e os vales macios da terra abrigam-te em seio materno.

Qual criança sem rumo estás lamentavelmente entre os poderosos que seguram os fios de tua vida. Tu bradas por socorro e te agarras ao melhor que primeiro aparece no caminho. Talvez ele saiba aconselhar-te, talvez conheça os pensamentos que não tens e que todas as coisas sugaram de ti.

Eu sei que tu gostarias de ouvir notícias daquele que nunca foi vivido pelas coisas, mas que viveu e realizou a si mesmo. Pois tu és um filho da terra, esgotado pela terra sugadora, que por si nada pode, mas apenas suga o sol. Por isso gostarias de ter notícias do filho do sol, que brilha e não suga.

27/28 / *Gostarias de ouvir do Filho de Deus, que brilhou, ofereceu e testemunhou, e do qual foi renascido, como a terra gera para o sol filhos verdes e coloridos.*

Dele gostarias de ouvir, do salvador reluzente, que, como filho do sol, cortou as teias da terra, que arrebentou os fios mágicos e soltou o amarrado, que foi dono de si mesmo e servo de ninguém, que não exauriu ninguém e cujo tesouro ninguém esvaziou.

Gostarias de ouvir daquele que não foi obscurecido pela sombra da terra, mas que a iluminou, que viu todos os pensamentos e cujos pensamentos ninguém adivinhou, que possuiu em si o sentido de todas as coisas e cujo sentido nenhuma coisa soube exprimir.

---

65 Uma inversão da definição de Aristóteles do homem como “animal racional”.

O solitário fugiu do mundo, fechou os olhos, tampou os ouvidos e enterrou-se numa caverna dentro de si mesmo, mas de nada adiantou. O deserto o exauriu, a pedra falou a seus pensamentos, a caverna ressoa seus sentimentos, e assim tornou-se ele mesmo deserto, pedra e caverna. E tudo era vazio, deserto, impotência e esterilidade, pois ele não brilhava e continuou sendo um filho da terra, que esgotou um livro e ele mesmo foi esgotado pelo deserto. Ele era desejo e não brilho, totalmente terra e não sol.

Por isso estava no deserto como um santo esperto, pois sabia muito bem que de outro modo não conseguiria distinguir-se dos outros filhos da terra. Tivesse bebido de si, teria bebido fogo.

O solitário foi para o deserto a fim de encontrar-se. Não deseja, porém, encontrar a si mesmo, mas o sentido múltiplo do livro sagrado. Tu podes sugar para dentro de ti a incomensurabilidade do pequeno e do grande, mas tu ficarás mais vazio, cada vez mais vazio, pois plenitude incomensurável e vazio incomensurável são a mesma coisa[66].

Desejava encontrar no exterior aquilo de que precisava. Mas o sentido múltiplo tu só o encontras em ti, não nas coisas, pois a multiplicidade do sentido não é algo que é dado de uma só vez, mas é um encadeamento de significados. Os significados que se seguem uns aos outros não estão nas coisas, mas em ti, que estás sujeito a muitas mudanças enquanto tiveres parte na vida. Também as coisas mudam, mas tu não o percebes, se tu mesmo não mudares. Mas se mudas, modifica-se o aspecto do mundo. O sentido múltiplo das coisas é teu sentido múltiplo. É inútil querer fundamentá-lo nas coisas. E é propriamente por isso que o solitário foi para o deserto; não examina porém a si mesmo, mas a coisa.

E por isso aconteceu-lhe o mesmo que a todo solitário quando ele deseja: o demônio veio a ele com fala mansa e fundamentação convincente, sabia dizer a palavra certa no momento certo. Ele o alicia para o seu desejo. Eu certamente deveria parecer o demônio para ele, pois eu assumi minhas trevas. Eu comia a terra e bebia o sol, e eu era uma árvore verde, que está de pé e cresce na solidão[67]./ 28/29

---

66 Cf. a descrição de pleroma, em Jung, p. 449ss. adiante.

67 O *esboço* e o *esboço corrigido* continuam: "Mas eu vi a solidão e sua beleza, eu compreendi a vida do não vivido e o sentido do sem-sentido. Compreendi também este lado de minha multiplicidade. E assim cresceu minha árvore na solidão e no sossego; comeu a terra com raízes profundas e bebeu o sol com galhos altos.

A morte[68]

Cap. vi.

[IH 29] Na noite seguinte[69], fui para a terra do Norte e encontrei-me sob céu cinzento, num ar nebuloso e úmido-frio. Dirigi-me para as planícies, onde as águas em manso deslizar, luzindo em grandes espelhos, aproximam-se do mar, onde mais e mais acaba toda pressa do fluir e onde toda força e todo esforço se acasalam com a imensidão ilimitada do oceano. As árvores rareiam, grandes charnecas acompanham as águas calmas e turvas, sem fim e solitário é o horizonte, rodeado por nuvens cinzentas. Devagar, com a respiração suspensa, com a grande e medrosa expectativa daquele que espumeja furiosamente e se esparrama pelo infinito, sigo minha irmã, a água. Silencioso e quase imperceptível é seu fluir e, assim mesmo, aproximamo-nos sempre mais do feliz e mais elevado abraço, para entrar no seio da origem, na extensão sem limites e na profundeza incomensurável. Lá se erguem colinas baixas e amarelas. Um lago grande e morto estende-se a seu sopé. Caminhamos silenciosamente ao seu redor, e as colinas se abriram para um horizonte crepuscular, indizivelmente longínquo, onde céu e mar se fundem numa infinitude.

Lá em cima, sobre a última duna está alguém, trazia um manto preto e pregueado, está de pé, imóvel, e olha para longe. Aproximo-me dele; é magro e pálido e uma seriedade absoluta estampa-se em seus traços fisionômicos. Dirijo-lhe a palavra:

"Posso ficar um pouco contigo, Escuro? Eu te reconheci de longe. Só um fica parado como tu, tão só e no último canto do mundo".

Respondeu: "Estranho, podes ficar à vontade comigo se não ficares com frio. Vês que sou frio e nunca um coração bateu em mim".

"Eu sei que és gelo e fim, tu és a quietude fria da pedra, tu és a neve mais alta das montanhas e a geada mais intensa no espaço cósmico vazio. Isto preciso sentir e é a razão por que devo ficar perto de ti".

"O que te traz a mim, matéria viva? Os vivos nunca são hóspedes aqui. É verdade que vêm todos passando tristes em grandes grupos, todos que se des-

---

O hóspede solitário [estranho] entrou em minha alma. Mas minha vida verdejante me inundou. [Assim caminhei, seguindo a natureza da água]. ~~A solidão cresceu e estendeu-se em torno de mim. Eu não conhecia a infinitude da solidão, e eu caminhava, caminhava e olhava. Queria sondar as profundezas da solidão e fui tão longe até que se extinguiu cada um dos últimos ecos da vida~~" (p. 235).

68 O *esboço manuscrito* tem: *Quinta aventura: a morte* (p. 557).

69 2 de janeiro de 1914.

pediram / lá em cima da luz do dia, para nunca mais voltar. Mas pessoas vivas não vêm nunca. O que procuras aqui?" 29/30

"Meu caminho estranho e inesperado trouxe-me até aqui, quando eu seguia, cheio de esperança, o caminho das torrentes da vida. E assim te encontrei. Aqui estás bem e no teu devido lugar?"

"Sim, daqui se parte para o indistinguível, onde ninguém é igual ou diferente do outro, mas onde todos são um. Vês o que vem vindo lá?"

"Vejo algo como uma parede escura de nuvens que vem nadando na torrente".

"Olha melhor, o que reconheces?"

"Vejo tropas incalculáveis e bem cerradas de homens, velhos, mulheres e crianças. No meio, vejo cavalos, gado e rebanho miúdo, uma nuvem de insetos voa em volta da tropa – uma floresta vem boiando – flores murchas sem conta – um verão todo, morto. Estão perto. O olhar de todos é fixo e frio – seus pés não se movem – nenhum som sai de suas fileiras cerradas. Rígidos, seguram-se pelas mãos e braços, olham para frente e não prestam atenção em nós – passam fluindo na monstruosa torrente. Escuro, esta visão é horrível!"

"Tu quiseste ficar comigo, sossega. Presta atenção agora!"

Eu vejo: "As primeiras filas chegaram lá onde as ondas da rebentação se misturam violentamente com a água da torrente. E parece como se uma onda de ar, batendo contra o mar, estivesse batendo contra a multidão dos mortos. Bem alto redemoinham, esvoaçando em pretos farrapos e se desfazendo em nuvens turvas de névoa. Uma onda após outra se aproxima e sempre novas multidões somem no ar negro. Escuro, dize-me, isto é o fim?"

"Observa!"

O mar escuro rebenta com fragor – uma pedra avermelhada aparece dentro disso – é como sangue – um mar de sangue espumeja aos meus pés – a profundeza do mar fica vermelha – sinto-me estranho – estou dependurado no ar pelos pés? Isto é o mar ou o céu? Uma bola de sangue e de fogo se mistura – uma luz vermelha estoura de seu invólucro fumegante – um novo sol avança para a mais extrema profundeza – ele desaparece sob meus pés[70].

Olho ao meu redor. Estou só. Ficou noite. O que disse Amônio? A noite é o tempo do silêncio.

70 Cf. a visão no *Liber Primus*, cap. 5, "Descida ao inferno no futuro", p. 133.

[2] [IH 30] Olhei ao meu redor e percebi que a solidão se estendera ao incomensurável, e me penetrou de um frio horripilante. Ainda ardia sol em mim, mas eu senti que entrava na grande sombra. Sigo a multidão que, devagar e imperturbável, encontra o caminho da profundeza, da profundeza do vindouro. Assim saí daquela noite (era a segunda noite de 1914) e fiquei cheio de expectativa medrosa. Saí para abraçar o vindouro. O caminho era longo, e assustador era o vindouro. Era a morte horrenda, um mar de sangue, que eu vi. Disso fez-se um novo sol, pavoroso e uma inversão do que chamávamos de dia. Agarramos a escuridão, e seu sol há de brilhar sobre nós, sangrento e ardente como um grande ocaso.

Quando entendi minha escuridão, veio sobre mim a noite maravilhosa, e meu sonho mergulhou-me nas profundezas dos milênios, e daí ergueu-se minha fênix.

Mas o que aconteceu com meu dia? Archotes foram acesos, cólera sangrenta e brigas se inflamaram. Assim que a escuridão tomou conta do mundo, levantou-se a guerra cruel, e a escuridão destruiu a luz do mundo, pois ela era inconcebível e não prestava mais. Portanto, tínhamos de experimentar o inferno.

Eu vi como as virtudes se transformaram nessa época em vício, como tua doçura se transformou em dureza, tua bondade em rudeza, teu amor em ódio e tua razão em loucura. Por que querias entender a escuridão? Mas tu precisavas entendê-la, senão ela te agarraria. Feliz daquele que se antecipa a este agarramento.

Pensaste alguma vez no mal em ti? Oh, falaste disso, tu o mencionaste e consentiste sorrindo nele como um defeito humano em geral ou como um mal-entendido que aparece frequentes vezes. Mas sabias / o que é o mal e que ele está muito perto, atrás de tuas virtudes, de tal modo que ele é inclusive tua própria virtude, como seu conteúdo inevitável[71]. Tu encarceraste satanás durante um milênio no abismo e, passado este milênio, riste dele, porque se tornara um conto de fadas infantil[72]. Mas quando o terrível Grande levanta sua cabeça,

30/31

71 Em 1940, Jung escreveu: "O mal é relativo; em parte é evitável e em parte é uma fatalidade. Isto se aplica também à virtude, e muitas vezes não sabemos o que é pior" ("Interpretação psicológica do dogma da Trindade". OC, 11/2, § 291.

72 No *esboço corrigido* esta frase é substituída por: "O mal é a metade do mundo, uma das conchas da ostra" (p. 242).

o mundo estremece. O frio exterior penetra em ti. Com pavor vês que estás indefeso e que a multidão de tuas virtudes cai impotente de joelhos. O mal se agarra com a violência de demônios, e tuas virtudes transvazam para ele. Nesta batalha estás totalmente só, pois teus deuses ficaram surdos. Não sabes quais são os piores demônios, se teus vícios ou tuas virtudes. Mas de uma coisa ficarás ciente: que virtude e vício são irmãos.

[73]Nós precisamos do frio da morte para que vejamos claramente. A vida quer viver e morrer, começar e terminar[74]. Tu não és forçado a viver eternamente, mas também podes morrer, pois para ambas as coisas há uma vontade em ti.

Vida e morte devem manter em tua existência o equilíbrio[75]. As pessoas de hoje precisam de um grande pedaço de morte, pois coisa incorreta demais vive nelas, e coisas corretas demais morrem nelas. Correto é o que mantém o equilíbrio, incorreto é o que destrói o equilíbrio. Mas atingido o equilíbrio, então é incorreto o que mantém o equilíbrio e correto o que o destrói. Equilíbrio é vida e morte ao mesmo tempo. Da perfeição da vida faz parte o equilíbrio com a morte. Quando aceito a morte, reverdece minha árvore, pois a morte intensifica a vida. Se eu me concentro na morte global, meus botões se abrem. Quanto nossa vida precisa da morte!

A alegria nas menores coisas só vem a ti quando tiveres aceito a morte. Mas se olhares vorazmente para aquilo que ainda poderias viver, teu entretenimento não é grande o suficiente para ti, e as coisas menores que ainda te cercam não são mais alegria para ti. Por isso encaro a morte com simpatia, pois ela me ensina a viver.

Quando aceitas a morte em ti, isto é como uma noite de amadurecimento e um pressentimento medroso, mas é uma noite de amadurecimento numa vi-

---

73 O *esboço* continua: "Nesta batalha sangrenta, a morte se dirigiu a ti, assim como hoje o grande matar e morrer enche o mundo. O frio da morte te penetra. Quando na solidão eu estava enrijecido até a morte, vi claramente e vi o vindouro tão claramente como as estrelas e as montanhas distantes na noite gelada" (p. 260).

74 Em *Transformações e símbolos da libido* (1912) Jung afirmou que a libido não era apenas um impulso vital schopenhaueriano, mas que continha o esforço contrário em direção à morte nela mesma (OC, B, § 696).

75 O *esboço* continua: "Deixar viver o correto e deixar morrer o incorreto, esta é a arte de viver" (p. 261). Em 1934, Jung escreveu: "A vida é um processo energético como qualquer outro, mas, em princípio, todo processo energético é irreversível e, por isso, orientado univocamente para um objetivo. E o objetivo é o estado de repouso... Do meio da vida em diante, só aquele que se dispõe a morrer conserva a vitalidade, porque na hora secreta do meio-dia da vida inverte-se a parábola e *nasce a morte*... Não querer viver é sinônimo de não querer morrer. A ascensão e o declínio formam uma só curva" ("A alma e a morte". OC, 8, § 798 e 800). Cf. meu "'The Boundless Expanse': Jung's Reflections on Life and Death". *Quadrant*: Journal of the C.G. Jung Foundation for Analytical Psychology, 38, 2008, p. 9-32.

nha, carregada de uvas doces[76]. Em breve te alegrarás com tua riqueza. A morte amadurece. Precisamos da morte para poder colher frutos. Sem a morte, a vida não tem sentido, pois o prolongamento anula de novo a si mesmo e nega seu próprio sentido. Para ser e gozar de teu ser, precisas da morte, e a limitação faz com que possas realizar teu ser.

[IH 31] Quando vejo a desolação e a tolice da terra e por isso entro de cabeça coberta na morte, tudo o que vejo vira gelo, mas no mundo da sombra se levanta o outro, se levanta o sol vermelho[77]. Ele se ergue secreta e inesperadamente e, como fantasma satânico, gira meu mundo. Eu pressinto sangue e assassinato. Somente sangue e assassinato ainda são sublimes e têm sua beleza própria. Pode-se aceitar a beleza de um ato sangrento de violência.

Mas é o inaceitável, o tremendamente adverso, aquilo que eu rejeitei desde sempre, que se ergue dentro de mim. Pois quando termina a miserabilidade e pobreza desta vida, começa uma outra vida naquilo que é o oposto a mim. Isto é tão oposto que nem faço ideia. Pois não está oposto segundo as leis da razão, mas totalmente e de acordo com todo o seu ser. Sim, não é apenas oposto, mas repugnante, invisível e horrivelmente repugnante, algo que me tira o fôlego, que arranca a força dos músculos, confunde minha mente, que me fere venenosamente e por trás no calcanhar e sempre acerta justamente lá onde eu não imaginava que tivesse um lugar vulnerável[78].

Não vem de encontro a mim como um inimigo forte, valente e perigoso, mas eu é que morro num monte de esterco, enquanto galinhas mansas cacarejam ao meu redor e, admiradas e sem nada entender, botam ovos. Um cachorro passa e levanta sua perna na minha direção e continua trotando calmamente seu caminho. Amaldiçoo sete vezes a hora de meu nascimento, e se eu não preferir suicidar-me imediatamente, preparo-me para viver minha segunda hora de nascimento. Os antigos diziam: "*Inter faeces et urinam nascimur*[79]. Durante noites perdidas cercaram-me os horrores do nascimento. Na terceira noite fez-se ouvir uma risada da mata virgem para a qual nada é simples demais. Então a vida

31/32 começou novamente a se mexer. /

76 Cf. acima, nota de rodapé 20, p. 231.

77 Uma referência à visão supra.

78 Em *Transformações e símbolos da libido* (1912), Jung comentou o motivo do calcanhar ferido (OC, B, § 461).

79 "Nascemos entre fezes e urina", um dito atribuído a Santo Agostinho, entre outros.

Os restos de templos antigos[80]

Cap. vii.

[IH 32][81],[82] E apareceu outra vez uma nova aventura: diante de mim estendem-se imensas pradarias – um tapete de flores – colinas suaves – bem ao longe – bosques de verde vivo. Encontro-me com duas pessoas estranhas – companheiros bem casuais de caminhada: um velho monge e uma pessoa alta, espigada e magra, com andar infantil e com uma veste vermelha desbotada. Quando chegaram mais perto, reconheci no comprido o cavaleiro vermelho. Como mudou! Está mais velho, seu cabelo vermelho ficou grisalho, sua veste de um vermelho de fogo estava gasta, surrada e lastimável. E o outro? Tem uma barriga respeitável e parece que não teve dias ruins. Mas seu rosto me pareceu conhecido: ele é, por todos os deuses, Amônio!

Que transformações! E donde vêm esses homens diferentíssimos? Aproximo-me deles e os saúdo. Ambos me olham assustados e fazem o sinal da cruz. Percebo que o horror deles é causado por minha aparência: estou todo coberto de folhas verdes que brotam de meu corpo. Eu os saúdo, sorrindo, por uma segunda vez.

Amônio exclama horrorizado: "Apage Satanas"[83].

O Vermelho: "Maldita ralé pagã da floresta!"

Eu: "Mas, prezados amigos, o que pensais? Eu sou o estranho hiperbóreo, que te visitou no deserto, Amônio[84]. E eu sou o guarda da torre que tu, Vermelho, visitaste uma vez".

Amônio: "Eu te conheço, chefe dos demônios. Contigo começou minha degradação".

---

80 Em vez disso, o *esboço manuscrito* tem: "Sexta aventura" (p. 586). O *esboço corrigido* tem: "6. Ideais adulterados" (p. 247).

81 A forma de mosaico se parece com os mosaicos de Ravena, que Jung visitou em 1913 e 1914 e que lhe causaram profunda impressão.

82 5 de janeiro de 1914.

83 "Retira-te, satanás" – expressão comum na Idade Média.

84 Na mitologia grega, os hiperbóreos eram um povo que vivia num país de luz solar, além do vento norte, adorando Apolo. Nietzsche se refere várias vezes aos espíritos livres como hiperbóreos em O *anticristo*, § 1. Frankfurt no Meno: Insel Verlag, 1986.

O Vermelho olhou para ele repreensivamente e lhe deu um cutucão. O monge calou-se constrangido. O Vermelho dirigiu-se orgulhosamente a mim.

V: Apesar de tua seriedade hipócrita, tu me deste já naquela vez uma impressão duvidosa de falta de caráter. Tua maldita pose cristã!"

Neste momento, Amônio deu-lhe forte cutucão, e o Vermelho se calou contrariado. E assim ficaram os dois diante de mim constrangidos e ridículos, e também dignos de compaixão.

Eu: "Homem de Deus, de onde vens? Que destino inaudito te traz até aqui e, ainda mais, na companhia do Vermelho?"

A: "Não gosto de falar contigo. Mas parece ser um desígnio de Deus, do qual não se pode fugir. É bom que saibas que tu, espírito maligno, operaste algo horrível em mim. Tu me seduziste com / tua amaldiçoada curiosidade a fim de estender avidamente minha mão para os mistérios divinos, pois me tornaste consciente naquela vez de que eu não sabia propriamente nada sobre eles. Tua observação de que eu precisava da proximidade das pessoas para chegar aos mais altos mistérios entorpeceu-me como veneno infernal. Logo em seguida, convoquei uma reunião dos irmãos no vale e disse-lhes que um mensageiro de Deus me aparecera – tão miseravelmente me deslumbraste – e me aconselhara a fundar um mosteiro com os irmãos.

32/33

Quando o Irmão Fileto levantou uma objeção, refutei-a mencionando a passagem da Sagrada Escritura onde se diz que não é bom para o homem viver só[85]. E assim fundamos o mosteiro, perto do Nilo, donde podíamos ver os navios passando.

Cultivamos campos férteis, e tanto havia a fazer, que os estudos sagrados caíram em esquecimento. Tornamo-nos prósperos, e um dia fui tomado de imensa saudade de rever Alexandria. Meti-me na cabeça que lá queria visitar o bispo. Mas primeiramente a vida no navio, depois o grande movimento nas ruas de Alexandria me inebriaram de tal forma que me perdi completamente.

Como no sonho, embarquei num dos grandes navios que iam para a Itália. Fui tomado de ânsia incontrolável de ver o mundo; bebia vinho e via que as

85 Uma referência a Gn 2,18: "E o Senhor disse: Não é bom que o homem esteja só; vou fazer-lhe uma auxiliar que lhe corresponda". Há uma referência a um certo Fileto na Bíblia, 2Tm 2,16-19: "Evita as conversas fúteis e mundanas. Os que com elas se ocupam, mais e mais avançam para a impiedade, e sua palavra alastra-se como gangrena. Himeneu e Fileto são desse grupo. Eles se desviaram da verdade, dizendo que a ressurreição já se realizou e, assim, subvertem a fé de alguns".

mulheres eram lindas. Eu me deliciava com os prazeres e me animalizava totalmente. Quando desembarquei em Nápoles, lá estava o Vermelho e soube então que havia caído nas mãos do maligno".

V: "Cala-te, velho maluco. Não fosse eu, terias te transformado totalmente em porco. Quando me avistaste, tu finalmente te controlaste, abandonaste a bebida e as mulheres e voltaste ao mosteiro.

Agora escuta minha história, sátiro maldito: eu também caí na tua armadilha, tuas artimanhas pagãs me seduziram. Depois daquela nossa conversa, na qual me apanhaste numa armadilha de raposas com tua observação sobre a dança, fiquei sério, tão sério que entrei para o mosteiro, rezei, jejuei e me converti.

Em meu deslumbramento, queria reformar o culto divino, e introduzi, com a aprovação episcopal, a dança no ritual.

Tornei-me Abade e, como tal, era o único a ter o direito de dançar diante do altar, assim como Davi diante da Arca da Aliança[86]. Mas aos poucos também os irmãos começaram a dançar, inclusive a piedosa comunidade, e finalmente dançou a cidade inteira.

Foi espantoso. Fugi para a solidão e dancei o dia todo até a exaustão, mas de manhã recomeçou a dança infernal.

Procurei fugir de mim mesmo, andei errante pelas noites afora. De dia eu me ocultava e dançava sozinho nas matas e montes desertos. Assim cheguei aos poucos à Itália. Lá embaixo, no Sul, passei mais despercebido do que no Norte, e pude misturar-me ao povo. Só em Nápoles reencontrei certa orientação e foi também lá que encontrei este esfarrapado homem de Deus. Seu aspecto me fortaleceu. Nele pude restabelecer-me. Ouviste como também ele recobrou o ânimo comigo e pôde chegar de novo ao caminho certo".

A: "Preciso confessar que não me entendi tão mal com o Vermelho, ele é uma espécie de demônio atenuado".

V: "Também eu devo dizer que meu monge é de uma espécie pouco fanática, apesar de eu ter adquirido uma grande má vontade contra toda essa religião cristã desde minhas vivências no mosteiro".

86 Em 1Cr 15, Davi dança diante da Arca da Aliança.

Eu: "Prezados amigos, alegro-me de coração por vê-los juntos e satisfeitos".

Ambos: "Não estamos satisfeitos, zombador e satanás; deixa o caminho livre, ladrão, pagão!"

Eu: "Então por que andais juntos pelo mundo se não estais satisfeitos e se não sois amigos?"

A: "O que fazer? Também o demônio é necessário, caso contrário não se tem nada para incutir temor às pessoas".

V: "É absolutamente necessário que eu compactue com o clero, senão perco minha freguesia".

Eu: "Quer dizer que foi a necessidade da vida que vos reuniu! Ide em paz e suportai-vos um ao outro".

Ambos: "Isto não poderemos jamais".

Eu: "Oh, eu vejo, isto depende do sistema. Vós quereis primeiro morrer de todo? Agora deixai o caminho livre para mim, velhos fantasmas!"

[2] [IH 33] Depois que vi a morte e todo o terrível aparato que a cercava e depois que eu mesmo me tornei noite e gelo, levantou-se em mim uma vida e movimento desagradáveis. Começou minha sede pelas águas ruidosas do saber mais profundo[87]; com o tinir dos copos de vinho, ouvia ao longe gritaria de bêbados, risadas de mulheres, barulho de rua. Música de dança, / batida de pés e gritos de euforia brotavam de todas as gretas e, em vez do vento sul com odor de rosas, cercava-me o cheiro do animal humano. Tagarelice suja de luxúria de prostitutas resvalava em risadinhas ao longo das paredes, vapor de vinho e fumaça de cozinha, vozerio estúpido da multidão vinham em fumaçada. Mãos quentes, pegajosas e macias tentavam agarrar-me, cobertas macias de cama de enfermos me enrolaram. Fui gerado para a vida a partir de baixo, e cresci como crescem os heróis, tanto em horas como em anos. E, quando estava crescido, encontrei-me no meio da terra e vi que era primavera.

33/34

[IH 34] Mas eu não era mais a pessoa que havia sido, e sim um estranho cresceu através de mim. Este ser era um ente alegre da floresta, um monstro de folhas verdes, um sátiro e travesso, que mora sozinho na floresta e que é um

87 O *esboço corrigido* tem "da sabedoria", em vez de "do saber mais profundo" (p. 251).

ser arbóreo, que nada mais ama do que o verdejante e o que cresce, que não vai à procura nem recebe as pessoas, cheio de caprichos e acasos, obedecendo a leis invisíveis, esverdeando e murchando com as árvores, nem belo e nem feio, nem bom e nem mau, somente vivo, velhíssimo e ainda bem jovem, nu e assim mesmo vestido naturalmente. Não é gente, mas natureza, assustador, ridículo, poderoso, infantil, fraco, enganador e enganado, cheio de inconstância e superficialidade e, no entanto, atingindo a profundidade até o cerne do mundo.

Eu havia sugado para dentro de mim a vida de meus dois amigos; sobre as ruínas do templo cresceu uma árvore verde. Eles não se opuseram à vida, mas, seduzidos pela vida, tornaram-se sua própria farsa. Eles caíram no esterco, por isso chamavam o ser vivo de demônio e traidor. Pelo fato de os dois acreditarem à sua maneira em si e em sua própria bondade, caíram finalmente no esterco, como lugar de enterro natural e último de todos os ideais sobrevividos. O mais belo e o melhor, como o mais feio e o pior terminam a seu tempo no lugar mais ridículo do mundo, rodeados por mascarados, conduzidos por loucos, seguem horrorizados para a cova da podridão.

Depois do amaldiçoar vem o riso, para que a alma seja liberta dos mortos.

Os ideais são desejados e pensados segundo sua natureza e na medida em que são, mas também só na medida em que são. Contudo, não se pode negar seu ser atuante. Quem acha que vive realmente seus ideais, ou que possa vivê-los, tem mania de grandeza e se comporta como louco, ao representar para si um ideal elevado: o herói, porém, está morto. Os ideais são mortais, portanto é preciso preparar-se para seu fim: pode custar-lhe talvez o pescoço. Mas não vês que foste tu que deste sentido, valor e força atuante a teu ideal? Quando te tornaste vítima do ideal, então o ideal enlouquece, brinca carnaval contigo e conduz na Quarta-feira de Cinzas ao inferno. O ideal é um instrumento que se pode descartar a qualquer momento, uma tocha em caminhos escuros. Quem anda por aí de dia com uma tocha é louco. Quanto desceram meus ideais, com que frescor reverdejou minha árvore!

[88]Quando eu reverdeci, estavam aí os restos tristes de templos e jardins de rosas antigos, e eu reconheci com horror seu parentesco íntimo. Ao que me

---

88 O *esboço* e o *esboço corrigido* têm: "Eu era o holocausto de meus santuários e me tornara belezas, ~~por isso eles me levaram para a morte no abatimento~~ [por isso me sobreveio a morte]" (p. 254).

parece, eles se uniram numa aliança desavergonhada. Mas entendi que esta aliança já existiu em tempos idos. Uma vez que eu ainda afirmava de maus santuários de que eram de pureza cristalina, uma vez que eu comparava meus amigos com o perfume das rosas da Pérsia[89], os dois concluíram um pacto de silenciosa reciprocidade. Aparentemente fugiam um do outro, mas secretamente trabalhavam de mãos dadas. O silêncio solitário do templo atraiu-me para longe das pessoas, para mistérios supraterrenos, nos quais me envolvi até o tédio. Enquanto eu lutava com Deus, o demônio ficou pronto para que eu o recebesse e me arrastou o quanto possível para seu lado. Também lá não encontrei limites a não ser tédio e nojo. Eu não vivia, mas era impelido, um escravo de meus ideais[90].

Agora estão elas aí, as ruínas, discutem entre si e não conseguiram reconciliar-se nem mesmo em sua miséria comum. Eu me havia tornado um comigo mesmo como ser natural, mas eu era um sátiro[91], que assustava caminhantes solitários e que evitava os lugares das pessoas. Mas eu reverdecia e florescia por mim mesmo. Ainda não era novamente alguém com seu conflito entre prazer mundano e prazer do espírito. Eu não vivia esses prazeres, mas vivia a mim mesmo, e era uma árvore verde bem feliz numa distante floresta primaveril. Assim aprendi a viver sem mundo e sem espírito, e me admirava de como se pode viver bem dessa maneira.

Mas o ser humano, a humanidade? Ali estavam as duas pontes abandonadas, que deveriam levar para a humanidade: uma levava de cima para baixo, e 34/35 as pessoas escorregavam nela para baixo; isto as divertia. / A outra levava de baixo para cima, e as pessoas subiam por ela gemendo. Isto as cansava. Nós vivemos nossos semelhantes no cansaço e na alegria. Se eu mesmo não vivo, mas só me arrasto para cima, isto proporciona ao outro diversão imerecida. Se eu apenas me divirto, isto causa ao outro cansaço imerecido. Se eu só vivo, estou afastado das pessoas. Elas não me veem mais, e, se me virem, ficam admiradas

89 Na Pérsia, as pétalas esmagadas de rosas eram destiladas para se fazer óleo de rosas, do que se faziam perfumes.

90 Em 1926, Jung escreveu: "A passagem da manhã para a tarde é uma *inversão dos antigos valores*. É imperiosa a necessidade de se reconhecer o valor oposto aos antigos ideais, de perceber o engano das convicções defendidas até então de reconhecer e sentir a inverdade das verdades aceitas até o momento, de reconhecer e sentir toda a resistência e mesmo a inimizade do que até então julgávamos ser amor" ("O inconsciente na vida psíquica normal e patológica". OC, 7, § 115).

91 O *esboço corrigido* tem: "um ente verde" (p. 255).

e assustadas. Mas eu mesmo, simplesmente vivendo, reverdecendo, florindo, murchando, estou como árvore sempre no mesmo lugar e deixo impassivelmente que os sofrimentos e as alegrias das pessoas soprem ruidosamente por cima de mim. E mesmo assim sou uma pessoa que não pode alienar-se da discórdia do coração humano.

Mas meus ideais podem ser também meus cachorros, cujos latidos e brigas não me perturbam. Então sou para as pessoas ao menos um cachorro bonzinho ou mau. Mas o que deveria ser não é obtido, isto é, que eu viva e seja uma pessoa. Parece quase impossível viver como pessoa. Enquanto não estiveres consciente de teu si-mesmo, podes viver; mas quando te tornares consciente de teu si-mesmo, vais caindo de um buraco em outro. Com todos os teus[92] renascimentos poderias dar-te[93] mal em última análise. Por isso também Buda desistiu finalmente do renascimento, pois estava farto de passar por todas as formas de pessoas e animais[94]. Após todos os renascimentos permaneces sendo o leão de quatro patas sobre a terra, o χαμαλεων [camaleão], uma criatura, um caleidoscópio, um sáurio rastejante e brilhante, mas nenhum leão, cuja natureza seja análoga à do sol, que tem sua força por si mesmo e que não entra de rastos nas cores protetoras do meio ambiente e que se defende pelo disfarce. Eu conheci o camaleão e não quero mais andar de rastos sobre a terra, mudar de cor e ser renascido, mas quero ser por força própria, como o sol que dá a luz e não a suga. Isto é próprio da terra. Lembro-me de minha natureza solar e gostaria de apressar-me na direção de meu começo. Mas as ruínas[95] estão no meu caminho. Elas dizem: "Em relação às pessoas tu deves ser isto ou aquilo". Minha pele de camaleão se eriça. As ruínas insistem comigo e querem colorir-me. Mas já não deve ser. Nem o bem e nem o mal devem ser meus senhores. Empurro-as para o lado, restos ridículos de vida, e continuo meu caminho que me leva ao Oriente.

---

92 O *esboço corrigido* tem "meus" (p. 257).

93 O *esboço corrigido* tem "me" (p. 257).

94 O *esboço corrigido* tem: "como um camaleão" (p. 258). Ocorre aqui uma passagem no *esboço* do qual o que se segue é uma paráfrase: é nossa natureza de camaleão que nos impele através dessas transformações. Enquanto formos camaleões, necessitamos de uma incursão anual no banho do renascimento. Por isso, Jung olhava com horror para o aspecto ultrapassado de seus ideais, pois amava seu verde e desconfiava de sua pele de camaleão, que mudava de cor segundo o meio ambiente. O camaleão faz isso astutamente. Há quem chame esta mudança de progresso através do renascimento. Assim tu experimentas 777 renascimentos. O Buda não precisou de tanto tempo para ver que mesmo os renascimentos eram em vão (p. 275-276). Havia uma crença de que a alma tinha de passar por 777 reencarnações (WOODS, E. *The New Theosophy*. Wheaton, Ill.: The Theosophical Press, 1929, p. 41).

95 Em vez disso, o *esboço* tem: "meus restos ideais de vida" (p. 277).

Atrás de mim estão as forças querelantes que estiveram tanto tempo entre mim e mim mesmo.

Agora estou bem sozinho. Já não posso dizer-te: "Escuta!", ou: "tu deves", ou: "tu poderias", mas agora só falo ainda comigo. Agora ninguém pode fazer por mim a menor coisa que seja. Não tenho mais obrigação contigo, e tu não tens obrigação comigo, pois eu desapareço e tu desapareces para mim. Não escuto mais pedido nenhum e não tenho pedido a te fazer. Não brigo nem me reconcilio mais contigo, mas coloco o silêncio entre mim e ti.

Longe perde-se teu chamado, e o rasto de meus passos não podes encontrar. Pois com o vento oeste, que vem da superfície do oceano, viajo sobre a terra verde, passo pelas florestas e vou dobrando a relva nova. Falo com as árvores e os animais da floresta, e as pedras me indicam o caminho. Quando sinto sede, e a fonte não vem a mim, eu mesmo vou à fonte. Quando sinto fome, e o pão não vem a mim, procuro meu pão e o pego lá onde o encontro. Não presto ajuda e não preciso de ajuda nenhuma. Se alguma necessidade me aflige, não olho ao redor se há algum ajudante por perto, mas aceito a necessidade, eu me curvo, eu me viro e supero. Eu rio, eu choro, eu blasfemo, mas não olho ao redor.

Neste caminho ninguém me segue, e eu não cruzo o caminho de ninguém. Estou sozinho, mas preencho minha solidão com minha vida. Sou para mim mesmo pessoa, barulho, entretenimento, consolo, ajuda suficientes. E assim viajo para o distante Oriente. Não que eu soubesse qual seria o meu destino longínquo. Vejo horizontes azuis diante de mim: são para mim objetivo suficiente. Apresso-me para o Oriente, para o meu começo. Eu quero o meu

35/37 nascente. / [Ilustração 36][96] /

96 Legenda da ilustração: "Este quadro foi pintado no Natal de 1915. "O quadro de Izdubar parece-se muito com uma ilustração dele na obra de Wilhelm Roscher, *Ausführliches Lexikon der griechischen und römischen Mythologie*, do qual Jung possuía um exemplar (Leipzig: Teubner, 1884-1937). Izdubar era o nome original do personagem conhecido agora como Gilgamesh. Isto baseou-se numa transcrição errada. Em 1906, Peter Jensen observou: "O fato de o principal herói da epopeia chamar-se Gilgamesh, e não por exemplo Gistchubar ou Izdubar, como se admitia antes, sabemo-lo agora definitivamente" (*Das Gilgamesh-Epos in der Weltliteratur*. Strassburgo: Karl Trübner, 1906, p. 2). Jung tratou da epopeia Gilgamesh em 1912, em *Transformações e símbolos da libido*, usando a forma correta e citando várias vezes a obra de Jensen.

Primeiro dia

Cap. viii.[97]

[IH 37] Na terceira noite[98], um monte gigantesco de pedras obstruiu meu caminho, mas um desfiladeiro permitiu-me passagem. O caminho prossegue inevitavelmente entre altas paredes de montanhas. Meus pés estão descalços e eles se machucam nas pedras pontiagudas –. Aqui a vereda torna-se plana e uniforme. Uma parte do caminho é branca, a outra, preta. Piso no lado preto e recuo assustado: é ferro quente. Piso na metade branca: é gelo. Mas deve ser assim. Apresso-me a uma saída e, finalmente, o vale se alarga num imenso caldeirão rochoso. Uma senda estreita conduz por rochas verticais para o alto, ao cume da montanha.

Ao aproximar-me do alto, vem um forte estrondo do outro lado do monte, como de minério extraído. O som vai crescendo aos poucos, e muito estrondar repercute o som nas montanhas. Ao atingir a passagem, vejo no outro lado aproximar-se uma pessoa gigantesca.

De sua enorme cabeça saem dois chifres de touro. Uma armadura preta e tilintante cobre seu peito. Sua barba negra está agrisalhada e enfeitada com pedras preciosas. Na mão traz o machado brilhante de dois gumes, com o qual se abatem os touros. Antes de me haver recuperado do grande susto, o portentoso estava diante de mim, e eu vejo seu rosto: é pálido, amarelado e profundamente amedrontado. Seus olhos escuros, em forma de amêndoas, encaram-me admirados. Eu sou tomado pelo pavor: isto é Izdubar, o poderoso, o homem-touro. Ele está parado e olha para mim: seu rosto exprime medo consumidor interno, suas mãos e joelhos tremem. Izdubar, o potente touro, treme? Ele tem medo de mim? Eu o interpelo:

"Ó Izdubar, o mais poderoso, poupa minha vida e perdoa o fato de eu, ver-me, ter-me colocado em teu caminho".

Iz: "Não exijo tua vida. Donde vens?"

Eu: "Venho do Ocidente".

---

97 Em vez disso, o *esboço manuscrito* tem: "*Sétima aventura. Primeiro dia*" (p. 626). Mas o *esboço corrigido* tem: "7. O grande encontro. Primeiro dia. O herói do Oriente" (p. 262).

98 8 de janeiro de 1914.

Iz: "Vens do Ocidente? Sabes alguma coisa da terra do Ocidente? É este o caminho certo para a terra do Ocidente?"[99]

Eu: "Eu venho de uma terra ocidental, cujos litorais são banhados pelo mar ocidental".

Iz: "O sol afunda naquele mar? Ou toca ele, em seu ocaso, a terra firme?"

Eu: "O sol se põe muito além do mar".

Iz: "Além do mar? O que existe lá?"

Eu: "Lá não há nada, espaço vazio. A terra é redonda e gira, além disso, ao redor do sol".

Iz: "Maldito, donde te vem tal conhecimento? Então não existe em lugar nenhum aquela terra imortal, onde o sol entra para renascer? Falas a verdade?"

Seus olhos flamejam de raiva e medo. Dá um passo trepidante para mais perto. Eu tremo.

Eu: "Ó Izdubar, o mais poderoso, perdoa minha petulância, mas falo realmente a verdade. Venho de uma terra onde isto é ciência indiscutível e onde moram as pessoas que dão volta ao redor da terra em seus navios. Nossos cientistas sabem exatamente através de medições o quanto dista o sol de cada ponto da superfície da terra. Ele é um corpo celeste que está indizivelmente longe no espaço infinito".

Iz: "Infinito, dizes tu? O universo é infinito e nós nunca podemos chegar ao sol?"

Eu: "Poderosíssimo, enquanto fores da espécie mortal, jamais poderás chegar ao sol".

Vejo que ele é tomado de medo sufocante.

Iz: "Eu sou mortal – e eu nunca poderei alcançar o sol, a imortalidade?"

Com um golpe violento, de som agudo, despedaça seu machado na pedra.

Iz: "Vai-te, arma miserável, não serves para nada. O que poderias valer contra o infinito, contra o eterno vazio / e o não preenchível? Não tens mais ninguém a dominar. Despedaça-te – o que adianta!" (No Ocidente o sol de vermelho-sangue desaparece no seio de nuvens abrasadoras). "Assim te vais, sol, Deus três vezes maldito, e te escondes em tua infinitude!" (Ele ajunta do chão os pedaços partidos de seu machado e os atira atrás do sol). "Aqui tens teu sacrifício, teu último sacrifício!"

37/38

99 Na mitologia egípcia, as terras ocidentais (a margem ocidental do Nilo) eram a terra dos mortos.

Ele cai e soluça como uma criança. Fico imóvel, chocado, e mal ouso mexer-me.

Iz: "Verme miserável, onde sugaste este veneno?"

Eu: Ó Izdubar, poderoso, é a ciência que tu chamas de veneno. Em nossa terra somos alimentados com isso desde a juventude, e isto pode ser um dos motivos de não nos desenvolvermos tão bem e permanecermos pequenos como anões. Quando olho para ti, fico pensando se não estamos todos envenenados de certa forma"[100].

Iz: "Nenhum forte jamais me derrubou, nenhum monstro re-sistiu à minha força. Mas teu veneno, verme, que tu puseste em meu caminho, paralisou-me na medula. Tua magia venenosa é mais poderosa do que o exército de Tiamat[101]. (Jazia como paralisado, estendido ao comprido no chão). "Deuses, ajudai, aqui está deitado vosso filho, derrubado pela mordida no calcanhar da cobra invisível. Tivesse eu te esmagado quando te vi, e nunca tivesse escutado tuas palavras!"

Eu: "Ó Izdubar, grande, digno de compaixão, tivesse eu sabido que minha ciência te pudesse derrubar, teria calado minha boca diante de ti. Mas eu queria dizer-te a verdade".

Iz: "Tu chamas o veneno de verdade? O veneno é verdade? Ou a verdade é veneno? Não dizem também nossos intérpretes dos astros e nossos sacerdotes a verdade? No entanto, ela não atua como veneno".

Eu: "Ó Izdubar, a noite desce e aqui no alto fica frio. Não devo buscar ajuda para ti junto às pessoas?"

Iz: "Deixa estar, é melhor que me respondas".

Eu: "Mas não podemos filosofar aqui. Teu estado lastimável requer cuidados".

Iz: "Eu repito, deixa estar. Se eu tiver que morrer esta noite, assim deve ser. Agora responde-me".

Eu: "Temo que minhas palavras sejam fracas se tiverem que curar".

Iz: "Coisas piores não podem causar. A desgraça já aconteceu. Portanto, dize o que sabes. Talvez tenhas uma palavra mágica que tire o efeito do veneno".

Eu: "Minhas palavras, poderosíssimo, são pobres e não têm força mágica".

100 Em *Die fröhliche Wissenschaft* (A gaia ciência) Nietzsche argumenta que o pensar nasceu do cultivo e da união de vários impulsos que tinham o efeito de venenos: o impulso de duvidar, de negar, de esperar, de coletar e dissolver ("A doutrina dos venenos", livro 3, seção 113, Frankfurt no Meno: Insel Verlag, 2000).

101 Na mitologia babilônica, Tiamat, a mãe dos deuses, entrou em guerra contra um exército de demônios.

Iz: "Seja como for, fala!"

Eu: "Não duvido que vossos sacerdotes digam a verdade. E, sem dúvida, uma verdade, mas que soa diferente da nossa verdade".

Iz: "Existem então dois tipos de verdade?"

Eu: "Parece-me que é assim. Nossa verdade é aquilo que nos vem a partir do conhecimento das coisas externas. A verdade de vossos sacerdotes é aquela que vos advém a partir das coisas internas".

Iz (levantando meio corpo): "Isto foi uma palavra salutar".

Eu: "Sinto-me bem pelo fato de minha fraca palavra ter-te causado alívio. Soubesse eu mais dessas palavras que te pudessem ajudar! Está ficando frio e escuro. Vou fazer fogo para esquentar a ti e a mim".

Iz: "Faze isto, talvez esta ação proporcione ajuda". (Ajunto lenha e acendo um grande fogo) "O fogo sagrado me aquece. Mas dize-me como fazes fogo tão rápida e misteriosamente?"

Eu: "Para isso só preciso de fósforo. Vê, são pauzinhos com uma substância especial na pontinha. Esfrega-se um pauzinho na caixa e temos o fogo".

Iz: "Isto é admirável! Onde aprendeste esta arte?"

Eu: "Em nossa terra todos têm fósforos. Mas isto é o de menos. Nós tam-
38/39 bém podemos voar com máquinas engenhosas". /

Iz: "Podeis voar como os pássaros? Se tuas palavras não contivessem tanta magia, eu diria: tu mentes".

Eu: "Não estou mentindo. Vê, aqui tenho também por exemplo um relógio, que indica com precisão as horas do dia e da noite".

Iz: "Isto é fantástico. Vejo que vens de uma terra especial e magnífica. Certamente vens da afortunada terra do Ocidente. Tu és imortal?"

Eu: "Eu – imortal? Não existe nada mais mortal do que nós".

Iz: "O que? Vós não sois imortais e entendeis assim mesmo dessas artes?"

Eu: "Infelizmente nossa ciência ainda não descobriu um recurso contra o morrer".

Iz: "Então, quem vos ensinou essas artes?"

Eu: "No correr dos séculos, as pessoas fizeram várias descobertas por meio de uma observação precisa e de conhecimento científico das coisas externas".

Iz: "Mas este conhecimento científico é precisamente a magia abominável que me paralisou. Como é possível que ainda estejais vivos, se todo dia tomais desse veneno?"

Eu: "Nós nos acostumamos a ele com o tempo, assim como o ser humano se acostuma a tudo. Mas já estamos algo paralisados. Contudo, este conhecimento científico proporciona por outro lado um grande benefício, como tu viste. O que perdemos em força, nós o recuperamos muitas vezes através da dominação sobre as forças da natureza".

Iz: "Não é lamentável ser paralítico dessa forma? Eu, por minha vez, prefiro minha própria força às forças da natureza. Deixo as forças ocultas aos covardes ilusionistas e aos mágicos efeminados. Quando reduzi a cabeça de alguém a uma pasta só, cessa também sua magia miserável".

Eu: "Mas tu vês como o contato com nossa magia atuou sobre ti? Penso – terrível".

Iz: "Infelizmente tens razão".

Eu: "Como vês, não tivemos escolha. Tivemos de engolir o veneno da ciência. Se não aconteceria a nós todos o que aconteceu a ti: estaríamos totalmente paralisados se tivéssemos tido contato com ele inadvertida e despreparadamente. Este veneno é tão invencivelmente forte, que cada qual, mesmo o mais forte, e mesmo os deuses eternos a ele sucumbem. Se amamos a vida, sacrificamos de preferência um pedaço de nossa força vital, a expor-nos à morte certa".

Iz: "Já não penso que vens da afortunada terra do Ocidente. Tua terra deve ser monótona, cheia de paralisia e renúncia. Anseio voltar para o Oriente, onde corre a fonte pura de nossa sabedoria dispensadora da vida".

Ficamos sentados em silêncio perto do fogo crepitante. A noite é fria. Izdubar respira com dificuldade e olha para o céu estrelado.

Iz: "O dia mais terrível de minha vida – interminável – tão comprido – tão comprido – miseráveis artes mágicas – nossos sacerdotes não sabem nada, caso contrário poderiam ter-me protegido contra isso – até mesmo os deuses morrem, diz ele. Não tendes mais deuses então?"

Eu: "Não, só temos ainda as palavras".

Iz: "Mas essas palavras são poderosas?"

Eu: "Afirma-se que sim, mas não se percebe nada disso".

Iz: "Nós também não vemos os deuses, mas cremos que existem. Reconhecemos sua atuação nos acontecimentos naturais".

Eu: "A ciência tirou-nos a capacidade de crer"[102].

---

102 A questão da relação da ciência com a fé foi crítica na psicologia junguiana da religião. Cf. *Psicologia e Religião* (1938). OC, 11.

Iz: “Também isso perdestes? Como viveis então?”

Eu: “Vivemos assim: um pé no frio e o outro no quente e, no mais, tudo ao deus dará”.

Iz: “Tu te expressas de maneira obscura”.

Eu: “Assim acontece conosco, tudo é obscuro”.

Iz: “Podeis suportar isso?”

Eu: “Não muito bem. Eu pessoalmente não me sinto bem com esta situação. Por isso eu me pus a caminho do Oriente, para a terra do sol nascente, a fim de procurar a luz que nos falta. Onde nasce, pois, o sol?”

Iz: “A terra, como dizes, é redonda em toda parte. Portanto, o sol não nasce em lugar nenhum”.

39/40 Eu: “Tendes, por acaso, a luz que nos falta?” /

Iz: “Olha para mim: eu me desenvolvi à luz do mundo oriental. Podes então fazer uma ideia da fecundidade dessa luz. Mas se tu vens de uma tal terra de escuridão, protege-te contra a luz invencível; poderias ficar cego, assim como nós todos somos um pouco cegos”.

Eu: “Se vossa luz é tão fabulosa, como tu és, serei precavido”.

Iz: “Fazes bem”.

Eu: “Estou ansioso por vossa verdade”.

Iz: “Assim como eu pela terra do Ocidente. Eu te previno”.

Fez-se silêncio. Já é tarde da noite. Pegamos no sono junto ao fogo.

[2] [IH 40] Fui para o sul e encontrei o calor insuportável do estar só comigo mesmo. Fui para o norte e encontrei a morte fria, pois todo mundo morre. Voltei para minha terra ocidental, onde as pessoas são ricas em saber e poder, e comecei a sofrer da escuridão vazia de sol. Larguei tudo para lá e fui para o Oriente, onde diariamente a luz se ergue. Como uma criança, fui para o Oriente. Não perguntava, só esperava.

Prados cordiais de flores e amoráveis florestas de primavera orlavam meu caminho. Mas na terceira noite veio o pesado. Como um monte de pedras, cheio de deserto triste, ficou diante de mim, e tudo queria me desencorajar de prosseguir lá o caminho de minha vida. Mas eu encontrei a entrada e o caminho estreito. O sofrimento era grande, pois não foi à toa que eu afastei de mim os dois decrépitos e degenerados. O que eu rejeito, eu o aceito em mim confiadamente. O que aceito, isto vai para a parte de minha alma que eu conheço; o que rejeito vai para a parte de minha alma que desconheço. O que aceito, eu mesmo o faço; o que rejeito, isto é feito a mim.

Portanto, o caminho de minha vida conduziu-me apesar de tudo por sobre os opostos rejeitados, que unidos numa estrada por demais escorregadia e – ah – tão dolorosa estavam diante de mim. Pisei neles com os pés, mas eles queimaram e gelaram as plantas de meus pés. E assim alcancei o outro lado. Mas o veneno da cobra, cuja cabeça esmagaste, entra em ti através da ferida no calcanhar, e assim a cobra fica mais perigosa para ti agora do que era antes. Pois, o que rejeito também está em minha natureza. Acho que estava fora e por isso acreditei que poderia destruí-lo. Mas está em mim e só assumiu forma exterior transitória e veio ao meu encontro. Destruí sua forma e acreditei ser um vencedor. Mas eu ainda não me venci.

O oposto externo é uma imagem de meu oposto interior. Quando reconheci isto, fico quieto e penso no abismo de desunião em minha alma. Opostos externos são fáceis de vencer. Eles existem de verdade, mas apesar disso podes estar de acordo contigo mesmo. Vão queimar e gelar realmente as plantas de teus pés, mas somente as plantas dos pés. Dói, mas tu caminhas e olhas para objetivos distantes.

Após ter alcançado a maior altitude e querer contemplar minha esperança pelo Oriente, aconteceu algo maravilhoso: assim como eu me dirigia para o Oriente, um outro vinha apressado do Oriente a meu encontro e almejava a luz que se apagava. Eu queria luz, ele noite. Eu queria subir, ele descer. Eu era nanico como criança, ele grande como gigante, um herói de força atávica. Eu vinha paralisado de saber, ele ofuscado pela plenitude da luz. E assim nos apressamos um ao encontro do outro, ele vindo da luz e eu, da escuridão; ele forte e eu fraco; ele Deus, eu cobra; ele muitíssimo velho, eu ainda bem jovem; ele ignorante, eu conhecedor; ele fabuloso, eu austero; ele corajoso, violento, eu covarde, ardiloso. Mas ambos admirados por nos vermos na linha divisória da manhã e da noite.

Como eu era uma criança e crescia como árvore verdejante e deixava calmamente soprar através de meus ramos o vento, gritos distantes e a agitação dos opostos, / como eu era um menino e caçoava de heróis mortos, como eu era 40/41 um adolescente que afasta de si, tanto à direita quanto à esquerda, as amarras, não ligava para o poderoso, o cego e imortal que se dirigia ansiosamente para o sol poente, que queria partilhar do oceano até seus fundamentos e descer até a fonte da vida. Pequeno é o que se apressa para o levante, grande é o que se volta para o poente. Por isso eu era pequeno, pois mal havia saído da profundeza de meu poente. Eu estive lá, para onde ele quer ir. Aquele que vai para o poente é grande, e algo fácil para ele seria esmigalhar-me. Mas um Deus que escolhe o sol para si não dá caça a vermes. O verme, no entanto, visa ao calcanhar do poderoso e vai preparar-lhe o ocaso de que precisa. Sua força é grande e cega. É formidável vê-lo e desperta medo. Mas a cobra encontra seu lugar. Um pouco de veneno, e o grande tomba. As palavras daquele que nasce não têm ressonância e são amargas. Não se trata de um veneno doce, mas de um veneno mortal para todos os deuses.

Ah, ele é meu amigo mais belo e preferido, ele que se apressa para cá, que seguindo o sol e semelhante ao sol, que deseja casar-se com a mãe incomensurável. Como têm parentesco próximo, sim, como são totalmente unos cobra e Deus! A palavra, que era nosso salvador, tornou-se uma arma mortal, tornou-se uma cobra que morde traiçoeiramente.

Não são mais opostos externos que bloqueiam meu caminho, mas é minha própria oposição que vem a meu encontro; levanta-se gigantescamente diante de mim, e nós nos bloqueamos mutuamente o caminho. Com efeito, a palavra da cobra vence o perigo, mas o meu caminho continua bloqueado, pois na continuação de meu caminho devo cair da paralisia para a cegueira, enquanto o Poderoso, para escapar de sua cegueira, sucumbiu à paralisia. Eu não posso chegar à força ofuscante do sol, assim como ele, o Poderoso, não pode chegar ao seio renascente da escuridão. Parece que a mim foi recusada a força; a ele, o renascimento, mas eu evito a ofuscação na força, e ele evita a morte no nada. Minha esperança na plenitude da luz se despedaça, assim como naufraga seu desejo por uma vida conquistada sem limites. Eu aguardei os mais fortes, e o Deus desce até ao moribundo.

[BO 41] *O Poderoso caiu, jaz no chão*[103].
O poder precisa afastar-se por amor à vida.
A abrangência da vida exterior precisa ser diminuída.

---

103 O *esboço* continua: "Foi isto o que vi no sonho" (p. 295).

Muito mais mistério, fogo solitário, cavernas, florestas grandes e escuras, pequenas povoações dos poucos, águas fluindo silenciosamente, noites silenciosas de inverno e verão, poucos navios e carros, e escondido nas casas o raro e o precioso.

De longe vêm viajantes por estradas solitárias e olham isto e aquilo.

Impossível a pressa, cresce a paciência. / 41/42

[BO 42] *Cessa o barulho do dia do mundo, e no interior arde o fogo que esquenta.*

Em torno do fogo estão sentadas as sombras de outrora, queixam-se baixinho e dão notícia do que passou.

Vinde ao fogo solitário, vós, cegos e paralíticos, e escutai os dois aspectos da verdade: o cego ficará paralítico, e o paralítico ficará cego, no entanto o mesmo fogo aquece os dois, o mesmo fogo que arde sozinho na noite imensa.

Um fogo muito velho e misterioso arde entre nós, dando pouca claridade, mas calor abundante.

O fogo antiquíssimo, que domina toda e qualquer necessidade, deve incendiar-se de novo, pois a noite do mundo é imensa e fria, e a necessidade é grande.

O fogo bem cuidado reúne os distantes, os que sofrem frio, que mutuamente não se podem ver nem tocar, nem vencer o sofrimento e despedaçar a necessidade.

As palavras ao fogo são ambíguas e profundas e apontam o caminho certo da vida.

O cego deve ser paralítico a fim de não correr para o abismo, e o paralítico deve ser cego a fim de não olhar ávida e desdenhosamente para as coisas que não pode alcançar.

Ambos desejam estar conscientes de sua profunda desvalia, a fim de venerar novamente o fogo sagrado, as sombras, que estão sentadas ao redor da lareira, e as palavras que gravitam em torno da chama.

Os antigos chamavam de Logos a Palavra salvadora, uma expressão da razão divina[104]. Havia tanta irracionalidade / no ser humano, que necessitava da razão como salvação. Quando a gente espera o tempo suficiente, vê-se como os deuses ao final se transformam todos em cobras e dragões do submundo. Este é também o destino do Logos: ao final ele nos envenena a todos. Com o tempo fomos envenenados, mas guardávamos em nós, sem o saber, o Um, o Poderoso, o que sempre está viajando, longe do veneno. Nós espalhamos veneno e paralisia ao redor de nós, à medida que queremos educar todo o mundo em torno de nós para a razão. 42/43

104 Cf. *Liber Secundus*, cap. 4, p. 220.

Um tem sua razão no pensar, outro no sentir. ambos são servidores do Logos e se tornaram secretamente adoradores de cobras[105].

Tu podes impor-te um jugo, podes acorrentar-te, diariamente te flagelar até arrancar sangue: tu te rebaixaste, mas não te venceste. Mas precisamente através disso ajudaste o Poderoso, fortaleceste tua paralisia e fomentaste tua cegueira. Ele é quem gostaria de ver e fazer sempre nos outros o que ávida e tiranicamente, com obstinação e tenacidade de touro, gostaria de impor a ti e a outros o Logos. Dá-lhe do Logos para experimentar. Ele tem medo, treme já de longe, pois ele pressente que sobreviveu e que uma gotinha ínfima do veneno do Logos vai paralisá-lo. Mas por ser teu belo e bem-amado irmão, estás escravamente dedicado a ele e gostarias de poupar-lhe o que não poupaste a nenhum de teus semelhantes. Não titubeaste diante de nenhum meio ardiloso e violento para atingir teus semelhantes com a seta venenosa. Um animal de caça aleijado é um despojo indigno. O próprio caçador poderoso, que lutou com o touro até derrubá-lo, que despedaçou o leão e derrotou o exército de Tiamat, ele é um alvo digno de teu arco[106].

Quando tu vives como aquele que tu és, ele vai investir com fúria contra ti, tu não podes deixar de encontrá-lo. Ele te fará violência e te forçará a serviços de escravo, se não te lembrares de tua arma secreta e temível, que sempre usaste em teu serviço contra ti mesmo. Astuto, cruel e frio deves ser, se puseres mãos à obra para deitar abaixo o belo e bem-amado. Contudo não deves matá-lo, mesmo quando ele sofre e se torce em dores insuportáveis. Amarra São Sebastião numa árvore e atira devagar e sensatamente flecha após flecha em sua carne que estremece[107]. Lembra-te ao fazer isso de que cada flecha que o atinge é poupada a um de teus irmãos muito pequenos e paralíticos. Portanto queres atirar muitas flechas. Mas numerosos por demais e quase inextirpáveis são os mal-entendidos: as pessoas querem sempre destruir o belo e bem-amado fora delas, nunca porém dentro delas.

---

105 Em *Tipos psicológicos* (1921) Jung considerou o pensar e sentir como funções racionais (OC, 6, § 731).

106 O *esboço* continua: "Gostarias de prostrá-lo com um tiro atrevido de funda assim como Davi fez com Golias! (p. 299). Em *Transformações e símbolos da libido* (OC, B, § 383s.) Jung aborda o mito babilônico da criação, no qual Marduk, deus da primavera, combate com Tiamat, mãe dos deuses, e com todo o exército dela. Marduk mata Tiamat e disso criou o mundo. Por isso o "caçador poderoso" corresponde a Marduk.

107 São Sebastião foi um mártir cristão, perseguido pelos romanos, que viveu no terceiro século. É representado muitas vezes amarrado numa árvore e alvejado por flechas. A representação mais antiga encontra-se na basílica de Santo Apolinário, em Ravena.

Ele, o belo e bem-amado, vem ao meu encontro do Oriente, vem daquele lugar aonde eu me esforçava por chegar. Admirado, vi sua força e esplendor, e descobri que ele procura alcançar exatamente aquilo que eu havia abandonado, isto é, o amontoado populacional na obscuridade. Percebi a cegueira e ignorância de sua aspiração, que se opunha ao meu desejo, e eu lhe abri os olhos e paralisei com picada venenosa seus membros fortes. Ele ficou deitado chorando como criança, como aquilo que era, uma criança, uma antiquíssima criança grande, necessitada do Logos humano. Assim jazia diante de mim, indefeso, meu cego, enxergando só pela metade, Deus paralítico. Fiquei tomado de compaixão, pois percebi com total clareza que não poderia morrer-me, ele que me veio ao encontro desde o nascente, daquele lugar onde ele poderia estar bem, mas aonde eu jamais conseguiria chegar. Eu possuía agora aquele que eu procurava. O Oriente nada mais me poderia dar do que ele, o doente, o sucumbido.

Tu só tens que fazer a metade do caminho, a outra metade ele a faz. Se o ultrapassas, sucumbes à cegueira. Se ele te ultrapassa, sucumbe à paralisia. Por isso, enquanto for da índole dos deuses ultrapassar os mortais, sucumbem à paralisia e se tornam indefesos como crianças. Divindade e humanidade são preservadas, quando o ser humano fica parado diante do Deus, e o Deus diante do ser humano. A chama elevada é o caminho do meio, cujo trajeto luminoso se estende entre o humano e o divino.

A força primitiva dos deuses é cega, pois sua face transformou-se em ser humano. O ser humano é a face da divindade. Quando Deus se aproxima de ti, pede que conserve tua vida, pois o Deus é terror amoroso. Os antigos diziam que é terrível cair nas mãos do Deus vivo[108]. Falavam assim porque o sabiam, pois ainda estavam perto da antiga floresta e à maneira de crianças verdejavam como as árvores e se elevavam longe para o Oriente. / 43/44

E nisso caíam nas mãos do Deus vivo. Aprendiam a ficar de joelhos e com a face por terra, aprendiam a mendigar a compaixão, o medo servil e o agradecimento. Mas quem o viu, o belo-assustador, com seus olhos negros e aveludados e as grandes pestanas, os olhos que não enxergam, mas que só contemplam levemente amedrontados, este aprendeu a gritar e a gemer, para ao menos atingir

108 Isto se refere a Hb 10,31: "É terrível cair nas mãos do Deus vivo".

o ouvido da divindade. Somente teu grito de pavor faz com que Deus pare. E então vês que também o Deus treme, pois está diante de sua face, de seu olhar vidente em ti, e ele sente uma força desconhecida. O Deus tem medo humano.

Se meu Deus estiver paralítico, preciso ficar com ele, pois não posso abandonar o bem-amado. Sinto que ele é o meu quinhão, meu irmão, que estava na luz e nela crescia, enquanto eu [estava] no escuro e me alimentava de veneno. É bom saber disso: quando nós estamos na noite, nosso irmão está na plenitude da luz, realiza suas grandes obras, despedaça o leão e mata o dragão. E retesa seu arco para alvos cada vez mais distantes, até que descobre o sol que viaja para o alto e ao qual gostaria de caçar. Mas quando descobriu seu despojo mais valioso, cresce também em ti o desejo pela luz. Tu arrancas as amarras e te diriges para o lugar da luz nascente. E assim caminhais apressados um ao encontro do outro. Ele julgava poder capturar o sol e se defrontou com o verme da sombra. Tu imaginavas que no Oriente poderias beber da fonte de luz e capturas para ti o gigante de chifres, diante do qual tu cais de joelhos. Sua natureza é cega de cobiça desmedida e de força impiedosa; minha natureza é limitação que vê e a incapacidade do esperto. Ele possui em abundância o que me falta. Por isso também não quero abandoná-lo, o deus-touro, que outrora paralisou a coxa de Jacó e o qual eu paralisei agora para mim[109]. Gostaria de apossar-me de sua força.

É por isso um esforço cuidadoso manter com vida alguém gravemente ferido, para que sua força me seja conservada. De nada sentimos mais falta do que da força divina. Dizemos: "Sim, sim, assim deveria ou poderia ser. Isto ou aquilo deveria ser alcançado". Falamos assim, ficamos parados assim e olhamos constrangidos ao nosso redor se em algum lugar alguma coisa vai acontecer. E quando alguma coisa está para acontecer, observamos e dizemos: "Sim, sim, entendemos, é isto ou aquilo, é semelhante a isto ou àquilo". Assim falamos, ficamos parados e olhamos ao nosso redor para ver se algo mais vai aconte-

109 Isto refere-se à luta de Jacó contra o anjo, em Gn 32,24-29: "Quando Jacó ficou sozinho, um homem se pôs a lutar com ele até o romper da aurora. Vendo que não podia vencê-lo, atingiu-lhe a articulação da coxa de modo que o tendão da coxa de Jacó se deslocou enquanto lutava com ele. O homem disse a Jacó: 'Solta-me, pois já surge a aurora'. Mas Jacó respondeu: 'Não te soltarei se não me abençoares'. E o homem lhe perguntou: 'Qual é teu nome?' 'Jacó', respondeu. E ele lhe disse: 'De ora em diante já não te chamarás Jacó, mas Israel, pois lutaste com Deus e com homens e venceste. E Jacó lhe pediu: 'Dize-me por favor teu nome'. Mas ele respondeu: 'Para que perguntas por meu nome? E ali mesmo o abençoou".

cer em algum lugar. Sempre acontece alguma coisa, mas nós não acontecemos, pois nosso Deus está doente. De tanto ver e entender, nós o matamos com um olhar venenoso de basilisco. Nós temos de pensar em sua cura. E eu o senti novamente como certeza de que minha vida seria partida ao meio se não conseguisse curar meu Deus. Por isso fiquei com ele durante a longa noite fria. [Ilustração 44] / [Ilustração 45][110] / 44/46

Segundo dia

Cap. ix.

[IH 46] Nenhum sonho inspirou-me a palavra redentora[111]. Izdubar esteve deitado quieto e rígido, durante toda a noite, até o novo dia[112]. Eu andava pensativo de cá para lá no cume da montanha e olhava retrospectivamente para minha terra ocidental, onde havia tanto conhecimento e tanta possibilidade de ajuda. Eu amo Izdubar, ele não deve perecer miseravelmente. Mas donde poderá vir ajuda? Ninguém vai ultrapassar o caminho quente-frio. E eu? Tenho medo de voltar àquele caminho. E no Oriente? Será que teria ajuda lá? Mas os perigos desconhecidos que lá ameaçam? Eu não gostaria de ficar cego. O que isto aproveitaria a Izdubar? Também como cego não posso carregar este paralítico. Sim, se eu fosse forte como Izdubar. Do que adianta aqui toda a ciência?

Mas ao anoitecer cheguei perto de Izdubar e disse:

"Izdubar, meu príncipe, ouve! Não deixarei que vás perecer. A segunda noite já se aproxima. Não temos comida, e a morte certa é iminente para nós se

110 Legenda da ilustração: "Atharva-veda 4,1,4". *Atharva-veda* 4,1,4 é um encantamento para estimular a virilidade: "A ti, planta que Gandharva desenterrou para Varuna, quando sua virilidade decaiu, a ti que causas força, nós te desenterramos. / Ushas (Aurora), Sûrya (o sol) e este encantamento meu; o touro Pragâpati (o senhor das criaturas) irá despertá-lo com seu fogo poderoso! / Esta erva encher-te-á de tanta força poderosa que, quando estiveres excitado, exalarás calor como uma coisa incandescente! / O fogo das plantas e a essência dos touros despertá-lo-ão! Tu, ó Indra, controlador dos corpos, põe a força poderosa dos homens nesta pessoa! / Tu (ó erva) és a seiva primogênita das águas e também das plantas. Ademais, tu és o irmão de Soma e a força poderosa do antílope macho! / Por favor, ó Agni, por favor, ó Savitar, por favor, ó deusa Sarasvatî, por favor, ó Brahmanaspati, retesa o pasas como um arco! Eu reteso teu pasas como uma corda de arco no arco. Abraça (as mulheres) como o antílope macho abraça a gazela com (força) sempre inesgotável! / Concede-lhe a força do cavalo, do jumento, do bode e do carneiro, e também a força do touro, ó controlador dos corpos (Indra)!" (*Sacred Books of the East*, 42, p. 31-32). É uma referência à cura do deus-touro ferido, Izdubar, mencionado no texto.

111 Em vez disso, o *esboço manuscrito* tem: "Dormi pouco; sonhos confusos me perturbaram mais do que me inspiravam a palavra salvadora" (p. 686).

112 9 de janeiro de 1914.

eu não conseguir trazer ajuda. Do Ocidente não podemos esperar ajuda. Mas no Oriente talvez exista alguma possibilidade. Não encontraste ninguém pelo caminho que poderíamos chamar em socorro?"

Iz: "Deixa estar, a morte pode vir quando quiser.

Eu: "O coração me sangra quando penso que devo abandonar-te aqui sem ao menos haver tentado a última coisa por ti".

Iz: "O que te vale tua arte mágica? Se fosses forte como eu, poderias carregar-me. Mas vosso veneno só pode destruir e não ajudar".

Eu: "Estivéssemos em minha terra, carros velozes poderiam trazer-nos ajuda".

Iz: "Estivesse eu em minha terra, teu ferrão venenoso não me teria atingido".

Eu: "Dize-me, não conheces nenhuma ajuda do Oriente?"

Iz: "O caminho para lá é longo e ermo, e quando sais das montanhas para a planície, atinge-te o sol violento, que vai cegar-te".

Eu: "Mas se eu caminhar de noite e me proteger do sol durante o dia?"

Iz: "De noite saem todas as cobras e dragões de seus buracos e tu, desarmado, serás vítima irremediável deles. Deixa estar! O que isto vai ajudar? Minhas pernas estão secas e mortas. Prefiro não levar para casa a ruína dessa viagem".

Eu: "Não devo tentar tudo?"

Iz: "Inútil! Nada se ganha se pereceres".

Eu: "Deixa-me refletir mais um pouco, talvez ainda me surja algum pensamento salvador".

Afastei-me e me sentei numa pedra bem no alto do cume da montanha. Começou então em mim este discurso: "Grande Izdubar, tu estás numa situação sem saída – e eu não menos[113]. O que fazer? Nem sempre é necessário fazer, às vezes pensar é melhor. No fundo, estou convencido de que Izdubar não é real no sentido comum, mas uma fantasia. A situação estaria resolvida se lhe fosse dado outro aspecto... fosse dado... fosse dado – fenomenal, o fato de que aqui até ecoarem os pensamentos, é preciso que se esteja bem sozinho. Mas isto será difícil. Não vai querer aceitar que ele seja uma fantasia, mas afirmará que é bem real e que só poderá advir-lhe ajuda de modo real: contudo, pode-se tentar este meio. Por isso vou interpelá-lo e lhe dizer:

---

113 O *esboço* continua: "(assim falou outra voz em mim como um eco)" (p. 309).

Eu: "Meu príncipe, poderoso, ouve: tive uma ideia que talvez traga a salvação. Estou pensando que tu não és real, mas apenas uma fantasia".

Iz: "Sinto arrepios por causa desses teus pensamentos. Eles são mortíferos. Queres declarar-me irreal / – depois que me paralisaste miseravelmente?" 46/47

Eu: "Talvez me tenha expressado de forma equivocada, por demais na linguagem da razão. Não preciso naturalmente que sejas totalmente irreal, mas apenas tão real quanto uma fantasia. Se pudesses aceitar isto, muita coisa estaria ganha".

Iz: "O que se ganharia com isso? Tu és um demônio atormentador".

Eu: "Digno de compaixão, eu não quero atormentar. A mão do médico não quer atormentar, mesmo quando ela faz doer. Não poderias aceitar o fato que és uma fantasia?"

Iz: "Ai de mim! Em que magia queres sufocar-me? Isto ajudará se eu me considerar uma fantasia?"

Eu: "Tu sabes que o nome que trazemos significa muito. Sabes também que muitas vezes se dá outro nome aos doentes para curá-los, pois com o novo nome recebem uma nova natureza. Teu nome é tua natureza".

Iz: "Tens razão. Isto o dizem também nossos sacerdotes".

Eu: "Portanto, queres admitir que és uma fantasia?"

Iz: "Se isto ajuda – sim!"

A voz interior falou-me então da seguinte maneira: Agora ele é uma fantasia, mas apesar disso a situação está extremamente enrolada. Mesmo uma fantasia não se deixa simplesmente negar e manipular com resignação. Alguma coisa precisa acontecer concomitantemente. Embora seja uma fantasia – portanto notavelmente volátil – acho que vejo uma possibilidade: agora posso tomá-lo sobre os ombros. Aproximei-me então de Izdubar e disse:

"Foi encontrado um caminho. Tu ficaste leve, mais leve que uma pena. Agora posso carregar-te". Eu o peguei e levantei do chão; é mais leve que o ar, e tenho até dificuldade em manter meus pés no chão, pois minha carga me faz flutuar.

Iz: "Isto foi um golpe de mestre. Para onde me levas?"

Eu: "Vou levá-lo para a terra do Ocidente. Meus compatriotas vão alegrar-se em poder receber uma tão grande fantasia. Quando tivermos deixado para trás as montanhas e chegado às cabanas hospitaleiras das pessoas, posso procurar com calma um remédio que o fará recuperar-se completamente".

Com ele às costas, desci cuidadosamente o estreito caminho de pedras, temendo mais ser arrebatado aos ares pelo vento do que ser arrastado ao abismo por minha carga. Estou preso à minha carga superleve. Finalmente chegamos ao vale, e aí está também o caminho das dores quente-frio. Mas dessa vez um vento oriental bem forte, soprando através da garganta de pedras, levou-me por cima dos campos para lugares habitados. O caminho doloroso não atingiu as plantas de meus pés. Alado, passo apressado por terra bonita. Diante de mim andam dois na estrada. São Amônio e o Vermelho. Quando nos aproximamos deles por trás, eles se viraram e correram com gritos pavorosos pelos campos afora. Portanto, meu aspecto devia ser estranhíssimo.

Iz: "Que figuras disformes são essas? São teus compatriotas?"

Eu: "Não são pessoas, são as chamadas relíquias do passado que encontramos muitas vezes no Ocidente. Antigamente tinham grande importância. Agora são empregados sobretudo como pastores de ovelhas".

Iz: "Que terra esquisita! Mas olha, não está ali uma cidade? Não queres ir para lá?"

Eu: "Não, Deus me livre, não quero provocar um motim, lá moram os esclarecidos. Tu não percebes seu cheiro? Eles são deveras perigosos, pois cozinham os venenos mais fortes, dos quais até eu tenho de me precaver. As pessoas de lá são totalmente paralíticas, envolvidas num vapor marrom de veneno, rodeadas por máquinas barulhentas que matraqueiam e só conseguem mover-se por meios artificiais. / Mas não te preocupes. Já está tão escuro agora, que ninguém nos vê. Além disso, ninguém afirmaria ter-me visto. Conheço aqui uma casa solitária. Lá tenho amigos confiáveis que nos darão hospedagem por esta noite.

47/48

Cheguei com Izdubar a um jardim escuro e quieto, no qual havia uma casa silenciosa. Escondi Izdubar debaixo dos galhos frondosos e bem baixos de uma árvore e fui em direção à porta da casa para bater. Olhei pensativamente para a porta: é pequena demais. Nunca conseguirei fazer passar nela Izdubar. Mas uma fantasia não precisa de espaço! Por que não cheguei antes a esta ideia excelente? Voltei ao jardim, apertei sem esforço algum Izdubar até o tamanho de um ovo e o coloquei no bolso. Entrei assim na casa hospitaleira, onde Izdubar haveria de encontrar a cura.

[2] [IH 48][114] Assim encontrou a salvação o meu Deus. A salvação se deu por lhe acontecer exatamente o que se deveria considerar o impreterivelmente mortal, isto é, que fosse considerado uma trama da imaginação. Quantas vezes já se pensou que os deuses eram levados a seu fim dessa maneira[115]. Foi realmente um grande engano, pois por meio disso o Deus era precisamente salvo. Ele não perecia, mas tornava-se uma fantasia viva, cujo efeito eu experimentei no meu próprio corpo: o peso que me cabia por natureza sumiu, o caminho quente-frio das dores já não queimava nem gelava a planta de meus pés, a gravidade já não me prendia ao chão, mas, leve como uma pluma, carregava-me o vento, enquanto eu carregava o gigante[116].

A gente acreditava que era possível cometer um assassinato de Deus. Mas o Deus foi salvo, ele forjou ao fogo um novo machado e mergulhou de novo na torrente de luz do Oriente, para recomeçar sua primigênia circunvolução[117]. Mas nós, pessoas inteligentes, andávamos furtiva e venenosamente por aí e não sabíamos que nos faltava alguma coisa. Mas eu amava o meu Deus e o levei comigo para a casa das pessoas, pois estava convencido de que, mesmo como fantasia, vivia realmente e por isso não devia ser deixado só, ferido e doente. Por isso experimentei o milagre de que meu corpo perdeu seu peso quando eu tomei às costas o Deus.

São Cristóvão, o gigante, sentiu o peso de sua carga, apesar de só carregar o Menino Jesus[118]. Mas eu era pequeno como criança e carreguei o gigante e, mesmo assim, minha carga me ergueu. Para o Menino Jesus, o gigante Cristóvão teria sido uma carga leve, pois o próprio Cristo disse: "Meu jugo é suave e

---

114 Isto se refere à cena do texto que descreve como Jung reduziu Izdubar ao tamanho de um ovo para possibilitar-lhe entrar na casa a fim de poder ser curado. Jung disse a Aniela Jaffé, a respeito destas seções, que algumas das fantasias foram acionadas pelo medo, como o capítulo sobre o demônio e o capítulo sobre Gilgamesh-Izdubar. De certo ponto de vista era uma estupidez ele precisar encontrar uma forma de ajudar o gigante, mas ele achava que, se não o fizesse, ele teria fracassado. Pagou pela ridícula solução percebendo que havia capturado um Deus. Muitas destas fantasias eram uma combinação diabólica de sublime e ridículo (*MP*, p. 147-148).

115 No *esboço* a frase soa assim: "Quantos deuses e quantas vezes foi o Deus interpretado como fantasia, e assim se acredita ter acabado com ele" (p. 314).

116 O *esboço* continua: "Nós, humanos, pensamos que uma fantasia não existe, e quando dizemos que algo é fantasia, então está completamente aniquilada" (p. 314). Em 1932, Jung comentou sobre o descrédito contemporâneo da fantasia ("Da formação da personalidade". OC, 17, § 302).

117 Isto parece referir-se ao capítulo seguinte.

118 São Cristóvão (em grego "carregador de Cristo") foi um mártir do século III. Segundo a lenda, teria ele procurado um eremita e perguntado como poderia servir a Jesus. O eremita sugeriu-lhe que ajudasse as pessoas a atravessarem um rio perigoso. E ele assim o fez. Certa ocasião, uma criança pediu-lhe que a levasse para o outro lado. Ele achou a criança mais pesada do que qualquer outra pessoa; e a criança revelou-lhe que ela era Cristo, carregando os pecados do mundo.

meu peso é leve"[119]. Não devemos carregar Cristo, pois ele é incarregável, mas devemos ser cristos, então nosso jugo é suave e nosso peso, leve. Este mundo palpável e visível é uma das realidades, mas a fantasia é a outra das realidades. Enquanto deixarmos o Deus visível e palpável fora de nós, ele é incarregável e sem esperança. Mas se transformarmos o Deus numa fantasia, estará em nós e leve de se carregar. Deus fora de nós aumenta o fardo com tudo o que é pesado, Deus em nós torna leve todo o pesado. Por isso todos os cristóforos têm costas encurvadas e fôlego ofegante, pois o mundo é pesado.

[IH 48/2] Há muitos que gostariam de buscar ajuda para seu Deus doente e que foram engolidos pelas cobras e dragões que estão de tocaia no caminho para a terra do sol. Eles submergiram no dia superclaro e se tornaram homens da escuridão, pois seus olhos foram cegados. Agora vagueiam por aí como sombras, falam da luz e não enxergam nada. Mas seu Deus está em tudo o que eles não veem: ele está na terra escura do Ocidente e aguça olhos que enxergam, ajuda a cozinhar o veneno e direciona as cobras para os calcanhares dos cegos que praticam a violência. Por isso, se fores inteligente, levas o Deus junto, então sabes onde ele está. Se não o tiveres contigo na terra do Ocidente, ele virá sobre ti em atropelo durante a noite, com couraça tilintante e machado esmagador de luta[120]. Se não o tiveres contigo na terra do Oriente, pisarás sem querer no verme divino, que espreita teu calcanhar desprevenido. / 48/49

[IH 49] Tudo recebes do Deus a quem carregas, mas não sua arma, pois ele a quebrou. Usa a arma quem quer conquistar. Mas o que ainda queres conquistar? Mais do que a Terra não podes conquistar. E o que é a Terra? Ela é redonda em toda parte, uma gota que está dependurada no grande universo. E ao sol jamais chegarás, nem mesmo à lua monótona chega teu poder, não dominarás o mar, nem a neve dos polos, nem a areia do deserto, mas ao final só uns poucos sítios de terra verde. Nem mesmo conquistas algo com o passar do tempo. Amanhã teu domínio vira pó, pois deverias sobretudo – e ao menos – dominar a morte. Portanto não sejas um tolo e depõe a arma. O próprio Deus destruiu sua arma. A armadura basta para te proteger dos loucos que ainda sofrem de

119 Mt 11,30.
120 Isto é, como Izdubar veio a Jung.

conquista. A armadura de Deus te torna invulnerável, e até mesmo invisível para os loucos mais perigosos.

Leva teu Deus junto. Leva-o para baixo, à tua terra escura, onde moram as pessoas que toda manhã esfregam os olhos, mas que sempre enxergam a mesma coisa e nunca a outra coisa. Leva teu Deus para baixo, ao vapor prenhe de veneno, mas não como aqueles cegados, que querem iluminar as trevas com lâmpadas, a esses a treva não entende, mas leva secretamente teu Deus para o teto hospitaleiro. Pequenas são as cabanas das pessoas e, apesar de sua hospitalidade e boa vontade, não podem receber o Deus. Por isso não esperes até que mãos brutalmente inábeis de pessoas despedacem teu Deus, mas envolve-o de novo, amorosamente, até que ele tenha assumido a forma do primeiro de todos os seus começos. Não deixes que um olho humano veja o bem-amado, terrivelmente magnífico no estado de sua doença e impotência. Lembra-te de que teus concidadãos são animais, sem o saberem. Enquanto caminham em suas pastagens ou ficam deitados ao sol, ou amamentam suas crias, ou se acasalam, são belas e inofensivas criaturas da preta mãe terra. Mas quando aparece o Deus, começam a enfurecer-se, pois a proximidade do Deus gera fúria. Tremem de medo e raiva e lançam-se de repente numa batalha fratricida, pois um fareja no outro o Deus próximo. Esconde portanto o Deus que trouxeste contigo. Deixa que se enfureçam e se dilacerem mutuamente. Tua voz é muito fraca para que os raivosos a possam escutar. Por isso não fales e não mostres o Deus, mas senta-te num lugar ermo e canta as encantações de acordo com a maneira bem antiga:

> Coloca diante de ti o ovo, o Deus em seu princípio.
> E contempla-o.
> E com teu olhar de calor mágico choca-o.

49/50 AQUI COMEÇAM AS ENCANTAÇÕES. /

As encantações[121]

Cap. x.

[Ilustração 50][122]

O Natal chegou. O Deus está no ovo.

Estendi para meu Deus um tapete, um tapete vermelho e muito valioso do Oriente.

Que esteja cercado pelo brilho da magnificência de sua terra oriental.

Sou a mãe, a serva pura que concebeu e não soube como.

Eu sou o pai cuidadoso que protege a serva.

Eu sou o pastor que recebeu a mensagem, quando apascentava seu rebanho durante a noite em pastos escuros[123].

50/51 / [Ilustração 51]

Eu sou o sagrado animal que está admirado e não consegue entender o vir a ser de Deus.

Eu sou o sábio que veio do Oriente, pressentindo de longe a maravilha[124].

E eu sou o ovo que contém e guarda em si o germe do Deus.

51/52 / [Ilustração 52]

As horas festivas crescem.

E meu humano é miserável e padece tormento.

Pois eu sou uma parturiente.

Para onde me deslumbras, ó Deus?

Ele é o eterno vazio e o eterno cheio[125].

Nada se lhe parece, e ele se parece a tudo.

Eternamente escuro e eternamente claro.

Eternamente embaixo e eternamente em cima.

---

121 O título foi omitido no volume caligráfico, e foi mantido aqui com base no *esboço*.

122 As ilustrações 50-64 representam simbolicamente a regeneração de Izdubar.

123 Lc 2,8-11: "Naquela mesma região havia uns pastores no campo, vigiando à noite o rebanho. Um anjo do Senhor apresentou-se diante deles, e a glória do Senhor os envolveu de luz, ficando eles muito assustados. O anjo lhes disse: Não temais, pois vos anuncio uma grande alegria, que é para todo o povo. Nasceu-vos hoje, na cidade de Davi, um Salvador, que é Cristo Senhor".

124 Mt 2,1-2: "Tendo nascido Jesus em Belém da Judeia no tempo do rei Herodes, alguns magos do Oriente chegaram a Jerusalém e perguntaram: Onde está o rei dos judeus, que acaba de nascer? Vimos sua estrela no Oriente e viemos adorá-lo".

125 Os atributos do Deus são elaborados nesta seção como os atributos de Abraxas, no segundo sermão em "Aprofundamentos". Cf.. adiante, p. 456.

Dupla natureza na simplicidade.

Simples no múltiplo.

Sentido no absurdo.

Liberdade na rejeição.

Submisso quando vitorioso.

Velho na juventude.

Sim no não.

/ [Ilustração 53] 52/53

Ó

luz do caminho do meio,

encerrado no ovo,

germinativo,

repleto de dificuldade, oprimido.

Repleto de tensão,

esperando memória perdida, visionário.

Pesado como pedra, rígido.

Quente derretendo,

transparente.

Claro brilhando, voltado para si.

/ [Ilustração 54][126],[127] 53/54

Amém, tu és o Senhor do nascente.

Amém, tu és a estrela do Oriente.

Amém, tu és a flor que floresce sobre todos.

Amém, tu és o cervo que irrompe da floresta.

Amém, tu és o castigo que ressoa longe sobre a água.

Amém, tu és o começo e o fim.

---

126 Em "Dreams", Jung anotou a 3 de janeiro de 1917: "In Lib. nov. snake image III incent." [estímulo à imagem da serpente em *Liber Novus*] (p. 1). Isto parece referir-se a esta imagem.

127 Legenda da ilustração: "Brahmanaspati". Julius Eggling nota que "Brihaspati ou Brahmanaspati, o senhor da oração ou do culto, toma o lugar de Agni como representante da dignidade sacerdotal... No Rig-Veda X, 68,9... diz-se que Brihaspati descobriu (avindat) a aurora, o céu e o fogo (agni) e expulsou as trevas com sua luz (arka, sol); parece representar antes o elemento da luz e do fogo em geral" (*Sacred Books of the East* 12, p. xvi.) Cf. tb. nota da ilustração 45, nota 110, p. 259.

54/55 / [Ilustração 55][128]

Uma palavra que nunca foi pronunciada.

Uma luz que jamais brilhou.

Uma confusão sem igual.

E uma estrada sem fim.

55/56 / [Ilustração 56]

Eu me perdoo estas palavras como também tu me perdoas por amor à tua luz chamejante.

56/57 / [Ilustração 57]

Sobe, fogo compassivo da noite antiga.

Eu beijo a soleira de teu surgimento.

Minha mãe te estende tapetes e espalha sobre tua plenitude flores vermelhas.

Sobe, meu amigo, que estavas doente, rompe a casca.

Nós te preparamos uma refeição.

Oferendas foram postas diante de ti.

Dançarinas te aguardam.

Construímos uma casa para ti.

Teus servos estão à tua disposição.

Reunimos para ti rebanhos em verde pastagem.

Enchemos teu cálice com vinho tinto.

Colocamos frutas cheirosas em travessas douradas.

Batemos à porta de tua prisão e nela aplicamos nosso ouvido para escutar.

As horas aumentam, não tardes mais.

---

128 O barco solar é um motivo comum no Antigo Egito. O barco era considerado o meio típico de locomoção do sol. Na mitologia egípcia o deus sol lutou contra o monstro Aphophis, que tentou engolir o barco solar quando este atravessava o céu cada dia. Em *Transformações e símbolos da libido*, Jung analisou o "disco solar vivo" egípcio (OC, B, § 153) e o motivo do monstro marinho (§ 549s.). Na revisão que fez deste texto em 1952, observou que a batalha com o monstro marinho representava a tentativa de libertar a consciência do ego do controle do inconsciente (*Símbolos da transformação*. OC, V, § 539). O barco solar assemelha-se a algumas das ilustrações contidas no *Livro egípcio dos mortos* (WALLIS BUDGE, E.A. (org.). Londres: Arkana, 1899/1985) (isto é, as vinhetas nas p. 390, 400 e 404). O remador é geralmente um Hórus com cabeça de falcão. A viagem noturna do Deus Sol através do mundo inferior é descrita no *Amduat*, e foi considerada um processo simbólico de transformação. Cf. ABT, T. & HORNUNG, E. *Knowledge for the Afterlife* – The Egyptian Amduat – A Quest for Immortality. Zurique: Living Human Heritage, 2003.

/ [Ilustração 58][129] 57/58

Nós somos miseráveis sem ti e esgotamos nossos cantos.

Nós te dissemos todas as palavras que nosso coração nos deu.

O que queres mais?

O que devemos realizar para ti?

Abrimos para ti todas as portas.

Dobramos nossos joelhos aonde tu quiseres.

Vamos a todas as direções do céu, segundo teu desejo.

Trazemos o que está embaixo para cima, e o que está em cima, nós o tornamos o inferior, conforme mandares.

Nós damos e tomamos segundo tua vontade.

Queríamos ir à direita, mas vamos à esquerda, obedecendo a um aceno teu. Subimos e caímos, balançamos e ficamos firmes, nós enxergamos e somos cegos, ouvimos e somos surdos, dizemos sim e não, sempre atendendo à tua palavra.

Não entendemos, e vivemos o incompreensível.

Não amamos, e vivemos o não amado.

E novamente nos viramos, e compreendemos, e vivemos o compreensível.

Amamos e vivemos o amado, fiéis à tua lei. / 58/59

Vem a nós, que somos obedientes por vontade própria.

Vem a nós, que te entendemos por inteligência própria.

Vem a nós, que te esquentamos com fogo próprio.

Vem a nós, que te curamos com arte própria.

Vem a nós, que te geramos com ventre próprio.

Vem, criança, ao pai e à mãe.

---

129 Em "Sonhos", Jung escreveu: "17 I 1917: Hoje de noite: avalanches assustadoras e terríveis despencam das montanhas, como nuvens colossais vão encher o vale, em cuja extremidade, no lado oposto, eu me encontrava. Eu sei que preciso fugir para o alto, diante da terrível catástrofe. Este sonho foi bem explicado na mesma data no *Livro Negro*. Em 17.01.1917 surgiu também o desenho vermelho da mancha na p. 58, do *Líb. Nov.* Em 18.01.1917, li no jornal sobre a grandiosa formação atual das manchas do sol". O que segue é uma paráfrase do apontamento de 17 de janeiro de 1917 no *Livro Negro* 6: Jung pergunta o que é que o enche de ansiedade e pavor, o que está caindo da alta montanha. Sua alma lhe diz que ajude os deuses e lhes ofereça sacrifícios. Ela lhe diz que o verme rasteja até o céu, começa a cobrir as estrelas e com uma língua de fogo devora a mansão dos sete céus azuis. Ela lhe diz que também ele será devorado e que ele deve rastejar para dentro da pedra e aguardar no estreito abrigo até que a torrente de fogo passe. Das montanhas cai neve, porque o hálito ígneo cai de cima das nuvens. O deus está chegando, Jung deve preparar-se para recebê-lo. Jung deve esconder-se na pedra, já que o deus é um fogo terrível. Precisa permanecer quieto e olhar para dentro, de modo que o deus não o consuma nas chamas (p. 152s.).

59/60 [Ilustração 59][130] /

Perguntamos à terra.

Perguntamos ao céu.

Perguntamos ao mar.

Perguntamos ao vento.

Perguntamos ao fogo.

Nós te procuramos em todos os povos.

Nós te procuramos junto a todos os reis.

Nós te procuramos junto a todos os sábios.

Nós te procuramos na nossa própria cabeça e coração.

60/61 *E nós te encontramos no ovo.* [Ilustração 60] /

Eu te imolei uma preciosa vítima humana,
um jovem e um velho.
Eu esfolei minha pele com facas.
Eu aspergi teu altar com meu próprio sangue.
Expulsei pai e mãe, para que tu pudesses morar comigo.
Fiz de minha noite dia e andei por volta do meio-dia como um sonâmbulo.
Derrubei todos os deuses, infringi as leis, comi o que era impuro.
Joguei de lado minha espada e vesti roupas efeminadas.
Arrebentei meu castelo fortificado e brinquei na areia como criança.
Vi os guerreiros indo para a batalha e quebrei minha armadura com o martelo.
Eu plantei meu campo e deixei as frutas apodrecerem.
Tornei pequeno todo o grande e todo o pequeno, grande.
Troquei meus objetivos mais distantes pelo que havia de mais próximo, portanto estou pronto.

---

130 Legenda da ilustração: "hiranyagarbha". No *Rig-Veda*, hiranyagarbha era a semente primordial da qual nasceu Brahma. No exemplar de Jung do vol. 32 dos *Livros Sagrados do Oriente* (Hinos védicos), a única seção que está destacada é a seção inicial, que começa com um hino "Ao Deus Desconhecido". Este começa: "No início surgiu a Criança Dourada (Hiranyagarbha); logo que nasceu, foi o único senhor de tudo que existe. Estabeleceu a terra e este céu: – Quem é o Deus ao qual devemos oferecer sacrifício?" (p. 1). No exemplar de Jung dos Upanishads, nos *Livros sagrados do Oriente*, há um pedaço de papel na p. 311 do Maitrâyana-Brâhmana-Upanishad, e uma passagem que descreve o Si-mesmo, que começa: "E o próprio Si-mesmo é também chamado... Hiranyagarbha" (*Sacred Books of the East*. Vol. 15, parte 2).

[Ilustração 61][131]

/ [IH 62] Mas não estou pronto, pois ainda não assumi em mim aquilo que aperta o coração. Aquele terrível é a decisão do Deus no ovo. Alegro-me muito que aconteceu a grande façanha, mas esqueci do susto por causa dessa façanha. Eu amo e admiro o que é poderoso. Ninguém é maior do que aquele com os chifres de touro, e assim mesmo eu o tornei paralítico, eu o carreguei e o diminuí com facilidade. Quase caí ao chão quando o vi, e agora eu o escondo no côncavo da mão. Estas são as forças que te amedrontam e oprimem, estes são teus deuses, teus senhores desde tempos imemoriais: tu podes também colocá-los no bolso. O que pode uma blasfêmia contra isso? Eu gostaria de poder blasfemar contra o Deus: teria ao menos um Deus ao qual pudesse ofender, mas não vale a pena ofender um ovo que a gente carrega no bolso. Este é um Deus que nunca se pode ofender. 61/62

Eu odeio a miséria do Deus. Basta-me a minha vileza. Ela não se importa se eu a carregar ainda com a miserabilidade do Deus. Não resiste: tu te desagradas a ti mesmo, tu te desfazes em pó. Tu desagradas o Deus, e ele se esconde, assustado, num ovo. Tu asperges as portas do inferno: risos sufocados de máscaras e música de loucos se fazem ouvir. Tu assaltas o céu: os bastidores do teatro desmoronam e o ponto em seu cubículo desmaia. Tu percebes: não és real, em cima não é real, embaixo não é real, à esquerda e à direita estão ilusões. Para onde tateias há ar, ar, ar.

Mas eu o prendi, aquele que é temido desde tempos imemoriais, e o tornei pequeno; minha mão o abarca todo. Isto é o fim dos deuses: o homem coloca-os no bolso. Este é o fim da história dos deuses. Nada restou dos deuses a não ser um ovo. E este ovo, eu o possuo. Talvez eu possa acabar com este único e último e assim exterminar definitivamente a espécie dos deuses. Agora que sei que os deuses caíram em meu poder – o que podem ainda contra mim os deuses? Velhos e maduros demais tombaram e foram enterrados num ovo.

Como aconteceu isso? Eu abati o Grande, eu o lamentei, não quis abandoná-lo, pois eu o amava, porque ninguém dos mortais se igualava a ele. Por amor imaginei o truque que o exonerou do peso e o libertou da espacialidade. Por amor, eu lhe tirei a forma e a corporeidade. Eu o tranquei amorosamente

131 A cara do monstro é semelhante a IH 29.

no ovo maternal. Devo eu matar o indefeso, a quem amo? Devo despedaçar a débil casca de seu túmulo e abandonar aos ventos do mundo o sem peso e sem expansão? Mas não cantei a encantação por causa de sua desolação? Não o fiz por amor a ele? Por que eu o amo? Não quero arrancar de meu coração o amor ao Grande. Quero amar o meu Deus, o desarmado e desamparado. Quero adotá-lo como a uma criança.

Não somos filhos dos deuses? Por que os deuses não podem ser os nossos filhos? Se morrer para mim meu Deus-pai, deve nascer para mim um Deus-filho de meu coração maternal. Pois eu amo o Deus e não quero abandoná-lo. Só quem ama o Deus pode abatê-lo, e o Deus se entrega a seu vencedor e adapta-se às suas mãos e morre em seu coração que o ama e lhe promete nascimento.

Meu Deus, eu te amo, como uma mãe ama o não nascido que ela carrega debaixo de seu coração. Cresce no ovo do Oriente, alimenta-te de seu amor, bebe as seivas de minha vida, para que te tornes um Deus brilhante. Precisamos de tua luz, ó criança. Uma vez que andamos na escuridão, ilumina nosso caminho. Tua luz brilhe diante de nós, teu fogo esquente o frio de nossa vida. Não precisamos de tua força, mas da vida.

62/63 / De que nos aproveita a força? Não queremos dominar. Queremos viver, queremos a luz e o calor, e por isso precisamos de ti. Assim como a terra e alguns corpos vivos precisam do sol, precisamos nós como espíritos de tua luz e calor. Um espírito sem sol torna-se um parasita do corpo. Mas o Deus alimenta

63/64 64/65 o espírito. [Ilustração 63] / [Ilustração 64][132,133] /

132 Em "Sonhos", Jung anotou a 4 de fevereiro de 1917: "Começado o trabalho sobre a Abertura do Ovo (ilustr.)" (p. 5). Isto mostra que a ilustração retrata a regeneração de Izdubar do ovo. A respeito do barco solar nesta ilustração, cf. ilustração 55.

133 Legenda da ilustração: "çatapatha-brâhmana 2,2,4". Çatapatha-brâhmana 2,2,4 (*Sacred Books of the East*. Vol. 12) apresenta a justificação cosmológica que está por trás do Agnihotra. Começa descrevendo como Prajapati, desejando ser reproduzido, produziu Agni de sua boca. Prajapati ofereceu-se a Agni e salvou-o da Morte, porque estava prestes a ser devorado. O Agnihotra (lit. cura pelo fogo) é um ritual védico realizado ao nascer do sol e ao pôr do sol. Aquele que o executa purifica-se, acende um fogo sagrado, recita versos e uma oração a Agni.

A abertura do ovo[134]

Cap. xi.

[IH 65] [135]*À noite do terceiro dia, ajoelhei-me novamente no tapete e abri cuidadosamente o ovo. Qual fumaça isto saiu de dentro, e de repente está Izdubar de pé diante de mim, enorme como um gigante, transformado e perfeito. Seus membros estão sadios, e eu não encontro neles vestígio do dano sofrido. É como se ele despertasse de um sono profundo. Falou:*

"Onde estou? Como é apertado aqui – como está escuro – como está frio – estou no túmulo? Onde estive? Pareceu-me que estive lá fora no universo – acima e abaixo de mim um céu escuro e sem fim, cintilante de estrelas

– eu estava num calor indizivelmente agradável.

Torrentes de fogo irrompiam de meu corpo brilhoso –

Eu mesmo flutuava em chamas vivas –

Eu mesmo nadava em mar bem apertado contra mim de fogo cheio de vida –

Todo luz, todo desejo, todo eternidade –

Antiquíssimo e eternamente me renovando –

Caindo do mais alto para o mais baixo e do mais baixo para o mais alto agitado luzente para cima –

Em nuvens incandescentes pairando em torno de mim mesmo –

---

134 Em vez disso, o *esboço* tem: "Terceiro dia" (p. 329).

135 10 de janeiro de 1914. No *Livro Negro* 3, Jung escreveu: "Parece como se através dessa experiência memorável se tenha alcançado novamente alguma coisa. Mas ainda não dá para ver aonde tudo isto vai levar. Ouso dizer apenas que o destino de Izdubar é trágico-cômico, pois a vida mais santa é trágico-cômica. Fr. Th. Vischer (A[uch]. E[iner].) fez a primeira tentativa de erigir em sistema esta verdade. A ele se deve um lugar entre os imortais. O que está no meio é a verdade. Ela tem muitas faces. Uma delas é certamente cômica, outra triste, uma terceira má, uma quarta trágica, uma quinta feliz, uma sexta uma careta, etc. Se uma dessas faces se torna especialmente impositiva a nós, reconhecemos nisso que nos desviamos da verdade segura e nos aproximamos de um extremo, que é certamente um beco sem saída, se quisermos teimar em continuar neste caminho. É uma tarefa sangrenta escrever uma sabedoria da vida real, sobretudo quando nós passamos muitos anos na seriedade da ciência. A coisa mais difícil é captar o jocoso (nos preferiríamos dizer – o infantil) da vida. Todos os aspectos diversos da vida: o grande, o belo, o sério, o negro, o demoníaco, o bom, o ridículo, o grotesco são áreas de utilização das quais todo indivíduo trata de engolir totalmente o observador ou quem descreve. / Nossa época precisa de um regulador do espiritual. Assim como o mundo do concreto se ampliou a partir da visão limitada dos antigos para a multiplicidade incomensurável da visão moderna, também o mundo das possibilidades espirituais se desenvolveu para o multiforme inconcebível. Caminhos infinitamente longos, calçados com grossos cordéis, levam de uma especialidade a outra. Em breve ninguém mais poderá trilhar estes caminhos. E então só haverá mais especialistas. Precisamos mais do que nunca da verdade viva da vida espiritual, uma orientação reguladora" (p. 74-77). A obra de Vischer era *Auch Einer*: Eine Reisebekanntschaft. Stuttgart, 1884. Em 1921, Jung escreveu: "O romance de F. Th. Vischer, *Auch Einer*, dá uma visão pertinente desse lado do estado introvertido da alma, bem como do simbolismo subjacente ao inconsciente coletivo" (*Tipos psicológicos*. OC, 6, p. 627). Em 1932, Jung comentou a compreensão de Vischer da "malícia do objeto", em SHAMDASANI, S. (org.). *A psicologia da ioga kundalini*. Princeton: Princeton University Press, 1996, p. 54 [Bollingen Series]. Sobre *Auch Einer*, cf. HELLER, R. "Auch Einer: the epitome of F. Th. Vischer's Philosophy of Life". *German Life and Letters*, 8, 1954, p. 9-18.

65/66 *Enquanto a chuva incandescente batendo como espuma da rebentação, / inundando*
a mim mesmo em fervura –
Em jogo incomensurável me abraçando e repelindo –
Onde estava eu? Eu era todo sol."[136]

Eu: "Ó Izdubar! Divino! Que maravilha! Tu estás curado!"

"Curado? Estive alguma vez doente? Quem está falando de doença? Eu era sol, todo sol. Eu sou o sol".

Uma luz indizível sai de seu corpo, uma luz que meus olhos não podem suportar. Tenho de cobrir meu rosto e protejo-o no chão.

Eu: "Tu és o sol, a luz eterna – perdoa, Poderosíssimo, que minha mão te tenha carregado".

Tudo está quieto e escuro. Olho ao meu redor: sobre o tapete está a casca vazia de um ovo. Eu apalpo a mim mesmo, apalpo o chão e as paredes: tudo está como sempre foi, bem simples e bem real. Eu gostaria de dizer: tudo em torno de mim virou ouro. Mas não é verdade – tudo é como sempre foi. Aqui brilha a luz eterna, incomensurável e ultrapoderosa[137].

[2] [IH 66] Aconteceu que eu abri o ovo e que o Deus saiu do ovo. Estava perfeitamente bem e brilhava em constituição transformada; eu me ajoelhei como criança e não consegui entender o milagre. Ele que jazia comprimido no casulo do princípio, levantou-se e não se encontrou nele nenhum vestígio de doença. E quando eu imaginei que havia prendido o Forte e segurado no côncavo da mão, era o próprio sol.

Eu viajei para o Oriente, para o nascente do sol. Eu mesmo queria nascer como se fosse o sol. Eu queria agarrar o sol e com ele subir para o dia resplan-

136 Roscher observa que, "como Deus, Izdubar está associado ao deus-sol" (*Ausführliches Lexikon der griechischen und römischen Mythologie*. Vol. 2, p. 774). A incubação e renascimento de Izdubar segue o padrão clássico dos mitos solares. Em *Das Zeitalter des Sonnengottes*, Leo Frobenius salienta o difundido motivo de uma mulher engravidando através de um processo de concepção imaculada e dando à luz o deus-sol, que se desenvolve num período de tempo notoriamente curto. Em algumas formas, fica incubado num ovo. Frobenius relaciona isto ao nascer e ao pôr do sol no mar (Berlim: G. Reimer, 1904, p. 223-263). Jung cita esta obra em diversas passagens em *Transformações e símbolos da libido* (1912).

137 Em *Tipos psicológicos* (1921) Jung comentou o motivo do Deus renovado: "O Deus renovado significa uma atitude renovada de vida intensa, uma nova consecução de vida, porque psicologicamente Deus significa sempre o valor maior, a maior quantidade de libido, a maior intensidade de vida, o ótimo da vitalidade psicológica" (OC, 6, § 301).

decente. Mas ele veio ao meu encontro e indicou-me o caminho. Tive de ouvir dele que me havia sido tirada toda possibilidade de chegar ao nascente. Mas, ele queria apressar-se para o poente, para descer com o sol ao seio da noite, foi paralisado por mim e foi-lhe tirada toda esperança de chegar ao bem-aventurado Ocidente.

Mas observa! Eu aprisionei o sol sem o saber e o carreguei em minha mão. Ele, que queria pôr-se com o sol, encontrou por meu intermédio o seu ocaso. Eu mesmo tornei-me sua mãe noturna, que chocou o ovo do princípio. E ele nasceu renovado, renascido para maior glória.

Mas enquanto ele nasce, eu chego ao ocaso. Enquanto eu sujeitava o Deus, sua força fluía para mim. Mas enquanto o Deus descansava no ovo e esperava seu começo, minha força passou para ele. E enquanto se erguia reluzente, eu estava prostrado sobre meu rosto. Ele tomou minha vida consigo. Toda minha força estava com ele. Minha alma nadava como peixe em seus mares de fogo. Meu humano, porém, estava deitado na horripilante frialdade da sombra da terra e afundava cada vez mais na escuridão mais inferior. Toda luz se retirara de mim. O Deus ergueu-se na terra do Oriente, e meu eu caiu no horror do mundo inferior. Como uma parturiente terrivelmente dilacerada e sangrando sopra sua vida sobre o recém-nascido, e no olhar moribundo unifica morte e vida, assim jazia eu, a mãe do dia, uma presa da noite. Meu Deus me dilacerou horrivelmente, bebeu a seiva de minha vida, bebeu para dentro de si a máxima força de meu amor e tornou-se magnífico e forte como o sol, um Deus curado em que não há mancha nem falta. Tirou-me a asa, roubou-me a intumescência de meus músculos, o poder de minha vontade desapareceu com ele. A mim deixou-me impotência e lamúrias.

/ Eu não sabia como me aconteceu que agora mesmo desapareceu de meu seio maternal tudo o que era poderoso, belo, cheio de alegria, sobre-humano; nada me restou do ouro brilhante. Terrível e ingratamente, o pássaro do sol abriu suas asas e levantou voo para o espaço incomensurável. Restaram-me cascas quebradas, casulo deplorável de seu princípio, e o vazio da profundeza abriu-se embaixo de mim. 66/67

Ai da mãe que dá à luz um Deus! Se der à luz um Deus ferido e cheio de dores, uma espada traspassará sua alma. Mas se der à luz um Deus curado, abrir-se-á para ela o inferno do qual sairão monstros serpentários, que sufocarão a mãe com bafo pestilento. O nascimento é difícil, mas mil vezes mais difícil é o pós-parto infernal[138]. Atrás do filho divino vêm todos os dragões e monstros serpentários do vazio eterno.

O que resta da natureza humana, quando o Deus se tornou maduro e usurpou toda a força para si. Tudo o que é incapaz, tudo o que é sem força, todo o eternamente trivial, todo o vazio, todo o desfavorável e prejudicial, todo o repugnante, aviltante, destruidor, todo o absurdo, tudo o que encerra em si a insondável noite da matéria, isto é o pós-parto do Deus e a deformidade horripilante de seu irmão infernal.

O Deus sofre quando o ser humano não assume suas trevas. Por isso as pessoas tiveram que ter um Deus sofredor, enquanto elas sofriam do mal. Sofrer do mal significa que tu ainda amas o mal e no entanto não o amas mais. Tu te prometes ainda algo disso, mas não queres admitir, por medo, que podes descobrir que apesar disso ainda amas o mal. Por isso sofre o Deus, porque tu, ainda amando o mal, sofres disso. Tu não sofres disso porque tens de reconhecer o mal, mas porque ele ainda te proporciona uma diversão secreta e porque ele parece prometer-lhe algum prazer em alguma ocasião desconhecida.

Enquanto teu Deus sofre, tens pena dele e de ti. Com isso poupas teu inferno e prolongas seu sofrimento. Se tu, sem pena secreta de ti, quiseres curá-lo, o mal te cairá nos braços, cuja existência tu reconheces em geral, mas cuja força infernal em ti mesmo tu não conheces. Tua ignorância do mal provém da inocência prévia de tua vida, do sossego da conjuntura e da ausência do Deus. Mas quando o Deus se aproxima, tua natureza se agita, e o lado negro da profundeza vem à tona.

O ser humano está entre o cheio e o vazio. Quando sua força se une ao cheio, ele atua no cheio moldando. Esta modelação é sempre de qualquer modo boa. Quando sua força se une ao vazio, ela atua dissolvendo e destruindo, não podendo o vazio ser modelado jamais, mas só ambiciona saciar-se à custa do cheio. Assim unida, a força humana faz do vazio o mal. Quando tua força modela o cheio, ela assim procede devido à sua união com o cheio. Mas para que tua modelagem perdure, é necessário que tua força fique ligada a ela. Através da constante modelagem perdes aos poucos tua força, quando finalmente toda a força fica unida ao modelado. Ao final, quando julgas estar rico, ficaste pobre

138 No próximo capítulo, Jung se encontra no inferno.

e estás como mendigo em meio às tuas modelações. Este é então o momento em que a pessoa deslumbrada é tomada por maior desejo da modelação, pois ela acha que através de formas muitas vezes multiplicadas pode ser saciado seu desejo. Pelo fato de sua força estar no fim, torna-se ávida e começa a obrigar os outros a servi-la e tira deles a força para configurar a sua.

Nesse momento precisas do mal. Quando percebes que tua força chega ao fim e que começa a cobiça, precisas tirar tua força da conformação e puxá-la de volta para teu vazio e, através dessa ligação com o vazio, consegues diluir em ti a conformação. Assim conquistas de volta a liberdade, ao desprender tua força da união opressora com o objeto. Enquanto persistires no ponto de vista do bem, não podes diluir tua conformação, pois ela é precisamente o teu bem. Não podes diluir bem com bem. Só podes diluir o bem com o mal. Pois também teu bem te conduz finalmente à morte através da progressiva ligação de tua força. Não podes viver de forma nenhuma sem o mal.

Tua forma de ser cria em primeiro lugar uma imagem de tua conformação em ti mesmo. Esta imagem permanece em ti e / é a primeira e imediata expressão de tua forma de ser. Então se cria através dessa imagem uma imagem externa, que pode subsistir sem ti e sobreviver a ti. Tua força não está vinculada diretamente à tua conformação exterior, mas só através da imagem que permanece em ti. Quando começas a diluir tua conformação com o mal, não destrois a conformação exterior, caso contrário destruirias tua própria obra. Mas só destróis a imagem que formaste em ti. pois é esta imagem que segura tua força. Na medida em que esta imagem prende tua força, na mesma medida precisarás também do mal para diluir tua conformação e libertar a ti mesmo do poder do que passou. 67/68

Por isso há muitos bons que se esvaem em sangue devido à sua conformação porque não conseguem aceitar na mesma medida também o mal. Quanto melhor alguém é e quanto mais, por isso, está preso à sua conformação, tanto mais perderá sua força. O que acontece quando o bom perdeu totalmente sua força em sua conformação? Não só tentará forçar outras pessoas com astúcia e violência inconscientes ao serviço de sua conformação, mas também se tornará, sem o saber, mau em seu bem, pois seu desejo de saciedade e fortalecimento vai torná-lo cada vez mais egoísta. Mas com isso, o bom destrói finalmente sua própria obra, e todos que ele forçou ao serviço de sua obra se tornarão seus inimigos, porque ele os alienou. Mas quem te aliena de ti mesmo, ainda que a serviço da melhor causa, tu vais começar a odiá-lo secretamente, mesmo contra teu próprio desejo. Ao bom, que comprometeu sua força, tornar-se-á infelizmente fácil demais encontrar escravos para seu serviço, pois existem muitos que não desejam outra coisa do que alienar-se de si sob um bom pretexto.

Tu sofres com o mal porque não o amas conscientemente no oculto nem para ti mesmo. Gostarias de evitá-lo e começar a odiar o mal. E outra vez estás ligado ao mal através de teu ódio, pois se o amas ou odeias, isto continua sendo o mesmo para ti: estás ligado ao mal. Deve-se aceitar o mal. O que nós queremos permanece em nossa mão. O que não queremos, e assim mesmo é mais forte do que nós, arrasta-nos junto e não podemos detê-lo sem nos prejudicar a nós mesmos. Pois nossa força permanece então no mal. Portanto devemos aceitar nosso mal, sem amor e sem ódio, reconhecendo que ele está aí e que precisa ter sua parte na vida. Dessa maneira tiramos dele a força para nos vencermos.

Quando conseguimos criar um Deus e quando, através dessa criação, toda a nossa força entrou nessa configuração, somos tomados do desejo irresistível de elevar-nos com o filho divino e tornar-nos partícipes de sua glória. Mas nos esquecemos de que então nada mais somos do que forma vazia, tendo a configuração de Deus arrancado para si toda nossa força. Não nos tornamos apenas pobres, mas matéria completamente podre, à qual jamais conviria participar da divindade.

Como sofrimento terrível ou perseguição demoníaca inevitável constrange-nos a miséria e a necessidade de nossa matéria. A matéria impotente começa a sugar e gostaria de engolir novamente sua imagem. Mas como estamos sempre enamorados de nossa configuração, acreditamos que o Deus nos chama a si, e nós fazemos esforços desesperados para seguir a Deus no espaço mais elevado, ou nos voltamos aos nossos concidadãos, pregando e admoestando a que forcem ao menos outras pessoas a seguir Deus. Infelizmente existem pessoas que se deixam facilmente convencer disso para prejuízo delas e nosso.

Há muita fatalidade nesta pressão: pois quem poderia imaginar que ele, criado por Deus, estivesse condenado ao inferno? E no entanto é assim, pois a matéria, que está despida da força do brilho divino, é vazia e tenebrosa. Quando o Deus sai da matéria, sentimos o vazio da matéria como parte do espaço infinitamente vazio.

Através da pressa, da vontade e do agir multiplicados queremos escapar do vazio e, portanto, do mal. Mas o caminho certo é aceitar o vazio, destruir a imagem da configuração em nós, unir o Deus e descer ao insondável e abominável da matéria. O Deus como obra nossa está fora de nós e já não precisa de nossa ajuda. Ele está criado e permanece entregue a si mesmo. Uma obra criada que desaparece tão logo nos afastemos dela não presta, mesmo que / fosse um Deus. 68/69

Mas onde está então o Deus após sua criação e após sua separação de mim? Quando constróis uma casa, tu a vês posicionada no mundo exterior. Quando criaste um Deus, que não vês com os olhos corporais, então ele está no mundo espiritual, que não é menor que o mundo real externo. Ele está lá e opera para ti e para os outros tudo o que podes esperar de um Deus. Assim, tua alma é teu próprio si-mesmo no mundo espiritual. Mas o mundo espiritual, como morada dos espíritos, é também um mundo exterior. Assim como tu não estás sozinho no mundo visível, mas rodeado por coisas que te pertencem e que só a ti obedecem, também tu tens pensamentos que te pertencem e só a ti obedecem. Mas assim como também estás rodeado no mundo visível por coisas e seres, que não te pertencem nem te obedecem, também estás cercado no mundo espiritual por pensamentos e seres ideais que não te obedecem nem te pertencem.

Assim como teus filhos carnais foram gerados e nascidos de ti, crescem e se separam de ti, para viverem seu próprio destino, também geras ou dás à luz seres ideais que se separam de ti e vivem sua própria vida. Assim como uma pessoa se separa de seus filhos quando fica velha e devolve seu corpo de novo à terra, também eu me separo de meu Deus, o sol, e mergulho no vazio da matéria e apago em mim a imagem que tinha de mim como criança. Isto acontece quando aceito a natureza da matéria e deixo fluir a força de minha configuração para dentro de meu vazio. Assim como eu fiz renascer renovado o Deus doente através de minha força geradora, dou vida agora ao vazio da matéria, donde nasce a configuração do mal.

A natureza é brincalhona e assustadora. Uns veem o lado brincalhão, riem com ele e deixam que brilhe. Outros veem o horror, cobrem a cabeça e estão mais mortos do que vivos. O caminho não está entre

69/73 *os dois, abrange os dois em si. É jogo divertido e horror frio*[139]. [Ilustração 69][140] / [Ilustração 70] / [Ilustração 71][141] / [Ilustração 72]. /

O inferno

Cap. xii.

[IH 73] Na segunda noite[142] após a criação do meu Deus, informou-me uma visão de que eu havia chegado ao submundo.

Eu estava num subterrâneo tenebroso, o chão consistia de placas úmidas de pedras. No meio havia uma coluna da qual pendiam cordas e enxadas. Ao pé da coluna jazia um emaranhado assustador, semelhante a cobras, de corpos humanos. Vi em primeiro lugar a figura de uma jovem com maravilhoso cabelo vermelho-dourado – debaixo dela, encoberto até a metade, estava deitado um homem de aspecto demoníaco – sua cabeça estava inclinada para trás – um filete de sangue escorria de sua testa – sobre os pés e o corpo da moça jogaram-se mais dois demônios semelhantes. Seus rostos têm expressão inumana – o mal em pessoa – seus músculos estão tensos e rígidos e seus corpos são elásticos como os de cobras. Estão deitados inertes. A jovem mantém a mão sobre o único olho do homem que está deitado debaixo dela, que é o mais poderoso dos três – sua mão segura firmemente um pequeno anzol de prata que ela cravou no olho do demônio.

Um suor de medo brotou-me de todos os poros. Eles queriam torturar a jovem até a morte; ela reagia com a força de extremo desespero e conseguiu atingir o olho do diabo com o pequeno arpão. Se ele se mexesse, ela lhe arran-

139 Em "Sonhos" Jung escreveu em 15 de fevereiro de 1917: "A cena da abertura completamente transcrita. / O mais belo sentimento de renovação. Hoje de manhã novamente ao trabalho científico. / Tipos!" (p. 5). É uma referência à conclusão da transcrição desta seção para o volume caligráfico e à continuação dos trabalhos sobre os tipos psicológicos.

140 Os círculos azuis e amarelos são semelhantes aos da ilustração 60, na edição ilustrada.

141 Esta ilustração pode ser aquela a que se refere Tina Keller na seguinte afirmação numa entrevista em que lembra a discussão de Jung de suas relações com Emma Jung e Toni Wolff: "Jung mostrou-me certa vez uma ilustração no livro que estava pintando e me disse: 'Veja que estas três cobras estão entrelaçadas. Esta é a maneira como nós três lutamos com este problema'. Só posso dizer que me pareceu muito importante que, mesmo como fenômeno passageiro, aqui estavam três pessoas aceitando um destino que não correu muito bem para satisfação pessoal delas" (Entrevista com Gene Nameche, 1969, R.D. Laing papers, University of Glasgow, p. 27).

142 12 de janeiro de 1914.

caria o olho com um último puxão. O pavor me paralisou: o que acontecerá? Uma voz falou:

"O diabo não pode fazer sacrifícios, não pode oferecer em sacrifício seu olho, a vitória está com aquele que pode oferecer sacrifícios".[143]

[2] A visão desapareceu. Eu percebi que minha alma havia caído no poder abissal do maligno. O poder do maligno é inconteste; é com razão que o tememos. Aqui não ajuda nenhuma oração, nenhuma palavra piedosa, nenhum passe de mágica. Às vezes te acomete violência brutal, e não há ajuda em lugar nenhum. Outras vezes, o mal te agarra sem compaixão, e não há pai, nem mãe, nem direito, nem muros e torres, nem armadura e força protetora que venham em teu socorro. Mas, impotente e totalmente só, cais na mão da superioridade do mal. Nesta batalha estás sozinho. Eu queria dar à luz o meu Deus, por isso queria também o mal. Quem quer criar o eternamente cheio, vai criar para si também o eternamente vazio[144]. Não podes uma coisa sem a outra. Se queres fugir do mal, não crias nenhum Deus, mas tudo o que fazes é morno e cinzento. Eu queria meu Deus incondicionalmente. Por isso quero também o meu mal. Se meu Deus não fosse ultrapoderoso, também não seria ultrapoderoso o meu mal. Mas eu quero que meu Deus seja poderoso e magnífico e reluzente sobre as massas. Só assim eu amo o meu Deus. E por amor ao brilho de sua beleza vou experimentar também o chão do inferno.

Meu Deus levantou-se no céu oriental, mais claro que todos os astros e trouxe para cima um novo dia sobre as nuvens. Por isso desejo viajar para o inferno. Uma mãe não dá sua vida por seu filho? Quanto mais não daria minha vida, quando só meu Deus vence o tormento da última hora da noite e triunfante irrompe através da névoa vermelha da manhã. Não duvido: eu quero também o mal por amor a meu Deus. Eu aceito a batalha desigual, pois esta batalha é sempre desigual e de inutilidade certa. Como seria de outro modo assustadora e desesperada esta batalha? Mas é exatamente isto que ela é e será.

/ Nada é mais valioso para o maligno do que seu olho, pois só por causa de seu olho pode o vazio captar o cheio brilhante. Pelo fato de o vazio sentir a falta 73/74

143 Nota marginal ao volume caligráfico: "çatapatha-brâhmanam 2,2,4". A mesma inscrição é dada à ilustr. 64. Cf. notas 132 e 133 acima.

144 Em *Assim falava Zaratustra*, Nietzsche escreveu: "É preciso ter um caos dentro de si, para poder gerar uma *estrela dançante* ("Prólogo de Zaratustra", § 5). (O itálico está sublinhado no exemplar de Jung).

do cheio, ambiciona o cheio e sua força reluzente. E ele o bebe através de seu olho, que consegue captar a beleza e o brilho sem mancha do cheio. O vazio é pobre e, se não tivesse o olho, seria sem esperança. Ele vê o mais belo e quer engoli-lo para destruí-lo. O demônio sabe o que é belo, por isso ele é a sombra do belo e o segue por toda parte, esperando o momento em que a beleza, revolvendo-se em dores, gostaria de dar a vida a Deus.

Quando tua beleza cresce, arrasta-se para cima também o monstruoso verme, esperando sua presa. Para ele nada é sagrado senão seu olho, com o qual observa o mais belo. Jamais abandonará seu olho. Ele é invulnerável, mas nada protege seu olho; ele é terno e claro, perito em beber a luz eterna. Ele quer a ti, a luz vermelho-clara de tua vida.

Eu conheço a natureza humana tremendamente diabólica. Cubro diante dela meus olhos. Estendo minha mão recusante quando alguém deseja aproximar-se de mim, por medo que minha sombra possa cair sobre ele, ou sua sombra cair sobre mim, pois eu vejo também o diabólico nele, o companheiro inofensivo de sua sombra.

Que ninguém me toque; assassinato e infâmia espreitam a ti e a mim. Tu sorris inocentemente, meu amigo? Não vês que um leve pestanejar de teu olho revela o terrível, cujo mensageiro tu és sem suspeitar? Teu tigre sedento de sangue rosna baixinho, tua cobra peçonhenta sibila furtivamente, enquanto tu, só consciente de tua bondade, estendes tua mão para o cumprimento. Eu conheço tua e minha sombra, que anda atrás de nós e que nos acompanha, só esperando a hora do crepúsculo, onde ela, com todos os demônios da noite, vai estrangular a ti e a mim.

Que abismo de história sangrenta separa a ti e a mim! Eu tomei tua mão e olhei no teu olho humano. Eu deitei minha cabeça em teu colo e senti o calor vital de teu corpo, era tão especialmente meu, que parecia ser meu próprio corpo – e eu senti de repente uma corda escorregadiça em torno do pescoço, que sufocava sem dó, e uma martelada atroz cravou-me um prego na testa. Pelos pés, arrastaram-me sobre o pavimento, e cães ferozes devoravam partes de meu corpo na noite lúgubre.

Ninguém deve admirar-se de que as pessoas sejam tão distantes umas das outras, de que não se entendam, de que se façam guerra e se matem. Há que admirar-se muito mais de que as pessoas acreditem que estão próximas umas das outras, de que se entendem e se amam. Ainda há duas coisas a serem descobertas. A primeira é o abismo infinito que separa as pessoas umas das outras. A segunda é a ponte que poderia ligar duas pessoas entre si. Já pensaste alguma vez em quanta animalidade jamais imaginada te possibilita conviver com as pessoas?

[145]Quando minha alma caiu nas mãos do mal, estava indefesa até que sua fraca vara de pescar pudesse tirar novamente o peixe de sua força do mar do vazio. O olho do mal sugou toda a força de minha alma, só lhe restando sua vontade, que é precisamente aquele pequeno anzol. Eu queria o mal, pois eu vi que não conseguiria fugir dele. E pelo fato de eu querer o mal, minha alma segurou na mão o precioso anzol com o qual eu queria prender o lugar vulnerável do mal. Quem não quer o mal, a este falta a possibilidade de salvar sua alma do inferno. Apesar de ele mesmo permanecer na luz do mundo de cima, torna-se a sombra de seu si-mesmo. Mas sua alma definha no cárcere dos demônios. Com isso lhe é criado um contrapeso que o limita para sempre. Os círculos mais elevados do mundo interior permanecem-lhe inatingíveis. Ele fica onde estava, sim, ele retrocede. Tu conheces essas pessoas e conheces o modo esbanjador como a natureza das pessoas espalha / vida e força em desertos áridos. 74/75 Não deves lamentá-lo, caso contrário te tornas um profeta e queres salvar o que não deve ser salvo. Não sabes que a natureza também aduba seus campos com pessoas? Recebe aquele que procura, mas não vás à procura seguindo os que erram. O que sabes de seu erro? Talvez seja sagrado. Não deves perturbar

---

145 Nota marginal ao volume caligráfico: "khândayoga-upanishad I,2,1-7". O *Chândayoga Upanishad* assim reza: "Outrora, quando os deuses e demônios, ambos filhos de Prajâpati, dispuseram-se em ordem de batalha uns contra os outros, os deuses apoderaram-se do Grande Canto. 'Com isto os derrotaremos', pensaram eles. / Por isso veneraram o Grande Canto como o sopro nas narinas. Os demônios cobriram-no de mal. / Em consequência, cheira-se com ele tanto os odores agradáveis quanto os desagradáveis, pois está coberto de mal. / Depois veneraram o Grande Canto como fala. Os demônios cobriram-no de mal. Em consequência, fala-se com ele tanto o que é verdadeiro quanto o que é falso, pois está coberto de mal. / Depois veneraram o Grande Canto como visão. Os demônios cobriram-no de mal. Em consequência, vê-se com ele tanto o que é bom quanto o que não é bom, pois está coberto de mal. / Depois veneraram o Grande Canto como audição. Os demônios cobriram-no de mal. Em consequência, ouve-se com ele tanto o que é bom de ouvir quanto o que não é, pois está coberto de mal. / Depois veneraram o Grande Canto como a mente. Os demônios cobriram-no de mal. Em consequência, pensa-se com ele tanto o que é bom de pensar quanto o que não é, pois está coberto de mal. / Finalmente veneraram o Grande Canto como simplesmente este sopro aqui dentro da boca. E quando os demônios se precipitaram contra ele, foram reduzidos a pedacinhos como um torrão de terra jogado contra um alvo que é uma rocha" (*Upanishads*. Oxford University Press, 1996 [Trad. de P. Olivelle]). O "Grande Canto" é OM.

o sagrado. Não olhes para trás e não lamentes. Vês muitos caírem ao teu lado? Sentes compaixão? Mas tu deves viver tua vida, então restará ao menos um de milhares. Tu não impedes o morrer.

Mas por que minha alma não arrancou o olho do mal? O mal tem muitos olhos; perdendo um, nada se perde. E se o tivesse feito, estaria assim totalmente à mercê do mal. O diabo só não pode oferecer sacrifício. Não deves prejudicá-lo, sobretudo não seu olho, pois o mais belo nada seria se ele não visse o diabo e depois o desejasse. O diabo é sagrado.

O vazio não pode oferecer nada em sacrifício, pois está sempre em penúria. Só o cheio pode oferecer sacrifício, pois tem a plenitude. O vazio não pode oferecer em sacrifício sua fome do cheio, pois não pode negar sua própria natureza. Por isso nós também precisamos do diabo. Mas, pelo fato de haver recebido anteriormente a plenitude, posso sacrificar ao diabo minha vontade. Toda a força flui de novo para mim, uma vez que o diabo destruiu minha imagem da figura de Deus. Mas a imagem da figura de Deus ainda não estava destruída em mim. Causa-me horror esta destruição, pois ela é terrível, uma profanação sem igual do templo. Tudo se arrepia em mim contra a monstruosidade sem par. 75/76 Pois eu ainda não sabia o que significava dar à luz um Deus. [Ilustração 75] /

O assassinato sacrificial[146]

Cap. xiii.

[IH 76] Mas esta foi a visão que eu não queria ver, o terror que eu não queria viver. Uma sensação doentia de nojo me surpreendeu, cobras repugnantes e traiçoeiras serpeiam devagar e estalando pelos bosques, ficam dependuradas preguiçosamente e cheias de sono asqueroso, enroscadas num enovelado horroroso nos galhos. Fico arrepiado em pisar neste vale de figuras enfadonhas e feias, onde os bosques ficam em encostas pedregosas. O vale parece tão vulgar, seu ar cheira a crime, a toda ação covarde e ruim. Sou acometido de nojo e horror. Ando hesitante sobre pedras de cascalho, evitando aquele lugar

146 Em vez disso, o *esboço manuscrito* tem: *"Oitava aventura"* (p. 793).

escuro, por medo de pisar numa cobra. O sol brilha fracamente num céu distante e cinzento, e toda a relva está seca. De repente, vejo diante de mim, no meio das pedras, uma boneca com a cabeça quebrada – mais alguns passos, um pequeno avental – e lá, atrás de uma moita, o corpo de uma menina – cheio de horríveis ferimentos – ensanguentado – um pé está com meia e sapato, o outro, cheio de sangue e esmagado – a cabeça – onde está a cabeça? – A cabeça é uma sopa de sangue misturada com cabelo, contendo ainda pedaços esbranquiçados de ossos – em volta estão as pedras respingadas de massa encefálica e sangue. Minha visão é tomada de horror – do lado da criança está uma figura encoberta, como a de uma mulher, quieta, o rosto coberto por um véu impenetrável. Ela me perguntou:

Ela: "O que dizes disso?"

Eu: "O que dizer? Aqui não cabem palavras".

Ela: "Entendes isso?"

Eu: "Recuso-me a entender algo assim. Não posso falar disso sem ficar irritado".

Ela: "Por que deverias te irritar? Tu irias te irritar todo dia, enquanto viveres, pois isso e coisa semelhante acontecem na terra diariamente".

Eu: "Mas na maioria das vezes não o vemos".

Ela: "Portanto, não te basta saber disso para ficares irritado?

Eu: "Quando apenas sei de algo, a coisa se torna mais fácil e simples. O assustador no mero saber é menos real".

Ela: "Aproxima-te, vês que o ventre da criança foi aberto com faca, tira o fígado".

Eu: "Eu não vou tocar neste cadáver. Se alguém me visse, diria que eu era o assassino".

Ela: "És covarde, pega o fígado".

Eu: "Por que devo fazer isso? É absurdo".

Ela: "Eu quero que tires o fígado. Tu precisas fazê-lo".

Eu: "Quem és tu para pensar que podes dar-me esta ordem?"

Ela: "Eu sou a alma desta criança. Tu tens de fazer esta ação por mim".

Eu: "Não entendo nada, mas vou acreditar em ti e fazer a tolice horrorosa". / 76/77

Meto a mão no ventre aberto – sinto que ainda está quente – o fígado está preso – pego da minha faca e corto nos lugares que o prendem. Retiro-o e apresento-o com mãos cheias de sangue à figura.

Ela: "Agradeço muito".

Eu: "O que devo fazer?"

Ela: "Conheces a importância e significado do fígado[147] e deves com ele cumprir o rito sagrado".

Eu: "E qual é?"

Ela: "Toma um pedaço, em vez do fígado todo, e come".

Eu: "O que estás exigindo? Isto é loucura perigosa. Isto é violação de cadáver. É antropofagia. Tu me tornas cúmplice deste mais medonho de todos os crimes".

Ela: "Tu imaginaste os piores tormentos para o assassino com que pudéssemos expiar sua ação. Só há uma expiação: rebaixa-te e come".

Eu: "Não posso – eu me recuso–, não posso partilhar dessa culpa terrível".

Ela: "Tu tens parte nesta culpa".

Eu: "Eu? Parte nesta culpa?"

Ela: "Tu és um ser humano, e um ser humano perpetrou este ato".

Eu: "Sim, eu sou um ser humano – eu o amaldiçoo por ele ser um humano, e eu me amaldiçoo por eu ser um humano".

Ela: "Portanto – toma parte em seu ato, rebaixa-te e come. Eu preciso da expiação".

Eu: "Assim seja, por amor à tua vontade, já que és a alma desta criança".

Ajoelhei-me nas pedras, separo um pedaço do fígado e o enfio na boca. Minhas entranhas trazem o vômito até a garganta – lágrimas saem de meus olhos – suor frio sobre minha testa – um gosto insipidamente adocicado de sangue – engulo com esforço desesperado – não vai – mais uma vez e mais outra – quase desmaio – deu certo. O repugnante se consumou[148].

Ela: "Eu te agradeço".

Ela afasta seu véu para trás – uma bela mocinha de cabelo ruivo.

Ela: "Tu me conheces?"

---

147 Em *Memórias*, ao comentar o sonho de Liverpool (cf. adiante, p. 369, n. 296), Jung observou: "O fígado, segundo concepção antiga, é a sede da vida" (p. 236).

148 Em 1940, Jung discutiu a antropofagia ritual, sacrifício e antissacrifício em "O símbolo da transformação na missa" (OC, 11).

Eu: "Por mais estranhamente conhecida que me sejas, quem és?"

Ela: "Eu sou tua alma"[149].

[2] O sacrifício está consumado: a criança divina, a imagem da figura divina está assassinada e eu comi da carne do sacrifício[150]. Na criança, na imagem da figura divina, não está contido apenas o meu desejo humano, mas também o primitivo e a força originária, que os filhos do sol possuem como herança imperdível. De tudo isso precisa o Deus para seu nascimento. Mas se ele é criado e se retira rapidamente para os espaços infinitos, então precisamos novamente do ouro do sol. Precisamos restaurar de novo a nós mesmos. Mas como a criação de Deus é uma ação criadora do mais elevado amor, a restauração de nossa vida humana significa uma ação do inferior. Este é um grande e obscuro mistério. A pessoa humana não consegue por si só realizar esta obra, para tanto ajuda-a o maligno, que a faz em lugar da pessoa. Mas a pessoa precisa reconhecer sua culpa conjunta na obra do diabo. Precisa comprovar este reconhecimento comendo da carne sangrenta do sacrifício. Com esse gesto anuncia que é uma pessoa humana, que reconhece tanto o mal quanto o bem, e que através da retração de sua força vital destrói a imagem da figura divina, e com isso também se declara desvinculada do Deus. Isto acontece para o bem da alma, que é a verdadeira mãe da criança divina./ 77/78

Quando minha alma carregou e gerou o Deus, ela era totalmente de natureza humana, possuindo em si as forças originárias desde os tempos antigos, mas em estado de sono. Elas fluíam para dentro da figura de Deus sem minha colaboração. Mas, pelo assassinato sacrificial, retomei as forças originárias para dentro de mim e as acresentei à minha alma. Uma vez dentro de uma configuração viva, as forças originárias despertaram para uma vida própria. Se as tomar de volta agora, elas não estarão mais em estado de sono, mas acordadas, ativas e refulgindo o brilho de seu agir divino em minha alma. E assim ela recebe uma

149 No *Livro Negro* 3, Jung observa: "A cortina cai. Que peça horrível foi representada aqui? Eu percebo: Nil humanum a me alienum esse puto [julgo que nada de humano é alheio a mim]" (p. 91). A frase é do teatrólogo romano Terêncio, de *Heauton Timorumenos*. Em 2 de setembro de 1960, Jung escreveu a Herbert Read: "Na qualidade de psicólogo e médico, não só acho, mas estou plenamente convencido de que *nil a me alienum esse* é inclusive meu dever" (*Cartas*, vol. II, p. 284).

150 Em vez dessa frase, o *esboço* tem: "Nessa experiência consumou-se aquilo de que eu precisava. Aconteceu de maneira horrível. O mal, que eu queria, realizou a ação ignominiosa, aparentemente sem mim, mas assim mesmo comigo, pois eu senti que tinha parte em toda a natureza assustadoramente humana. Eu mesmo destruí a criança divina, a imagem de minha figura de Deus, com o mais horrendo dos crimes de que a natureza humana é capaz. Houve necessidade dessa ação pavorosa, a fim de destruir em mim a imagem de Deus, que bebera todas as seivas de minha vida, e assim puder recuperar minha vida" (p. 355).

condição divina que ultrapassa sua condição humana. Por isso, o comer da carne sacrificial contribui para seu bem. Isto também nos mostraram os antigos, quando nos ensinaram a beber o sangue e a comer a carne do Salvador. Os antigos acreditavam que isto contribuía para o bem da alma[151].

Não existem muitas verdades, mas poucas. Seu sentido é profundo demais para que as possamos entender, a não ser como símbolos[152].

Um Deus que não é mais forte do que os seres humanos – o que ele é? Vós deveis experimentar ainda o medo divino. Como quereis saborear dignamente o vinho e o pão, senão tiverdes entrado em contato com o fundamento negro da natureza humana? Por isso sois sombras tíbias e enfadonhas, radiantes com vossas praias rasas e largas rodovias. Mas serão abertas comportas, há coisas irresistíveis das quais só Deus vos salvará.

A força originária é brilho solar, que os filhos do sol trazem em si desde os éons e legam a seus filhos. Mas quando a alma mergulha no brilho, ela se tornará implacável como o próprio Deus, pois a vida da criança divina, que tu comeste, estará em ti como brasas incandescentes. É como um fogo espantoso, que jamais se apaga. Mas, apesar de todo o tormento, não podes sair dessa situação, pois ele não te larga. Reconhecerás nisso que teu Deus vive e que tua alma começou a andar por caminhos impiedosos. Tu sentes que o fogo do sol está extinto. Foi-te acrescentado algo novo, uma doença sagrada.

Por vezes tu mesmo não te reconheces mais. Tu queres vencer isso, mas é ele que te vence. Tu queres impor-lhe limites, mas ele te mantém cercado. Tu queres fugir dele, mas ele vem contigo. Tu queres usá-lo, mas tu és seu instrumento; tu queres tirá-lo do pensamento, mas teus pensamentos pertencem a ele. Finalmente és tomado de pânico por causa do inevitável, pois devagar e invencivelmente ele se achega a ti.

Não há escapatória. Reconhecerás nisso o que é um verdadeiro Deus. Tu imaginas todo tipo de palavras sábias, medidas de precaução, saídas secretas, subterfúgios, beberagens de esquecimento de todo tipo, mas tudo inútil. O fogo te perpassa com seu calor. Aquilo que guia obriga-te a seguir o caminho.

---

151 Isto é, o ritual da missa.

152 Jung desenvolveu suas ideias sobre o significado dos símbolos em *Tipos psicológicos* (1921). OC, 6, § 814s.

Mas o caminho é o meu mais próprio si-mesmo, minha própria vida, baseada sobre mim. O Deus quer minha vida. Ele quer ir comigo, sentar-se à mesa comigo, trabalhar comigo. Quer estar presente sempre e em toda parte[153]. Mas eu tenho vergonha do meu Deus. Não gostaria de ser divino, mas racional. O divino me parece uma ilusão irracional. Eu o odeio como uma perturbação insensata de meu agir humano sensato. Parece-me uma doença impertinente que se infiltrou no curso ordenado de minha vida. Sim, eu acho o divino totalmente supérfluo. / 78/92 [Ilustração 79] [Ilustração 80] [Ilustração 81] [Ilustração 82] [Ilustração 83] [Ilustração 84][154] [Ilustração 85] [Ilustração 86] [Ilustração 87] [Ilustração 88] [Ilustração 89][155] [Ilustração 90] [Ilustração 91] [Ilustração 92]

---

153 Em 1909, ficou pronta a casa de Jung em Küsnacht, que trazia gravada sobre a porta o seguinte mote do oráculo de Delfos: "Vocatus atque non vocatus deus aderit" [chamado ou não, deus estará presente]. A fonte da citação foi a *Collectanea adagiorum*, de Erasmo. Jung explicou o mote da maneira seguinte: "Ele quer dizer: sim, o deus estará no local, mas sob que forma e para qual finalidade? Coloquei esta inscrição lá para lembrar a mim e a meus pacientes que o '*Timor dei initium sapientiae*' (Sl 111,10). Aqui começa um outro e não menos importante caminho, não o acesso ao 'cristianismo', mas a Deus mesmo, e esta parece ser a questão definitiva" (carta a Eugene Rolfe, 19/11/1960, em *Cartas*, vol. III, p. 304).

154 Há uma nota ao pé da página: "21.VIII.1917. fect. 14.X.17" [possivelmente uma abreviação de "fecit", i.e, "fez"].

155 No *Livro Negro* 7, na fantasia de Jung, de 7 de outubro de 1917, aparece uma figura, Ha, que diz que é o pai de Filêmon. A alma de Jung o descreve como um homem da magia negra. Seu segredo são as runas, que a alma de Jung quer conhecer. Ele se recusa a ensiná-las, mas mostra alguns exemplos, que a alma de Jung pede para lhe explicar. Algumas dessas runas aparecem mais tarde nessas pinturas. Sobre as runas nesta pintura, Ha explicou: "Olha os dois com pés diferentes, um pé terreno e um pé solar – eles estendem a mão para o cone superior e têm dentro o sol, mas eu tracei uma linha torta para um outro sol. Por isso um deles precisa descer. Entretanto, o sol superior sai do cone, e o cone olha para ele, preocupado em saber para onde ele vai. É preciso pegá-lo de volta com o arpão e encerrá-lo na pequena prisão. Então precisam 3 ficar juntos, unir-se e enrodilhar-se juntos no alto (... [?]). Assim recebem o sol de volta da prisão. Agora fazei um chão firme e um telhado onde o sol esteja seguro no alto. Mas no interior da casa, também o outro sol se levantou. Por isso estais enrodilhados também no alto e fizestes embaixo de novo um telhado sobre a prisão, para que o sol superior ali não penetre. Pois ambos os sóis querem sempre encontrar-se – eu bem que o disse – os dois cones – cada qual tem um sol. Vós quereis que eles se encontrem, porque então pensais que poderíeis ser assim um só. Trouxestes agora para fora os dois sóis e os fizestes se encontrar e estais em posição oblíqua ao outro lado – isto é importante (=), mas então há simplesmente dois sóis embaixo, por isso pensais em ir para o cone inferior. Lá juntareis os sóis, mas no meio, não em cima nem embaixo, por isso não há 4, e sim 2, mas o cone superior está embaixo e em cima há um telhado grosso e se quereis ir adiante, vós desejais com ambos os braços retroceder. Mas embaixo tendes uma prisão para dois, para vós dois. Por isso fazeis uma prisão para o sol inferior e caís para o outro lado, para tirar da prisão o sol inferior. Em seguida sentis saudades, e o cone superior vem e faz uma ponte para a parte inferior, toma de novo dentro de si seu sol, que anteriormente lhe havia fugido e já aparecem no cone inferior as nuvens da manhã, mas seu sol tornou-se invisível após a linha (horizonte). Agora sois um e alegres por terdes o sol em cima e desejais ir ao alto até ele. Mas vós estais presos na prisão do sol inferior que acaba de nascer. Há uma parada. Agora fazeis em cima algo quadrado, que chamais de ideia, uma prisão sem porta com grossas paredes, para que o sol do alto não avance, mas o cone já sumiu. Vós vos deitais para o outro lado, desejais o inferior e vos enrodilhais embaixo. Então sois um e fazeis o caminho das cobras entre os sóis – isto é divertido! (~) e importante (=). Mas porque estava alegre embaixo, em cima há um telhado e vós deveis levantar para o alto o arpão com ambos os braços, para que atravesse o telhado, Então o sol é livre embaixo e há uma prisão em cima. Vós olhais para baixo, mas o sol superior olha para vós. Mas vós estais precisamente a dois e afastastes de vós a cobra – isto vos faz pena. Por isso fazeis uma prisão para o inferior. Agora a cobra anda por si através do céu sobre a terra. Vós vos afastais totalmente, a cobra se enrosca através do céu em volta de todas as estrelas longe sobre a terra. / Embaixo

93/98 [Ilustração 93][156] [Ilustração 94][157] [Ilustração 95] [Ilustração 96] [Ilustração 97] /

---

está: esta sabedoria me deu a mãe. / Ficai satisfeitos" (p. 9-10). Para Aniela Jaffé, Jung contou que tivera uma visão de uma tabuleta de argila vermelha com hieróglifos na parede de seu quarto, que ele transcreveu no dia seguinte. Ele achava que continha uma mensagem importante, mas que ele não entendia (*MP*, p. 172). Em cartas de 13 de setembro e 10 de outubro de 1917, Jung escreveu a Sabina Spielrein, comentando o significado de alguns hieróglifos num sonho que ela lhe havia mandado. Em 10 de outubro, escreveu-lhe que "com seus hieróglifos estamos lidando com engramas filogenéticos de natureza histórico-simbólica". Comentando o menosprezo manifestado pelos freudianos em relação a *Transformações e símbolos da líbido*, descreveu a si mesmo como "aderindo às runas", que não passaria àqueles que não as queriam entender ("The Letters of Jung to Sabine Spielrein". *Journal of Analytical Psychology*, 41, 2001, p. 187-188).

156 As runas neste quadro aparecem no *Livro Negro* 7, no inciso de 7 de outubro de 1917. Jung colocou nelas a data de 10 de outubro de 1917. Ha explicou: "Se tiverdes recebido o dorso para frente, fazei abaixo uma ponte e ide a partir do meio para cima e para baixo, ou separareis em cima embaixo, dividi novamente o sol e rastejai como a cobra sobre o superior e recebei o inferior. Vós levais junto aquilo que experimentastes e ides para frente em direção a algo novo" (p. 11).

157 As runas deste quadro aparecem no *Livro Negro* 7, no inciso de 7 de outubro de 1917. Jung acrescenta a elas a data de 11 de setembro de 1917. Ha explicou: "Agora fazeis uma ponte entre vós, e uma das coisas deseja o superior. Mas então a cobra rasteja em cima e pega para si o sol. Então andais ambos em cima e quereis ir para cima ( ), mas o sol está embaixo e procura puxar-vos para baixo. Vós, porém, fazeis um risco sobre o inferior e desejais o alto e sois totalmente um aí dentro. Chega então a cobra e quer beber do recipiente embaixo. Mas vem o cone superior e para. Mas novamente avança a visão igual à da cobra e, depois, desejais muito (–) voltar. Mas o sol inferior puxa e assim chegais novamente ao equilíbrio. Mas logo tombais para trás, pois uma coisa pesquisou o sol superior. A outra não quer, e assim vos desfazeis, precisais por isso amarrar-vos juntos três vezes. Então estais novamente em posição correta e segurais ambos os sóis diante de vós, como se fossem vossos olhos, vós a luz do em cima e do embaixo diante de vós e vós estendeis os braços para isso, e vós vos reunis num só e precisais separar os dois sóis e suspirais um pouco pelo inferior e agarrais para diante pelo superior. Mas, pelo fato de os sóis estarem tão perto, o cone inferior engoliu o cone superior. Por isso empurrais de novo para cima o cone superior e, pelo fato de o inferior não estar mais aí, quereis trazê-lo novamente para cima e tendes grande saudade do cone inferior, enquanto em cima está vazio, porque o sol por cima do risco é invisível. Porque tivestes tanta saudade do que passou e do inferior, o cone superior desce e tenta prender dentro de si o sol superior e invisível. Ali vai o caminho da cobra bem no alto, vós estais divididos, e todo o inferior está debaixo do chão. Vós continuais desejando o alto, mas logo vem o desejo inferior qual cobra e vós fazeis uma prisão sobre ela. Mas surge então o cone inferior, vós desejais o bem baixo e de repente aí estão de novo os dois sóis, próximos um do outro. Vós sentis saudades e sois encerrados na prisão. Um teima, o outro deseja o inferior. A prisão se abre, o um deseja ainda mais o inferior, o que teima deseja em cima e não está mais teimoso, mas exige aquilo que virá. Aí vem ele: embaixo o sol nasce, mas está aprisionado e em cima foram feitos 3 ninheiros para vós dois e o sol superior que esperais, porque aprisionastes o inferior. Desce então com grande poder o cone superior e vos parte em dois e engole o cone inferior. Isto não funciona. Por isso colocais os cones ponta contra ponta e vos enrodilhais para frente no meio. Pois assim não o podeis deixar. Portanto, tem que ser diferente. O um procura embaixo, o outro em cima; isto lhes deve causar esforço, pois, quando os cones se encontram na ponta, então quase não se pode mais separá-los – por isso introduzi no meio o cerne duro. Ponta contra ponta – isto seria belo demais normalmente. Isto agrada a pai e mãe, mas onde fico eu? E meu cerne? Por isso rapidamente outra coisa! Nós fazemos ponte entre vós dois, encarceramos novamente o sol inferior, o um tem saudade do superior e embaixo, o outro especialmente forte para frente, em cima e embaixo. Assim o futuro pode tornar-se – vê como já posso falar bem agora – sim, eu sou inteligente – mais inteligente do que vós – agora que tomastes tudo tão belamente na mão, conseguis colocar também tudo tão belamente sob o telhado e dentro da casa, a cobra e os dois sóis. Isto é sempre o mais divertido. Mas vós estais separados e porque fizestes o risco em cima, a cobra está por demais embaixo com os sóis. Isto provém do fato de vos terdes enrodilhado antes a partir de baixo. Mas chegais juntos e de acordo e estais direito, porque é bom, alegre e bem sucedido e dizeis: assim ficará. Mas já vem descendo o cone superior, porque se sentiu insatisfeito, uma vez que vós fizestes antecipadamente os limites. O cone superior estende logo sua mão para seu sol – mas não há mais sol em lugar nenhum e a cobra também salta para fora para pegar o sol. Vós tombais, e um de vós será devorado pelo cone inferior. Com a ajuda do cone superior, vós o tirais para fora e dais em vez disso ao cone inferior seu sol e ao cone superior também. Vós vos deitais em cima como o Polifemo, que vagueia pelo céu, e mantendes o cone embaixo de vós – mas no fim a coisa vai mal. Vós deixais que os cones e os sóis vão embora e ficais juntos, mas não quereis a mesma coisa. No final chegais a um acordo, amarrar-vos triplamente ao cone superior que vem descendo neste instante. / Eu me chamo Ha, Ha, Ha – um nome alegre – eu sou inteligente – vede meu último sinal, esta é a magia do homem branco, que mora nas grandes casas da magia, a magia que vós chamais de cristianismo. Vosso curandeiro o disse pessoalmente:

A divina loucura[158]

Cap. xiv.

[IH 98][159] Estou num salão alto. Diante de mim vejo um cortinado verde entre duas colunas. A cortina se abre devagar. Vejo um recinto pouco profundo com paredes nuas, no alto uma pequena e redonda janela com vidro azulado. Coloco meu pé no degrau que leva a este recinto entre as colunas e entro. À direita e à esquerda vejo uma porta na parede traseira do recinto. Tenho a impressão de que devo decidir entre esquerda e direita.

Escolho a direita. A porta está aberta, eu entro: estou na sala de leitura de uma grande biblioteca. Bem no fundo está sentado um homem pequeno e magro, de rosto pálido, certamente o bibliotecário. A atmosfera está pesada – ambições eruditas – presunção de sabedoria – vaidade de erudição ferida. Além do bibliotecário não vejo ninguém. Vou até ele. Levanta os olhos de seu livro e pergunta: "O que deseja?"

Estou um pouco confuso, pois não sei exatamente o que desejo: ocorre-me mencionar Tomás de Kempis.

Eu: "Gostaria de ter *A imitação de Cristo*, de Tomás de Kempis"[160].

Ele me olha com certo espanto, como não acreditando em mim, e deu-me a preencher uma ficha de requisição. Eu também penso que é espantoso pedir exatamente Tomás de Kempis.

"Eu e o Pai somos um. Ninguém vem ao Pai senão por mim". Eu vo-lo havia dito, o cone superior é o Pai. Ele se ligou triplamente a ele e está entre os outros e o Pai. Por isso, o outro precisa passar por ele se quiser ir ao cone" (p. 13-14).

158 Em vez disso, o *esboço manuscrito* tem: "Nona aventura. Noite I" (p. 814).

159 14 de janeiro de 1914.

160 *A imitação de Cristo* é uma obra de ensino devocional que apareceu no início do século XV e que se tornou extremamente popular. Sua autoria ainda é discutida, mesmo que geralmente seja atribuída a Tomás de Kempis (por volta de 1380-1471), cônego regular agostiniano, do mosteiro de Agnetenberg, um dos primeiros representantes da *devotio moderna*, um movimento que enfatizava a meditação e a vida interior. Numa linguagem clara e simples, *A imitação de Cristo* exorta as pessoas a ocupar-se com a vida interior, como oposta às coisas exteriores, dá conselhos de como esta deve ser vivida e indica o conforto e recompensa final de uma vida vivida em Cristo. O título provém da primeira linha do primeiro capítulo em que também se afirma que "quem quiser compreender e saborear plenamente as palavras de Cristo, é-lhe preciso que procure conformar à dele toda a sua vida" (*A imitação de Cristo*. Petrópolis: Vozes, 1969, p. 22 [Trad. de Fr. T. Borgmeier]). O tema da imitação de Cristo é de data bem anterior. Houve discussão na Idade Média sobre como ela podia ser entendida (sobre a história desse conceito, cf. CONSTABLE, G. "The Ideal of the Imitation of Christ". In: *Three Studies in Medieval Religious and Social Thought*. Cambridge, Cambridge University Press, 1955, p. 143-248). Como mostra Constable, podem ser distintas duas grandes abordagens, dependendo de como a imitação era entendida: a primeira, a imitação da divindade de Cristo, salientava a doutrina da deificação, pela qual "Cristo mostrou a maneira de tornar-se Deus através dele" (p. 218). A segunda, a imitação da humanidade e corpo de Cristo, salientava a imitação de sua vida na terra. A forma mais extremada disso estava na tradição dos estigmáticos, indivíduos que traziam as chagas de Cristo em seus corpos.

"Admira-se o senhor de que eu peça exatamente a obra de Tomás?"

"De fato, o livro é pouco solicitado, e precisamente do senhor não teria esperado este interesse".

"Eu devo confessar que me surpreendeu essa ideia repentina, mas li recentemente [uma passagem] de Tomás, que me causou impressão especial; por que, não saberia dizê-lo. Se bem me lembro, foi o problema do seguimento de Cristo".

"O senhor tem interesses teológicos ou filosóficos especiais, ou –"

"O senhor pensa – se quero lê-lo por devoção?"

"Bem, provavelmente não".

"Quando leio Tomás de Kempis, isto acontece mais por devoção ou por algo semelhante do que por interesse científico".

"O senhor é tão religioso assim? Não sabia".

"O senhor sabe que eu prezo sumamente a ciência, mas existem de fato momentos na vida em que também a ciência nos deixa vazios e doentes. Em tais momentos, um livro como o de Tomás de Kempis significa muito, pois foi escrito a partir da alma".

"Mas algo bem ultrapassado. Não podemos mais hoje em dia fiar-nos na dogmática cristã".

"Com o cristianismo não chegamos ao fim, se simplesmente o colocarmos de lado. Parece-me que há mais nisso do que vemos".

98/99 "O que mais estaria nisso? É só uma religião". /

"Por que razões e em que idade a gente o coloca de lado? A maioria o faz ao tempo dos estudos ou até mais cedo. O senhor chama este um tempo especialmente adequado para julgamentos? E o senhor examinou alguma vez com maior precisão as razões pelas quais a gente coloca de lado a religião positiva? As razões são, na maioria das vezes, levianas; por exemplo, porque o conteúdo da fé se choca com a ciência ou com a filosofia".

"Isto não é, segundo acho, uma contrarrazão a ser incondicionalmente desprezada, apesar de existirem razões melhores. A falta de sentido da realidade nas religiões, eu a considero por exemplo diretamente um prejuízo. Além do mais criou-se agora abundante substituição para a perda do pendor para a devoção, causada pelo desmoronamento da religião. Nietzsche escreveu, por exemplo, mais do que um verdadeiro devocionário[161], sem falar do Fausto".

---

161 Isto é, *Assim falava Zaratustra*.

"Isto é correto em certo sentido. Mas sobretudo a verdade de Nietzsche é para mim por demais inquieta e provocativa – boa para aqueles que ainda devem ser libertados. Mas por isso sua verdade também só é boa para eles. Acredito ter descoberto ultimamente que precisamos também de uma verdade para aqueles que têm de caminhar na estreiteza. Para eles é uma verdade depressiva aquela que diminui e interioriza a pessoa, talvez mais por necessidade".

"Mas, por favor, Nietzsche interioriza a pessoa de modo totalmente incomum".

"Talvez o senhor tenha razão a partir de seu ponto de vista, mas não posso fugir da impressão de que Nietzsche fala por si mesmo àqueles a quem mais falta faria a liberdade, mas não àqueles que colidiram duramente com a vida e sangram de suas feridas, que se prenderam às coisas da realidade".

"Mas também a essas pessoas atribui Nietzsche um valioso sentimento de superioridade".

"Não posso negá-lo. Mas conheço pessoas que não precisam da superioridade, e sim da inferioridade".

"O senhor se expressa muito paradoxalmente. Não consigo entendê-lo. A inferioridade poderia no máximo ser um *desideratum*".

"Talvez me entenda melhor se, em vez de inferioridade, eu disser submissão, uma palavra que se ouvia muito antigamente, mas raras vezes hoje em dia".

"Isto também soa muito cristão".

"Como ficou dito, no cristianismo parece haver de tudo que talvez ainda tenhamos de tomar para nós. Nietzsche é por demais contradição. Infelizmente a verdade se mantém, como todo o saudável e duradouro, mas no caminho do meio, que nós abominamos injustamente".

"Eu não sabia realmente que o senhor ocupava uma posição tão conciliadora".

"Nem eu – minha posição não é muito clara para mim. Se eu concilio, faço-o de uma maneira bem específica".

Neste momento, o atendente trouxe o livro, e eu me despedi do bibliotecário.

[2] O divino quer viver comigo. Minha recusa é em vão. Perguntei ao meu pensar, e ele falou: "Tome um modelo que te mostre como se deve viver o di-

vino". Nosso modelo natural é o Cristo. Estamos desde sempre sob sua lei, primeiro exteriormente e depois interiormente. Primeiro nós o sabíamos e depois não o sabíamos mais. Lutávamos contra o Cristo, nós o depúnhamos e nos sentíamos vencedores. Mas ele permanecia em nós e nos dominava.

Melhor seria estar preso em algemas visíveis do que invisíveis. Tu podes perfeitamente abandonar o Cristo, mas ele não te abandona. Tua libertação dele é utopia. Cristo é o caminho. Tu podes andar por desvios, mas então não estás mais no caminho. O caminho do Cristo termina na cruz. Por isso estamos crucificados com ele dentro de nós. Com ele esperamos nossa ressurreição na morte[162]. Com Cristo, o ser vivo não experimenta nenhuma ressurreição, a não ser que lhe aconteça isto depois da morte[163].

Quando sigo o Cristo, ele está sempre à minha frente e eu não posso chegar nunca ao objetivo, a não ser nele. / Mas dessa forma saio de mim e do tempo no qual e através do qual sou assim como sou. Entro então no Cristo e em seu tempo, que o criou assim e não diferente. E assim estou fora do meu tempo, ainda que minha vida esteja neste tempo, e eu fico dividido entre a vida do Cristo e a minha, que pertence a este tempo presente. Se quiser entender de fato o Cristo, devo considerar como o Cristo viveu realmente sua própria vida e que não imitou ninguém. Ele não imitou modelo algum[164].

99/100

Se eu, portanto, seguir verdadeiramente o Cristo, não sigo a ninguém, não imito ninguém, mas trilho meu próprio caminho, nem me denominarei mais cristão. A princípio quis imitar o Cristo, segui-lo, querendo viver minha vida, mas sob a observância de suas leis. Uma voz dentro de mim revoltou-se contra isso e quis lembrar-me de que também este meu tempo teria seus profetas que

162 Na *Imitação de Cristo*, Tomás de Kempis escreveu: "Não há salvação da alma nem esperança de vida senão na cruz. Toma, pois, tua cruz, segue a Jesus e entrarás na vida eterna. O Senhor foi adiante, com a cruz às costas, e nela morreu por teu amor, para que tu também leves a tua cruz e nela desejes morrer. Porquanto, se com ele morreres, também com ele viverás" (Livro segundo, cap. 12, p. 121).

163 O *esboço* continua: "Sabemos que os antigos nos falaram em imagem. Por isso sugeriu-me meu pensamento que tomasse o Cristo como modelo, não imitá-lo por causa dele, mas porque ele é o caminho. Quando sigo por um caminho, não o imito. Mas quando sigo Cristo, então ele é meu objetivo, não meu caminho. Mas quando ele é meu caminho, então eu vou ao seu objetivo, como me foi mostrado anteriormente no mistério. Assim falou-me meu pensamento em linguagem confusa e ambígua, quando me aconselhou a seguir Cristo" (p. 366).

164 O *esboço* continua: "Este seu caminho próprio levou-o à cruz, pois o caminho próprio da humanidade leva à cruz. Também o meu caminho me leva à cruz, mas não à cruz de Cristo, e sim à minha cruz, que é a imagem do sacrifício e da vida. Mas como eu ainda estava obcecado, inclinei-me a condescender com a enorme tentação da imitação e olhar para o Cristo como se Ele fosse um objetivo, e não meu caminho" (p. 367).

se insurgiriam contra o jugo que o passado nos impôs. E eu não fui capaz de sintonizar o Cristo com o profeta desse tempo. Um exige suportar, o outro derrubar, um recomenda submissão, o outro vontade[165]. Como deveria eu conceber esta contradição, sem fazer injustiça a este ou àquele? O que não posso pensar enquanto estou junto, posso vivê-lo um após outro.

Resolvi, pois, passar ao outro lado, para a vida mais humilde e comum, para a minha vida, e lá embaixo começar onde eu estava realmente.

Quando o pensar leva ao impensável, é tempo de voltar à vida simples. O que o pensar não soluciona, isto a vida soluciona, e aquilo que o fazer nunca decide está reservado ao pensar. Se eu, de um lado, tiver subido ao mais elevado e mais difícil, mas quiser atingir uma ascensão para mais alto ainda, o verdadeiro caminho não vai para o alto, mas para o fundo, pois só meu outro me conduz para além de mim mesmo. Mas aceitar o outro significa uma descida para o contraditório, do sério para o ridículo, do triste para o alegre, do belo para o feio, do puro para o impuro[166].

Nox secunda[167]

Cap. xv.

[IH 100] Quando havia saído da biblioteca estava de novo na antessala[168]. Dessa vez olho para a porta do outro lado à esquerda. Coloquei o pequeno livro no bolso. Fui até aquela porta; também ela estava aberta: atrás, uma grande cozinha, sobre o fogão um potente exaustor. Duas longas mesas estavam no centro do recinto; ao lado delas, bancos. Nas paredes havia, sobre estantes, frigideiras de latão e de cobre e outras vasilhas mais. Ao fogão estava uma senhora grande e corpulenta – sem dúvida a cozinheira, com um avental quadriculado. Cumprimentei-a um pouco surpreso. Também ela parecia constrangida. Eu lhe perguntei: "Poderia sentar-me um pouco aqui dentro? Está frio lá fora e eu preciso esperar por uma coisa".

165 As referências parecem ser a Schopenhauer e a Nietzsche respectivamente.

166 O *esboço* continua: "Considera isto. Quando tiveres considerado isto, entenderás a aventura que me ocorreu na noite seguinte" (p. 368).

167 Segunda noite.

168 17 de janeiro de 1914.

"Por favor, acomode-se".

Ela passou um pano na mesa à minha frente. Como não tinha outra coisa a fazer, tomei do meu Tomás e comecei a ler. A cozinheira está curiosa e me olha furtivamente. De vez em quando passa perto de mim.

"Desculpe perguntar, o senhor é por acaso um homem espiritual?"

"Não, por que pensa assim?"

"Oh, eu apenas pensei assim porque o senhor está lendo um pequeno livro preto. Eu também tenho um que ganhei de minha mãe de saudosa memória".

"Sei, e que livro é este?"

"Chama-se *A imitação de Cristo*. É um livro muito bonito. Muitas vezes rezo nele à noite".

"A senhora adivinhou bem, este livro que estou lendo também é *A imitação de Cristo*".

"Não acredito, um cavalheiro como o senhor não leria um livro desses, a não ser que seja um pastor".

"Por que não deveria lê-lo? Também a mim faz bem ler algo correto".

"Minha saudosa mãe o tinha consigo, mesmo em seu leito de morte, e ela o entregou em minha mão antes de morrer".

Enquanto ela falava, folheei aleatoriamente o livro. Minha atenção recaiu no cap. 19 sobre a seguinte / passagem: "O propósito dos justos mais se firma na graça de Deus, na qual confiam em tudo o que empreendem, do que sobre sua própria sabedoria"[169].

100/101

Penso então que é o método intuitivo que Tomás recomenda[170]. Dirigi-me à cozinheira: "Sua mãe foi uma senhora inteligente, fez bem em deixar-lhe este livro".

"Certamente, ele já me consolou muitas vezes em horas difíceis, e é possível sempre buscar nele um conselho".

---

169 O propósito dos justos mais se firma na graça de Deus, que em sua própria sabedoria, nela confiam sempre, em qualquer empreendimento. Porque o homem propõe, mas Deus dispõe, e *não está na mão do homem o seu caminho*" (*Imitação de Cristo*, livro primeiro, cap. 19, p. 59).

170 Em vez dessa frase, o *Livro Negro* 4 tem: "Pois bem, Henri Bergson, penso eu, aqui acertaste em cheio – este é o autêntico e verdadeiro método intuitivo" (p. 9). Em março de 1914, Adolf Keller deu uma palestra sobre "Bergson und die Libidotheorie" à Sociedade Psicanalítica de Zurique. Na discussão, Jung disse: "Bergson já deveria ter sido discutido aqui há muito tempo. Ele diz tudo o que nós não dissemos (MSZ, vol. 1, p. 57). Em 24 de julho de 1914, Jung deu uma conferência em Londres em que observou que seu "método construtivo" correspondia ao "método intuitivo" de Bergson (LONG, C. (org.). "On Psychological Understanding". *Collected Papers on Analytical Psychology*. Londres: Ballière/Tindall and Cox, 1917, p. 399). A obra que Jung leu foi *L'évolution créatrice*. Paris: Alcan, 1907. Jung possuía a tradução alemã, de 1912.

Estou novamente mergulhado em meus pensamentos: penso que se pode ir também atrás do próprio nariz. Também isto seria método intuitivo[171]. Mas a bela forma em que o faz o cristão poderia ser de valor bem especial. Eu gostaria de imitar os cristãos – Uma inquietude interior me envolve – o que deve acontecer? Um estranho rumor e zumbido ecoam – e de repente ouve-se no salão um barulho como o de um bando de grandes pássaros – com estrondoso bater de asas – como sombras, vejo muitas figuras de pessoas passando por mim e ouço do repetido vozerio as palavras "adoremos no templo".

"Para onde vão com tanta pressa?", perguntei em voz alta. Um homem barbudo, de cabelos desgrenhados e de olhar sombrio parou e se voltou para mim: "Estamos indo a Jerusalém para rezar no túmulo mais sagrado".

"Levai-me convosco".

[172] "Não podes vir junto, tu tens um corpo. Nós, porém, estamos mortos".

"Quem és?"

"Meu nome é Ezequiel e sou um anabatista"[173].

"Quem são esses com os quais viajas?"

"São meus irmãos na fé".

"Por que viajais então?"

"Não podemos parar, temos que peregrinar para todos os lugares sagrados".

"O que vos impele a isso?"

"Não sei. Mas parece que ainda não temos descanso, mesmo que tenhamos morrido na verdadeira fé".

"Por que não tendes descanso se morrestes na verdadeira fé?"

"Parece-me sempre como se não tivéssemos chegado a um fim correto com a vida".

---

171 A transcrição de Cary Baynes tem: "Bergsons".

172 No *esboço*, o falante é identificado como "o sinistro".

173 O Ezequiel bíblico foi um profeta de Israel no século VI a.C. Jung viu muita coisa de significado histórico em suas visões que incorporaram um mandala com quaternidades, como que representando a humanização e diferenciação de Javé. Ainda que as visões de Ezequiel sejam muitas vezes consideradas patológicas, Jung defende sua normalidade, dizendo que as visões são fenômenos naturais que só podem ser chamadas de patológicas quando seus aspectos mórbidos forem provados ("Resposta a Jó", 1952. OC, 11/4, § 665, 667, 686). O anabatismo foi um movimento radical da Reforma protestante do século XVI que tentou restaurar o espírito da Igreja primitiva. O movimento teve origem em Zurique nos anos 1520, rebelando-se contra a relutância de Zwinglio e Lutero de reformar completamente a Igreja. Rejeitavam a prática do batismo de crianças e promoviam os batismos de adultos (o primeiro teve lugar em Zöllikon, perto de Küsnacht, onde Jung morava). Os anabatistas frisavam a imediaticidade da relação humana com Deus e criticavam as instituições religiosas. O movimento foi violentamente sufocado, e milhares foram mortos. Cf. LIECHTY, D. (org.). *Anabaptist Spirituality*: Selected Writings. Nova York: Paulist Press, 1994.

"Esplêndido – mas como assim?"

"Parece-me que esquecemos algo importante que também era para ter sido vivido".

"E o que teria sido?"

"Tu o sabes?"

A essas palavras olhou ávida e inquietamente para mim, seus olhos brilhavam como de um ardor interno.

"Solta, demônio, tu não viveste teu animal"[174].

Diante de mim estava a cozinheira, com cara de espanto, tomou-me pelo braço e me segurou: "Por amor de Deus", disse ela, "o que há com o senhor? Está passando mal?"

Olhei-a admirado e procurei lembrar-me de onde estava. Mas já entravam de roldão pessoas estranhas – o bibliotecário também estava ali – inicialmente surpreso e confuso ao extremo, mas depois sorrindo maliciosamente: "Oh, isto eu havia imaginado. Rápido, a polícia!"

Antes que pudesse refazer-me, fui empurrado por uma multidão de pessoas para dentro de um carro. Segurava ainda nas mãos o meu Tomás, e veio-me à mente a pergunta: "O que diz ele agora dessa nova situação?" Abri o livrinho e meu olhar caiu no capítulo 13, onde se lê: "Enquanto vivemos neste mundo, não podemos estar sem trabalhos e tentações. Ninguém há tão perfeito e santo que não tenha às vezes tentações, e não podemos ser delas totalmente isentos"[175].

Sábio Tomás, tu sabes de fato e sempre uma palavra apropriada! Isto não o sabia o maluco do anabatista, senão poderia ter parado tranquilamente. Poderia tê-lo lido também em Cícero: *rerum omnium satietas vitae facit satietatem – satietas vitae tempus maturum mortis affert* [A saciedade de todas as coisas causa a saciedade da vida – a saciedade da vida traz o tempo maduro da morte][176]. Este conhecimen-

---

174 Em 1918, Jung afirmou que o cristianismo suprimiu o elemento animal ("Sobre o inconsciente", in *Civilização em transição*. OC, 10/3, § 31). Desenvolveu este tema em seus seminários, de 1923, em Polzeath, Cornwall. Em 1939, disse que o "pecado psicológico" que Cristo cometeu foi de "não ter vivido o lado animal de si mesmo" (*Modern Psychology*, 4, p. 230).

175 O cap. 13 do livro primeiro da *Imitação de Cristo* começa assim: "Enquanto vivemos neste mundo, não podemos estar sem trabalhos e tentações. Por isso lemos no Livro de Jó: É um combate a vida do homem sobre a terra. Cada qual, pois, deve estar acautelado contra as tentações, mediante a vigilância e a oração, para não dar azo às ilusões do demônio, que nunca dorme, mas anda por toda parte em busca de quem possa devorar. Ninguém há tão perfeito e santo que não tenha, às vezes, tentações, e não podemos ser delas totalmente isentos" (p. 44). Continua enfatizando os benefícios da tentação, como meios através dos quais o homem é "humilhado, purificado e disciplinado".

176 A citação é tirada de Cícero, *Cato Maior de Senectute* [Catão Maior sobre a velhice]. O texto é um elogio à velhice. As linhas que Jung cita vêm em itálico na passagem a seguir: "76. Omnino, ut mihi quidem

to levou-me obviamente a um conflito com a sociedade: à direita está sentado um policial e à esquerda está sentado um policial. "Bem", disse-lhes eu, "agora podem soltar-me de novo". "Sim, nós podemos" /, diz um deles rindo. "Fica sentado aí bem quieto", disse o outro severamente. Portanto: a viagem seguirá certamente para o manicômio. Isto é um desperdício. Mas parece que este caminho também deve ser percorrido. Ele não é tão incomum, pois milhares de nossos semelhantes o percorrem. 101/102

Chegamos – um enorme portão, uma sala bem grande – um amável e diligente supervisor – e agora também dois mestres doutores. Um deles é um professor pequeno e gordo.

Pr: "Que espécie de livro o senhor tem aí?"

"É Tomás de Kempis: *A imitação de Cristo*".

Pr: "Portanto uma forma religiosa de alienação, claramente uma paranoia religiosa[177]. – O senhor vê, meu prezado, o seguimento de Cristo leva hoje em dia ao manicômio".

"Não há dúvida nenhuma, senhor professor".

Pr: "O homem tem humor – certamente algo despertado maniacamente. O senhor ouve vozes?"

"É claro! Hoje foi todo um bando de anabatistas que esvoaçaram pela cozinha".

Pr: "Bem, aí está. O senhor é perseguido pelas vozes?"

"De modo nenhum, sou eu que as procuro".

Pr: "Ah, é outro caso que prova claramente que os alucinantes procuram diretamente as vozes. Isto pertence à história da doença. Quer ter a bondade, senhor doutor, de anotar isto imediatamente?"

---

videtur, *rerum omnium satietas vitae facit satietatem*. Sunt pueritiae studia certa; num igitur ea desiderant adulescentes? Sunt ineuntis adulescentiae: num ea constans iam requirit aetas quae media dicitur? Sunt etiam eius aetatis; ne ea quidem quaeruntur in senectute. Sunt extrema quaedam studia senectutis: ergo, ut superiorum aetatum studia occidunt, sic occidunt etiam senectutis; quod cum evenit, *satietas vitae tempus maturum mortis affert*". [Sem dúvida, como ao menos me parece, *a saciedade de todas as coisas causa a saciedade da vida*. A infância tem certas atividades; será que os adolescentes também as desejam? A juventude tem seus interesses: será que as pessoas maduras ou de meia-idade precisam deles? A maturidade também possui interesses que não são procurados na velhice e, finalmente, existem os interesses próprios da velhice. Por isso, assim como os prazeres e interesses das idades anteriores perdem sua atração, isto também acontecerá com os da velhice; e quando isto acontece, a pessoa está saciada da vida, e o tempo está maduro para a morte"]. CÍCERO. *De Senectute, De Amicitia, De Divinatione*. Londres: William Heinemann, 1927, p. 86-88.

177 O *Livro Negro* 4 tem: "forma paranoide de dementia praecox" (p. 16).

"Permita, senhor professor, a observação: isto não é absolutamente doentio; é, antes, método intuitivo".

Pr: "Decididamente, o homem tem também uma formação de linguagem nova. Ora – o diagnóstico poderia estar suficientemente esclarecido. Desejo, pois, melhoras, e mantenha-se bem quieto".

"Mas, senhor professor, eu não estou doente. Sinto-me muito bem".

Pr: "Veja, meu prezado, o senhor ainda não tem ideia da doença. O prognóstico é naturalmente mau, no melhor dos casos trata-se de cura deficiente".

Supervisor: "O paciente pode ficar com o livro?"

Pr: "Certamente, parece um livro inofensivo de piedade".

Fazem um inventário de minhas roupas – depois vem o banho – e agora sou levado ao isolamento. Entro numa grande enfermaria, onde devo ir para a cama. Meu vizinho de cama à esquerda está deitado imóvel, com o rosto petrificado, o da direita parece ter um cérebro que diminui de volume e peso. Eu gozo de perfeita tranquilidade. O problema da loucura é profundo. A loucura divina – uma forma mais elevada da irracionalidade da vida que flui em nós – ainda assim loucura que não deve ser incorporada à sociedade hodierna – mas como? Se a gente incorpora a forma social na loucura? Aqui fica escuro e não há fim à vista[178].

[2] [IH 102] A planta que cresce faz brotar um rebento à direita, e quando este está plenamente desenvolvido, o impulso natural de crescimento não quer continuar crescendo para além do broto final, mas flui de volta ao tronco, à mãe do galho e abre para si no escuro e mergulhado no tronco um caminho incerto e encontra finalmente o lugar certo à esquerda e faz brotar lá um novo rebento. Mas esta nova direção do crescimento é totalmente contrária à antiga. E assim mesmo a planta cresce simetricamente, sem tensão exagerada e sem perturbação do equilíbrio.

À direita está meu pensar, à esquerda, meu sentir. Eu entro no recinto do meu sentir, que antes disso me era desconhecido, e vejo com surpresa a dife-

178 No *esboço* ocorre uma passagem da qual é uma paráfrase o que segue: Sendo eu um pensador, meu sentimento era o mais ínfimo, o mais antiquado e menos desenvolvido. Quando eu fui instruído contra o impensável através de meu poder de pensar, então só podia pressionar para frente de uma maneira forçada. Mas eu sobrecarreguei de um lado, e o outro lado submergiu mais fundo. Sobrecarregar não é crescimento, que é o de que precisamos (p. 376).

rença entre meus dois recintos. Não consigo reprimir o riso – muitos riem em vez de chorar. Pisei com o pé direito sobre o esquerdo e estremeci atingido por dor interna. É grande demais a diferença entre quente e frio. Eu abandono o espírito desse mundo, que odiou o Cristo até o fim, e passo para aquele outro reino alegre – tremendo, no qual reencontro o Cristo.

"A imitação de Cristo" levou-me ao próprio mestre e a seu admirável reino. Não sei o que lá quero, só posso seguir o mestre que comanda este outro reino em mim. Neste reino vigoram outras leis que não as diretivas de minha sabedoria. A "graça de Deus", à qual nunca me confiei em meu reino por boas razões da experiência, é aqui a lei suprema do agir. A graça de Deus significa um estado / especial da alma, em que me confio a todo o próximo, com tremor e hesitação e máximo dispêndio de esperança, de que tudo sairá a contento. 102/103

Já não posso dizer: é preciso alcançar este ou aquele objetivo, vale esta ou aquela razão porque deve ser boa, mas vou tateando através de névoa e noite. Não se produz uma linha, nenhuma lei se estabelece, tudo é total e convincentemente fortuito, até assustadoramente fortuito. Mas uma coisa fica pavorosamente clara: em relação a meus caminhos antigos e a todas as suas intenções e intuições, tudo é descaminho a partir de agora. Fica sempre mais claro que nada conduz, como minha esperança me quis insinuar, mas que tudo seduz.

E de repente te fica claro, para teu horrível espanto, que caíste no desmedido, no desordenado, na estupidez do caos eterno. Aproxima-se velozmente como nas asas ruidosas do temporal, como na onda avassaladora do mar.

Cada pessoa tem em sua alma um lugar sossegado, onde tudo é óbvio e facilmente explicável, um lugar no qual gosta de refugiar-se contra as possibilidades perturbadoras da vida, porque lá tudo é simples e claro, de finalidade manifesta e restrita. Para nada no mundo pode a pessoa dizer com igual convicção do que para este lugar: "Tu nada mais és do que...", e ele também o disse.

E mesmo este lugar é uma superfície lisa, um anteparo de todo dia, nada mais do que uma crosta bem protegida e muitas vezes polida sobre o mistério do caos. Se quebrares o mais cotidiano de todos os anteparos, jorra para dentro em torrente incontrolável o caos. O caos não é um múltiplo simples, mas interminável. Não é informe, caso contrário seria simples, mas está repleto de figuras que, por amor à sua plenitude, atuam de modo perturbador e triunfante[179].

---

179 Nota marginal ao volume caligráfico: "26.1.1919". Parece que a data se refere ao tempo em que a seção foi transcrita.

Essas figuras são os mortos, não só os teus mortos, isto é, todas as imagens de tua conformação passada, que deixou para trás de si tua vida progressiva, mas as massas dos mortos da história humana, o cortejo de fantasmas do passado, que é um mar em vista da gota de tua própria duração de vida. Vejo atrás de ti, atrás do espelho de teu olho a aglomeração de perigosas sombras, dos mortos que olham avidamente através de buracos vazios dos olhos, que gemem e esperam realizar através de ti o indissolúvel de todos os tempos que neles suspira. Tua ignorância não prova nada. Cola teu ouvido na parede e perceberás o barulho de seu cortejo.

Agora sabes por que colocas naquele lugar o mais simples e o mais esclarecedor, por que louvas aquele lugar sossegado como o mais seguro: para que ninguém, e muito menos tu, desenterre lá o mistério. Pois este é o lugar onde dia e noite se misturam dolorosamente. O que tu excluis de tua vida, o que tu abjuras e amaldiçoas, tudo que foi e poderia ter sido desvio para ti, isto te espera atrás daquele anteparo em frente ao qual estás sentado calmamente.

Quando lês os livros de história, encontras relatos sobre pessoas que queriam o extravagante e inaudito, que armavam ciladas para si mesmas e que foram capturadas por outros em armadilhas para lobos, que queriam o mais alto e mais profundo e que foram apagadas, imperfeitas, do quadro dos sobreviventes. Poucos dos vivos sabem delas, e esses poucos não sabem valorizar nada nelas, mas sacodem a cabeça devido à sua loucura.

Enquanto tu zombas delas, uma está atrás de ti, bufando de raiva e desespero para que tua estupidez não a contagie. Ela te oprime com noites sem dormir, às vezes te prende numa doença e às vezes frustra tuas intenções. Ela te torna altivo e ávido, ela incita teus desejos por tudo que não te aproveita, ela afoga teus êxitos em insatisfação. Ela te acompanha como teu espírito ao qual não concedeste nenhuma salvação.

Ouviste algo daqueles escuros que acorriam incógnitos ao lado dos que dominavam o dia e que conjurados causavam a intranquilidade? Que excogitavam ousadias e não recuavam temerosos diante de nenhum delito em honra de seu Deus?

Entre esses coloca o Cristo, que foi o maior deles. Mas para ele foi muito pouco partir o mundo e por isso partiu a si mesmo. E assim ficou sendo o maior deles todos, e os poderes deste mundo não o atingiram. Mas eu falo dos mortos que caíram vítimas do poder, partidos pela violência e não por si mesmos. Seus bandos povoam o terreno da alma. Se tu os aceitas, / eles te enchem com delírio 103/104 e revolta contra aquilo que governa o mundo. A partir do mais profundo e do mais alto planejam as coisas mais perigosas. Não eram de natureza comum, mas som nobre do mais puro aço. Eles desprezam toda participação na pequena vida da pessoa. Viviam em alturas e no rejeitável mais completo. Eles esqueceram algo: não viviam seu animal.

O animal não se revolta contra sua espécie. Observa os animais: como são imparciais, honestos, como obedecem ao tradicional, como são fiéis à terra que os sustenta, como voltam à sua migração costumeira, como cuidam de suas crias, como vão juntos ao seu pasto e como levam uns aos outros à fonte. Não há nenhum que esconda sua sobra da presa e deixe seu irmão morrer de fome. Não há nenhum que force sua própria espécie à sua vontade. Não há nenhum que imagine ser elefante quando é apenas uma mosca. O animal vive honesta e fielmente a vida de sua espécie, nada mais e nada menos.

Quem nunca vive seu animal vai tratar forçosamente seu irmão como um animal. Humilha-te e vive teu animal, a fim de que possas ser justo com teu irmão. Assim salvas todos aqueles mortos que vagueiam por aí e aspiram nutrir-se junto aos vivos. E não faças daquilo que praticas uma lei, pois isto é arrogância de poder[180].

Quando chegar o tempo em que abres as portas aos mortos, teus terrores vão acometer também teu irmão, pois teu rosto anuncia a desgraça. Por isso retira-te e vai para a solidão, pois ninguém pode aconselhar-te quando lutas com os mortos. Não grites por socorro quando os mortos te cercam, caso contrário fogem de ti os vivos que são tua única ponte para o dia. Vive a vida do dia e não fales dos mistérios, mas consagra a noite aos mortos por amor à salvação.

Mas quem te arranca dos mortos com disposição de ajudar prestou a ti o pior dos serviços, pois cortou teu galho vital da árvore da divindade. Também

---

180 Em 1930, Jung disse num seminário: "Nós temos preconceitos em relação ao animal. As pessoas não entendem quando digo que elas se devem familiarizar com seus animais ou assimilar seus animais. Elas pensam que o animal está sempre pulando sobre paredes e fazendo barulheira infernal em toda a cidade. Mas, por natureza, o animal é um cidadão bem comportado. Ele é leal, segue o caminho com grande regularidade, nada faz de extravagante. Somente o ser humano é extravagante. Se você assimilar o caráter do animal, você se tornará um cidadão respeitador da lei e da ordem, você irá com muita cautela e se tornará muito sensato em seus caminhos, na medida em que conseguir assimilá-lo" (*Visions* I, p. 168).

se insurge contra a recondução do criado e mais tarde submetido e perdido[181]. "Com efeito, o mundo criado aguarda ansiosamente a manifestação dos filhos de Deus. De fato, as criaturas estão sujeitas a caducar, não voluntariamente, mas pela vontade daquele que as sujeitou, na esperança de serem também elas libertadas do cativeiro da corrupção para participarem da liberdade gloriosa dos filhos de Deus. Pois sabemos que toda a criação até agora geme e sente dores de parto".

Cada degrau para cima será a recondução de um degrau para baixo, a fim de que os mortos sejam salvos para a liberdade. A criação do novo receia o dia, pois sua natureza é secreta, ela prepara a destruição desse mesmo dia, na esperança de sua passagem para uma nova criação. Na criação do novo está um mal que não podes difundir em voz alta. O animal que espreita novas oportunidades de caça vai agachado e farejante por caminhos camuflados e não quer ser surpreendido.

Pensa que este é o sofrimento do criando: que traz em si um mal, uma lepra da alma, que o separa de seus semelhantes. Ele poderia ostentar sua lepra como virtude, e deveras o poderia por virtude. Mas ele imitaria o Cristo e seria por isso seu seguidor. Mas só um foi Cristo e só um podia infringir as leis como ele. É impossível cometer maior violação em seu caminho. Cumpre aquilo que te diz respeito. Parte o Cristo em ti para que te encontres e finalmente encontres teu animal que é honesto em seu bando e não quer violar suas leis. Baste a violação da lei de que não imites o Cristo, pois com isso dás um passo para trás diante do cristianismo e um passo para além. Através do poder, Cristo trouxe a salvação, o não poder vai salvar-te.

Contaste os mortos que o senhor do holocausto julgou dignos? Tu lhes perguntaste por amor a que sofreram a morte? Tomaste consciência da beleza do pensamento deles, da pureza de intenção deles? "Ao sair, poderão contemplar os corpos daqueles que se revoltaram contra mim, pois seu verme não morre e seu fogo não se apaga"[182].

Por isso faze penitência e vê o que coube à morte por amor ao cristianismo, coloca-o diante de ti e força-te a assumi-lo em ti. Pois os mortos preci-

---

181 O *esboço manuscrito* tem na margem: "Rm 8,19" (p. 863). O que se segue é uma citação de Rm 8,19-22.

182 É uma citação de Is 66,24.

sam de salvação. A multidão dos mortos não salvos tornou-se maior do que o número dos cristãos vivos, por isso é tempo que nós intervenhamos a favor dos mortos[183].

Não invistas com raiva ou com intenção destrutiva contra o que se tornou. O que queres colocar em seu lugar? Quando consegues destruir o que se tornou, não sabes que voltarás contra ti mesmo a vontade de destruir? Mas cada qual que faz da destruição seu objetivo, perecerá através da autodestruição. É muito melhor levar bem em consideração o que se tornou, pois o respeito é uma bênção.

Depois disso volta-te para os mortos[184], ouve suas queixas e vai ao encontro deles com amor. Não sejas seu porta-voz deslumbrado[185], / [Ilustração 105][186] / 104/106

183 O *esboço* continua: "Um profeta caminhou à frente de nós, a quem a proximidade de Deus deixou furioso. Ele esbravejava cegamente em sua pregação contra o cristianismo, mas era o advogado dos mortos que o escolheram para porta-voz e trombeta sonante. Ele gritava com voz fortíssima de modo que muitos o ouviam, e o poder de sua fala queimava também os adversários dos mortos. Ele ensinava a luta contra o cristianismo. Também isso era bom" (p. 387). A referência é a Nietzsche.

184 O *esboço* continua: "cujo advogado tu és" (p. 388).

185 O *esboço* continua: "como aquele profeta furioso que não sabia de quem era a causa que estava defendendo, mas acreditava que falava a partir de si mesmo, e se considerava a vontade da destruição" (p. 388). A referência é a Nietzsche.

186 Em 1930, Jung reproduziu de forma anônima esta ilustração no "Comentário ao *Segredo da Flor de ouro*" como um mandala desenhado por um paciente durante o tratamento. Ele o descreveu assim: "No centro a luz branca, brilhando no espaço sideral; na primeira circunferência, germes protoplasmáticos de vida; na segunda: princípios cósmicos girando que contêm as quatro cores básicas; na terceira e na quarta: forças criadoras atuando para dentro e para fora. Nos pontos cardeais: as almas feminina e masculina, ambas separadas novamente segundo claro e escuro" (OC, 13). Ele o reproduziu novamente em 1952, em "O simbolismo do mandala", e escreveu: "Trata-se do quadro de um homem de meia idade. No centro há uma estrela. O céu é azul com nuvens douradas. Nos quatro pontos cardeais vemos figuras humanas: em cima, um velho em atitude contemplativa e embaixo Loki ou Hefesto, com cabelo ruivo chamejante, segurando um templo na mão. À direita e à esquerda há duas figuras femininas, uma escura e outra clara. São indicados desse modo quatro aspectos da personalidade, isto é, quatro figuras arquetípicas que pertencem por assim dizer à periferia do si-mesmo. As duas figuras femininas podem ser logo reconhecidas como os dois aspectos da *anima*. O velho corresponde ao arquétipo do sentido, ou seja, do espírito, e a figura ctônica escura no plano inferior, ao oposto do sábio, isto é, ao elemento luciferiano, mágico (e às vezes destrutivo). Na alquimia trata-se de Hermes Trismegisto *versus* Mercúrio como o 'trickster' evasivo. O primeiro círculo ao redor do céu contém estruturas vivas semelhantes a protozoários. As dezesseis esferas de quatro cores no círculo contíguo provêm de um tema originário de olhos e representam portanto a consciência observadora e diferenciadora. Assim também os ornamentos que se abrem para dentro do círculo seguinte significam aparentemente receptáculos, cujo conteúdo é despejado em direção ao centro [nota de rodapé: Ideia semelhante encontra-se na alquimia, isto é, no assim chamado Manuscrito Ripley e suas variantes (cf. *Psicologia e alquimia*, p. 524, fig. 257). Nela os deuses planetários misturam suas qualidades ao banho do renascimento]. Os ornamentos do círculo mais externo abrem-se inversamente para fora, a fim de receber algo do exterior. No processo de individuação, as projeções originárias refluem para dentro, isto é, são novamente integradas na personalidade. Em contraste com a ilustração 25, o 'em cima' e o 'embaixo', bem como o 'masculino' e o 'feminino', aqui são integrados, como no *hermaphroditus* alquímico (OC, 9/1, § 682). Em 21 de março de 1950, Jung escreveu a Raymond Piper a respeito da mesma ilustração: "A outra figura é a de um homem bastante culto, com aproximadamente 40 anos de idade. Também ele fez o desenho como uma tentativa, a princípio inconsciente, de restaurar a ordem no estado emocional em que se encontrava, provocado pela invasão de conteúdos inconscientes" (*Cartas II*, p. 157).

há profetas que no final se apedrejam a si mesmos. Mas nós procuramos a salvação e por isso precisamos ter respeito diante do que se tornou e da aceitação dos mortos, que desde tempos imemoriais voam através dos ares e, como morcegos, moram sob nosso teto. O novo se construirá sobre o velho, e múltiplo será o sentido do que se tornou. Portanto salvaguardarás tua pobreza no que se tornou para a riqueza do que virá.

O que gostaria de afastar-te do cristianismo e de seu bem-sucedido mandamento do amor são os mortos que não puderam encontrar a paz no Senhor, pois suas obras inacabadas os seguiam. Uma nova salvação é sempre uma reposição do perdido anteriormente. Não foi o próprio Cristo que trouxe de volta o sacrifício humano cruento que desde tempos antigos havia sido eliminado do ritual sagrado por costumes melhores? Não foi ele que reintroduziu o ritual sagrado de comer o sacrifício humano? Em teu ritual sagrado será novamente incluído o que uma lei anterior havia condenado.

Como foi o próprio Cristo que trouxe novamente o sacrifício humano e o comer do sacrifício, aconteceu tudo nele e não no irmão, pois o Cristo colocou por cima disso o maior mandamento do amor, isto é, que ninguém pudesse prejudicar nisso o irmão, mas que todos pudessem alegrar-se com a reposição. O mesmo aconteceu como antigamente, mas sob a lei do amor[187]. Portanto, se não tens respeito pelo que se tornou, destruirás a lei do amor[188]. O que acontecerá então contigo? Serás forçado a trazer de volta o que existia em tempos passados, isto é, violência, assassinato, injustiça e desprezo de teu irmão. Um será estranho ao outro, e reinará a confusão.

Por isso deves ter respeito pelo que se tornou, para que a lei do amor se transforme em salvação através da recondução do inferior e do passado e não

---

187 O *esboço* continua: "Nenhum título da lei cristã foi abolido, mas nós acrescentamos outro: a aceitação do lamento dos mortos" (p. 390).

188 O esboço continua: "Não é mais que prazer costumeiro e mau, nada mais que tentação cotidiana, enquanto não sabes que é a exigência dos mortos. Mas assim que sabes a respeito dos mortos, entendes tua tentação. Enquanto não for mais que prazer mau, o que podes fazer com ela? Trapacear, arrepender-te e levantar de novo, para tropeçar de novo, ridicularizar-te e odiar-te, mas com certeza desprezar interiormente e ter compaixão. Mas se souberes da exigência dos mortos, a tentação vai transformar-se para ti em fonte de tua melhor criação, da obra salvadora em geral: quando Cristo ressuscitou após completar sua obra, levou para o alto consigo os que haviam morrido prematura e imperfeitamente sob a lei da dureza, da alienação e da mais crua violência. Naquele tempo os ares estavam tão cheios de lamentos dos mortos e seu queixume tornou-se tão forte que até mesmo os vivos ficaram tristes, cansados e fartos da vida, desejando morrer para este mundo já em seu corpo vivo. Assim conduzes também tu em tua obra salvadora os mortos à sua perfeição" (p. 390-391).

em condenação através do domínio ilimitado dos mortos. Mas os espíritos daqueles que, por amor à nossa atual imperfeição, sucumbem agora à morte antes do tempo, vão habitar em bandos escuros o forro de nossas casas e encher nossos ouvidos com lamentos de urgência até que nós lhes proporcionemos salvação através da reposição daquilo que existiu antigamente sob a lei do amor.

O que nós chamamos de tentação é a exigência dos mortos que antes do tempo e imperfeitos partiram através do delito do bem e da lei. Pois nenhum bem é tão perfeito que não fizesse injustiça e quebrasse o que não deveria ser quebrado.

Nós somos uma geração cega. Vivemos apenas na superfície, só no hoje e pensamos só no amanhã. Agimos cruamente com o passado, não nos importando com os mortos. Só queremos fazer trabalhos com resultados visíveis. Queremos sobretudo ser pagos. Pareceria absurdo fazermos um trabalho oculto que não servisse visivelmente às pessoas. Não há dúvida de que a necessidade da vida nos forçou a preferir frutos palpáveis. Mas quem sofre mais sob a influência sedutora e enganadora dos mortos do que aqueles que se perderam totalmente na superfície do mundo?

Existe uma obra necessária, mas escondida e peculiar, uma obra-prima, que tu precisas realizar em segredo por amor aos mortos. Quem nunca consegue chegar a seu campo e a seu vinhedo visíveis, este é seguro pelos mortos que dele exigem a obra de expiação. E antes que não tenha realizado esta, não pode chegar às suas obras exteriores, pois os mortos não lho permitem. Que se vire e aja com tranquilidade segundo seu desígnio e complete o secreto, para que os mortos se soltem. Não olhes demais para frente, mas para trás e para dentro, para que não deixes de ouvir os mortos.

Isto pertence ao caminho do Cristo: que ele leve consigo para cima poucos dos vivos mas muitos dos mortos. Sua obra era a salvação dos desprezados e perdidos. E por causa deles foi crucificado entre dois malfeitores.

Eu sofro meu tormento entre dois loucos. Eu cresço na verdade quando desço. Acostuma-te a estar sozinho com os mortos. É difícil, mas exatamente assim descobrirás o valor de teus semelhantes vivos.

O que fizeram os antigos por seus mortos? Tu acreditas que podias eximir-te da atenção e das obras necessárias pelos mortos, pois o que estava morto era passado. Tu te desculpas com tua descrença na imortalidade da alma. Pensas então que os mortos não têm existência, porque tu imaginas que a imortalidade é impossível? Tu acreditas em teus ídolos de palavras. Os mortos atuam, é o que basta. No mundo interior não existe uma explicação do caminho, tampouco quanto podes explicar no mundo exterior o caminho do mar. Tu precisas finalmente entender qual é o objetivo de tua explicação do caminho, isto é, busca de proteção[189].

106/108 Eu aceitei o caos, e na noite seguinte minha alma veio a mim. / [Ilustração 107] /

Nox tertia[190]

Cap. xvi.

[IH 108][191] Minha alma sussurrou-me insistente e medrosamente: "Palavras, palavras, não faças palavras demais. Cala-te e escuta: Tu reconheceste tua loucura e a admites? Viste que todas as tuas profundezas estão cheias de loucura? Não queres reconhecer tua loucura e dar-lhe amáveis boas-vindas? Tu querias certa vez aceitar tudo. Aceita então também a loucura. Deixa que brilhe a luz de tua loucura, e deverá nascer para ti uma grande luz. Não se deve desprezar nem temer a loucura, mas deves dar-lhe a vida".

Eu: "Tuas palavras soam duras, e difícil é a tarefa que me colocas".

A: "Se queres encontrar caminhos, não deves também rejeitar a loucura, uma vez que ela constitui tão grande parte de tua natureza".

Eu: "Não sabia que era assim".

A: "Alegra-te que o possas reconhecer, assim evitas ser sua vítima. A loucura é uma forma especial de espírito que adere a todas as teorias e filosofias, mais ainda à vida de todo dia, pois a própria vida está cheia de tolices e é essencialmente irracional. O ser humano só luta pela razão a fim de que possa criar regras para si. A vida mesma não tem regras. Este é seu segredo e sua lei

---

189 O *esboço* continua: "Tu empregas velhas palavras mágicas para proteger-te supersticiosamente, pois ainda és uma criança indefesa da antiga floresta. Mas nós vemos por trás de tua palavra mágica, e ela está sem força, e nada te protege do caos a não ser a aceitação" (p. 398).

190 Terceira noite.

191 18 de janeiro de 1914.

desconhecida. O que tu chamas de conhecimento é uma tentativa de impor à vida algo compreensível".

Eu: "Isto soa bem desconsolador, mas desperta minha discordância".

A: "Tu não tens nada que discordar. Estás num manicômio".

Ali está o gordo professor – foi ele que assim falou? E eu pensei que fosse minha alma.

Prof.: "Sim, meu caro, o senhor está louco. O senhor fala de modo totalmente incoerente".

Eu: "Eu também creio que me perdi completamente. Estou realmente louco? Está tudo tão confuso".

Prof.: "Tenha paciência, tudo vai se arranjar. Durma bem!"

Eu: "Obrigado, mas tenho medo".

Tudo se agita e se precipita em confusão. A coisa fica séria, o caos vem. É este o fundamento último? O caos é também um alicerce? Se ao menos eu não sentisse essa terrível agitação. Como ondas escuras tudo se mistura na maior confusão. Sim, eu vejo e entendo: é o oceano, a onipotente maré noturna – lá vai um navio – um grande navio a vapor – eu entro no salão para fumantes – muitas pessoas – belos vestidos – todos olham surpresos para mim – alguém se dirige a mim: "O que há com o senhor? Está parecendo um fantasma! O que aconteceu?"

Eu: "Nada – isto é – eu acho que estou fora de mim – o chão rodopia – tudo gira –".

Alguém: "Mas nós teremos esta noite unicamente o mar agitado – beba um grogue quente – o senhor está com enjoo".

Eu: "O senhor tem razão, estou enjoado, mas de um modo especial – eu estou na verdade no manicômio".

Alguém: "Lá vem o senhor outra vez com piadas, a vida volta de novo".

Eu: "O senhor chama isto de piada? Faz pouco que o professor me declarou totalmente louco".

O pequeno e gordo professor está realmente sentado a uma mesa forrada de verde, jogando cartas. Ouvindo minhas palavras, voltou-se para mim e sorriu: "Onde o senhor esteve? Venha aqui. Bebe também um copo? O senhor é de uma originalidade incrível. Com suas ideias, o senhor alvoroçou todas as damas".

Eu: "Senhor professor, isso é demais para mim. Há pouco eu era ainda seu paciente".

Ouviu-se uma risada generalizada e bem alta.

Prof.: "Espero que não tenha levado isso pelo lado trágico".

Eu: "Ser trancado num manicômio não é nenhuma pilhéria".

O alguém, com o qual eu havia falado anteriormente, aproximou-se de repente de mim e olhou-me no rosto. É um homem de barba preta e cabelos revoltos, com olhos de brilho melancólico. Falou-me com voz firme: "Para mim foi pior, já estou aqui há cinco anos".

Percebo, é meu vizinho de cama que evidentemente acordou de sua apatia e que agora se sentou na minha cama. Ele continua falando com firmeza e convicção: "Eu sou Nietzsche, mas o rebatizado, também sou Cristo, o salvador designado para salvar o mundo, mas eles não me deixam".

Eu: "Quem não deixa?"

O louco: "O diabo. Aqui nós estamos no inferno. O senhor naturalmente não percebeu nada disso. Eu também só percebi no segundo ano de minha estada aqui que o diretor era o diabo".

Eu: "O senhor quer dizer o professor? Parece inacreditável".

O louco: "O senhor é um ignorante. Eu já deveria ter-me casado há muito tempo com a mãe de Deus[192]. Mas o professor, o diabo, é senhor dela. Toda noite ao pôr do sol ele gera um filho com ela. De manhã cedo, ao nascer do sol, ela o dá à luz. Então vêm todos os diabos e matam a criança de / [Ilustração 109][193] /forma cruel. Ouço perfeitamente seus gritos".

108/110

Eu: "Mas isto é mitologia mais pura que o senhor está contando".

O louco: "Tu estás louco e por isso não entendes nada disso. Tu pertences ao manicômio. Meu Deus, por que minha família sempre me tranca junto com loucos? Eu deveria salvar o mundo, pois eu sou o salvador".

Deitou-se na cama e sucumbiu à sua apatia anterior. Eu agarro as beiradas da minha cama para proteger-me contra o terrível balouçar. Olho fixamente para a parede a fim de prender-me ao menos com meus olhares. Na parede há

---

192 Em O *Eu e o Inconsciente* (1928) Jung se refere a um caso de um homem com demência paranoide que ele encontrou ao tempo de Burghölzli, que estava em contato telefônico com a Mãe de Deus (OC, 7, § 229).

193 Legenda da ilustração: "Esta pessoa feita de matéria subiu demais para dentro do mundo do espírito, mas lá o espírito perfurou-lhe o coração com o raio de ouro. Ela entrou em êxtase e se desagregou. A serpente, que é o mal, não podia permanecer no mundo do espírito".

uma linha horizontal, abaixo dela a parede é pintada de cor mais escura. Em frente está um aquecedor – é um corrimão, mais adiante vejo o mar. A linha é o horizonte. E lá nasce agora o sol em aura vermelha, só e majestoso – dentro há uma cruz e nela está pendurada uma cobra – ou é um touro, esquartejado como no açougue – ou é um burro? É sem dúvida um carneiro com a coroa de espinhos – ou é o *Crucifixus*, eu mesmo? O sol do martírio nasceu e derrama raios sangrentos sobre o mar. Dura muito este espetáculo, o sol sobe mais, seus raios ficam mais brilhantes[194] e mais quentes e o sol arde branco cá para baixo sobre um mar azul. O balouçar terminou. Uma calma benfazeja da manhã de verão repousa sobre o mar tremeluzente. Ergue-se um vapor salgado de água. Uma onda fraca e extensa quebra na areia com som abafado e sempre de novo ela volta, doze vezes, as badaladas do relógio do mundo[195] – a décima segunda hora se completou. E agora se faz calma. Nenhum barulho, nenhuma respiração. Tudo está inerte, em quietude mortal. Eu espero intimamente angustiado. Vejo surgir do mar uma árvore. Seus galhos alcançam o céu e suas raízes descem até o inferno. Estou completamente só e atarantado e olho de longe. É como se toda a vida tivesse fugido de mim, totalmente entregue ao inconcebível e espantoso. Estou muito fraco e impotente. "Salvação", sussurro eu. Uma voz estranha fala: "Aqui não há salvação"[196], mas o senhor tem de fazer silêncio, caso contrário vai perturbar os outros. É noite, e as outras pessoas querem dormir". Eu vejo, é o guarda. O salão está fracamente iluminado por um pequeno lampião, e tristeza pesa sobre o ambiente.

Eu: "Eu não encontrei o caminho".

Ele diz: "O senhor não precisa procurar agora nenhum caminho".

Ele diz a verdade. O caminho, ou seja lá o que for sobre o qual caminhamos, é nosso caminho, o caminho certo. Não há nenhum caminho traçado para o futuro. Nós dizemos que é este caminho, e ele o é. Nós construímos as estradas enquanto caminhamos. Nossa vida é a verdade que procuramos. Só minha vida é a verdade, a verdade em geral. Nós criamos a verdade enquanto a vivemos.

---

194 Nota marginal de Jung no volume caligráfico: "22.3.1919", Isto parece referir-se à época em que esta passagem foi transcrita no volume caligráfico.

195 Em *Psicologia e religião* (1938) Jung comenta o simbolismo do relógio do mundo (OC, 11, § 110s.).

196 Na *Divina Comédia*, de Dante, as seguintes linhas estão gravadas acima do portão de entrada do inferno: "Lasciate ogni speranza voi ch'intrate" [Abandonai toda esperança vós que entrais] (Canto 3, linha 9). *The Divine Commedy of Dante Aleghieri*. Vol, 1. Nova York: Oxford University Press, 1997, p. 55 [org. e trad. de R. Durling].

[2] Esta é a noite em que todos os diques se romperam, em que se move o que antes estava firme, em que as pedras se transformaram em cobras e todo ser vivo ficou paralisado. É uma trama de palavras? Então a trama de palavras é inferno para aquele que nela está preso.

Existem tramas infernais de palavras, somente palavras, mas o que são palavras? Sê cauteloso com palavras, escolhe-as bem, toma palavras precisas, palavras sem armadilhas, não as entrelaces para que não surja nenhuma trama, pois tu és o primeiro que nela se enreda[197]. Pois palavras têm significados. Nas palavras puxas para cima o submundo. A palavra é o mais nulo e o mais forte. Na palavra correm juntos o vazio e o cheio. Por isso, a palavra é uma imagem de Deus. A palavra é o máximo e o mínimo que o ser humano criou, assim como aquilo que atua através do ser humano é o maior e o menor.

Por isso, quando sucumbo à trama da palavra, sucumbi ao maior e ao menor. Estou entregue ao mar, à onda indefinida, que incansavelmente altera o lugar. Sua natureza é movimento, e movimento é sua ordem. Quem resiste à onda está abandonado ao acaso. O contínuo é obra do ser humano, mas isto boia sobre o caos. Quem vem do mar, a este parece loucura a atividade das pessoas. Mas as pessoas o consideram um louco[198]. Quem vem do mar é doente. Mal consegue suportar o olhar das pessoas. Pois elas lhe parecem todas bêbadas e alucinadas por causa dos venenos soníferos. Elas querem vir em teu socorro, mas tu gostarias de aceitar menos ajuda do que iludir-te mais em sua companhia e ser completo, como alguém que nunca viu o caos, mas que só fala dele.

Para quem viu o caos, não há mais ocultação, mas ele sabe que o chão treme e o que este tremor significa. Ele viu a ordem e a desordem do infinito, ele está a par das leis ilegítimas. Ele tem conhecimento do mar e jamais pode esquecê-lo. Terrível é o caos: dias cheios de chumbo, noites cheias de horror[199].

Mas assim como Cristo sabia que ele era o caminho, a verdade e a vida, enquanto através dele chegou ao mundo o novo tormento e salvação renovada,

---

197 O *esboço* continua: "Pois palavras não são meras palavras, mas têm significados para quem foram compostas. Elas atraem os significados como sombras demoníacas. Pelas palavras puxas para cima o submundo" (p. 403).

198 O *esboço* continua: "Depois de teres visto o caos, olha uma vez para teu rosto: tu viste mais que morte e sepultura, tu viste o outro lado, e teu rosto está marcado como o rosto de alguém que viu o caos e assim mesmo era um ser humano. Muitos passam para o outro lado, mas não veem o caos; o caos porém os vê, olha fixamente em seu rosto e lhes imprime uma marca. Ficam então assinalados para sempre. Chame alguém assim de louco, pois ele o é; tornou-se onda e perdeu seu humano, seu permanente" (p. 404).

199 A frase anterior está riscada no *esboço corrigido* e tem escrito na margem "identificação ΦΙΛΗΜΩΝ" (p. 405).

também eu sei que o caos deve vir sobre os seres humanos e que as mãos daqueles que, confiantes e sem o saber, atravessam as finas paredes, que nos afastam do mar, estão ocupadas. Pois este é o nosso caminho, nossa verdade e nossa vida.

Assim como os discípulos de Cristo reconheceram que o Deus se tornara carne e que morava entre eles como uma pessoa humana, também nós reconhecemos agora que o Ungido dessa época é um Deus que não aparece na carne, não é pessoa humana, e assim mesmo é um Filho do Homem, não na carne, mas no espírito, e por isso só pode nascer através do espírito do ser humano na condição de útero concebedor de Deus[200]. A este Deus é feito o que tu fazes ao menor em ti mesmo, sob a lei do amor, da qual nada pode ser subtraído. Pois de que outro modo pode teu mais ínfimo ser salvo da corrupção? / [Ilustração 111][201] / Quem deve encarregar-se do mais ínfimo em ti se tu não o fazes? Mas quem o faz por orgulho, egoísmo ou cobiça, e não por amor, está condenado. Também na condenação nada é subtraído[202]. 110/112

200 Jung desenvolveu este assunto muitos anos depois em *Resposta a Jó* (1952), onde estudou a transformação histórica das imagens judeu-cristãs de Deus. Um tema importante nesse contexto foi a encarnação continuada de Deus depois de Cristo. Tecendo um comentário sobre o Apocalipse, Jung argumentou que "desde o momento em que João, autor do Apocalipse, sentiu pela primeira vez (talvez de modo inconsciente) o conflito no qual o cristianismo introduz diretamente, a humanidade está debaixo de seu peso: Deus quis e quer tornar-se homem" (OC, 11, § 739). Na concepção de Jung, havia uma vinculação direta entre os pontos de vista de João e os de Eckhart: "Esta irrupção perturbadora gerou dentro dele a figura da companheira divina, cuja imagem habita em cada homem, da criança que também Mestre Eckhart contemplou em sua visão. Ele foi aquele que sabia que Deus não é feliz sozinho em sua divindade, mas deve nascer na alma do ser humano. A encarnação em Cristo é o protótipo que será transposto progressivamente para a criatura através do Espírito Santo" (ibid., § 741). Em tempos mais recentes, Jung deu grande importância à Bula papal da Assunção de Maria. Ele afirmou que ela: "aponta para a realização do hierósgamos no pleroma, e este hierósgamos, por sua vez, refere-se, como já foi dito, ao futuro nascimento da criança divina que, em virtude da tendência divina de encarnar-se, escolherá o homem empírico para lugar de nascimento. Este acontecimento metafísico é conhecido pela psicologia do inconsciente como *processo de individuação*" (ibid., § 755). O processo de individuação encontrou seu sentido último através de sua identificação com a encarnação continuada de Deus na alma. Em 3 de maio de 1958, Jung escreveu a Morton Kelsey: "A verdadeira história do mundo parece ser a encarnação progressiva da deidade" (*Cartas* III, p. 151).

201 Legenda da ilustração: "A serpente tombou morta sobre a terra. E este foi o cordão umbilical de seu novo nascimento". A serpente é semelhante à da ilustração 109. No *Livro Negro* 7, em 27 de janeiro de 1922, a alma de Jung se refere retrospectivamente às ilustr. 109 e 111. Sua alma diz: "Terrível é a nuvem gigante da noite eterna. Vejo sobre esta nuvem da esquerda para cima um risco de brilho amarelo na forma de um raio irregular, por trás luz vermelha indeterminada na nuvem. Não se movimenta. Debaixo da nuvem vejo deitada uma cobra preta morta, e o raio está cravado em sua cabeça como uma lança. Uma mão, grande como a de um Deus, atirou a lança e tudo ficou rijo qual imagem de brilho sombrio. Seja qual for seu significado! Lembras-te daquele quadro que pintaste há anos em que o homem vermelho-escuro com a cobra branco-preta foi atingido pelo raio de Deus? Lá está dependurado aquele quadro, pois mais tarde pintaste também a cobra morta, e não é que hoje de manhã apareceu-te diante dos olhos um quadro lúgubre, aquele homem com veste branca e rosto negro como uma múmia?" "I" de Jung: "O que é isso?" Alma: "Uma imagem de teu si-mesmo" (p. 57).

202 O *esboço* continua: "Mas quem o faz sob a lei do amor, a este sucederá para além do sofrimento, sentar-se à mesa com o Ungido e contemplar a glória de Deus" (p. 406).

Inevitável é o sofrimento quando tu assumes o mais ínfimo em ti, pois tu fazes o abjeto e ergues o que estava destruído. Há muito sepulcro e cadáver putrefato em nós, um mau cheiro de decomposição[203]. Assim como Cristo subjugou a carne através do sofrimento da santificação, também o Deus dessa época martirizará o espírito através da carne. Pois nosso espírito tornou-se prostituta insolente, um escravo das palavras criadas pelos seres humanos e não mais a própria palavra divina[204].

O ínfimo em ti é a fonte da graça. Nós assumimos esta doença, a falta de paz, a insignificância e baixeza, para que o Deus fique curado e se levante luminoso, purificado da decomposição da morte e da lama do submundo. Fulgurante e todo curado se erguerá para sua libertação o vergonhosamente aprisionado[205].

---

203 O *esboço* continua: "Mas quem toma sobre si seu sofrimento sob a lei do amor, a este virá o Deus e fará com ele uma nova aliança. Pois está predeterminado que o Ungido deve retornar, não mais em carne, mas em espírito. Assim como o Cristo levou a carne a curar-se através do padecimento, também o Ungido dessa época levou o espírito a curar-se através do padecimento" (p. 407).

204 O *esboço* continua: "O ínfimo em ti é a pedra que os construtores rejeitaram. Ela se tornará a pedra angular. O ínfimo em ti vai brotar, erguer-se e ficar bem alto como um rebento em solo árido, em areia do deserto mais seco. Do rejeitado vem para ti a felicidade. De brejos lamacentos nasce teu sol. Tu te aborreces, como todos os outros, com o ínfimo em ti porque sua forma é mais feia do que a imagem que tu amas em ti mesmo. O ínfimo em ti é o universalmente desprezado e desvalorizado, cheio de dores e doença. Ele é tão desprezado que a gente esconde o rosto diante dele, que a gente o considera um nada, que até se diz que ele não existe, pois a gente se envergonharia e se desprezaria a si mesmo por causa dele. Na verdade, ele suporta nossa doença e está carregado de nossas dores. Nós o consideramos como aquele que foi atormentado e castigado por causa de sua feiúra desprezível. Mas ele foi ferido e entregue à loucura por causa de nossa própria justiça, por causa de nossa própria beleza foi torturado e oprimido. Nós deixamos o castigo e a tortura para ele, para que nós pudéssemos ter paz. Mas tomaremos sobre nós sua doença e, através de nossas feridas, virá a nós a felicidade" (p. 407-408). As primeiras linhas se referem ao Sl 108,22; A passagem é um eco de Is 53, que Jung cita acima, p. 229.

205 O *esboço* continua: "Por que nosso espírito não deve tomar sobre si tormento e falta de paz para a santificação? Mas tudo isso virá sobre vós, pois já ouço os passos daqueles que receberam a chave para abrir os portões da profundeza. O barulho das lutas que ressoa por vales e montanhas, o lamento dorido que se ergue de inúmeros lugares habitados é prenúncio do que virá. Minhas visões são verdade, pois eu vi o que virá. Mas não deveis acreditar em mim, caso contrário vos desviareis de vosso caminho certo que vos conduz por via segura exatamente para vosso sofrimento, que eu prevejo. Nenhuma crença vos leve ao erro, assumi vossa descrença máxima e conduzi-vos ao caminho. Assumi vossa traição e deslealdade, vosso orgulho e vossa pretensão e chegareis à estrada correta que vos levará ao vosso ínfimo; e o que fazeis ao vosso ínfimo em vós, isto o fazeis para o Ungido. Não vos esqueçais de uma coisa: nada é abolido da lei do amor, mas muita coisa lhe é acrescentada. Mas amaldiçoado é aquele que mata por si ou em si aquele que ama, pois incontável é o número de mortos que morreram por causa do amor, e o mais poderoso entre esses mortos é o Senhor, o Cristo. Veneração diante desses mortos é sabedoria. O fogo do inferno espera por aquele que mata dentro de si o que ama. Vós lamentareis e odiareis a impossibilidade de unir em vós o ínfimo com a lei do amor. Eu vos digo: como Cristo submeteu a natureza do corporal ao espiritual sob a lei da Palavra do Pai, assim deverá ser submetida a natureza do espiritual ao corporal sob a lei da lei, completada por Cristo, da obra da salvação através do amor. Vós tendes medo da periculosidade; mas sabei que onde Deus está mais próximo, aí o perigo é maior. Como podeis reconhecer o Ungido sem perigo? Pode-se adquirir uma valiosa pedra preciosa por uma moeda de cobre? O ínfimo em vós é também vosso perigo. O medo e o perigo são os guardas da porta de vosso caminho. O ínfimo em vós é ilimitado, pois não o vedes. Portanto, dai-lhe forma e contemplai-o. Com isso abris as comportas do caos. Do mais escuro, molhado e frio nasce o sol. As pessoas ignorantes dessa época só veem o um; nunca percebem a aproximação do outro. Mas se existe o um, também existe um outro" (p. 409-410). Jung cita aqui

Existe um sofrimento que seja grande demais por amor a nosso Deus? Tu só vês uma coisa e não percebes a outra. Mas se existe uma coisa, então existe também uma outra, e esta é o ínfimo em ti. Mas o ínfimo em ti é também o olho do mal, que te encara fixamente e com frieza, e que suga tua luz para dentro do abismo escuro. Bendizei a mão que vos mantém no alto, no mínimo humano, no ínfimo com vida. Não poucos vão preferir a morte. Pois como o Cristo impôs à humanidade o sacrifício cruento, também o Deus renovado não poupará o sangue.

Por que teu manto está tão vermelho e tua roupa como a de quem pisa o lagar? Eu piso sozinho o lagar e ninguém está comigo. Eu me espremi em minha ira e pisado fui em meu furor. Por isso meu sangue borrifou minhas vestes, e eu sujei meu manto por inteiro. Pois eu me propus um dia de vingança, chegou o dia de me libertar. Olhei em torno de mim, e não havia quem me ajudasse; eu me admirei, e ninguém me socorreu, mas meu braço teve de me ajudar, e minha ira veio em meu auxílio. E eu pisei em cima de mim em minha ira, eu me embriaguei em meu furor, e derramei meu sangue sobre a terra[206]. Pois eu tomei sobre mim meu delito para que Deus ficasse curado.

Como o Cristo disse que não trouxera a paz, mas a espada[207], assim aquele que aperfeiçoa o Cristo dentro de si não se dará a paz, mas uma espada. Ele se levantará contra si mesmo, e uma coisa estará dirigida contra a outra dentro dele. Ele também odiará aquilo que ama em si mesmo. Ele será em si mesmo flagelado, escarnecido e entregue ao tormento da cruz, e ninguém estará a seu lado para abrandar seu tormento.

Assim como o Cristo foi crucificado entre os dois malfeitores, também nosso ínfimo está em ambos os lados de nosso caminho. E como um dos malfeitores foi para o inferno e o outro subiu ao céu, também nosso ínfimo em nós se dividirá em duas metades no dia de nosso juízo. Uma, destinada à condenação e à morte, a outra, a quem cabe subir para o alto[208]. Mas demorará muito até

---

implicitamente as primeiras linhas de *Patmos*, de Friedrich Hölderlin, que era um de seus poemas favoritos: "Perto está / o Deus, e difícil de entender./ Mas onde há perigo, / a salvação também cresce". Jung tratou disso em *Transformações e símbolos da libido* (1912. OC, B, § 651s.).

206 Essas linhas citam realmente Is 63,2-6.

207 Mateus 10,34: "Não penseis que vim trazer paz à terra. Não vim trazer a paz, e sim a espada".

208 Em *Resposta a Jó* (1952) Jung escreveu sobre o Cristo na cruz: "Este quadro é completado pela presença de dois malfeitores, um dos quais desce ao inferno e o outro sobe ao paraíso. Não se poderia representar melhor a antinomia do símbolo central do cristianismo" (OC, 11, § 659).

entenderes o que está destinado à morte e o que, à vida, pois o ínfimo em ti ainda está indiviso em ti, é uma coisa só e em profundo sono.

Quando aceito em mim o ínfimo, enterro um germe no chão do inferno. O germe é invisivelmente pequeno, mas dele nasce e cresce a árvore de minha vida que liga o inferior ao superior. Em ambas as extremidades há fogo e calor máximo. O superior está em fogo e o inferior está em fogo. Entre os fogos insuportáveis cresce tua vida. Entre esses dois polos estás dependurado. Num movimento aterrador sem limites oscila para cima e para baixo o pendente distendido[209].

Por isso a gente teme nosso ínfimo, pois é sempre uno com o caos aquilo que não possuímos, e toma parte em seu fluxo e refluxo enigmáticos. Aceitando em mim o ínfimo, precisamente aquele sol avermelhado-incandescente da profundeza, e sucumbindo por causa disso à confusão do caos, também nasce para mim o sol que brilha no alto. Por isso quem aspira ao mais alto encontra o mais profundo.

Para salvar as pessoas de sua época do pendente distendido, o Cristo tomou realmente sobre si este tormento e ensinou: "Sede espertos como as cobras e sem falsidade como as pombas"[210]. Pois a esperteza aconselha contra o caos, e a ingenuidade oculta seu aspecto horrível. Portanto, as pessoas podiam andar pelo seguro caminho do meio, com limite para cima e para baixo.

Mas os mortos de cima e de baixo se multiplicaram, e sua exigência tornou-se cada vez mais veemente. E levantaram-se pessoas distintas e infames que, sem o saber, transgrediram a lei do meio. Abriram portas para cima e para baixo. Levaram muitos com eles para o delírio superior e inferior e semearam assim a confusão e prepararam o caminho daquele que está para chegar.

Mas quem entra no um e não ao mesmo tempo no outro, enquanto aceita aquele que lhe vem ao encontro, só ensinará e viverá o um, e disso fará uma realidade. Pois ele se tornará vítima do um. Se tu entras no um e por isso consideras como inimigo o outro que lhe vem ao encontro, combaterás o outro. Pois não vês que o outro também está em ti. Tu achas que ele vem de qualquer

---

209 Dieterich observa que no *Górgias*, de Platão, há o motivo de que os transgressores ficam dependurados no Hades (*Nekyía*, p. 117). Na lista de referências de Jung no verso de seu exemplar de *Nekyía*, escreveu: "117 estão dependurados".

210 Mateus 10,16: "Eu vos envio como ovelhas no meio de lobos; sede, pois, prudentes como as serpentes e simples como as pombas".

modo de fora e tu achas que o vês também nas opiniões contrárias a ti e nas ações de teus concidadãos. Lá o combates e estás totalmente cego. Mas quem aceita o outro que lhe vem ao encontro, porque também já está nele, este já não combate, mas olha para dentro de si e se cala. / [Ilustração 113][211] / 112/114

211 Legenda da ilustração: "Esta é a imagem da criança divina. Significa a plenitude de uma longa trajetória. Justo quando a ilustração estava pronta, em abril de 1919, e a próxima estava sendo iniciada, veio aquele que trouxe o ⊙ conforme ΦΙΛΗΜΩΝ [Filêmon] me havia predito. Eu o chamei ΦΑΝΗΣ [Fanes], porque ele é o Deus recém-aparecendo". ⊙ pode ser o sinal astrológico para o sol. Na teogonia órfica, Éter e Caos nasceram de Crono. Crono fez um ovo em Éter. O ovo se partiu em dois e apareceu Fanes, o primeiro dos deuses. Guthrie escreve que "ele é imaginado como extraordinariamente belo, uma figura de luz brilhante, com asas de ouro às costas, quatro olhos e as cabeças de vários animais. Tem os dois sexos, pois deve criar sozinho a raça dos deuses" (GUTHRIE. *Orpheus and Greek Religion*: A Study of the Orphic Movement. Londres: Methuen, 1935, p. 80). Em *Transformações e símbolos da libido* (1912), ao discutir as concepções mitológicas da força criativa, Jung chamou a atenção para "a figura órfica de Fanes, o 'brilhante', o princípio da criação, o 'pai de Eros'. Fanes tem também o significado (órfico) de Priapo, é um Deus do amor, bissexual e equiparado ao tebano Dioniso Lísio. O sentido órfico de Fanes é igual ao do Kâma hindu, o Deus do amor que é também um princípio cosmogênico" (OC, B, § 223). Fanes aparece no *Livro Negro* 6, no outono de 1916. Seus atributos condizem com as descrições clássicas, e é descrito como o brilhante, um Deus de beleza e luz. O exemplar que Jung possuía do livro de Isaac Cory, *Ancient Fragments of the Phoenician, Chaldean, Egyptian, Tyrian, Carthaginian, Indian, Persian, and Other Writers; With an Introductory Dissertation; And an Inquiry into the Philosophy and Trinity of the Ancients*, traz partes sublinhadas na seção sobre a teogonia órfica e uma tira de papel com a seguinte frase: "Imaginam o Deus como um ovo concebente e concebido, ou uma veste branca, ou uma nuvem, porque Fanes nasce deles" (Londres: William Pickering, 1832, p. 310). Fanes é o Deus de Jung. Em 20 de fevereiro de 1917, Fanes é descrito como um pássaro de ouro (*Livro Negro* 6, p. 119). Em 20 de fevereiro de 1917, Jung se refere a Fanes como o mensageiro de Abraxas (ibid., p. 167). Em 20 de maio de 1917, Filêmon diz que deseja tornar-se Fanes (ibid., p. 195). Em 11 de setembro, Filêmon o descreve assim: "Fanes é o Deus que sobe brilhante das águas. / Fanes é o sorriso da aurora. / Fanes é o dia luzente. / Ele é o rumorejar das torrentes. / É o galopar dos ventos. / É fome e saciedade. / É amor e prazer. / É tristeza e consolo. / É promessa e cumprimento. / É a luz que ilumina toda escuridão. / É o eterno dia. / É a luz prateada da lua. / É o cintilar das estrelas. / É a estrela cadente que brilha, passa e se apaga. / É a chuva de estrelas cadentes que se repete a cada ano. / É o sol e a lua que retornam. / É o cometa que traz guerras e vinho nobre. / É o bem e a plenitude do ano. / Ele enche as horas de encantos de vida. / É o abraço e o balbucio do amor. / É o calor da amizade. / É a esperança que vivifica o vazio. / É o esplendor de todos os sóis renovados. / É a alegria por todo nascimento. / É o resplendor das flores. / É o aveludado das asas das borboletas. / É o aroma dos jardins floridos que enche as noites. / É o canto da alegria. / É a árvore da luz. / Ele é toda a perfeição, cada aperfeiçoamento. / Ele é tudo que soa bem. / É a harmonia. / É o número sagrado. / É a promessa de vida. / É o contrato e o sagrado juramento. / É a multiplicidade de tons e cores. / É a santificação da manhã, do meio-dia e da noite. / É a bondade e a mansidão. / Ele é a salvação... / Realmente, Fanes é o dia feliz... / Realmente, Fanes é o trabalho, sua realização e sua paga. / Ele é o labutar cansativo e o repouso noturno. / É o passo no caminho do meio, é seu começo, sua metade e seu fim. / Ele é a previsão. / É o fim do medo. / É a semente germinativa, o botão que se abre. / É a porta da recepção, o acolhimento e a hospedagem. / É a fonte e o deserto. / É o porto seguro e a noite tempestuosa. / É a certeza e a dúvida. / É a segurança na dissolução. / É a libertação do cativeiro. / É o conselho e a força no caminhar para frente. / É o amigo dos seres humanos, a luz que dele emana, a luz clara que observa a pessoa em seu caminho. / É a grandeza do ser humano, seu valor e sua força" (*Livro Negro* 7, p. 16-19). Em 31 de julho de 1918, o próprio Fanes diz: "O mistério da manhã de verão, o dia feliz, a realização do momento atual, a plenitude do possível, nascido de sofrimento e alegria, a joia da eterna beleza, a meta dos 4 caminhos, a fonte e o mar dos 4 caudais, a realização dos 4 sofrimentos e das 4 alegrias, pai e mãe dos deuses dos 4 ventos, crucifixão, sepultamento, ressurreição e elevação dos homens a Deus, a máxima ação e o ser nada, mundo e grão, eternidade e momento atual, pobreza e abastança, desdobramento, morte e renascimento de Deus, suportado por força criativa eterna, brilhando em toda atividade, amado pelas duas mães e esposas-irmãs, encanto indizivelmente importuno, incognoscível, impensável, uma ponta de agulha entre a morte e a vida, uma torrente de universos cobrindo o céu – eu lhe dou o amor humano, o cântaro de opala; ele derrama água, vinho, leite e sangue, alimento dos homens e dos deuses. / Eu lhe dou a alegria do sofrimento e o sofrimento da alegria. / Eu lhe dou o encontrado: a duração na mudança e a mudança na duração. / A talha de pedra, o vaso do

Ele vê a árvore da vida, cujas raízes chegam até o inferno e cuja copa toca o céu. Também não conheces mais as diferenças[212]: Quem tem razão? Quem é santo? O que é verdade? O que é bom? O que está certo? Ele só conhece uma diferença: a diferença entre o embaixo e o em cima. Pois ele vê que a árvore da vida cresce de baixo para cima, e que em cima tem uma copa nitidamente diferente das raízes. Isto é óbvio para ele. Assim conhece ele o caminho da salvação.

Faz parte de tua salvação que desaprendas as diferenças, exceto esta da direção. Assim te libertas da antiga maldição do conhecimento do bem e do mal. Porque separaste, de acordo com tua melhor opinião, o bem do mal e só atentaste para o bem e renegaste o mal, que apesar disso praticaste e não o tomaste sobre ti, tuas raízes não mais sugaram a escura nutrição da profundeza, e tua árvore ficou doente e secou.

Por isso diziam os antigos que, após Adão ter comido a maçã, a árvore do paraíso secou[213]. Tu precisas do escuro para tua vida. Mas quando sabes que é o mal, não mais o podes aceitar, passas por necessidades e não sabes por quê. Mas também não o podes aceitar como o mal, caso contrário teu bem te rejeita.

---

aperfeiçoamento. A água correu para dentro, o vinho correu para dentro, o leite correu para dentro, o sangue correu para dentro. / Os quatro ventos precipitaram-se para dentro do vaso precioso. / Os deuses dos quatro cantos do céu conservam sua rotundidade, as duas mães e os dois pais observam-na. O fogo do Norte queima sobre sua boca, a cobra do Sul rodeia seu chão, o espírito do Oriente mantém seu lado, e o espírito do Ocidente mantém seu outro lado. / Eternamente negado, permanece por toda a eternidade. Retornando sob todas as formas, eternamente o mesmo, o único vaso precioso, apertado pelo círculo dos animais, negando-se a si mesmo, e brilhando de modo novo por sua negação. / O coração de Deus e do ser humano. / É um só e muita coisa. Um caminho que leva através de montanhas e vales, uma estrela-guia no mar em ti e sempre adiante de ti. / Perfeito, sim, perfeito é aquele que sabe disso. / Perfeição é pobreza. Mas pobreza significa gratidão. Gratidão é amor (2 de agosto). Na verdade, perfeição é o sacrifício. / Perfeição é alegria e previsão da sombra. / Perfeição é fim. Fim significa começo, por isso perfeição é pequenez e começo no menor. / Tudo é imperfeito, por isso perfeição é solidão. / Mas a solidão procura por comunidade. Por isso, perfeição significa comunidade. / Eu sou a perfeição, mas só é perfeito quem alcançou seus limites. / Eu sou a luz que jamais se apaga, mas é perfeito quem está entre o dia e a noite. Eu sou o amor que dura para sempre, mas perfeito é quem colocou a faca sacrificial ao lado de seu amor. / Eu sou a beleza, mas perfeito é quem está sentado perto do muro do templo e remenda sapatos em troca de pagamento. / O perfeito é simples, solitário e concorde. Por isso procura o variado, a comunidade, o discordante. Por sobre o variado, o comum, o contestado ele avança para a simplicidade, para a solidão e para a conformidade. / O perfeito conhece o sofrimento e a alegria, mas eu sou o encanto para além da alegria do sofrimento. / O perfeito conhece o claro e o escuro, mas eu sou a luz para além do dia e das trevas. / O perfeito conhece o em cima e o embaixo, mas eu sou a altura para além do alto e do baixo. / O perfeito é o que cria e o criado, mas eu sou a imagem geradora para além da criação e do criado. / O perfeito conhece o amar e o ser amado, mas eu sou o amor para além do abraço e da tristeza. / O perfeito conhece o homem e a mulher, mas eu sou a pessoa, seu pai e seu filho para além da masculinidade e da feminilidade, para além da criança e do ancião. / O perfeito conhece nascer e ocaso, mas eu sou o ponto intermédio para além da aurora e do pôr do sol. / O perfeito me conhece e por isso é diferente de mim" (*Livro Negro 7*, p. 76-80).

212 Nota à margem no volume caligráfico: "14. IX. 1922".

213 Em *Transformações e símbolos da libido* (1912), Jung se refere a uma lenda em que a árvore secou após o outono (OC, B, § 375).

Também não podes negar que conheces o bem e o mal. Por isso o conhecimento do bem e do mal foi uma maldição insuperável.

Mas se voltares para o caos primitivo, se sentires e conheceres o pendente distendido entre os polos insuportáveis do fogo, perceberás que não podes mais separar definitivamente o bem e o mal, nem pelo sentimento e nem pelo conhecimento, mas que só te é dado distinguir a direção do crescimento, que vai de baixo para cima. Assim desaprendes a diferença entre o bem e o mal e não a sabes mais enquanto tua árvore cresce de baixo para cima. Mas logo que o crescimento para, desfaz-se o unificado indiferençável no crescimento e tu conheces novamente o bem e o mal.

Jamais podes negar diante de ti mesmo o conhecimento do bem e do mal, de forma que pudesses enganar teu bem para viver o mal. Tão logo separas bem e mal, tu os conheces. Só no crescimento estão ambos unificados. Mas tu cresces quando ficas quieto numa grande dúvida, e por isso a quietude na grande dúvida é uma verdadeira flor da vida.

Quem não suporta a dúvida não suporta a si mesmo. Esta pessoa é indecisa, não cresce e por isso também não vive. A dúvida é o sinal do mais forte e do mais fraco. O forte tem a dúvida, mas a dúvida possui o fraco. Por isso o mais fraco está próximo do mais forte e quando pode dizer para sua dúvida "Eu te possuo", então ele é o mais forte[214]. Mas ninguém pode dizer sim à sua dúvida, ele suporta então o caos aberto. Pelo fato de haver tantos abaixo de nós que podem dizer tudo, repara como vivem. O que um diz pode significar muito ou bem pouco. Pesquisa por isso sua vida.

Meu discurso não é claro nem escuro, pois é o discurso de alguém em crescimento.

214 O *esboço* continua: "Por isso ensinou o Cristo: Felizes sois vós, os pobres, porque vosso é o Reino de Deus" (p. 416). Texto referente a Lc 6,20.

Nox quarta[215]

Cap. xvii.

[IH 114][216] Ouço o zunido do vento da manhã, que desce pelas montanhas. A noite foi superada, uma vez que toda minha vida foi sacrificada e sufocada no eterno confuso e pendia distendida entre os polos de fogo.

Minha alma falou-me em voz clara: "A porta deve ser tirada dos gonzos para haver uma passagem livre entre aqui e lá, entre sim e não, entre em cima e embaixo, entre direita e esquerda. Devem ser construídas passagens arejadas entre todas as coisas opostas, estradas planas e fáceis devem levar de um polo a outro. Uma balança deve ser montada, cujo fiel oscile levemente. Deve arder uma chama que não seja apagada pelo vento. Uma torrente deve correr para sua meta mais profunda. Os bandos de animais selvagens devem vir a seus lugares de pastagens na sua tradicional migração. A vida segue daqui em diante seu caminho, do nascimento à morte, da morte ao nascimento, ininterruptamente como o caminho do sol. Que tudo faça este caminho".

Assim fala minha alma. Mas eu brinco negligente e insensivelmente comigo mesmo. É dia ou noite? Estou dormindo ou acordado? Estou vivo ou já morri?

Trevas espessas me cercam – um grande muro – um verme cinzento do crepúsculo se arrasta ao longo dele. Ele tem uma cara redonda e ri. A risada é enternecedora e realmente libertadora. Abro os olhos: diante de mim está a gorda cozinheira: "O senhor tem um sono deveras bom. O senhor dormiu por mais de uma hora".

Eu: "É verdade? Eu dormi? Tive um sonho, um espetáculo horrível! Peguei no sono nesta cozinha; é este de fato o reino das mães?"[217]

"Beba um copo de água, o senhor ainda está tonto de sono".

---

215 Quarta noite.

216 19 de janeiro de 1914.

217 No primeiro ato da segunda parte do *Fausto*, de Goethe, Fausto tinha de descer ao reino das mães. Houve muita especulação sobre o significado dessa expressão em Goethe. Para Eckermann, Goethe afirmou que a origem do nome vem de Plutarco. Com toda a probabilidade, esta foi a discussão de Plutarco da deusa-mãe em Engina (cf. HAMLIN, C. (org.). *Faust*. Nova York: Norton, 1976, p. 328-329). Em data posterior, Jung identificou o reino das mães com o inconsciente coletivo ("Um mito moderno: a respeito de coisas vistas no céu", 1958. OC, 10, § 714).

Eu: “Sim, este sono pode deixar alguém tonto. Onde está meu Tomás? Ali está, aberto no capítulo 21: ‘Ó minha alma, em tudo e acima de tudo descansa sempre no Senhor, porque ele é o eterno repouso dos santos’”[218].

Li esta passagem em voz alta. Não está depois de cada palavra um ponto de interrogação?

“Se o senhor pegou no sono com esta frase, então deve ter tido um belo sonho”.

Eu: “Eu sonhei sem dúvida – pensarei no sonho. Mas, diga-me, para quem a senhora cozinha?”

“Sou cozinheira do senhor bibliotecário. Ele gosta de uma boa cozinha, e eu já estou neste serviço há muitos anos”. / [Ilustração 115][219] / 114/116

Eu: “Oh, eu não sabia que o senhor bibliotecário tinha semelhante cozinha”.

“Sim, o senhor precisa saber, ele é um gastrônomo”.

Eu: “Passar bem, senhorita cozinheira; agradeço sua acolhida”.

“De nada, a honra foi toda minha”.

Agora estou do lado de fora. Esta é então a cozinha do senhor bibliotecário. Será que ele sabe o que ali dentro se cozinha? Provavelmente nunca experimentou aí dentro um sono do templo[220]. Creio que vou devolver-lhe o Tomás de Kempis. Entro na biblioteca.

B: “Boa-noite, aí está senhor de novo”.

Eu: “Boa-noite, senhor bibliotecário, estou devolvendo o Tomás. Eu me sentei por instantes num canto de sua cozinha para ler, mas não sabia que era sua cozinha”.

B: “Não se importe, não faz mal nenhum. Espero que minha cozinheira o tenha recebido bem”.

Eu: “Sobre a acolhida não posso me queixar. Eu até tirei uma soneca em cima do Tomás”.

B: “Isto não me admira. Esses devocionários são terrivelmente enfadonhos”.

Eu: “Sim, para nós outros. Mas para sua cozinheira, este pequeno livro significa muita edificação”.

---

218 *A imitação de Cristo*, cap. 21, p. 181.

219 Legenda da ilustração: “Isto é o ouro material no qual mora a sombra de Deus”.

220 Jung refere-se às práticas gregas da incubação do sonho, assim como no culto a Asclépio. Cf. MEIER, C.A. *Healing Dream and Ritual*: Ancient Incubation and Modern Psychotherapy. Einsiedeln: Daimon Verlag, 1989.

B: "Sim, para a cozinheira".

Eu: "Permita-me uma pergunta indiscreta: o senhor também já tirou um sono de incubação em sua cozinha?"

B: "Não, nunca me passou pela cabeça ideia tão extravagante".

Eu: "Digo-lhe que com isso poderia ter aprendido algo sobre a natureza de sua cozinha. Boa-noite, senhor bibliotecário".

Depois dessa conversa, saí da biblioteca e fui para a antessala onde me deparei com a cortina verde. Puxei-a para um lado, e o que vi? Vi um alto pórtico – no plano de fundo um jardim que parecia magnífico – o jardim mágico de Klingsor, como logo percebi. Eu entrei num teatro: lá estão dois que fazem parte da peça: Anfortas e Kundry ou antes – o que vejo? É o senhor bibliotecário e sua cozinheira. Ele está doente, pálido e com o estômago embrulhado, ela está desiludida e com raiva. À esquerda está Klingsor e segura a caneta que o senhor bibliotecário costuma trazer atrás da orelha. Klingsor me parece tão familiar! Maldita peça! Mas observa, da direita vem Parsifal. Maravilhoso, também ele me parece familiar. Klingsor atira maldosamente a caneta na direção de Parsifal, que a pega calmamente.

A cena muda: parece que o público, neste caso eu, participa da representação do último ato. Temos de ajoelhar, pois o suplício da Sexta-feira Santa começa: Parsifal entra – com passos vagarosos, a cabeça coberta com um elmo negro; traz sobre os ombros a pele do leão de Héracles e na mão, a clava, além disso usa modernos calções pretos, por causa do grande feriado religioso. Eu me arrepiei e estendi as mãos em gesto de repulsa, mas a peça continua. Parsifal tira o elmo da cabeça. Mas não está presente nenhum Gurnemanz para absolvê-lo e ungi-lo. Kundry está longe, esconde a cabeça e ri. O público está deslumbrado e se reconhece a si mesmo em Parsifal. Ele é eu. Eu me dispo de minha armadura histórico-factual, de meu ornamento quimérico e me dirijo em minha camisola de penitência à fonte, lavo sem ajuda estranha meus pés e mãos. Tiro então minha camisola espiritual e visto meus trajes civis. Saí de cena e aproximei-me de mim mesmo, pois eu como público ainda estava piedosamente de joelhos. Levantei a mim mesmo do chão e tornei-me um comigo mesmo[221].

---

221 No *Parsifal*, Wagner apresentou sua reelaboração da lenda do Graal. O enredo é o seguinte: Titurel e seus cavaleiros cristãos têm o santo Graal sob sua proteção em seu castelo, com uma lança sagrada para protegê-lo. Klingsor é um feiticeiro que procura o Graal. Ele seduziu os guardas do Graal atraindo-os para seu jardim mágico, onde existem donzelas-flores e a feiticeira Kundry. Amfortas, filho de Titurel, entra no

[2] O que seria zombaria, se não fosse verdadeira zombaria? O que seria dúvida, se não fosse verdadeira dúvida? O que seria oposição, se não fosse verdadeira oposição? Quem quiser aceitar a si mesmo deve também aceitar verdadeiramente seu outro. Pois no sim, todo não é não verdadeiro, e no não todo sim é mentira. Mas como hoje posso estar no sim e amanhã no não, tanto sim e não são verdadeiros. Sim e não não podem ceder, pois são nossos conceitos de verdade e de erro.

Tu gostarias de ter certeza sobre verdade e erro? Certeza dentro do um ou do outro não só é possível, mas também necessário, mas a certeza no um é garantia e resistência contra o outro. Quando estás no um, tua certeza do um exclui o outro. Mas então como podes chegar ao outro? E por que o um nunca consegue bastar-nos? O um não nos pode bastar porque também o outro está em nós. E se nós nos contentássemos com o outro, o outro passaria necessidade e nos atacaria com sua fome. Mas nós não entendemos essa fome e acreditamos ter sempre mais fome do um e por isso nos aferramos mais ainda em nossa luta pelo um.

Evidentemente levamos com isso a que o outro faça valer em nós com mais força sua exigência. Se estivermos dispostos então a reconhecer em nós a exigência do outro, podemos passar para dentro do outro a fim de saciá-lo. Mas só podemos chegar lá porque o outro ficou consciente para nós. Mas se nossa cegueira através do um for forte, afastamo-nos ainda mais do outro, e abre-se

---

castelo para destruir Klingsor, mas é enfeitiçado por Kundry e deixa cair a lança sagrada, e Klingsor o fere com ela. Amfortas precisa do toque da lança para curar a ferida. Gurnemanz, o mais velho dos cavaleiros, procura Kundry, não sabendo do papel dela no ferimento de Amfortas. Uma voz vinda do santuário do Graal profetiza que só um jovem sem malícia e inocente pode recuperar a lança. Parsifal entra, depois de matar um cisne. Não sabendo o seu nome nem o de seu pai, os cavaleiros esperam que seja ele esse jovem. Gurnemanz leva-o ao castelo de Klingsor. Klingsor manda Kundry seduzir Parsifal. Parsifal derrota os cavaleiros de Klingsor. Kundry é transformada numa linda mulher. Ela o beija. A partir daí, ele percebe que Kundry seduziu Amfortas, e a repele. Klingsor arremessa a lança contra ele e Parsifal a agarra. O castelo e o jardim de Klingsor desaparecem. Depois de muito perambular, Parsifal encontra Gurnemanz, agora vivendo como eremita. Parsifal está revestido com uma armadura negra e Gurnemanz fica escandalizado por ele estar armado na Sexta-feira Santa. Parsifal põe a lança diante dele e tira o capacete e depõe as armas. Gurnemanz reconhece-o e unge-o rei dos cavaleiros do Graal. Parsifal batiza Kundry. Eles vão ao castelo e pedem a Amfortas que descubra o Graal. Amfortas pede-lhes que o matem. Parsifal entra e toca-lhe a ferida com a lança. Amfortas é transfigurado e Parsifal, radiante, ergue o Graal. A 16 de maio de 1913, Mensendieck fez uma apresentação à Sociedade Psicanalítica de Zurique sobre "A saga Graal-Parsival". No debate, Jung disse: "Para o tratamento exaustivo da Saga Graal-Parsifal em Wagner dever-se-ia acrescentar ainda a consideração sintética de que às diversas personagens correspondem no artista diversas aspirações. – O fato de a sedução de Kundry ter malogrado talvez não deva ser explicado com a proibição do incesto, mas pela medida psíquica da tendência superior do anseio humano" (Atas da Sociedade Psicanalítica de Zurique, p. 20. Zurique: Archives of the Psychological Club). Em *Tipos psicológicos* (1921), Jung apresentou uma interpretação psicológica do *Parsifal* (OC, 6, § 421-422).

um calamitoso abismo em nós entre o um e o outro. O um fica supersaciado e o outro superfaminto. O saciado fica podre e o faminto fica fraco. E assim afogamo-nos na gordura, consumidos pela escassez.

Isto é doentio, mas desse tipo vês muitos. Deve ser assim, mas também não deve ser assim. Há razões e causas suficientes para ser assim, mas nós queremos que também não / seja assim. Foi dada ao ser humano a liberdade de superar também as causas, pois ele é criador em si e por si mesmo. Quando conquistaste através do sofrimento de teu espírito aquela liberdade, apesar de tua máxima crença no um, de aceitar também o outro porque também o és, então começa teu crescimento.

116/117

Quando os outros zombam de mim, são sempre os outros que o fazem, e eu posso atribuir-lhes culpa por causa disso e esquecer-me de zombar de mim mesmo. Mas quem não consegue zombar de si mesmo torna-se objeto de zombaria dos outros. Portanto, aceita também tua autozombaria, a fim de que descaia de ti o caráter de seres deus e herói e te tornes tão somente humano. Teu caráter de seres deus e herói é para o outro uma zombaria em ti. Por amor ao outro em ti, abandona teu papel mirabolante que desempenhaste até agora e torna-te o que és.

Quem possui a ventura e desventura de um dom especial, sucumbe à ilusão de acreditar ser ele mesmo esse dom. Por isso ele é também muitas vezes seu próprio bufão. Um dom especial é algo fora de mim. Não sou a mesma coisa que ele. A natureza do dom não tem nada a ver com a natureza da pessoa, que é seu portador. Ele vive inclusive muitas vezes à custa do caráter de seu portador. Sua personalidade é marcada pelas desvantagens de seu dom, até mesmo pela oposição a ele. Por isso, nunca está à altura de seu dom, mas sempre abaixo. Quando aceita seu outro, torna-se apto a suportar seu dom sem prejuízos. Mas se quiser viver apenas em seu dom e por isso rejeita o outro, perde a medida, pois a natureza de seu dom é extra-humana e um fenômeno da natureza, o que ele na verdade não é. Todo mundo vê seu erro, e ele é vítima de sua zombaria. Diz ele então que são os outros que dele zombam, enquanto é apenas a negligência de seu outro que o torna ridículo.

Quando o Deus entra na minha vida, volto para minha pequenez por amor a Deus. Eu tomo sobre mim o peso da pequenez e carrego toda minha feiura e ridículo e também todo o desprezível em mim. Dessa maneira alivio o peso do Deus de tudo o que causa confusão e de toda tolice que sobre ele cairiam se eu não o assumisse. Assim preparo o caminho para o agir de Deus. Ainda é noite, uma longa noite cheia de inquietação. O que vai acontecer? Os abismos escuros foram esvaziados e esgotados? Ou o que é que espera e está lá embaixo, ameaçador e com brilho vermelho? [Ilustração 117][222]

/ Que fogo não foi apagado e que brasas ainda ardem? Nós sacrificamos inúmeras vítimas à profundeza escura, mas ela continua exigindo mais. O que é o desejo absurdo que quer ser satisfeito? Quem é que levanta a gritaria tresloucada? Quem sofre assim entre os mortos? Aproxima-te e bebe sangue a fim de que possas falar[223]. Por que recusas o sangue? Queres leite? Ou o suco vermelho da videira? Queres talvez amor? Amor aos mortos? Enamoramento dos mortos? Exiges semente da vida para o corpo morto há milhares de anos do submundo? Uma libertinagem impura e incestuosa pelos mortos. Algo que faz o sangue enregelar. Tu queres uma promiscuidade lasciva com o cadáver? Eu

117/118

222 Texto na ilustração: "(Atmavictu); (iuvenis adiutor) [um jovem ajudante]; (ΤΕΛΕΣΦΟΡΟΣ) [TELÉSFORO]; Spiritus malus in hominibus quibusdam) (espírito mau em alguns homens)". Legenda da ilustração: "O dragão quer comer o sol, o jovem implora que não o faça. Apesar disto ele o come". Atmaviktu (como é grafado aqui) aparece pela primeira vez no *Livro Negro* 6 em 1917. Eis uma paráfrase da fantasia de 25 de abril de 1917: A serpente diz que Atmaviktu foi seu companheiro durante milhares de anos. Era primeiro um velho, depois morreu e tornou-se um urso. Depois morreu e tornou-se uma lontra. Depois morreu e tornou-se uma salamandra. Depois morreu novamente e tornou-se a serpente. A serpente é Atmaviktu. Antes disso, ele cometeu um erro e tornou-se um homem, enquanto era ainda uma serpente terrestre. A alma de Jung diz que Atmaviktu é um duende, um encantador de serpentes, uma serpente. A serpente diz que ela é o núcleo do eu. De serpente, Atmaviktu transformou-se em Filêmon (p. 179s.). Existe uma escultura dele no jardim de Jung em Küsnacht. Em "Das primeiras experiências de minha vida", Jung escreveu: "Quando eu estive na Inglaterra em 1920, esculpi duas figuras semelhantes de ramo fino sem ter a mais leve lembrança dessa experiência de infância. Uma delas eu reproduzira em tamanho maior em pedra e esta figura está agora em meu jardim em Kuesnacht. Só nessa época é que o inconsciente forneceu-me um nome. Chamei a figura de Atmavictu – o 'sopro da vida'. É um desenvolvimento ulterior desse objeto quase-sexual de minha infância, que veio a ser o 'sopro da vida', o impulso criativo. Basicamente, o homúnculo é um kabir" (*JA*, p. 29-30. Cf. *Memórias*, p. 52-53). A figura de Telésforo é como Fanes na ilustr. 113. Telésforo é um dos cabiros, e o daimon de Asclépio (cf. fig. 77 de *Psicologia e alquimia*. OC, 12). Foi também considerado um Deus da cura e tinha um templo em Pérgamo na Ásia Menor. Em 1950, Jung cinzelou uma imagem dele em sua pedra em Bollingen, junto com uma dedicatória a ele em grego, combinando versos de Heráclito, da Liturgia mitraica e de Homero (*Memórias*, p. 267).

223 No livro II da *Odisseia*, Ulisses faz uma libação aos mortos para habilitá-los a falar. Walter Burkert observa: "Os mortos bebem as libações e até o sangue – eles são convidados a vir ao banquete, a saciar-se com sangue; assim como os líquidos derramados penetram na terra, assim os mortos enviarão coisas boas para cima" (*Greek Religion*. Oxford: Basil Blackwell, 1987, p. 194-195 [trad. de J. Raffar]). Jung havia usado este motivo em sentido metafórico em 1912 em *Transformações e símbolos da libido*: "esforcei-me, como outrora Ulisses, por fazer esta sombra [Miss Frank Miller] beber apenas a quantidade suficiente de sangue para fazê-la falar, a fim de que ela nos revelasse alguns segredos do mundo inferior" (OC, B, § 57n.). Por volta de 1910, Jung empreendeu uma viagem de barco a vela com seus amigos, Albert Oeri e Andreas Vischer, durante a qual Oeri leu em voz alta os capítulos da *Odisseia* que tratam de Circe e a nekyía. Jung observou que, pouco depois disto, ele "como Ulisses foi presenteado pelo destino com uma nekyía, a descida ao sombrio Hades" (JUNG & JAFFÉ. *Memórias, sonhos, reflexões*, p. 130). A passagem que segue, descrevendo a reanimação da criança pelo profeta, parafraseia a reanimação do filho da viúva sunamita por Eliseu em 2Rs 4,32-36.

falei de "aceitação"– mas tu queres "apoderar-te de mim, abraçar-me, copular?" Tu queres violação da morte? Aquele profeta, dizes tu, deitou-se sobre a criança, colocou sua boca sobre a boca da criança, seus olhos sobre os olhos dela, suas mãos sobre as mãos dela e estendeu-se pois sobre a criança, para que o corpo dela ficasse quente. Levantou-se de novo e caminhou no quarto de cá para lá, voltando a subir e se encurvar sobre a criança. Ela espirrou sete vezes e abriu os olhos. Assim deve ser tua aceitação, assim deves aceitar, não friamente, não com superioridade, não astutamente, não como mortificação própria, mas com prazer, exatamente com aquele prazer ambíguo, impuro, que atrai o mais profundo e que, devido à sua ambiguidade, vincula o mais elevado com aquele prazer santo-mau, do qual não sabes se é virtude ou vício, com aquele prazer que é repugnância lasciva, medo libidinoso, imaturidade sexual. Com esse prazer a gente desperta mortos.

Teu ínfimo está num sono semelhante à morte e precisa do calor da vida, que contém o bem e o mal indistintos e indistinguíveis. Este é o caminho da vida, tu não podes chamá-lo de mau ou bom, de puro ou impuro. Mas isto não é objetivo e sim caminho e passagem. É também doença e começo da cura. É a mãe de todas as infâmias e de todos os símbolos salutares. É a forma mais primitiva da criação, o primeiríssimo impulso escuro, que, no mais abscôndito, atravessa os recantos secretos e passagens tenebrosas, com a regularidade não intencional da água, e fertiliza os lugares inesperados de solo descuidado, de gretas minúsculas brotando terra seca. É o primeiro e secreto mestre da natureza, que ensinou às plantas e animais as astúcias e artes admiráveis e superespertas, que nossa razão mal consegue entender. É o grande sábio, que conhece o sobre-humano, que tem o domínio de todas as ciências, que da confusão cria a ordem e olhando para adiante da plenitude inconcebível prediz coisas futuras. É o caráter serpentário, o pernicioso e salutar, o demoníaco aterrador e ridículo. É a seta que sempre atinge o ponto fraco, a mandrágora que abre as tesourarias trancadas.

Não podes chamá-lo de esperto nem de bobo, nem de bom e nem de mau, pois é totalmente de natureza inumana[224]. É o filho da terra, o escuro, que tu deves despertar. É homem e mulher ao mesmo tempo e de sexo imaturo, rico

---

224 Cf. adiante, p. 396.

de interpretação e de má interpretação, tão pobre em sentido e assim mesmo tão rico. Este é o que está morto, que gritou mais alto, que estava no plano mais baixo e esperava, que sofreu mais que todos. Não quer sangue, nem leite e nem vinho para o sacrifício aos mortos, mas a boa vontade de nossa carne. Seu desejo não ligava para os sofrimentos de nosso espírito, que se esforçava e martirizava para entender o que não era para se entender, que a si mesmo se flagelava e se entregava como oferenda. Quando nosso espírito jazia esquartejado sobre o altar, só então ouvi a voz do filho da terra, só então vi que ele era o grande sofredor que precisava da redenção. Ele é o escolhido, pois foi o mais rejeitado. É duro dizer isto; talvez eu ouça mal, talvez entenda errado o que a profundeza diz. É triste dizer isto, mas preciso dizê-lo.

A profundeza se cala. Ele se ergueu, observa a luz do sol e demora-se entre os vivos. Inquietação e discórdia levantam-se com ele, dúvida e a plenitude da vida.

Assim, está terminado. Real é o que era irreal; irreal, o que era real. Mas eu não desejo, eu não quero, eu não posso. Ó miséria humana! Ó falta de vontade em nós! Ó dúvida e desespero! Esta é realmente a Sexta-feira Santa em que o Senhor morreu, desceu aos infernos e concluiu o mistério[225]. Esta é a Sexta-feira Santa em que aperfeiçoamos o Cristo em nós e em que nós mesmos descemos aos infernos. Esta é a Sexta-feira Santa em que lamentamos e choramos por causa do aperfeiçoamento de Cristo, pois após seu aperfeiçoamento nós descemos aos infernos. Tão poderoso foi o Cristo, que seu reino cobriu o mundo todo, só deixando fora de si o inferno.

Quem consegue com boas razões consciência pura e obedecendo à lei do amor ultrapassar os limites desse reino? Quem é, entre os vivos, o Cristo que desce aos infernos em carne viva? Quem é que amplia o reino do Cristo por causa do inferno? Quem é que, sóbrio, está cheio de embriaguez? Quem é que do ser uno desceu para o ser duplo? Quem é que rasgou seu próprio coração para unir o separado?

Eu o sou, o sem-nome, que não se conhece a si mesmo e cujo nome está oculto diante dele mesmo. Eu não tenho nome, pois ainda não era, mas só me tornei há pouco. Sou para mim um rebatizado, estranho para mim. Eu, o eu que eu sou, não o sou. Mas eu, o eu antes de mim e o eu depois de mim, que será, eu

225 Cf. acima, nota 135, p. 151.

o sou com certeza. Ao me rebaixar, elevei-me como um outro. Ao me assumir, dividi-me em dois, e ao me conciliar comigo mesmo, tornei-me uma pequena parte de meu si-mesmo. Isto eu sou em minha consciência. No entanto, sou em minha consciência assim como se também estivesse separado disso. Eu não

118/120 estou / [Ilustração 119][226] / em meu segundo e maior, como se eu mesmo fosse este segundo e maior, mas estou sempre em minha consciência comum, mas tão separado e distinto disso, como se estivesse em meu segundo e maior, mas sem o estar realmente de acordo com minha consciência. Eu fiquei até mesmo menor e mais pobre, mas precisamente por causa de minha pequenez posso tornar-me consciente da proximidade da grandeza,.

Eu fui batizado com água impura para o renascimento. Uma chama de fogo do inferno me esperava sobre a pia batismal. Banhei-me com impureza, e com sujeira me purifiquei. Eu o recolhi, eu o aceitei, o irmão divino, o filho da terra, o bissexual e imaturo, e durante a noite tornou-se púbere. Nasceram-lhe dois dentes incisivos, e penugem de barba juvenil cobriu seu queixo. Eu o segurei, eu o venci, eu o envolvi. Ele exigiu muito de mim e assim mesmo contribuiu com tudo. Pois ele é rico; a ele pertence a terra. Mas seu cavalo preto está separado dele.

Verdadeiramente, liquidei um soberbo inimigo meu, um maior e mais forte forcei a ser meu amigo. Nada deve separar-me dele, o escuro. Se quero afastar-me dele, ele me segue como uma sombra. Mesmo que não pense nele, está assim mesmo sinistramente perto de mim. Ele se transforma em medo quando eu o renego. Devo pensar muito nele, devo fazer-lhe oferta de alimentos; eu encho um prato para ele em minha mesa. Muita coisa que antigamente teria feito às pessoas, tenho de fazer agora a ele. Por isso consideram-me egoísta, pois não sabem que ando com meu amigo, e que muitos dias lhe são consagrados[227]. Mas a intranquilidade cessou, leve tremor subterrâneo, um rumorejar longínquo e grande. Caminhos são abertos para o passado remoto e para o futuro vindouro. Prodígios estão próximos e terríveis segredos. Eu sinto as coisas que foram e que serão. Atrás do trivial entreabrem-se os abismos eternos. A terra me devolve o

---

226 Legenda da ilustração: "O maldito dragão devorou o sol, abriram-lhe a barriga com uma faca e agora precisa entregar o ouro do sol, juntamente com seu sangue. Esta é a volta de Atmavictus, o velho. O senhor que destruía as colinas verdes e vicejantes é o jovem que me ajudou a matar Siegfried". A referência é ao *Liber Primus*, cap. 7, "Assassinato do herói".

227 O *esboço* continua: "Deixei de lado muitas pessoas, livros e pensamentos por amor a ele, mas muito mais tirei do mundo presente e fiz o trivial e simples, o mais imediato para seu serviço secreto. Enquanto eu fazia isso para a escuridão, aproximou-se de mim um outro no caminho da graça. Se me atormentam intenções e desejos, penso, sinto e ajo dentro do mais próximo. Assim me atinge o mais distante" (p. 434).

que ele recolheu. / [Ilustração 121][228], [229], [230] / [Ilustração 122][231],[232] / 120/123

228 Em 1944, em *Psicologia e alquimia*, Jung se refere a uma representação alquímica de um círculo enquadrado por quatro "rios" no contexto de uma discussão sobre o simbolismo do mandala (OC, 12, § 167n.). Jung comentou sobre os quatro rios do paraíso em diversas ocasiões – cf., por exemplo, *Aion*. OC, 9/2, § 311, 353, 358, 372.

229 Legenda da ilustração: "XI.MCMXIX. [11.1919: A data parece referir-se ao tempo em que esta ilustração foi feita]. Esta pedra, de aspecto fascinante, é certamente o *Lapis Philosophorum*. Ela é mais dura que o diamante. Mas estende-se no espaço sob quatro propriedades, quais sejam, largura, altura, profundidade e tempo. Por isso é invisível e tu podes passar através dela, sem o perceber. Da pedra fluem as quatro torrentes de aquário. Esta é a semente incorruptível, colocada entre pai e mãe, que impede que as pontas dos dois cones se toquem, a mônada que contrabalança o pleroma". Sobre o pleroma, cf. abaixo, p. 347. Com referência à semente incorruptível, ver o diálogo com Ha, na nota da ilustr. 94, p. 292, nota 157 acima.

230 Em 3 de junho de 1918, a alma de Jung descreve Filêmon como a alegria da terra: "Os demônios se reconciliam no ser humano, que se encontrou a si mesmo, que é a fonte das quatro torrentes, ele mesmo a terra que gera as fontes. De seu cerne jorram águas para os quatro ventos. Ele é o mar que dá à luz o sol, ele é a montanha que carrega o sol, ele é o pai das quatro grandes torrentes, ele é a cruz que amarra os quatro grandes demônios. Ele é a semente incorruptível do nada, que por acaso cai através dos espaços. Esta semente é começo, mais novo do que todos os começos, mais velho que qualquer fim" (*Livro Negro* 7, p. 61). Alguns motivos dessa afirmação podem ter alguma conexão com esta ilustração. Há uma lacuna entre julho de 1919 e fevereiro de 1920 no *Livro Negro*, 7 quando Jung estava, presumivelmente, escrevendo os *Tipos psicológicos*. No dia 23 de fevereiro, há o seguinte parágrafo: "O que há no entremeio, disso se fala no *Livro dos sonhos*, mais ainda porém se encontra nas ilustrações do *Livro Vermelho*" (p. 88). Em "Sonhos", Jung menciona em torno de oito sonhos durante este período e a visão, numa noite de agosto de 1919, de dois anjos, uma massa escura e transparente e uma jovem mulher. Isto sugere que o processo simbólico continua nas ilustrações do *Liber Novus*, que não parecem ter referência direta nem ao *Liber Novus* e nem aos *Livros Negros*. Em 1935, Jung apresentou uma interpretação psicológica do simbolismo da alquimia medieval, considerando a pedra filosofal – a meta do opus alquímico – como um símbolo do si-mesmo (*Psicologia e alquimia*. OC, 12).

231 Legenda da ilustração: "4.Dec.MCMXIX [1919: A data parece referir-se ao tempo da pintura da ilustração]. Esta é a parte de trás da joia. Quem está na pedra tem esta sombra. Este é Atmavictus, o velho, depois que se retirou da criação. Ele voltou para a interminável história, donde tirou seu começo. Tornou-se novamente pedra e resíduo depois que terminou sua criação. Em Izdubar superou em crescimento o ser humano e a partir dele libertou ΦΙΛΗΜΩΝ (Filêmon) e Ka. ΦΙΛΗΜΩΟΝ deu a pedra, Ka deu o ⊙". Este sinal parece ser um símbolo astrológico para o sol.

232 Sobre Atmavictus, cf. nota à ilustr. 117. Em 20 de maio de 1917, Filêmon disse: "Como Atmavictus cometi o erro e me tornei ser humano. Meu nome era Izdubar. E como tal fui a seu encontro. Ele me paralisou. Sim, o ser humano me paralisou e me transformou numa serpente-dragão. Aconteceu-me a salvação, pois reconheci meu erro, e o fogo devorou a serpente. E assim se fez Filêmon. Minha figura é aparência. Antes disso, minha aparência era a figura" (*Livro Negro* 7, p. 195). Em *Memórias*, disse Jung: "Mais tarde, Filêmon foi relativizado pela aparição de outro personagem que denominei Ka. No antigo Egito, o 'Ka do Rei' era considerado sua forma terrestre, sua alma encarnada. Na minha fantasia, a alma-Ka vinha de sob a terra como que de um poço profundo. Pintei-a em sua forma terrestre como um Hermes, cujo pedestal era de pedra e a parte superior de bronze. Bem no alto da imagem aparece uma asa de martim-pescador; entre esta última e a cabeça do Ka paira uma nebulosa redonda e luminosa. A expressão do Ka tem algo de demoníaco, e mesmo de mefistofélico. Segura numa das mãos uma forma semelhante a um pagode colorido ou a um cofre de relíquias; na outra segura um estilete e com este trabalha aquele objeto. O Ka diz sobre si mesmo: 'Eu sou aquele que enterra os deuses no ouro e nas pedras preciosas'./ Filêmon tem um pé paralisado, mas é um espírito alado, enquanto o Ka é uma espécie de demônio da terra ou dos metais. Filêmon encarna o aspecto espiritual, o 'sentido'. O Ka, pelo contrário, é um gênio da natureza como o anthroparion da alquimia grega, que eu desconhecia nessa época. O Ka é aquele que torna tudo real, mas que vela o espírito do martim-pescador, o sentido, ou que o substitui pela beleza, pelo 'eterno reflexo'./ Com o tempo integrei essas duas figuras. O estudo da alquimia ajudou-me a consegui-lo" (p. 220-221). Wallace Budge observa que "O Ka era uma individualidade abstrata que possuía a forma e atributos do homem a que pertencia e, ainda que seu lugar normal de moradia fosse no túmulo com o corpo, podia peregrinar à vontade; era independente da pessoa e podia ir e morar em qualquer estátua dela" (*Egyptian Book of the Dead*, p. lxv). Em 1928, Jung comentou: "Num estádio superior de desenvolvimento, quando já existem representações da alma, nem todas as imagens continuam projetadas... mas um ou outro complexo podem aproximar-se da consciência, a ponto de não serem percebidos como algo estranho, mas sim como algo próprio... Tal sentimento fica de certo modo entre o consciente e o inconsciente, numa zona crepuscular: por um lado pertence ao sujeito da consciência, mas por outro lhe é estranho, mantendo uma existência autônoma que o opõe ao consciente. De qualquer forma, não obedece necessariamente à intenção subjetiva, mas é superior a esta, podendo constituir um manancial de inspiração, de advertência,

123/124 [Ilustração 123][233] /

As três profecias

Cap. xviii.

[IH 124] [234]Coisas admiráveis se aproximam. Eu chamei minha alma e lhe pedi que mergulhasse no alagadouro, cujo barulho eu percebera. Isto aconteceu no dia 22 de janeiro de 1914, como vem relatado em meu *Livro Negro*. Mergulhou no escuro, com a rapidez de uma flecha, e lá do fundo ela gritou: "Tu aceitarás o que vou trazer?"

---

ou de informação 'sobrenatural'. Psicologicamente, tal conteúdo poderá ser explicado como sendo um complexo parcialmente autônomo e não totalmente integrado à consciência. Esses complexos são as almas primitivas, as ba e ka egípcias" (OC, 7, § 295). Em 1956, Jung descreveu o anthroparion na alquimia como "uma espécie de duende que, na qualidade de πνευμα παρεδρον (espírito devotado) ou *spiritus familiaris*, assiste o adepto no opus e ajuda o médico a ajudar os outros" (OC, 14, § 298). O anthroparion representava os metais alquímicos (OC, 9/1, § 268) e aparecia nas visões de Zósimo (OC, 13, p. 61s.). O desenho do Ka, a que Jung se refere não veio à luz. Ka apareceu a Jung numa fantasia de 22 de outubro de 1917, na qual ele mesmo se apresenta como o outro lado de Ha, sua alma. Foi Ka que deu a Ha as runas e a sabedoria inferior (veja nota 155, pp. 289-290). Seus olhos eram de ouro puro e seu corpo, de ferro preto. Ele diz a Jung e à sua alma que eles precisam de seu segredo, que é a essência de toda a magia. Isto é amor. Filêmon diz que Ka é a sombra de Filêmon (*Livro Negro* 7, p. 25s.). Em 20 de novembro, Ka chama Filêmon de sua sombra e seu mensageiro. Ka diz que é eterno e permanece, ao passo que Filêmon é efêmero e passageiro (p. 34). Em 10 de fevereiro de 1918, Ka diz que construiu um templo como prisão e sepultura para os deuses (p. 39). Ka sobressai no *Livro Negro* 7 até 1923. Durante este período, Jung tenta entender a conexão entre Ka, Filêmon e as outras figuras, e estabelecer a correta relação a eles. A 15 de outubro de 1920, Jung discutiu um quadro não identificado com Constance Long, que estava fazendo análise com ele. Alguns comentários anotados por ela, lançavam luz sobre a compreensão que ele tinha da relação entre Filêmon e Ka: "As duas figuras em cada lado são personificações dos 'pais' dominadores. Uma é o pai criativo, Ka; a outra, Filêmon, aquele que dá forma e vida (o instinto formativo). Ka equivaleria a Diôniso e F = Apolo. Filêmon dá formulação às coisas presentes nos elementos do inconsciente coletivo... Filêmon dá a ideia (talvez de um deus), mas esta permanece flutuante, distante e indistinta, porque todas as coisas que ele inventa são aladas. Mas Ka dá substância e é chamado aquele que sepulta os deuses em ouro e mármore. Ele tem tendência a desprezá-los na matéria, e por isso eles correm o perigo de perder seu sentido espiritual e de ficar sepultados na pedra. Assim o templo pode tornar-se o túmulo de Deus, assim como a Igreja tornou-se o túmulo de Cristo. Quanto mais a Igreja se expande, tanto mais Cristo morre. Não se deve permitir a K produzir demais – você não deve depender da substanciação; mas se for produzida muito pouca substância a criatura flutua. A função transcendente é o todo. Não este quadro, nem minha racionalização dele, mas o novo e vivificante espírito criativo que é o resultado da comunicação entre a inteligência consciente e o lado criativo. Ka é sensação, F é intuição, ele é também supra-humano (ele é Zaratustra, extravagantemente superior no que ele diz e frio. CGJ não imprimiu as perguntas que dirigiu a F nem as respostas deste)... Ka e Filêmon são maiores do que o homem, eles são supra-humanos (Desintegrado neles, o indivíduo está no Inconsciente Coletivo)" (Diário, Countway Library of Medicine, p. 32-33).

233 Legenda da ilustração: "IV Jan.MCMXX [4 de janeiro de 1920: A data parece referir-se ao tempo em que a ilustração foi feita]. Este é o sagrado regador. Das flores que brotaram do corpo do dragão crescem os cabiros. Em cima está o templo".

234 No *Livro Negro* 4, Jung observou: "Depois disso, prossigo com a tensão de uma pessoa que espera algo novo, que antes nunca lhe havia ocorrido. Advertido, instruído e ouvindo corajosamente a profundeza, esforçado em viver para fora uma vida plenamente humana" (p. 42).

Eu: "Aceitarei o que quiseres. Não cabe a mim o direito de julgar e recusar".

A: "Então escuta: existem aqui embaixo velhas armaduras, ferramentas de nossos pais, carcomidas pela ferrugem, correias de couro emboloradas estão presas nelas, hastes carcomidas de lanças, pontas retorcidas de espadas, flechas quebradas, escudos apodrecidos, caveiras, pernas de homens e de cavalos mortos, velhos canhões, catapultas, archotes decompostos, sinalizadores destroçados, clavas de pedra, pontas de pedra, ossos afiados, dentes aguçados próprios para flechas – tudo o que as guerras de outrora abandonavam no campo de batalha. Queres aceitar tudo isso?"

Eu: "Eu aceito. Tu o sabes melhor, minha alma".

A: "Encontrei pedras pintadas, ossos riscados com sinais má-gicos, fórmulas mágicas sobre pedaços de couro e chapinhas de chumbo, bolsas sujas cheias de dentes, de cabelos e unhas humanos, paus amarrados, bolas pretas, peles de animais abatidos – todas as superstições tramadas pelos atros tempos do passado. Queres tudo isso?"

Eu: "Aceito tudo. Como posso rejeitar alguma coisa?"

A: "Encontrei coisa ainda pior: fratricídio, assassinato covarde – tortura – sacrifício de crianças – extermínio de povos inteiros – incêndio – traição – guerra – revolução – queres também isso?"

Eu: "Também isso, se for preciso. Como posso julgar?"

A: "Encontro epidemias – catástrofes da natureza – navios afundados – cidades destruídas – selvageria terrivelmente animal – fome – falta de amor das pessoas – e medo – montanhas inteiras de medo".

Eu: "Assim deve ser, porque tu o dás".

A: "Encontro os tesouros de todas as culturas passadas – imagens magníficas de deuses – templos enormes – pinturas – rolos de papiro – folhas de pergaminho com a escrita de línguas mortas – livros cheios de sabedoria extinta – cantos e hinos de antigos sacerdotes – as histórias que foram contadas durante milhares de gerações".

Eu: "É um mundo que não consigo abranger. Como posso aceitar?"

A: "Não querias aceitar tudo? Não conheces teus limites. Não consegues restringir-te?"

Eu: "Tenho de restringir-me. Quem poderia abarcar esta riqueza?"

A: "Sê modesto e constrói teu jardim com sobriedade"[235].

Eu: "Quero fazê-lo. Vejo que não adianta conquistar um pedaço maior da incomensurabilidade em vez de um menor. Um pequeno jardim bem cuidado é melhor que um jardim grande e mal cuidado. Em vista da incomensurabilidade, ambos os jardins são igualmente pequenos, mas cuidados desigualmente".

A: "Pega uma tesoura e poda tuas árvores".

[2] A partir da escuridão inundante que o filho da terra havia trazido, a alma deu-me coisas velhas, que significam o futuro. Deu-me três coisas: a calamidade da guerra, as trevas da feitiçaria, a dádiva da religião.

Se fores inteligente, entenderás que essas três coisas estão inter-relacionadas. Essas três significam a libertação do caos e de suas forças, mas as três são igualmente o aprisionamento do caos. A guerra é manifesta e cada qual a vê. A feitiçaria é escura e ninguém a vê. A religião ainda não é manifesta, mas será. Pensaste que os horrores de semelhante atrocidade bélica viriam sobre nós? Pensaste que existisse feitiçaria? Pensaste numa nova religião? Eu fiquei sentado por longas noites, olhava para o vindouro e ficava horrorizado. Não me acreditas? Não me importa. O que é acreditar? O que é não acreditar? Eu observava e me horrorizava.

Mas o meu espírito não conseguia captar o monstruoso, imaginar a abrangência do vindouro. A força de seu desejo se esgotava, e sem forças caem as mãos que colhem. Eu sentia o peso do trabalho mais terrível dos tempos vindouros. Eu via onde e como, mas nenhuma palavra conseguia defini-lo, nenhuma vontade pode forçá-lo. Não pude fazer outra coisa, deixei-o cair de novo na profundeza.

Não posso dá-lo a ti, só posso falar do caminho do vindouro. Pouca coisa de bom virá a vós de fora. O que cabe a vós está dentro de vós. Mas o que está lá! Gostaria de desviar os meus olhos, fechar meus ouvidos e renegar todos os meus sentidos, gostaria de ser um entre vós, que nada sabe e que nunca viu nada. É demais e por demais inesperado. Mas eu o vi e minha lembrança não

---

235 Estas são as últimas linhas de *Candide*, de Voltaire: "Tout cela est bien dit – mais il faut cultiver notre jardin" [Tudo isto está bem dito – mas é preciso cultivar nosso jardim], *Candide and Other Stories* (Oxford: Oxford University Press, 1759/1998, p. 392-393 [Trad. de R. Pearson]). Jung guardava um busto de Voltaire em seu gabinete.

me abandona[236]. Mas meu desejo que gostaria de estender-se para o futuro, eu o corto e volto para meu pequeno jardim que está atualmente em flor e cuja dimensão eu posso calcular. Ele deve ser cuidado.

O futuro deve ser deixado para os futuros. Eu retorno ao pequeno e real, pois este é o grande caminho, o caminho do que há de vir. Eu retorno para minha simples realidade, para minha incontestável pedra menor. E eu tomo de uma faca e coloco sob julgamento tudo o que cresceu sem medida e sem objetivo. Realmente, matas cresceram a meu redor, plantas trepadeiras sobem em mim, sou totalmente coberto por coisas que vicejam sem fim. A profundeza é inesgotável, ela dá de tudo. Tudo é tão bom como nada. Fica com um pouco e terás alguma coisa. É sem medida conhecer e reconhecer tua cobiça e tua ambição; reunir, / [Ilustração 125][237] / montar, abranger, tornar útil, influenciar, dominar, ordenar, dar sentido e interpretação a teu vício. 124/126

É desvario, como tudo que ultrapassa seus limites. Como podes reter o que não és? Tu gostarias de submeter o todo, que tu não és, ao jugo de teu miserável saber e conhecer? Pensa bem, tu podes conhecer a ti, e com isso sabes o suficiente. Mas tu não podes conhecer o outro e todo o outro. Cuida para não saberes além de ti, senão afogas com a presunção de teu saber a vida do outro, que se conhece a si mesmo. Um cognoscente pode conhecer a si mesmo. Este é seu limite.

Com um golpe doloroso, corto o que pretendi saber sobre o além de mim. Eu me amputo do emaranhado ardiloso dos significados que eu dei ao além de mim. E minha faca corta ainda mais fundo e me separa dos significados que dei a mim mesmo. Aprofundo o corte até a medula, até que todo o significativo se desprenda de mim, até não ser mais nada do que poderia parecer a mim, até saber apenas ainda que sou, sem saber o que sou. Quero ser pobre e simples, quero estar nu diante do Implacável. Quero ser meu corpo e sua indigência. Quero ser de terra e viver sua lei. Quero ser meu animal humano e aceitar todos os seus temores e prazeres. Quero passar pelo lamento e felicidade da-

---

236 O *esboço* continua: "Como posso abarcar dentro de mim aquilo que os 800 anos vindouros vão preencher, até aquele tempo em que o um [mostrará] seu domínio? Só falo do caminho daquele que vem" (p. 440).

237 A cena na paisagem representa de perto a cena que ocorre em uma das fantasias de Jung em estado de vigília durante a infância, relatada em *Memórias*, em que a Alsácia é submersa pela água, Basileia é transformada num porto, existe um navio a vela e um navio a vapor, uma cidade medieval, um castelo com canhões e soldados e habitantes da cidade, e um canal (p. 111-112).

quele que ficava com corpo pobre e desarmado sobre terra ensolarada, sozinho, uma presa de seu instinto e dos animais selvagens à espreita, daquele que fora assustado por fantasmas e sonhava com deuses distantes, daquele que possuía a proximidade e ao qual era hostil a distância daquele que tirava fogo de pedras e do qual forças irreconhecíveis roubavam os rebanhos e destruíam a sementeira de seu campo, daquele que não sabia e não conhecia, mas vivia segundo o próximo, e ao qual coube por graça o remoto.

Era uma criança e insegura, e no entanto cheia de segurança, fraca e contudo detentora de força inaudita. Quando seu Deus não ajudou, tomou um outro. E quando este também não ajudou, ela o castigou. E então: numa próxima vez os deuses ajudaram. Portanto, jogo fora todo o lastro de significados, todo o divino e demoníaco com o qual o caos me sobrecarregou. De fato, não cabe a mim comprovar os deuses, os demônios e os monstros do caos, alimentá-los com responsabilidade, arrastá-los cuidadosamente comigo, contá-los e dar-lhes nome e com fé protegê-los da descrença e da dúvida.

Um homem livre só conhece deuses e demônios livres, que subsistem por si e atuam com força própria. Se não atuam, é problema deles, e eu posso aliviar-me desse fardo. Mas se atuam, não precisam de minha proteção, nem de meus cuidados e nem de minha fé. Por isso podes esperar tranquilamente para ver se atuam. E quando atuam, sê esperto, pois o tigre é mais forte que tu. Tu deves poder abandonar tudo, caso contrário és o escravo, mesmo que sejas o escravo de um Deus. A vida é livre e escolhe seu caminho. Está limitada o bastante, por isso não aumentes as barreiras. Por isso cortei tudo o que limitava. Aqui estava eu, e lá jazia o multiforme enigmático do mundo.

E um pavor me invadiu. Não sou eu o limitado? E o mundo de lá não é o ilimitado? E minha fraqueza se tornou consciente para mim. O que seria pobreza, nudez, desarmamento sem a consciência da fraqueza e sem o horror da impotência? Fiquei parado e me horrorizei. Então minha alma me sussurrou:

O dom da magia

Cap. xix.

[IH 126] [238]"Não ouves alguma coisa?"

Eu: "Nada de que tenha consciência, o que devo escutar?"

A: "Um som".

Eu: "Um som? De onde? Não escuto nada".

A: "Então escuta melhor".

Eu: "Talvez com o ouvido esquerdo. O que significa?"

A: "Desgraça".

Eu: "Aceito o que dizes. Terei sorte e desgraça".

A: "Estende pois tuas mãos para cima e recebe o que te cabe".

Eu: "O que é? Uma vara. Uma cobra preta? Uma vara preta, da forma de uma cobra – duas pérolas como olhos – uma correntinha de ouro ao pescoço. Não se parece com uma varinha de condão?"

A: "Isto é uma varinha de condão".

Eu: "O que significa magia para mim? A varinha de condão é uma desgraça? A magia é uma desgraça?"

A: "Sim para aqueles que a possuem".

Eu: "Isto soa como uma velha saga – como és maravilhosa, minha alma! O que significa magia para mim?"

A: "Para ti significa muito".

Eu: "Temo que despertes minha cobiça e meu mau entendimento. Tu sabes que o ser humano não para de cobiçar a necromancia e as coisas que nada lhe custam".

A: "A magia não é simples e custa sacrifício".

Eu: "Custa ela o sacrifício do amor? Da humanidade? Então toma a vara de volta".

A: "Não sejas precipitado. A magia não exige este sacrifício. Ela exige outro sacrifício".

Eu: "Qual é o sacrifício?"

A: "O sacrifício que a magia exige é o do consolo".

---

238 23 de janeiro de 1914.

Eu: "Consolo? Estou entendendo bem? É incrivelmente difícil entender-te. Dize o que isto significa".

A: "O consolo é para ser oferecido em sacrifício".

Eu: "Como imaginas isso? O consolo que eu dou ou que recebo deve ser oferecido em sacrifício?"

A: "As duas coisas".

Eu: "Estou confuso. É muito obscuro".

A: "Por amor à vara preta tens de sacrificar o consolo, o consolo que dás e o consolo que recebes".

Eu: "Não devo receber o consolo por parte daquele que eu amo? E não devo dar nenhum consolo àqueles que eu amo? Isto significa a perda de um pedaço da humanidade e em seu lugar entra aquilo que chamamos de dureza contra si mesmo e contra os outros"[239].

A: "Assim é".

Eu: "A vara exige este sacrifício?"

A: "Ela exige este sacrifício".

Eu: "Posso eu, devo eu fazer este sacrifício por amor à vara? Preciso aceitar a vara?"

A: "Queres ou não queres?"

Eu: "Não sei dizer. O que sei a respeito da vara preta? Quem a dá para mim?"

A: "A escuridão que está deitada diante de ti. É a próxima coisa que te cabe. Queres aceitá-la e oferecer-lhe teu sacrifício?"

Eu: "É duro oferecer à escuridão, à treva cega – e que sacrifício!"

A: "A natureza – a natureza consola? Ela recebe consolo?"

Eu: "Tu ousas dizer uma palavra pesada. Que solidão exiges de mim?"

A: "Esta é tua desgraça e – o poder da vara preta".

Eu: "Como falas lugubremente, cheia de pressentimentos! Tu me envolves com a armadura / [Ilustração 127][240] / de dureza férrea? Apertas meu coração

126/128

239 Em *Ecce homo*, Nietzsche escreveu: "Toda aquisição, todo passo adiante no conhecimento é o resultado de coragem, de severidade consigo mesmo, de limpeza com relação a si mesmo" (Harmondsworth: Penguin, 1979, prefácio 3, p. 34 [Trad. de R.J. Hollingdale]).

240 Inscrição ao alto: "Amor triumphat". Inscrição ao pé: "Este quadro foi terminado em 9 de janeiro de 1921, após ter esperado, inacabado, por 9 meses. Ele expressa, não sei, que espécie de tristeza, um sacrifício quádruplo. Quase não consegui decidir-me a acabá-lo. É a roda inexorável das quatro funções, a natureza cheia de sacrifícios de tudo o que vive". Em 23 de fevereiro de 1920, Jung observou no *Livro Negro* 7: "O

com torniquetes de bronze? Eu me alegrei com o calor da vida. Devo perdê-lo? – por amor à magia? O que é magia?"

A: "Tu não conheces a magia. Portanto não julgues. Contra o que te opões?"

Eu: "Magia? O que adianta a magia? Não acredito nela, não posso crer nela. Meu coração fenece – e eu devo sacrificar à magia grande parte da humanidade?"

A: "Eu te aconselho direito. Não resistas e sobretudo – não te comportes tão esclarecidamente, como se no mais íntimo não acreditasses na magia".

Eu: "Tu és implacável. Mas eu não posso acreditar na magia – ou eu tenho uma ideia bem errônea dela".

A: "Esta última parece ser a hipótese válida. Abandona teus preconceitos cegos e atitudes críticas, caso contrário nunca irás entender nada. Queres ainda desperdiçar muitos anos esperando?"

Eu: "Tem paciência, minha ciência ainda não foi vencida".

A: "Está mais que na hora de a venceres".

Eu: "Tu exiges muito, quase muito demais. Em última análise – a ciência é indispensável à vida? A ciência é vida? Há pessoas que vivem sem ciência. Mas subjugar a ciência por amor à magia? Isto é sinistro e ameaçador".

A: "Estás com medo? Não queres arriscar a vida? A vida não coloca este problema diante de ti?"

Eu: "Tu deixas tudo tão sombrio e confuso para mim. Não tens uma palavra de luz para mim?"

A: "Oh – pedes consolo? Queres a vara ou não?"

Eu: "Tu dilaceras meu coração. Eu quero submeter-me à vida – por mais penoso que seja! Eu quero a vara preta, porque é a primeira coisa que a escuridão me dá. Não sei o que esta vara significa nem o que ela dá – eu só sinto o que ela tira. Vou ajoelhar-me e receber a vara preta e a seguro, a enigmática, em minha mão – é fria e pesada como ferro. Os olhos perolíferos da cobra me encaram cega e cintilantemente. O que queres, dádiva misteriosa? Toda a escuridão, todo o mundo primevo se compactam em ti, aço duro e preto! És tu tempo e

---

que acontece entre o amante e o amado é toda a plenitude da divindade. Por isso eles são os dois enigmas insondáveis. Pois quem entende a divindade? / Mas Deus é gerado na solidão, a partir do mistério do indivíduo. / A separação entre vida e amor é a contradição entre ser um só e ser dois" (p. 88). A próxima anotação no *Livro Negro* 7 acontece em 5 de setembro de 1921. Em março de 1920, Jung foi para o norte da África com Hermann Sigg, voltando em 17 de abril.

destino? Essência da natureza, dura e eternamente desconsoladora, mas soma de toda força misteriosa da criação? Antiquíssimas fórmulas mágicas parecem brotar de ti – efeito misterioso tece em torno de ti – que artes poderosas dormitam em ti? Tu me transpassas com tensão insuportável – que travessuras vais aprontar? Que mistério assustador vais criar? Vais trazer temporais, ventanias, frio e raios ou tornarás produtivos os campos e abençoarás o ventre da grávida? Qual é a característica de teu ser? Ou não precisas dela, filha do seio tenebroso? Tu te satisfazes com a escuridão nebulosa, cuja concretização e cristalização tu és? Onde te alojarei em minha alma? Em meu coração? Ai, meu coração deve ser teu clamor, teu santuário? Então escolhe teu lugar. Eu te aceitei. Que tensão penosa trazes contigo! Não se parte o feixe de meus nervos? Eu dei pousada ao mensageiro da noite".

A: "Nele mora a magia mais poderosa".

Eu: "Eu o sinto, mas não posso descrever a terrível força que lhe foi dada. Eu queria rir, porque na risada muita coisa muda e porque tanta coisa só encontra nela sua solução. Mas a risada morreu em mim. A magia da vara é resistente como o ferro e fria como a morte. Desculpa, minha alma, não quero ser impaciente, mas parece-me que algo precisa acontecer para romper esta tensão insuportável que a vara me trouxe".

A: "Espera, mantém olhos e ouvidos abertos".

Eu: "Fico arrepiado, e não sei por quê".

A: "Às vezes a gente se arrepia diante do – maior".

Eu: "Eu me curvo, minha alma, diante de forças desconhecidas – gostaria de dedicar um altar a cada Deus desconhecido. Eu preciso sujeitar-me. O ferro preto em meu coração me dá uma força misteriosa. É como despeito e – desprezo das pessoas"[241].

[2] Ó ação tétrica, profanação, homicídio! Dá à luz, abismo, o abominável. Quem é nosso salvador? Quem é chefe? Onde estão caminhos através de desertos tenebrosos? Deus, não nos abandones! O que chamas de Deus? Levanta

241 No *Livro Negro* 4, Jung anotou o seguinte diálogo: [alma]: "Controla tua impaciência. Aqui só adianta esperar". [I]: Esperar – eu conheço esta palavra. Também Héracles, ao sustentar a abóbada celeste, achou fatigante esperar sob o peso de sua carga. [alma]: "Por amor às maçãs, ele teve de esperar até que Atlas voltasse e segurasse novamente a abóbada celeste" (p. 60). A referência é ao décimo primeiro trabalho de Hércules, no qual tinha de pegar as maçãs de ouro, que conferiam a imortalidade. Atlas ofereceu-se para pegar as maçãs para ele, caso ele segurasse o mundo nesse meio tempo.

tuas mãos para a escuridão acima de ti, reza, desespera, torce as mãos, ajoelha, aperta tua testa contra o pó, grita, mas não o menciones, não olhes para ele. Deixa-o sem nome e sem forma. O que significa forma para quem não tem forma? Nome, para quem não tem nome? Pisa no grande caminho e pega o próximo. Não procures com os olhos, não queiras, mas segura as mãos para o alto. São cheios de enigmas os dons da escuridão. Quem consegue prosseguir nos enigmas, a este está aberto um caminho. Submete-te aos enigmas e ao totalmente incompreensível. São enganosas / [Ilustração 129] / pontes sobre abismos de profundidade eterna. Mas segue os enigmas. 128/130

Suporta-os, os terríveis. Ainda está escuro, ainda cresce o horrendo. Mergulhados, engolidos pelas torrentes de vida geradora, aproximamo-nos das forças superpoderosas e sobre-humanas que estão ativamente trabalhando para criar os tempos vindouros. Quanta coisa futura esconde a profundeza! Não se tecem nela os fios sobre milênios?[242] Cuida dos enigmas, guarda-os em teu coração, esquenta-os, anda prenhe deles. Assim carregas futuro.

Insuportável é em nós a tensão do futuro. Precisa romper através de fendas estreitas, precisa forçar novos caminhos. Tu gostarias de alijar a carga. Gostarias de escapar do inescapável. Mas fugir é ilusão e desvio. Fecha os olhos para não veres o multiforme, o externamente múltiplo, o arrebatante e aliciante. Só existe um caminho, e este é o teu caminho, só uma salvação, e esta é tua salvação. Por que olhas ao redor como quem está procurando ajuda? Acreditas que vem ajuda de fora? O vindouro será criado em ti e fora de ti. Por isso olha para dentro de ti mesmo. Não compares, não meças. Nenhum outro caminho se parece ao teu. Todos os outros caminhos são para ti ilusão e descaminho. Tu precisas aperfeiçoar o caminho dentro de ti.

Oh, se todas as pessoas e todos os seus caminhos pudessem tornar-se estranhos para ti. Assim poderias reencontrar as pessoas fora de ti e conhecer seus caminhos. Mas que fraqueza! Que desespero! Que medo! Tu não suportarás andar teu caminho. Terás sempre ao menos um pé em caminho estranho, para que não te sobrevenha a grande solidão! Para que a mãe-consolo esteja sempre perto de ti! Para que sejas aprovado, reconhecido, lamentado, consolado e esti-

242 Na mitologia grega as Moiras, ou três destinos, Cloto, Láquesis e Átropos, teciam e controlavam os fios da vida humana. Na Mitologia Nórdica, as Nornas teciam os fios do destino aos pés de Yggdrasil, a árvore do mundo.

mulado! Para que alguém te arraste para caminhos desconhecidos onde te extravias de ti mesmo e onde, aliviado, te possas pôr de lado. Como se não fosses tu mesmo! Quem deve praticar tuas ações? Quem deve carregar tuas virtudes e teus fardos? Não te arranjarás com tua vida, e os mortos vão perturbar-te terrivelmente por causa de tua vida não vivida. Tudo, tudo mesmo deve ser cumprido. O tempo urge, por que queres ajuntar uma coisa aos montes e deixar a outra se deteriorar?

Grande é o poder do caminho[243]. Nele crescem juntos céu e inferno, nele se unem as forças de baixo e as forças de cima. Mágica é a natureza do caminho, mágicos são os pedidos e o apelo[244], mágicas são maldição e ação quando acontecem sobre o grande caminho. É magia o efeito das pessoas umas sobre as outras, mas não [é] assim que tua ação vai atingir o próximo, mas ela te atinge primeiro a ti, e só quando lhe resistes, acontece um efeito invisível de ti sobre o próximo. Há mais disso no ar do que jamais imaginei. No entanto, não se pode captá-lo. Ouve:

O superior é poderoso.
O inferior é poderoso.
Poder duplo existe em um.
Norte, aproxima-te,
Oeste, adapta-te,
Leste, flui para cima,
Sul, transborda.

Os ventos intermédios prendem o
barlavento. Os polos se unem
através dos polos intermédios. Degraus
levam de cima para baixo.
Água fervente borbulha em
chaleiras. Cinza ardente envolve
os solos arredondados[245].
A noite cai azul e profunda de cima,
a terra se levanta negra de baixo. / [Ilustração 131] /

130/132

Um solitário cozinha poções terapêuticas,
ele asperge aos quatro ventos.
Ele saúda as estrelas e toca a terra.
Ele tem algo brilhante em suas mãos.

243 O *esboço* continua: "Tão grande é o poder do caminho que ele arrasta consigo outros e os incendeia. Tu não sabes como isto acontece, por isso é melhor que chames de mágico este efeito" (p. 453).
244 O *esboço* continua: "que precisamente devido à sua natureza especial, é representado pela cobra" (p. 453).
245 Isto parece referir-se ao círculo mágico em que são realizados os atos rituais.

Flores brotam ao redor dele e um novo prazer primaveril beija todos os seus membros.

Pássaros vêm voando, e os animais ariscos da floresta olham para ele.

Está longe das pessoas, e mesmo assim o fio de seu destino passa por sua mão.

Creditai-lhe vossas preces, a fim de que sua poção fique boa e forte e que traga a cura das feridas mais profundas.

É solitário por amor a vós, e sozinho espera entre céu e terra para que a terra suba e o céu desça até [ele].

Todos os povos ainda estão longe e atrás da parede da escuridão. Mas eu escuto suas palavras que chegam até mim de longe.

Ele escolheu para si um escrevente ruim, com dificuldade de audição e que também gagueja quando escreve.

Não conheço o solitário. O que ele diz? Ele diz: "Tenho medo e sofro necessidades por amor às pessoas".

Eu desenterrei velhas runas e fórmulas mágicas, pois as palavras não atingem nunca as pessoas. As palavras tornaram-se sombra.

Por isso peguei utensílios velhos de magia e cozinhei poções quentes, misturei nelas coisas misteriosas e coisas fortes de tempos imemoriais, coisas que nem o mais inteligente adivinha.

Eu cozinhei as raízes de todos os pensamentos e ações humanas. Durante muitas noites estreladas vigiei a caldeira. Muito lentamente vai efervescendo a poção. Preciso de vossas preces, de vossa genuflexão, de vosso desespero e de vossa paciência. Preciso de vosso último e maior desejo, de vossa vontade mais pura, de vossa submissão mais humilde.

Solitário, por quem esperas? A ajuda de quem aguardas? Não há ninguém que te possa socorrer, pois todos olham para ti e esperam ansiosos por tua arte curativa.

Todos nós somos totalmente impotentes e mais necessitados de ajuda do que tu. Concede-nos tua ajuda, para que te retribuamos ajuda.

O solitário fala: "Ninguém me ajudará nesta necessidade? Devo abandonar o que estou fazendo para ajudar-vos a fim de que vós possais ajudar-me em retribuição? Mas como posso ajudar-vos se minha poção não fica pronta e forte? Eu teria de ajudar-vos. O que esperais de mim?"

Vem a nós! Por que suportas e cozinhas coisas maravilhosas? Que significam para nós tuas poções mágicas e curativas? Acreditas em poções terapêuticas? Encara a vida, e vê o quanto ela precisa de ti! / 132/134

[Ilustração 133] /

O solitário fala: Idiotas, não podeis ficar acordados uma hora comigo[246]*, até que o difícil e demorado dê certo e que o cozimento fique bom?*

---

246 Em Mt 24,40, Cristo repreende seus discípulos por terem sido incapazes de vigiar uma hora enquanto ele orava no Jardim do Getsêmani.

Mais um pouco e a efervescência está pronta. Por que não podeis esperar? Por que deveria vossa impaciência frustrar a obra máxima?"

O que é a obra máxima? Nós não vivemos; frio e entorpecimento nos apanharam. Tua obra, solitário, não vai terminar nem em éons, mesmo que prossiga dia após dia.

Interminável é a obra da salvação. Por que desejas esperar o fim dessa obra? E mesmo que tua espera te petrifique por tempos ilimitados, não conseguirias durar até o fim. E se tua salvação tivesse chegado a seu fim, deverias ser de novo salvo de tua salvação.

O solitário fala: "Que lamúria comovente chega a meus ouvidos! Que choradeira! Que sois vós, céticos ignaros, crianças rebeldes! Esperai, ainda esta noite estará terminada".

Não esperaremos mais noite nenhuma, chega de esperar. És um Deus, para o qual mil noites são como uma noite? Mesmo esta uma noite seria para nós, que somos seres humanos, como mil noites. Desiste da obra da salvação e já estaremos salvos. Por quanto tempo nos queres salvar?

O solitário fala: "Lamentável povo humano, tolo bastardo de Deus e animal, falta ainda um pedaço de tua carne preciosa na mistura de minha caldeira. Sou porventura o pedaço mais valioso de teu assado? Vale a pena que eu me deixe cozinhar por vós? Um se deixou pregar na cruz por amor a vós. Nele foi sem dúvida o suficiente. Ele me impede o caminho. Por isso não ando em seus caminhos, preparo-vos um cozimento terapêutico, nenhuma poção imortal[247] *de sangue eu vos deixo, mas deixo a poção e a caldeira e o efeito secreto por amor a vós, pois não conseguis esperar e experimentar em detalhes a plenitude. Eu dispenso vossas preces, vossas genuflexões, vossas invocações. Vós pretendeis salvar a vós mesmos de vossa impossibilidade de salvação e de vossa possibilidade de salvação. Vosso valor subiu alto o bastante para que um morresse por vós. Mostrai agora vosso valor pelo fato de cada um viver para si. Meu Deus, como é difícil deixar incompleta uma obra por amor aos seres humanos! Mas por amor ao ser humano renunciei a ser um salvador. Agora minha poção completou sua efervescência. Eu não misturei a mim mesmo à poção, mas cortei um pedaço de humanidade, e vede, ele clareou a poção de espuma turva.*

Que sabor doce,
que sabor amargo
ele tem!
134/135 *O inferior é fraco,*
135/136 *O superior é fraco.*

Dupla tornou-se
a forma do um.
Norte, retira-te,
Oeste, afasta-te para teu
lugar,

Leste, alarga-te,
Sul, deita-te.
Os ventos intermédios
sontam o barlavento /
[Ilustração135][248] /

247 Nota marginal ao volume caligráfico: "29/11/1922". Parece referir-se à data em que esta passagem foi transcrita.

248 Inscrição: "Terminado em 25 de novembro de 1922. De Muspilli vem o fogo e engloba a árvore da vida. Uma rotação está concluída, mas é a rotação no ovo do mundo. Um Deus estranho, que não dá para chamar de Deus do solitário, foi o que chocou. Novos seres vitais formam-se a partir de fumaça e cinza". Na mitologia nórdica, Muspilli (ou Muspelheim) é a morada dos Deuses do Fogo.

Os polos distantes estão separados
pelos polos intermédios.
Os degraus são caminhos extensos,
estradas pacientes.
A caldeira borbulhante fica fria.
A cinza fica pardacenta
debaixo de seu chão.
A noite cobre o céu,
e longe embaixo está a terra escura.

O dia vem surgindo e o sol distante sobre as nuvens.
Nenhum solitário cozinha poções terapêuticas.
Os quatro ventos sopram e riem de sua dádiva.
E ele caçoa dos quatro ventos.
Ele viu as estrelas e tocou a terra.
Por isso sua mão segura uma coisa luminosa e sua
sombra cresceu até o céu. [Ilustração 136]

Coisa inexplicável acontece. Tu gostarias de abandonar a ti mesmo e correr para aquele possível multíplice. Tu gostarias de ousar todo tipo de crime a fim de roubares para ti o segredo do variegado. Mas sem fim é a estrada.

O caminho da cruz

Cap. xx.[249]

[IH 136] [250]Eu vi como a serpente negra[251] se enroscou no alto do lenho da cruz. Ela entrou no corpo do crucificado e novamente saiu, transformada, da boca dele. Havia ficado branca. Ela se enrolou em torno da cabeça do morto como um diadema, e uma luz brilhou sobre a cabeça, e no Oriente surgiu esplendoroso o sol. Fiquei estático e olhei desorientado, e carga pesada oprimiu minha alma. Mas o pássaro branco que estava pousado em meu ombro disse-me[252]:

249 Nota à margem no volume caligráfico: "25 de fevereiro de 1923. A transformação da magia negra em branca".

250 27 de janeiro de 1914.

251 O *esboço* continua: "a cobra de meu caminho" (p. 460).

252 No *Livro Negro* 4, quem diz isto é sua alma. Neste capítulo e nos *Aprofundamentos* encontramos uma mudança na atribuição de algumas afirmações contidas nos *Livros Negros*: em vez de atribuídas à alma, passam a ser atribuídas aos outros personagens. Pode-se considerar que esta revisão textual marca um importante processo psicológico de diferenciação dos personagens, separando-os uns dos outros, e desidentificando-se deles. Jung analisou este processo em geral em 1928, em *O eu e o inconsciente*, cap. 7: "A técnica de diferenciação entre o eu e as figuras do inconsciente" (OC, 7). No *Livro Negro* 6, a alma de Jung explica-lhe em 1916: "Se eu não me mantiver unido pela unificação do inferior e do superior, desintegro-me nas três partes: a *Serpente*,

"Deixa chover, deixa o vento assobiar, deixa que as águas corram e que o fogo arda em chamas. Deixa a cada um seu crescimento, deixa ao que se vai tornando seu tempo".

[2] 2. Realmente, o caminho passa pelo crucificado, isto é, por aquele a quem não foi pouco viver sua própria vida e que, por isso, foi elevado à glória. Não ensinou conhecimento nem coisas dignas de serem conhecidas, mas ele viveu isto. Não dá para dizer quão grande deve ser a humildade daquele que toma sobre si a tarefa de viver sua própria vida. Difícil é dimensionar o nojo daquele que deseja penetrar em sua própria vida. Adoece frente à aversão. Vomita sobre si mesmo. Suas entranhas se revoltam, seu cérebro desfalece. Excogita todo tipo de ardil que lhe possibilite a fuga, pois nada se compara ao tormento do próprio caminho. Parece ser penoso ao impossível, tão penoso que dificilmente haverá outra coisa que não se prefira a este tormento. Não são poucos que até amam as pessoas por medo de si mesmos. Acredito que também existem aqueles que cometem um crime para encontrar um argumento contra si mesmos. Por isso aferro-me a tudo que me veda o caminho para mim mesmo.

3. [253]Quem vai ao encontro de si mesmo desce. Ao grande profeta, que precedeu esta nossa época, apareceram figuras lamentáveis e ridículas; elas eram as figuras de seu próprio ser. Ele não as aceitou, e remeteu-as a outro. Mas finalmente viu-se obrigado a fazer uma ceia com sua própria pobreza e aceitar por compaixão aquelas figuras de seu próprio ser, compaixão essa que é a aceitação do ínfimo em nós[254]. Mas então enfureceu-se o leão de seu poder e afugentou

---

e enquanto tal ou em outra forma animal vagueio por aí, vivendo fatidicamente a natureza, infundindo medo e anseio. A *alma humana*, aquilo que vive sempre contigo. A *alma celeste*, e como tal eu permaneço então junto aos deuses, longe de ti e desconhecida a ti, aparecendo em forma de pássaro" (Apêndice C, p. 511). As mudanças textuais que Jung faz entre a alma, a serpente e o pássaro dos *Livros Negros* neste capítulo e nas *Provações* podem ser consideradas como o reconhecimento e diferenciação da tríplice natureza da alma. A noção de Jung da unidade e multiplicidade da alma tem semelhanças com Eckhart. No Sermão 52 Eckhart escreveu: "A alma com seus poderes superiores toca a eternidade, que é Deus, enquanto seus poderes inferiores, estando em contato com o tempo, a tornam sujeita à mudança e inclinada a coisas corporais, que a degradam" (*Sermons & Treatises*. Vol. 2. Londres: Watkins, 1981, p. 55 [Trad. de O.C. Washe]). No Sermão 85 escreveu: "Três coisas impedem a alma de unir-se com Deus. A primeira é que ela é por demais dispersa, e não é unitária: porque, quando a alma está inclinada a criaturas, ela não é unitária. A segunda é quando ela está envolvida com coisas temporais. A terceira é quando ela está voltada para o corpo, pois então ela não consegue unir-se com Deus" (ibid., p. 264).

253 O *esboço* continua: "'Por que', perguntas, 'o ser humano não quer ir a seu próprio encontro?' O profeta delirante, que precedeu este tempo, escreveu um livro que enfeitou com um título imponente. Neste livro podes ler como e por que o ser humano não quer ir ao encontro de si mesmo" (p. 461). A referência é ao livro *Assim falava Zaratustra*, de Nietzsche.

254 Cf. "A ceia", em *Assim falava Zaratustra*, p. 355s.

o perdido e devolvido para a escuridão da profundeza[255]. E, como um poderoso, quis aquele com o grande nome irromper à semelhança do sol, do seio das montanhas[256]. Mas o que lhe aconteceu? Seu caminho o levou para diante do crucificado, e ele começou a esbravejar. Ele enfureceu-se contra o homem do escárnio e das dores, porque a força do seu próprio ser o obrigou a seguir este caminho, assim como o fez o Cristo antes de nós. Mas ele anunciou em voz alta seu poder e sua grandeza. Ninguém falava mais alto de seu poder do que aquele de quem fugia o chão sob os pés. Finalmente foi atingido pelo ínfimo nele, a impotência, e esta crucificou seu espírito, portanto, como ele mesmo predisse, que sua alma morreria antes que seu corpo[257].

4. Ninguém sobe acima de si mesmo que não tenha empregado as armas mais perigosas contra si mesmo. Alguém que deseja subir acima de si mesmo desça, carregue-se com o peso de si mesmo e arraste a si mesmo para o lugar do sacrifício. Mas quanta coisa precisa acontecer à pessoa até perceber que o êxito externo e visível, que se deixa pegar com as mãos, / é um caminho errado. Por quanto sofrimento deve passar a humanidade até que o ser humano pare de saciar sua ambição de poder em seus semelhantes e de querê-lo impor sempre aos outros. Quanto sangue ainda deve correr até que se abram os olhos do ser humano e ele veja seu caminho e seu próprio inimigo e até que se dê conta de seus verdadeiros êxitos. Tu deves poder viver contigo mesmo e não à custa de teu vizinho. O animal de rebanho não é o parasita e espírito atormentador de seu irmão. Ser humano, tu esqueceste até mesmo que também és um animal. Tu continuas acreditando que é melhor estar lá onde não estás. Ai de ti se teu vizinho também pensar assim. Mas podes estar certo de que ele também pensa assim. Alguém deve começar a não ser mais infantil. 136/137

5. Teu desejo se sacia em ti. Não podes levar a teu Deus alimentos sacrificiais mais valiosos do que a ti mesmo. Que tua voracidade te engula, então

255 No último capítulo de *Assim falava Zaratustra*, "O sinal", quando o homem superior veio para encontrar-se com Zaratustra em sua caverna, "o leão afastou-se rapidamente de Zaratustra e precipitou-se para a caverna, rugindo furiosamente" (p. 397). Em 1926, Jung observou: "Rugindo, o leão zaratustriano fazia com que todos os homens 'superiores', que clamavam pela participação vital, regressassem à caverna do inconsciente. Logo, sua vida não demonstra seu ensinamento" (OC, 7, § 37).

256 Nietzsche termina *Assim falava Zaratustra* com as palavras: "Assim falou Zaratustra e afastou-se da caverna, ardente e vigoroso como o sol matinal, que surge dos sombrios montes" (p. 397).

257 No prólogo de Zaratustra, um malabarista caiu da corda bamba. Zaratustra disse ao malabarista da corda bamba: "Tua alma vai morrer mais depressa ainda que teu corpo. Não temas mais" (Zaratustra, § 6, p. 30. Sublinhado como no exemplar de Jung, p. 22). Em 1926, Jung falou que isto foi uma visão profética do próprio destino de Nietzsche (cf. OC, 7, § 36-44).

ela ficará cansada e quieta, e tu dormirás bem e olharás o sol de cada dia como um presente. Se tu devoras outro e mais outro em vez de ti, tua voracidade permanece eternamente insatisfeita, pois ela exige mais, exige o mais valioso, exige a ti. E assim forças tua ambição sobre teu próprio caminho. Tu gostarias de implorar a outros, à medida que precisas de conselho e ajuda. Mas exigir não deves de ninguém, ambicionar não deves de ninguém, esperar não deves de ninguém, a não ser de ti mesmo. Pois teu desejo só se sacia em ti mesmo. Tu temes queimar-te em teu próprio fogo. Disso nada te pode impedir, nem compaixão estranha e nem compaixão perigosa de ti mesmo. Pois contigo mesmo deves viver e morrer.

6. Quando a chama da tua voracidade te devora e nada sobra de ti a não ser cinzas, então nada havia em ti que subsistisse. Mas a chama na qual te consumiste iluminou a muitos. Mas se tu, cheio de medo, foges de teu fogo, chamuscas teus semelhantes, e o tormento ardente de tua voracidade não pode apagar-se enquanto não desejares a ti mesmo.

7. Da boca sai a palavra, o sinal e o símbolo. Se a palavra for um sinal, então não significa nada. Mas se a palavra for um símbolo, significa tudo[258]. Quando o caminho entra na morte, e nós estamos envoltos em putrefação e nojo, sobe então na escuridão o caminho e sai da boca, como o símbolo salvador, a palavra. Ele conduz para cima o sol, pois no símbolo está a salvação dos coagidos e a força humana que luta com a escuridão. Nossa liberdade não está fora de nós, mas dentro de nós. Externamente, podemos estar amarrados, e assim mesmo nos sentirmos livres, porque arrebentamos as amarras interiores. Podemos conquistar a liberdade exterior através de um agir vigoroso, contudo a liberdade interior só a criamos através do símbolo.

8. O símbolo é a palavra que sai da boca, que a gente não fala, mas que sobe da profundeza do si-mesmo como uma palavra da força e da necessidade e que inesperadamente se coloca sobre a língua. É uma palavra surpreendente e que aparece aleatoriamente, mas a gente a reconhece como símbolo no fato de ser estranha ao aspecto consciente. Quando a gente aceita o símbolo é como se uma porta se abrisse para um novo espaço de cuja existência nada sabíamos anteriormente. Mas quando não se aceita o símbolo, é como se passássemos

---

258 Para a diferenciação que Jung faz de sinais e símbolos, cf. *Típos psicológicos* (1921) (OC, 6, § 903s.).

desatentos por esta porta; e pelo fato de ser a única porta que leva aos aposentos interiores, é preciso pegar novamente a estrada e prosseguir em todas as exterioridades. Mas a alma sofre necessidade, pois a liberdade exterior não lhe serve. A salvação é uma longa estrada que leva através de muitas portas. As portas são os símbolos. Cada nova porta é a princípio invisível; é como se tivesse que ser criada primeiramente /, pois ela sempre só está aí quando nós escavamos a mandrágora, o símbolo. 137/138

Para encontrar a mandrágora, precisa-se do cachorro preto[259], pois é assim: o bem e o mal precisam sempre conciliar-se primeiro, quando o símbolo deve ser criado. O símbolo não pode ser ideado nem inventado: ele se torna. Seu tornar-se é como o tornar-se do ser humano no ventre da mãe. A gravidez pode ser provocada por acasalamento fortuito. Mas quando a profundeza concebeu, o símbolo cresce por si e nasce da cabeça, como convém a um Deus. Mas logo a mãe gostaria de lançar-se sobre a criança como um monstro e engoli-la novamente.

De manhã, quando o novo sol se levanta, sai a palavra de minha boca, mas é assassinada impiedosamente, pois eu não sabia que ela era o salvador. A criança recém-nascida cresce depressa quando eu a aceito. E logo tornou-se meu cocheiro. A palavra é a condutora, o caminho do meio, que oscila levemente como o fiel da balança. A palavra é o Deus que toda manhã emerge das águas e anuncia às nuvens a lei orientadora. Lei externa e sabedoria externa são eternamente insatisfatórias, pois só existe uma lei, só uma sabedoria, isto é, minha lei de todo dia, minha sabedoria de todo dia. Em cada noite renova-se o Deus.

O Deus aparece em múltiplas formas; pois, quando ele se manifesta, tem em si algo do caráter da noite e das águas noturnas em que cochilou e em que lutou nas últimas horas da noite por sua renovação. Por isso sua manifestação é discrepante e equívoca; ela é inclusive dilacerante para o coração e a razão. Em sua aparição, o Deus me chama para a direita e a esquerda, de ambos os lados soa para mim seu chamado. Mas o Deus não quer nem o um e nem o outro. Ele quer o caminho do meio. O meio é o começo do longo trajeto.

259 A mandrágora é uma planta cujas raízes têm alguma semelhança com a figura humana, e por isso tem sido usada em ritos mágicos. Segundo a lenda, ela solta gritos agudos quando é arrancada do solo. Em "Der philosophische Baum" (1945), Jung observou, a respeito da mandrágora, que ela "lança o primeiro grito quando, amarrada à cauda de um cão preto, é arrancada da terra" (OC, 13, § 410).

Mas este começo, o ser humano não o pode ver nunca, ele só vê sempre o um ou o outro, ou o um e o outro, mas nunca aquilo que o um bem como o outro encerram em si. O ponto do começo é a imobilidade da razão e da vontade, um estado de suspensão, que chama para fora minha insubordinação, minha teimosia e finalmente meu grande pavor. Pois não vejo mais nada e não posso querer mais nada. Ao menos é isto que me parece. O caminho é uma estranha paralisação de tudo aquilo que antigamente era movimento, uma espera cega, um escutar desconfiado em volta e um tatear desconfiado em volta. A gente acha que precisa explodir. Mas é precisamente dessa tensão que nasce o resgatador, e ele está quase sempre aí onde a gente menos desconfia.

Mas o que é o resgatador? É sempre algo muito antigo e exatamente por isso algo novo, pois algo passado de há muito, que hoje retorna num mundo transformado, é novo. Gerar algo antiquíssimo para dentro de um tempo é criação. É criação do novo, e este me liberta. Libertação é desobrigar da tarefa. Tarefa é gerar para dentro do novo tempo algo velho. A alma da humanidade é como a grande roda do zodíaco que gira sobre o caminho. Tudo o que, em constante movimento, vem de baixo para o alto já estava antigamente no alto. Não é uma parte da roda que não voltaria. Por isso flui outra vez para cima o que já foi, e o que já foi será novamente. Pois são todas coisas cujas propriedades inatas são da natureza humana. Pertence à natureza do movimento para frente que aquilo que já foi retorne[260]. Só um ignorante pode admirar-se disso. No eterno retorno do idêntico não está o sentido[261], mas no modo de sua recriação no tempo.

---

260 O *esboço* continua: "Tudo é sempre a mesma coisa e, no entanto, não é a mesma coisa, pois a roda vai girando sobre a longa estrada. Mas o caminho leva por vales e montes. O movimento da roda e a idêntica volta de suas partes individuais é indispensável ao carro, mas o sentido está no caminho. O sentido só é alcançado pelo constante girar e movimento para frente. Faz parte da natureza do movimento para frente que aquilo que já foi retorne. Disso só um ignorante pode admirar-se. Por ignorância, revoltamo-nos contra o retorno necessário do idêntico e, por avidez, nós nos deixamos lançar pela roda para cima e para frente no movimento ascensional, porque achamos que com essa parte da roda chegaremos sempre mais alto. Mas não chegamos mais alto e sim mais fundo e finalmente estaremos bem embaixo. Exalte, portanto, a imobilidade, pois ela lhe mostra que não estás amarrado aos raios da roda como Íxion, mas que estás sentado ao lado do cocheiro que te explicará o sentido do caminho" (p. 469-470). Na mitologia grega, Íxion era o filho de Ares. Ele tentou seduzir Hera, e Zeus o castigou amarrando-o a uma roda de fogo que girava sem parar.

261 A noção de que todas as coisas retornam encontra-se em várias tradições, como o estoicismo e o pitagorismo, e figura em lugar de destaque na obra de Nietzsche. Tem-se discutido muito, nos estudos nietzschianos, se deve ser entendida primariamente como um imperativo ético de afirmação da vida ou como uma doutrina cosmológica. Cf. LÖWITH, K. *Nietzsche's Doctrine of the Eternal Recurrence of the Same*. Berkeley: University of California Press, 1977 [Trad. de J. Lomax]. Jung discute isto em 1934, em *Nietzsche's Zaratustra*. Vol. 1, p. 191-192.

O sentido está no modo e na orientação da recriação. Mas como crio para mim o cocheiro? Ou gostaria de ser eu meu próprio cocheiro? Eu só posso guiar-me pela vontade e pela intenção. Mas vontade e intenção são apenas partes de meu si-mesmo. Por isso não bastam para expressar meu todo. Intenção é o que posso ter em vista, e vontade é querer um objetivo predeterminado. Mas donde tiro o objetivo? Tiro-o daquilo que me é conhecido atualmente. Portanto, coloco o presente no lugar do futuro. Dessa / forma não posso alcançar o futuro, mas eu gero artificialmente um constante presente. Tudo o que pretende interferir neste presente, eu o tomo como distúrbio e procuro afastá-lo, a fim de que minha intenção permaneça incólume. E assim elimino o progresso da vida. Mas com que posso ser cocheiro a não ser com a vontade e a intenção? É por isso também que um sábio não deseja ser cocheiro, pois sabe que a vontade e a intenção alcançam objetivos, mas impedem o vir a ser do futuro. 138/139

O futuro se produz fora de mim, eu não o construo, mas assim mesmo eu o construo, não com intenção e vontade, mas também contra a intenção e a vontade. Se eu quiser construir o futuro, trabalho contra o meu futuro. E se não quiser construí-lo, não tomo parte suficiente na construção do futuro, e tudo acontecerá segundo leis inevitáveis das quais serei vítima. Para constranger o destino, os antigos inventaram a magia. Precisavam dela para determinar o destino externo. Nós precisamos dela para determinar o destino interno e encontrar o caminho que não podemos imaginar. Pensei longamente sobre o modo como esta magia deveria ser. Acabei não chegando a nada. Quem não consegue chegar a alguma conclusão por si mesmo deve procurar ensinamento; então fui para um país distante onde mora um grande mago, cuja fama me chegara aos ouvidos.

O mago[262]

Cap. xxi.

[IH: 139] {1}[1] [263] Após longa procura, encontrei a pequena casa, no campo, diante da qual se estendia um canteiro de tulipas em flor e onde moravam o

262 Em vez disso, o *esboço manuscrito* tem: "*Décima aventura*" (p. 1.061).

263 27 de janeiro de 1914.

mago ΦΙΛΗΜΩΝ (Filêmon) e ΒΑΥΚΙΣ (Báucis). ΦΙΛΗΜΩΝ é um mago que ainda não conseguiu exorcizar a velhice, mas que a vive com dignidade, e sua mulher nada mais pode do que fazer o mesmo[264]. Seus interesses na vida parecem ter ficado restritos, até mesmo infantis. Eles regam seu canteiro de tulipas e falam entre si das flores que recém-desabrocharam. Seus dias vão se apagando num lusco-fusco pálido e oscilante, iluminado pelas luzes do passado, pouco temeroso da escuridão daquele que virá.

Por que ΦΙΛΗΜΩΝ é um mago?[265] Com sua mágica, ele está arranjando a imortalidade, uma vida no além? Ele só foi mago por vocação, mas agora parece um mago aposentado, que se retirou do negócio. Extinguiram-se nele o desejo

---

264 Nas *Metamorfoses*, Ovídio conta a história de Filêmon e Báucis. Júpiter e Mercúrio vão andando, disfarçados de mortais, na região montanhosa da Frígia. Procuravam um lugar para descansar e foram barrados em mil lares. Um casal de velhos os acolheu. Haviam casado em sua cabana quando jovens e envelheceram juntos e aceitavam contentes sua pobreza. Prepararam uma refeição para os hóspedes. Durante a refeição, viram como a jarra, logo que era esvaziada, enchia-se de novo automaticamente. Em honra de seus hóspedes, prontificaram-se a matar o único ganso que tinham. O ganso refugiou-se junto aos deuses, que disseram que ele não deveria ser morto. Os deuses revelaram-se e disseram ao casal que a vizinhança seria castigada, mas eles dois seriam poupados, e pediram-lhes que subissem à montanha com eles. Quando chegaram ao topo, viram que a região ao redor de sua cabana havia sido inundada pela água, e apenas a cabana permanecia, transformada num templo com colunas de mármore e teto de ouro. Os deuses perguntaram-lhes qual era o seu desejo, e Filêmon respondeu que gostariam de ser seus sacerdotes e servir no seu templo e também que pudessem morrer juntos. Seu desejo foi acolhido e, quando morreram, transformaram-se em árvores uma ao lado da outra. No *Fausto* 2, ato V, de Goethe, um andarilho, que anteriormente fora salvo por eles, visita Filêmon e Báucis. Fausto estava construindo uma cidade em terra recuperada ao mar. Fausto passa a dizer a Mefistófeles que ele quer que Filêmon e Báucis sejam removidos. Mefistófeles e três homens fortes foram e incendiaram a cabana, com Filêmon e Báucis dentro. Fausto respondeu que ele apenas queria mudar a moradia deles. A Eckermann, Goethe contou que "meu Filêmon e Báucis [...] nada têm a ver com aquele antigo casal famoso ou com a tradição ligada a eles. Dei a este casal os nomes apenas para exaltar seus personagens. As pessoas e as relações são semelhantes e daí o uso dos nomes causa um bom efeito" (6 de junho de 1831, apud GOETHE. *Faust*. Nova York: Norton Critical Editions, 1976, p. 428 [trad. de W. Arndt]). A 7 de junho de 1955, Jung escreveu a Alice Raphael uma carta em que faz referência aos comentários de Goethe a Eckermann: "Quanto a *Filêmon e Báucis*: uma típica resposta goethiana a Eckermann! tentando ocultar seus vestígios. *Filêmon* (Φιλημα [philema] = beijo), o carinhoso, o casal simples e carinhoso de velhinhos, apegados à terra e conscientes dos Deuses, o oposto total do super-homem Fausto, produto do demônio. A propósito: em minha torre em Bollingen há uma inscrição escondida: *Philemonis sacrum Fausti poenitentia* [Santuário de Filêmon, Arrependimento de Fausto]. Quando encontrei pela primeira vez o arquétipo do velho sábio, ele se chamava a si mesmo *Filêmon*. / Na alquimia F. e B. representavam o artifex ou *vir sapiens* e a *soror mystica* (Zosimos-Theosebeia, Nicolas Flamel-Péronelle, Mr. South e sua filha no século XIX) e o par no *mutus liber* (por volta de 1677)". Beineke Library, Yale University. Sobre a inscrição de Jung, cf. também sua carta a Hermann Keyserling, de 2 de janeiro de 1928 (*Cartas*, I, p. 65). A 5 de janeiro de 1942, Jung escreveu a Paul Schmitt: "[constatei que eu] havia *assumido Fausto como herança*, e isso como advogado e vingador de Filêmon e Báucis que, diferentemente do super-homem Fausto, são os hospedeiros dos deuses numa época de infâmia e esquecimento de Deus" (*Cartas*, I, p. 316).

265 Em *Tipos psicológicos* (1921), no contexto da discussão sobre Fausto, Jung escreveu: "O feiticeiro preservou um pedaço do paganismo antigo; ele mesmo possui em si uma natureza que não foi atingida pela dilaceração cristã; isto é, tem acesso ao inconsciente que ainda é pagão onde os opostos ainda estão lado a lado em ingenuidade original, e que está além de toda pecaminosidade, mas, quando assumido na vida consciente, está apto a produzir com a mesma força original e, portanto, demoníaca, tanto o mal quanto o bem... Por isso é um destruidor e também um salvador. Esta figura é, portanto, a mais indicada para se tornar a imagem simbólica de uma tentativa de união" (OC, 6, § 314).

veemente e o dinamismo e, por mera impotência, goza do bem merecido descanso, como toda pessoa idosa, que nada mais pode fazer do que plantar tulipas e regar seu pequeno jardim. A varinha de condão está guardada no armário de parede juntamente com o sexto e sétimo livros de Moisés[266] e do Livro da Sabedoria de ΕΡΜΗΣ ΤΡΙΣΜΕΓΙΣΤΟΣ [Hermes Trismegisto][267]. ΦΙΛΗΜΩΝ ficou velho e um pouco demente; por um bom donativo em moedas sonantes ou para a cozinha, ainda murmura algumas fórmulas mágicas em prol do gado enfeitiçado. Mas é incerto se ainda são as fórmulas corretas e se ele entende seu sentido. Também está claro que não importa o que ele murmura, / talvez o gado fique bom por si mesmo. Lá vai o velho ΦΙΛΗΜΩΝ pelo jardim, encurvado, com o regador nas mãos trêmulas. ΒΑΥΚΙΣ está à janela da cozinha e olha para ele com indiferença apática. Ela já viu esta cena milhares de vezes – cada vez algo mais decrepitamente, mais fracamente, cada vez enxerga menos, pois a força de seus olhos está diminuindo aos poucos[268]. 139/140

Eu estou parado no portão do jardim. Eles não notaram a presença do estranho. "Filêmon, velho feiticeiro, como estás passando?", falo em voz alta. Ele não me ouve, parece completamente surdo. Eu vou atrás dele e o seguro pela manga da camisa. Ele se vira e me cumprimenta sem jeito e trêmulo. Tem uma barba branca, cabelos brancos e ralos e um rosto enrugado, mas neste rosto parece haver algo. Seus olhos são baços e velhos, mas neles uma coisa é estranha, poder-se-ia dizer, viva. "Vou bem, estranho", respondeu, "mas o que queres de mim?"

Eu: "Disseram-me que tu és entendido em magia negra. Interesso-me pelo assunto. Poderias contar-me algo sobre ela?"

Φ: "O que devo contar? Não há nada para contar".

Eu: "Não fiques zangado, velho, eu gostaria de aprender alguma coisa".

Φ: "Tu és certamente mais instruído do que eu. O que poderia eu ensinar-te?"

Eu: "Não sejas avaro. Com certeza não lhe farei concorrência. Só me causa admiração o que tu fazes e enfeitiças".

---

266 O sexto e sétimo livros de Moisés (isto é, em aditamento aos cinco contidos na Torá) foram publicados em 1849 por Johann Schiebel, que afirmou que eles provinham de antigas fontes talmúdicas. A obra é um compêndio de fórmulas mágicas cabalísticas que haviam gozado de uma popularidade permanente.

267 A figura de Hermes Trismegisto foi formada por amálgama de Hermes com o Deus egípcio Toth. Foi atribuído a ele o *Corpus Hermeticum*, coleção de textos majoritariamente alquímicos e mágicos, datados do início da era cristã, mas inicialmente considerados muito mais antigos.

268 No *Fausto*, de Goethe, Filêmon fala do declínio de suas forças: "Mais velho, eu não estava à disposição / Não era útil como de costume / E à medida que minhas forças diminuíam / Também a onda já havia passado" (L. I 11087-9).

Φ: "O que queres? Em tempos passados, eu ajudei cá e lá pessoas contra a doença e danos de vários tipos".

Eu: "Como fazes isto?"

Φ: "Bem simplesmente, com simpatia".

Eu: "Esta palavra, meu velho, soa cômica e ambígua".

Φ: "Como assim?"

Eu: "Poderia significar: Tu ajudaste as pessoas através de participação pessoal ou com meios supersticiosos, de simpatia".

Φ: "Bem, talvez tenha sido ambas as coisas".

Eu: "E isto era toda sua magia?"

Φ: "Eu sei mais".

Eu: "O que é? Fala".

Φ: "Isto não te interessa. Tu és malcriado e impertinente".

Eu: "Por favor, não leves a mal minha curiosidade. Recentemente ouvi falar da magia que despertou meu interesse para esta arte do passado. Então vim imediatamente a ti, porque ouvi dizer que eras entendido na magia negra. Se ainda hoje ensinassem nas Universidades a magia, eu a teria estudado lá. Mas já faz muito tempo que a última escola, que ensinava as forças mágicas, foi fechada. Hoje em dia nenhum professor sabe mais nada sobre magia. Portanto, não fiques irritado nem sejas avaro, mas deixa-me saber algo de tua arte. Tu não vais querer levar teus segredos contigo para o túmulo?"

Φ: "Tu só caçoas disso. Por que deveria eu dizer-lhe alguma coisa? É melhor que tudo seja enterrado comigo. Alguém, mais tarde, pode descobrir isto de novo. A humanidade não vai ficar privada dela, pois a magia renasce com todo ser humano".

Eu: "Como entendes isto? Acreditas que a magia é realmente inata no ser humano?"

Φ: "Eu diria: sim, naturalmente. Mas tu o achas ridículo".

Eu: "Não, dessa vez não estou rindo, pois já me admirei muitas vezes com o fato de que todos os povos, em todos os tempos em todos os lugares têm os mesmos ritos mágicos. Eu mesmo já pensei a mesma coisa que tu".

Φ: "O que achas da magia?"

Eu: "Dito abertamente: nada, ou muito pouco. Parece-me que a magia é um dos recursos imaginários da pessoa inferiorizada perante a natureza. Além disso, não posso descobrir outro significado compreensível da magia".

Φ: "Tanto assim sabem provavelmente também teus professores".

Eu: "Sim, mas o que sabes a respeito disso?"

Φ: "Não gostaria de dizê-lo".

Eu: "Não procedas tão misteriosamente, velho, senão devo admitir que não sabes mais sobre isso do que eu".

Φ: "Pois admite, se isto te agrada".

Eu: "Em conclusão a esta resposta, devo admitir que entendes disso algo mais do que os outros".

Φ: "Homem esquisito, como és teimoso! Agrada-me, porém, que não te deixas desencorajar por tua razão".

Eu: "É este realmente o caso. Sempre que quero aprender e entender alguma coisa, deixo em casa minha assim chamada razão e dou àquela coisa, que desejo adquirir, a fé que necessariamente exige. Eu aprendi isso aos poucos, pois vi no manejo da ciência muitíssimos exemplos espantosos do contrário".

Φ: "Então podes levar isso mais / adiante". 140/141

Eu: "Espero. Mas não deixes que nos distanciemos da magia".

Φ: "Por que então te aferras tão teimosamente a teu propósito de aprender da magia, se afirmas que deixaste tua razão em casa? Ou a consequência não faz parte de tua razão?"

Eu: "Muito bem – eu vejo, ou melhor, parece que és um sofista bem esperto, que me conduz habilidosamente em volta de casa e me leva novamente ao portão".

Φ: "Isto te parece assim porque julgas tudo do ponto de vista de teu intelecto. Se quiseres desistir por um momento de tua razão, também tua consequência desistirá".

Eu: "Isto é uma prova de aprendizagem bem difícil. Mas se eu quiser ser adepto, então isto também deve ser, para que se cumpra a exigência. Eu sou todo ouvidos".

Φ: "O que queres ouvir?"

Eu: "Tu não me seduzes. Eu só espero pelo que vais dizer".

Φ: "E se eu não disser nada?"

Eu: "Bem – então eu me retiro um pouco decepcionado e penso que ΦΙΛΗΜΩΝ é no mínimo uma raposa esperta, da qual se poderia aprender alguma coisa".

Φ: "Com isso, rapaz, aprendeste alguma coisa de magia".

Eu: "Isto preciso primeiro digerir. É de fato algo surpreendente. Eu havia imaginado a magia de forma diferente".

Φ: "Disso podes concluir que entendes muito pouco de magia e que suas concepções a respeito dela são incorretas".

Eu: "Se isto deveria ser assim, ou é assim, devo confessar que abordei o problema de modo totalmente errado. Parece então que ele não anda pelo caminho da compreensão comum".

Φ: "Isto também não é realmente o caminho da magia".

Eu: "Mas tu não me desencorajaste disso; ao contrário, ardo de desejo de aprender mais. O que sei disso até agora é essencialmente negativo".

Φ: "Com isso conheceste um segundo ponto principal. Antes de tudo deves saber que a magia é o negativo daquilo que podemos conhecer".

Eu: "Também isto, meu caro ΦΙΛΗΜΩΝ, é um pedaço difícil de digerir que me causa complicações nada insignificantes. O negativo daquilo que podemos conhecer? Com isso achas certamente que não o possamos conhecer, ou? Aqui termina minha compreensão".

Φ: "Este é o terceiro ponto que deves reconhecer como essencial, isto é, que também não tens nada a compreender".

Eu: "Bem, reconheço que isto é novo e estranho. Portanto, na magia não há nada para se compreender".

Φ: "Exato. A magia é exatamente tudo aquilo que não se compreende".

Eu: "Mas como então, por todos os diabos, deve-se ensinar e aprender a magia?"

Φ: "A magia não deve ser ensinada nem aprendida. É tolice tua querer aprender magia".

Eu: "Então a magia é em suma um embuste".

Φ: "Não te enganes. Fizeste novamente uso de tua razão".

Eu: "É difícil ser irracional".

Φ: "Igualmente difícil é a magia".

Eu: "Isto é um bocado difícil. Parece-me então que é condição indispensável para o adepto esquecer totalmente sua razão".

Φ: "Sinto muito, mas é assim".

Eu: "Ó deuses, isto é grave".

Φ: "Não é tão grave quanto pensas. Com a idade, a razão diminui por si mesma, pois é uma contrapartida útil dos instintos, que são mais fortes na juventude do que na velhice. Já viste alguma vez um mago jovem?"

Eu: "Não, o mago é inclusive proverbialmente velho".

Φ: "Tu vês que tenho razão".

Eu: "Mas então as perspectivas do adepto são ruins. Ele tem de esperar a velhice para chegar a conhecer os segredos da magia".

Φ: "Se ele renunciar mais cedo à sua razão, também mais cedo poderá chegar ao conhecimento de algo útil".

Eu: "Isto me parece uma experiência perigosa. Não se pode renunciar sem mais à razão".

Φ: "Também não se pode / ser um mágico sem mais". 141/142

Eu: "Tu tens armadilhas danadas".

Φ: "O que queres? Isto é magia".

Eu: "Velho demônio, tu me fazes ter inveja até da velhice caduca".

Φ: "Vê só: um jovem que gostaria de ser um ancião! E por quê? Gostaria de aprender a magia, mas não o ousa por causa de sua juventude".

Eu: "Tu estendes uma rede cruel, velho armador de ciladas".

Φ: "Talvez queiras esperar mais alguns aninhos com a magia, até que teus cabelos se tenham tornado grisalhos e teu juízo tenha diminuído por si".

Eu: "Gostaria de não ouvir teu deboche. Eu me deixei apanhar como um bobo na tua armadilha. Não posso aprender nada de ti".

Φ: "Mas talvez bobo já seria um avanço no caminho para a magia".

Eu: "Além do mais, o que realizas no mundo todo com tua magia?":

Φ: "Eu vivo, como estás vendo".

Eu: "Isto também fazem outros idosos".

Φ: "E tu viste como?"

Eu: "Sim, e não foi uma visão agradável. Mas em ti também o tempo deixou suas marcas".

Φ: "Isto eu sei".

Eu: "Portanto, onde estão tuas vantagens?"

Φ: "São aquelas que não vês".

Eu: "O que são vantagens que a gente não vê?"

Φ: "São aquelas que a gente tem".

Eu: "Como denominas essas vantagens?"

Φ: "Denomino-as magia".

Eu: "Tu te movimentas num círculo vicioso. O diabo deve te ajudar".

Φ: "Estás vendo? Isto também é uma vantagem da magia: nenhuma vez o diabo me ajuda. Tu fazes progressos no conhecimento da magia de tal forma que devo acreditar que tens bom talento para isso".

Eu: "Eu te agradeço, ΦΙΛΗΜΩΝ, basta, estou zonzo. Adeus!"

Saio do jardim e sigo pela estrada abaixo. Há pessoas paradas em grupos por ali que me olham furtivamente. Ouço murmurarem às minhas costas: "Vede, ali vai ele, o discípulo do velho ΦΙΛΗΜΩΝ. Conversou longamente com o velho. Ele aprendeu alguma coisa. Ele conhece os mistérios. Se eu soubesse ao menos o que ele sabe agora". "Calai-vos, loucos malditos", gostaria de gritar-lhes, mas não posso, pois não sei se realmente não aprendi alguma coisa. E pelo fato de eu calar, acreditam firmemente desde então que eu recebi de ΦΙΛΗΜΩΝ a magia negra.

[269][2] [IH 142] *É um erro acreditar que existem* práticas mágicas que podem ser aprendidas. Não se pode entender a magia. Entender só se pode o racional. Mas a magia é o irracional que não se pode entender. O mundo não é só racional, mas também irracional. Assim como se pode abrir o racional do mundo com a razão à medida que o racional do mundo vem ao encontro da compreensão, assim também se encontra o incompreensível e o irracional. / 142/143

Este encontro é mágico e absolutamente incompreensível. A compreensão mágica é aquilo que se chama não compreensão. Tudo o que tem efeito mágico é incompreensível, e o incompreensível tem muitas vezes efeito mágico. O efeito incompreensível, nós o chamamos de mágico. O mágico sempre me engloba, sempre me envolve, abre espaços que não têm portas e conduz para onde não há nenhuma saída. O mágico é bom e mau, e não é bom nem mau. A magia é perigosa, pois o irracional confunde, atrai e produz efeito, e eu sou sempre sua primeira vítima.

No racional não precisamos de nenhuma magia, por isso nossa época não usou mais a magia. Só os irracionais fizeram uso dela para substituir sua falta de razão. Mas é muito irracional não juntar o racional com a magia, pois os dois nada têm a ver um com o outro. Por meio da junção, os dois são dete-

269 Nota marginal do volume caligráfico: "Jan. 1924". Isto parece referir-se à data em que esta passagem foi transcrita para o volume caligráfico. Neste ponto, o texto escrito fica em tamanho maior, com mais espaço. Neste tempo, Cary Baynes começou sua transcrição.

riorados. Por isso aqueles irracionais sucumbem com razão ao supérfluo e ao desprezo. Por isso também uma pessoa racional de nossa época jamais se servirá da magia[270].

Mas é outra coisa que abriu em si o caos. Nós precisamos da magia para podermos receber ou chamar o mensageiro e a comunicação do não compreensível. Nós reconhecemos que o mundo consistia de razão e insensatez, e nós entendemos que nosso caminho precisava não só da razão, mas também da insensatez. Esta separação é aleatória e depende do nível da compreensão. Mas pode-se ter certeza de que sempre a maior parte do mundo ainda nos é incompreensível. Incompreensível e irracional devem ser idênticos para nós, ainda que não o sejam necessariamente em si, pois uma parte do incompreensível só é atualmente incompreensível, podendo amanhã ser talvez racional. Mas enquanto não o entendemos, é também irracional. À medida que o não compreensível em si é racional, pode-se tentar imaginá-lo com êxito, mas à medida que é irracional em si, / precisa-se da prática mágica para explorá-lo. 143/144

A prática mágica consiste em tornar compreensível o incompreensível de certa forma não compreensível. A maneira mágica não é arbitrária, pois isto seria compreensível, mas é resultado de razões incompreensíveis. Falar de razões também não está certo, pois as razões são racionais. E também não se pode falar de destituído de razões, pois disso nada mais se poderia afirmar: a maneira mágica se rende. Quando abrimos o caos, também a magia se rende.

Pode-se ensinar o caminho que leva ao caos, mas não se pode ensinar a magia. A respeito dela só se pode calar, que parece ser o melhor ensinamento. Este ponto de vista é desconcertante, mas assim é a magia. A razão cria desordem e obscuridade[271]. Na tradução mágica do incompreensível precisa-se inclusive da razão, pois só através da razão pode ser criado o compreensível. Mas como é preciso empregar nisso a razão, ninguém pode dizer que o fato já se realizou quando nós apenas tentamos expressar o que significa para nós a abertura do caos[272].

---

270 Em *Tipos psicológicos* (1921) Jung escreveu: "A razão só pode fornecer o equilíbrio àquele cuja razão já é um órgão de equilíbrio... O homem, via de regra, precisa ter também o oposto de um de seus estados para então posicionar-se necessariamente no meio" (OC, 6, § 435).

271 O *esboço* continua: "A prática mágica desagrega-se portanto em duas partes: a primeira é a exploração do caos, a segunda é a tradução da essência no compreensível" (p. 484).

272 O *esboço* continua: "A participação da razão na magia é muito pequena. Isto vai aborrecê-lo. Idade e experiência são necessárias. A incontrolável sofreguidão e medo da juventude, bem como sua virtude, tão necessária a ela, impedem a atração conjunta e secreta de Deus e do demônio. Com demasiada facilidade serás puxado para um ou outro lado, cegado ou paralisado" (p. 484).

A magia é uma espécie de vida. Quando a gente deu o melhor de si para dirigir o carro e então percebe que um outro maior o dirige, nesse caso produz-se o efeito mágico, pois ninguém consegue conhecê-lo com antecedência; o mágico é precisamente o sem-lei, que acontece sem regra fixa, fortuitamente, por assim dizer. Mas a condição é que a gente se aceite totalmente e nada desperdice, a fim de transferir tudo para o crescimento da árvore. A isso pertence também a estupidez, da qual cada um tem grande medida, e também a falta de gosto que é para muitos seu maior aborrecimento.

Por isso é condição indispensável da vida uma certa solidão e afastamento para o próprio bem e o dos outros, caso contrário não podemos / ser suficientemente nós mesmos. Será inevitável certa vagarosidade na vida, que é como uma parada. A incerteza de tal vida será sem dúvida o mais sufocante, mas ainda assim tenho de conciliar sempre as duas forças conflitantes de minha alma e mantê-las numa fiel união até o fim de minha vida, pois o mago chama-se ΦΙΛΗΜΩΝ e sua mulher, ΒΑΥΚΙΣ. Aquilo que o Cristo manteve separado em si mesmo e, através de seu exemplo, nos outros, isto eu mantenho unido, pois quanto mais uma das metades de meu ser luta pelo bem, tanto mais rapidamente a outra metade se encaminha para o inferno.

144/145

Quando havia terminado o mês dos Gêmeos, as pessoas falavam para sua sombra: "Tu és eu", pois haviam considerado antes seu espírito como uma segunda pessoa em torno delas. Assim as duas se tornavam uma só e desse encontro surgiu algo poderoso, isto é, a primavera da consciência, que chamamos de cultura e que durou até o tempo do Cristo[273]. O peixe designava, porém, o momento em que o unido se separou, segundo a lei eterna do movimento contrário, num mundo inferior e mundo superior. Quando a força do crescimento começa a desaparecer, o unido se divide em seus opostos. O Cristo lançou o inferior no inferno, pois ele luta contra o bem. Isto teve que ser assim. Mas o

---

273 É uma referência à concepção astrológica do mês, ou éon, platônico de Peixes, que se baseia na precessão dos equinócios. Cada mês platônico consiste de um signo zodiacal e dura aproximadamente 2.300 anos. Jung discute o simbolismo ligado a isto em *Aion* (OC, 9/2), capítulo 6. Observa ele que, por volta de 7 a.C., houve uma conjunção de Saturno e Júpiter, que representava uma união de opostos extremos, o que colocaria o nascimento de Cristo em Peixes. O signo de Peixes (em latim *Pisces*) é muitas vezes representado por dois peixes nadando em direções opostas. Sobre os meses platônicos, cf. HOWELL, A. *Jungian Synchronicity in Astrological Signs and Ages*. Wheaton: Quest Books, 1990, p. 125s. Jung começou a estudar astrologia em 1911, durante seus estudos de mitologia, e aprendeu a fazer horóscopos (Jung a Freud, 8 de maio de 1911, *Sigmund Freud – C.G. Jung Briefwechsel*, p. 465) [ed. inglesa, p. 421]. Quanto às fontes de Jung para a história da astrologia, ele citou nove vezes, em sua obra posterior, o livro *L'Astrologie grecque*, de Auguste Bouché-Leclerq (Paris: Ernest Leroux, 1899).

separado não pode ficar separado para sempre. Vai unir-se de novo, e em breve o mês de Peixes estará terminado[274]. Nós pressentimos e entendemos que o crescimento precisa de ambos, por isso mantemos bem juntos o bem e o mal. Como sabemos que adentrar demais no bem significa também adentrar por demais no mal, mantemos unidos os dois[275].

Mas assim perdemos a direção, e o curso não é mais da montanha para o vale, mas cresce tranquilamente do vale para a montanha. Aquilo que não podemos mais impedir ou esconder é nosso fruto. A torrente que flui torna-se lago e mar / que não têm escoadouro, ou seja, suas águas sobem para o céu como vapor e caem das nuvens como chuva. O mar é uma morte, mas também o lugar da ascensão. Isto é ΦΙΛΗΜΩΝ, que rega seu jardim. Nossas mãos foram amarradas, e cada qual deve ficar sentado calmamente em seu lugar. Ele sobe invisível e cai como chuva sobre terras distantes[276]. A água sobre a terra não é nenhuma nuvem que devesse chover. Só grávidas podem dar à luz, não aquelas que ainda devem conceber[277]. 145/146

[IH 146] *Que segredo, porém, me dás a entender*, ó ΦΙΛΗΜΩΝ, com teu nome? Tu és realmente o amoroso que certa vez acolheu os deuses peregrinantes pela terra, quando todas as outras pessoas lhes negaram pousada. Tu és aquele que, sem o saber, deste acolhida aos deuses que, em agradecimento, transformaram

274 Isto se refere ao fim do mês platônico de Peixes e ao começo do mês platônico de Aquário. A data precisa é incerta. Em *Aion* (1951), Jung observou: "Astrologicamente falando, o início do próximo éon deverá situar-se entre 2000 e 2200, dependendo do ponto de vista que se escolher" (OC, 9/2, § 149, nota 88).

275 Em Aion (1951), Jung escreveu: "Se o éon de Peixes foi governado, ao que tudo indica, principalmente pelo tema arquetípico do 'irmãos inimigos', por coincidência, com a aproximação do mês platônico imediato, isto é, de Aquário, coloca-se o problema da união dos opostos. Já não se trata mais de volatilizar o mal como mera 'privatio boni', mas de reconhecer sua existência real" (OC, 9/2, § 142).

276 O *esboço* continua: "O tempo invernal das chuvas começou com Cristo. Ele ensinou às pessoas o caminho do céu. Nós aprendemos o caminho da terra. Por isso, nada é tirado do evangelho, mas acrescentado" (p. 486).

277 O *esboço* continua: "Nosso esforço era dirigido para a inteligência e supremacia espiritual, por isso cultivamos em nós tudo o que é inteligente. Mas a quantidade extraordinária de estupidez, que está em toda pessoa, caiu no desprezo e na renegação. Mas se aceitarmos em nós o outro, levaremos também para cima a estupidez típica de nosso ser. A estupidez é uma cavalgadura das pessoas. Ela tem algo de divino em si, algo da idiotice gigantesca do mundo. Por isso a estupidez é realmente grande. Ela mantém afastado de nós tudo o que nos pudesse induzir à inteligência. Faz com que fique incompreendido tudo o que não precisaria normalmente de compreensão. Esta estupidez típica manifesta-se no pensamento e na vida. Algo surdo, algo cego, isto traz para perto de nós os destinos necessários e mantém longe de nós a virtude irmanada com a sensatez. É a estupidez que divide e separa os germes misturados da vida, de modo a vermos claramente demais o que é bom e mau, o que é racional e irracional. Mas muitas pessoas são também lógicas em sua irracionalidade" (p. 487).

tua choupana num templo de ouro, enquanto o dilúvio ia tragando por toda parte. Tu vivias para além quando o caos irrompeu. Tu te tornaste o servidor do santuário, quando os deuses eram invocados em vão por seus povos. De fato, o amoroso vive para além. Por que não víamos isto? Em que momento se revelaram os deuses? Quando BAYKIΣ quis servir aos honrados hóspedes seu único ganso, a estupidez abençoada, a ave se refugiou junto aos deuses, então os deuses se deram a conhecer a seus pobres hospedeiros que ofereciam a última coisa que tinham. Portanto eu vi que o amoroso vive para além, e que é ele que dá pousada aos deuses sem saber que eram deuses[278].

Verdadeiramente, ó ΦΙΛΗΜΩΝ, não vi que tua choupana é um templo e que tu mesmo, ΦΙΛΗΜΩΝ, tu e BAYKIΣ sois os servidores do santuário. / Realmente esta força mágica não se pode ensinar nem se pode aprender. Isto nós temos ou não temos. Eu conheço o último de teus segredos: tu és um amante. Tu conseguiste unir o separado, ligar o superior e o inferior. Não o sabíamos nós há muito tempo? Sim, nós o sabíamos; não, não o sabíamos. Tudo foi sempre assim, e no entanto nunca foi assim. Por que tive de percorrer longas estradas até chegar a ΦΙΛΗΜΩΝ, se ele devia ensinar-me o que todo mundo já sabe há muito tempo? Ah, nós já sabemos tudo desde os tempos remotos, e no entanto jamais o saberemos até que seja alcançado. Quem esgota o mistério do amor?

146/147

[IH 147] *Sob que máscara, ó* ΦΙΛΗΜΩΝ, tu te escondes? Tu me parecias um amante. Mas os meus olhos se abriram e eu vi que és um amante de tua alma, que protege temerosa e ciosamente seu tesouro. Existem aqueles que amam pessoas, aqueles que amam as almas das pessoas e aqueles que amam a própria alma. Um desses últimos é ΦΙΛΗΜΩΝ, o hospedeiro dos deuses.

Tu estás deitado ao sol, ó ΦΙΛΗΜΩΝ, como uma cobra que se engole a si mesma. Tua sabedoria é sabedoria de serpente, fria, com uma pitada de veneno, terapêutica em pequena dose. Tua magia paralisa e, por isso, faz pessoas fortes, que se arrebentam a si mesmas. Mas elas te amam, elas são gratas a ti, amante da própria alma? Ou elas te amaldiçoam por causa de teu veneno mágico de serpente? Elas ficam ao longe, sacodem a cabeça e cochicham entre si.

147/148

Tu és ainda uma pessoa, ΦΙΛΗΜΩΝ, ou / é antes uma pessoa aquele que é um amante de sua própria alma? Tu és hospitaleiro, ΦΙΛΗΜΩΝ, tu recebeste em tua choupana os peregrinos sujos sem saber quem eram. Tua casa tornou-se um

278 Neste parágrafo, Jung apresenta o clássico relato de Filêmon e Báucis, tirado das *Metamorfoses*.

templo de ouro, e eu saí de tua mesa realmente insaciado? O que tu me deste? Tu me convidaste para uma refeição? Tu reluziste multicolorido e emaranhado e, em parte nenhuma, tu te deste a mim como vítima. Tu escapaste de meu ardil para te pegar. Não te encontrei em parte alguma. Ainda és uma pessoa? Tu és bem mais da espécie das serpentes.

Eu quis pegar-te e arrancá-lo de ti, pois os cristãos aprenderam a comer também o seu Deus. E o que acontece com Deus, não vai acontecer também muito mais às pessoas humanas? Eu olho para a vastidão da terra e não ouço mais do que lamúrias e não vejo outra coisa a não ser pessoas que se devoram mutuamente.

Ó ΦΙΛΗΜΩΝ, tu não és cristão. Tu não te deixaste devorar e não me devoraste. Por isso não tens salas de aula, nenhum pórtico e nenhum aluno que fica em rodas falando do mestre e sorve suas palavras como a água da vida. Tu não és cristão nem pagão, um não hospedeiro hospitaleiro, um hospedeiro dos deuses, um que vive para além, um eterno, o pai de todas as verdades eternas.

Mas será que eu saí realmente insaciado de junto de ti? Não, eu me afastei de ti porque estava realmente saciado. Mas o que foi que comi? Tuas palavras não me deram nada. Tuas palavras me abandonaram a mim mesmo e à minha dúvida. E assim eu me comi. E por isso, ó ΦΙΛΗΜΩΝ, não és um cristão, pois te alimentas de ti mesmo e obrigas as pessoas a fazerem o mesmo. Isto é para elas a coisa mais desagradável, porquanto de nada têm mais nojo os animais humanos do que de si mesmos. Por isso preferem devorar todas as criaturas que rastejam, que saltam, que nadam e que voam, e até mesmo sua própria espécie, antes de se roerem a si mesmos. Mas este alimento é eficaz, e logo torna a pessoa saciada. Por isso, ó ΦΙΛΗΜΩΝ, nós nos levantamos saciados de tua mesa.

Tua maneira, ó ΦΙΛΗΜΩΝ, é instrutiva. Tu me deixas numa escuridão salutar, onde nada preciso enxergar nem procurar. Tu não és nenhuma luz que brilha nas trevas[279], nenhum redentor que estabelece uma verdade eterna e assim apaga a / luz noturna do intelecto humano. Tu deixas espaço para a estupidez e gracejo do outro. Tu queres, ó abençoado, regar o jardim do outro, mas regas as flores de teu próprio jardim. Quem precisa de ti pergunta-te e, ó sábio ΦΙΛΗΜΩΝ, eu suponho que também tu perguntas àquele de quem precisas, e tu pagas aquilo que recebes. O Cristo tornou as pessoas ávidas, pois desde então

148/149

279 Comparar com Jo 1,5, onde Cristo é descrito como "a luz que brilha nas trevas, mas as trevas não a compreenderam".

esperam de seu redentor dádivas sem contraprestação. O dar presentes é tão infantil quanto o poder. Quem presenteia arroga-se poder. A virtude do dar de presente é o manto cerúleo do tirano. Tu és sábio, ó ΦΙΛΗΜΩΝ, tu não presenteias. Tu queres as flores de teu jardim e que cada coisa cresça por si mesma.

Eu louvo, ó ΦΙΛΗΜΩΝ, tua ausência da dimensão de salvador; tu não és nenhum pastor que vai atrás da ovelha perdida, pois acreditas na dignidade da pessoa, que não é necessariamente uma ovelha. Mas se ela for uma ovelha, tu lhe deixas o direito e a dignidade da ovelha, pois por que deveriam ovelhas ser transformadas em pessoas? Na verdade, existem pessoas em número suficiente.

Tu conheces, ó ΦΙΛΗΜΩΝ, a sabedoria das coisas vindouras, por isso és velho, muitíssimo velho, e assim como me sobrepujas em anos, também sobrepujas em futuro o presente, e o tempo de teu passado é incomensurável. Tu és legendário e inatingível. Tu foste e serás, retornando periodicamente. Invisível é tua sabedoria, insciente tua verdade, inverídica em qualquer tempo, e assim mesmo verídica em toda a eternidade, mas tu regas com água viva, mediante a qual se abrem as flores de teu jardim, uma água estelar, um orvalho da noite.

De quem precisas, ó ΦΙΛΗΜΩΝ? Tu precisas das pessoas por causa das pequenas coisas, pois tudo o que é maior e o máximo estão em ti. O Cristo mimou as pessoas, pois ensinou-lhes que só seriam salvas em Um, isto é, Nele, o Filho de Deus, e desde então as pessoas exigem sempre mais as coisas maiores do outro, principalmente sua salvação, e quando em algum lugar uma ovelha se transviou, / ela acusa o pastor. Ó ΦΙΛΗΜΩΝ, tu és uma pessoa humana e provas que as pessoas não são ovelhas, pois tu guardas o maior em ti, por isso flui para teu jardim água fecunda de cântaro inesgotável. 149/150

[IH 150] *Tu és solitário, ó* ΦΙΛΗΜΩΝ, não vejo nenhum discípulo e nenhuma associação em torno de ti, a própria ΒΑΥΚΙΣ é apenas tua outra metade. Tu vives com as flores, árvores e pássaros, mas não com pessoas. Não deverias tu viver com pessoas? Ainda és uma pessoa humana? Não queres saber nada das pessoas? Não vês como formam rodinhas, inventam boatos e contam fábulas infantis a teu respeito? Não queres ir até elas e dizer-lhes que és uma pessoa e um ser mortal como elas e que gostarias de amá-las?

Ó ΦΙΛΗΜΩΝ, tu ris? Eu te entendo. Faz pouco ainda que entrei em teu jardim e queria arrancar de ti o que eu tinha de entender por mim mesmo. Ó ΦΙΛΗΜΩΝ, eu entendo: eu fiz de ti imediatamente um salvador que se deixa comer e que prende por meio de presentes. Assim são as pessoas, pensas tu;

elas todas são ainda cristãs, mas elas querem mais: te querem assim como és, caso contrário não serias para elas ΦΙΛΗΜΩΝ, e ficariam inconsoláveis se não encontrassem um portador de suas lendas. Por isso também haveriam de rir se tu fosses a elas e dissesses que és um mortal como elas e que desejas amá-las. Se fizesses isso, não serias ΦΙΛΗΜΩΝ. Elas te querem ΦΙΛΗΜΩΝ, mas não um mortal a mais, que sofre do mesmo mal que elas.

Eu te compreendo, ó ΦΙΛΗΜΩΝ, tu és um verdadeiro / amante, pois tu amas tua alma por amor às pessoas; elas precisam de um rei que vive por si e que não deve sua vida a ninguém. É assim que te querem. Tu satisfazes o desejo do povo e desapareces. És um recipiente das fábulas. Tu te sujarias se fosses até as pessoas como um ser humano, pois todas elas haveriam de rir e chamar-te de mentiroso, porque ΦΙΛΗΜΩΝ não é um ser humano. 150/151

Eu vi, ó ΦΙΛΗΜΩΝ, aquela ruga em teu rosto: houve um tempo em que eras jovem e querias ser uma pessoa entre as demais pessoas. Mas os animais cristãos não gostaram de tua humanidade pagã, pois sentiram em ti aquele de quem precisavam. Elas procuram sempre o Assinalado, e, quando o pegam alhures em liberdade, elas o prendem numa gaiola de ouro e lhe tiram a força de sua masculinidade, de modo que fica sentado paralítico e calado. Então o louvam e inventam fábulas sobre ele. Eu sei que chamam isto de veneração. E quando não encontram o Verdadeiro, têm ao menos um Papa, cujo ofício é representar a divina comédia. Mas o Verdadeiro sempre desmente a si mesmo, pois não conhece nada maior do que ser uma pessoa humana.

Tu ris, ó ΦΙΛΗΜΩΝ? Eu te compreendo: passou o tempo de seres uma pessoa como as outras. E porque tu amavas de fato o ser humano, decidiste livremente ser ao menos a pessoa que os outros queriam de ti. Por isso eu te vejo, ó ΦΙΛΗΜΩΝ, com nenhuma pessoa, mas com flores, árvores, pássaros e com todas as águas correntes e paradas que não sujam teu estado de ser humano. Pois para as flores, as árvores, os pássaros e as águas não és ΦΙΛΗΜΩΝ, mas uma pessoa. Mas que solidão, que estado de inumanidade! / 151/152

[IH 152] *Por que rís, ó ΦΙΛΗΜΩΝ, não consigo entender. Contudo, não vejo o ar azul de teu jardim? As sombras maravilhosas que te rodeiam? O sol que choca em torno de ti fantasmas azuis do meio dia?*

Tu ris, ó ΦΙΛΗΜΩΝ? Ah, eu te entendo: fugiu-te a humanidade, mas sua sombra surgiu para ti. É bem maior e mais gloriosa a sombra da humanidade do que a própria humanidade. As sombras azuis do meio-dia dos mortos! Sim, lá está tua humanidade, ó ΦΙΛΗΜΩΝ, tu és um mestre e amigo dos mortos. Eles ficam suspirando à sombra de tua casa, eles moram sob os galhos de tuas árvores. Eles bebem o orvalho de tuas lágrimas, eles se aquentam na bondade de teu coração, eles têm fome das palavras de tua sabedoria, que lhes soa cheia, cheia de ressonância vital. Eu te vi, ó ΦΙΛΗΜΩΝ, na hora do meio-dia, com sol alto, tu estavas de pé e falavas com uma sombra azul, havia sangue pisado em tua testa e tormento grandioso a abscurecia. Eu posso adivinhar, ó ΦΙΛΗΜΩΝ, quem era teu hospede da refeição do meio-dia[280]. Como fui tão cego, eu demente!

Aqui estás, ó ΦΙΛΗΜΩΝ! Mas onde estou eu? Vou seguindo meu caminho, meneando a cabeça, e as pessoas olham para mim e eu calo. Ó silêncio desesperador! / [IH 153]

152/153

Ó senhor do jardim! Eu vejo tuas árvores escuras de longe num sol escaldante. Minha estrada leva aos vales onde moram os seres humanos. Eu sou um pedinte andarilho. E eu me calo.

Matar profetas inferiores traz lucro ao povo. Se quiser assassinar, gostaria de matar seus profetas. Quando a boca dos deuses se cala, cada qual pode ouvir sua própria fala. Quem ama o povo se cala. Quando só mais os mestres do erro ensinam, o povo matará os mestres do erro e assim, no caminho de seus pecados, incidirá até mesmo na verdade. Só depois da noite mais escura faz-se dia. Encobri, portanto, as luzes e calai, para que a noite fique escura e silenciosa. O sol se levanta sem nossa ajuda. Só quem conhece o erro mais negro sabe o que é luz.

Ó senhor do jardim! De longe brilha para mim teu arvoredo mágico. Eu venero teu envoltório enganador. Tu, pai de todas as luzes e iluminador do erro. / [281] [Ilustração 154][282]

153/154

---

280 Cf. a fantasia de Jung, de 1º de junho de 1916, em que o hóspede de Filêmon era Cristo (cf. abaixo, p. 359).

281 Nota marginal do volume caligráfico: "O Bhagavadgita diz: sempre que há um declínio da lei e um aumento da iniquidade, eu apareço. Para salvar os piedosos e destruir os malfeitores, para estabelecer a lei eu nasço em cada época". A citação é do cap. 4, versos 7-8 do *Bhagavad Gita*. Krishna está instruindo Arjuna a respeito da natureza da verdade.

282 Inscrição na ilustração "ΠΡΟΦΗΤΩΝ ΠΑΤΗΡ ΠΟΛΥΦΙΛΟΣ ΦΙΛΗΜΩΝ" [Pai dos profetas, amável Filêmon]. Mais tarde Jung pintou outra versão deste quadro como mural num dos quartos de sua torre em Bollingen. Em particular, acrescentou a seguinte inscrição em latim no lado direito da ilustração: "[Hermes: Compreendei, filhos da sabedoria, que esta Pedra preciosa clama dizendo:] Protege-me, e eu te protegerei. Dá-me o que é meu, a fim de que eu te ajude. Pois Sol é meu e seus raios estão no mais íntimo de mim; mas Luna me pertence e minha luz supera toda luz e minhas virtudes são superiores a todas as virtudes. Dou muitas riquezas e prazeres aos homens que os desejam e, quando procuro alguma coisa, eles a reconhecem. Levo-os a compreender e faço com que possuam a força divina. Eu gero a luz, mas a escuridão também pertence à minha natureza. Embora meu metal seja seco, todos os corpos precisam de

Prossigo em meu caminho. Um aço bem fino, endurecido em dez fogos, escondido debaixo da túnica, é meu companheiro. Trago no peito uma cota de malha, disfarçada sob o manto. De noite conquistei o amor das cobras, adivinhei seu enigma. Sento-me a seu lado sobre as pedras quentes do caminho. São astutas e terríveis, mas sei como cativá-las, aqueles diabos frios que picam no calcanhar as pessoas incautas. Tornei-me seu amigo e toco para elas uma flauta de som suave. Mas minha caverna eu a enfeito com suas peles luzidias. Prosseguindo em meu caminho, cheguei a um rochedo avermelhado sobre o qual estava deitada uma cobra multicolorida. Como já tivesse aprendido do grande Filêmon a magia, tomei minha flauta e toquei para ela uma canção mágica, que a fez acreditar ser ela a minha alma. Quando estava suficientemente enfeitiçada, / [Ilustração 155][283] {2}[1][284] disse-lhe eu: "Minha irmã, minha alma, o que dizes tu? Mas ela falou, lisonjeada, e por isso com paciência: "Eu faço crescer capim sobre tudo o que fazes". 154/155

Eu: "Isto soa confortador e parece não significar muita coisa".

C: "Queres que eu diga muita coisa? Eu também posso ser banal como tu sabes, e me dou por satisfeita com isso".

---

mim, porque eu os umedeço. Removo sua ferrugem e extraio sua substância. Por isso nada há no mundo de melhor e mais digno de veneração do que minha união com meu Filho". O texto é tirado de um texto alquímico, o *Rosarium Philosophorum*, e Jung citou algumas destas linhas em *Psicologia e Alquimia* (OC, 12, § 99, 140, 155). O *Rosarium*, publicado pela primeira vez em 1550, foi um dos mais importantes textos da alquimia europeia e trata dos meios de produzir a pedra filosofal. Continha uma série de xilogravuras de figuras simbólicas, que Jung usou em 1946 para elucidar a psicologia da transferência: *A psicologia da transferência. Comentários baseados em uma série de figuras alquímicas* (1946. OC, 16).

283 Em "Aspectos psicológicos da Core" (1951) Jung descreveu anonimamente este quadro como "11. Ela [a *anima*] aparece numa igreja, no lugar em que havia antes um altar, de estatura acima do comum, mas com a face velada". Ele comentou: "O sonho 11 restaura a *anima* na igreja cristã, não porém como um ícone, mas como o próprio altar. Este é o lugar do sacrifício e, ao mesmo tempo, receptáculo das relíquias consagradas" (OC, 9/1, § 369, 380). No lado esquerdo está a palavra árabe para "filhas". Inscrição na orla da ilustração: "Dei sapientia in mysterio quae abscondita est quam praedestinavit ante secula in gloriam nostram quam nemo principum huius seculi cognovit. Spiritus enim omnia scrutatur etiam profunda dei". Esta é uma citação de 1Cor (2,7-10) (Jung omitiu "Deus" antes de "ante secula"). As partes citadas são marcadas aqui em itálico: "Mas nós falamos *a sabedoria de Deus em mistério, sabedoria escondida, que Deus preordenou antes dos séculos para nossa glória*: a qual nenhum dos príncipes deste mundo conheceu; pois, se a tivessem conhecido, não teriam crucificado o Senhor da glória. Mas, como está escrito: o olho não viu nem o ouvido ouviu, nem penetraram no coração do homem as coisas que Deus preparou para aqueles que o amam. Mas Deus revelou-as a nós por seu Espírito: *pois o Espírito perscruta todas as coisas, até mesmo as profundezas de Deus*". Inscrição em cada lado do arco: "Spiritus et sponsa dicunt veni et qui audit dicat veni et qui sitit veniat et qui vult accipiat acquam vitae gratis". O texto é do Ap 22,17: "O Espírito e a esposa dizem: Vem. E aquele que ouve diga: Vem. E aquele que tem sede venha. E quem quiser receba de graça a água da vida". Inscrição acima do arco: "ave virgo virginum"(Salve, virgem das virgens!). Este é o título de um hino medieval.

284 29 de janeiro de 1914.

Eu: "Tenho dificuldade em aceitar isto. Eu acreditava que estavas em íntima

155/156 conexão com todo o além /[285], com o máximo e o mais incomum. Por isso pensei que banalidade lhe seria coisa estranha".

C: "A banalidade é meu elemento vital".

Eu: "Se eu afirmasse isto de mim, seria bem menos surpreendente".

C: "Quanto mais incomum tu fores, mais comum posso ser eu. Um verdadeiro repouso para mim. Acho que sentes que hoje não preciso atormentar-me".

Eu: "Sinto-o e estou preocupado que tua árvore ao final não produza mais nenhum fruto para mim".

C: "Já preocupado? Não sejas tolo e deixa-me descansar".

Eu: "Percebo que te contentas com o banal. Mas não acho que sejas trágica, minha prezada amiga, pois agora já te conheço bem melhor do que antigamente".

C: "Tu te tornas inconveniente. Temo que teu respeito esteja desaparecendo".

Eu: "Estás com medo? Creio que seria supérfluo. Estou bastante informado sobre a contiguidade entre o *pathos* e o banal".

C: "Percebeste portanto a linha serpentiforme do tornar-se anímico? Viste como logo se faz dia, logo se faz noite? Como se alternam água e terra seca? E que todo convulsivo é prejudicial?"

Eu: "Acho que eu o vi. Sobre esta pedra quente, quero ficar ao sol por algum tempo. Talvez o sol me choque".

Mas a cobra aproximou-se devagar, envolveu habilidosa e sinistramente meus pés[286]. Anoiteceu e a noite chegou. Eu falei com a cobra e lhe disse: "Não sei o que dizer. Cozinha-se em todas as panelas".

[287]C: "Uma refeição está sendo preparada".

Eu: "Um jantar?"

C: Uma confraternização com toda a humanidade".

---

285 A partir deste ponto, no volume caligráfico, tornou-se menos coerente a coloração, por parte de Jung, das iniciais em vermelho e azul. Algumas foram acrescentadas aqui por questão de coerência.

286 Esta linha não está no *Livro Negro* 4, onde a voz não é identificada como a cobra.

287 31 de janeiro de 1914.

Eu: "Uma horripilante e doce ideia de ser ao mesmo tempo comensal e comida desse jantar"[288].

C: "Isto foi também o maior prazer do Cristo!"

Eu: "Como tudo flui de modo santo e pecador, quente e frio para dentro um do outro! Loucura e razão querem casar-se, cordeiro e lobo pastam juntos pacificamente[289]. Tudo é sim e não. Os opostos se abraçam. Olham-se mutuamente nos olhos e se alternam. Reconhecem num prazer torturante seu ser uno. Meu coração está repleto de luta furiosa. As ondas de uma torrente clara e escura apressam-se em precipitação umas contra as outras. Semelhante coisa nunca senti antes".

C: "Isto é novo, meu caro, ao menos para ti".

Eu: "Tu caçoas. Mas lágrimas e sorriso são uma coisa só[290]. / Ambas as coisas se passaram comigo e eu estou em rígida tensão. O amoroso chega até o céu e igualmente alto chega aquilo que se opõe. Os dois se mantêm enlaçados e não desejam separar-se, pois o excesso de sua tensão parece significar o último e máximo de possibilidade sentimental". 156/157

C: "Tu te expressas de modo patético e filosófico. Sabes que tudo isso também pode ser dito de maneira bem mais simples. Poder-se-ia dizer, por exemplo, que és amado pelos caracóis até chegar Tristão e Isolda"[291].

Eu: "Sim, eu sei, mas apesar disso –"

C: "Será que a religião ainda te atormenta? De quantos escudos ainda precisas? Dize-o com toda franqueza".

Eu: "Tu não me atinges".

C: "Pois então, o que acontece com a moral? Moral e imoral tornaram-se hoje também uma coisa só?"

Eu: "Tu caçoas, minha irmã e demônio ctônico. Mas devo dizer-te que aqueles dois que se mantêm enlaçados e que chegam até o céu são também o

---

288 Em *Mysterium Coniunctionis* (1955/1956), Jung observa: "Se o conflito projetado deve ser sanado, precisa ele retornar à alma do indivíduo, onde ele se originou de modo inconsciente. Quem quiser dominar esta ruína, deve celebrar uma ceia consigo mesmo, comendo sua própria carne e bebendo seu próprio sangue, isto é, deve reconhecer e aceitar o outro dentro de si" (OC, 14/2, § 176).

289 Cf. Is 11,6: "Então o lobo será hóspede do cordeiro, e o leopardo se deitará com o cabrito; o bezerro, o leãozinho e o animal cevado estarão juntos, e um menino os conduzirá".

290 Nota marginal: "XIV AUG. 1925". Isto parece referir-se à data em que esta passagem foi transcrita no volume caligráfico. No outono de 1925, Jung foi para a África com Peter Baynes e George Beckwith. Saíram da Inglaterra em 15 de outubro e chegaram de volta em Zurique no dia 14 de março de 1926.

291 A narrativa, datada do século XII, do romance adulterino entre o cavaleiro cornualhês, Tristão, e a princesa irlandesa, Isolda, foi recontada em muitas versões, até a ópera de Wagner, à qual Jung se refere como um exemplo da forma visionária de criação artística ("Psicologia e poesia", 1930. OC, 15, § 142).

bem e o mal. Não estou brincando, mas gemo porque alegria e dor soam estridentemente em consonância".

C: Mas onde está a tua inteligência? Ficaste completamente tolo. Poderias resolver tudo em pensamento".

Eu: "Minha inteligência? Meu pensar? Já não tenho inteligência. Tornou-se insuficiente para mim".

C: "Tu renegas tudo em que acreditas. Esqueces completamente quem és. Renegas até mesmo o Fausto, que passou pela marcha silenciosa dos fantasmas".

Eu: "Eu não posso mais. Meu espírito também é um fantasma".

C: "Bem o vejo. Tu segues meus ensinamentos".

Eu: "Infelizmente assim é, e isto me causa uma alegria dolorosa".

C: "Tu fazes de teus sofrimentos um prazer. Estás deturpado, cego; pois então sofre, maluco".

Eu: "Esta desgraça vai alegrar-me".

Neste momento, a cobra ficou raivosa e deu um bote na direção do meu coração, mas quebrou suas presas venenosas na minha armadura escondida[292]. Decepcionada, recolheu-se e disse sibilando: "Tu te comportas realmente como se fosses inatingível".

Eu: "Isto vem do fato de eu ter aprendido a pisar com o pé esquerdo sobre o direito e vice-versa, o que outras pessoas fizeram inconscientemente desde sempre".

Então a cobra se endireitou de novo, colocou a parte da cauda como por 157/158 acaso / diante da boca, para que eu não pudesse ver as presas venenosas quebradas, e disse orgulhosa e calmamente[293]: "Portanto, tu finalmente o percebeste?" Mas sorrindo eu lhe disse: "A linha serpentiforme da vida não podia escapar-me por muito tempo".

[2] [IH 158] Onde estão fidelidade e fé? Onde confiança tépida? Tudo isto encontras entre as pessoas, mas não entre pessoas e cobras, mesmo que sejam cobras anímicas. Mas em toda parte onde existe amor, há algo de serpentino.

292 Esta frase não está no *Livro Negro* 4.

293 Esta frase não está no *Livro Negro* 4.

O próprio Cristo comparou-se a uma serpente[294], e seu irmão infernal, o Anticristo, é o próprio velho dragão[295]. O extra-humano que se manifesta no amor é da natureza da cobra e do pássaro, e muitas vezes a cobra enfeitiça o pássaro e raras vezes o pássaro leva a melhor sobre a cobra. A pessoa está neste intermédio. O que te parece pássaro, para o outro é cobra, e o que te parece cobra é pássaro para o outro. Por isso só te identificarás com o outro no humano. Se queres tornar-te, há uma luta entre pássaros e cobras. E só quando queres ser, serás pessoa para ti mesmo e para os outros. Aquele que está em processo de tornar-se pertence ao deserto ou a uma prisão, pois está no extra-humano. Quando as pessoas querem tornar-se, comportam-se como animais. Ninguém nos salva do mal do tornar-se, a não ser que passemos livremente pelo inferno.

Mas por que agi assim como se aquela cobra fosse minha alma? Certamente porque minha alma era uma cobra. Este conhecimento deu à minha alma nova aparência, e eu decidi que doravante eu a enfeitiçaria e a submeteria ao meu poder. As cobras são espertas, e eu queria que minha cobra anímica dividisse comigo sua esperteza. Nunca a vida foi tão problemática como agora, uma noite de tensão sem objetivo, um ser uno no ser direcionado um contra o outro. Nada se movimenta, nem Deus, nem o demônio. Dirigi-me então à cobra que estava deitada ao sol, como se em nada pensasse. Não se viam seus olhos, pois pestanejava na brilhante luz do sol, e / [Ilustração 159][296] / {3} [1] eu lhe 158/160

294 Jung comentou a comparação de Cristo com a serpente em *Transformações e símbolos da líbido*. OC, B, § 585 e em *Aíon* (1951). OC, 9/2, § 291).

295 Cf. *Transformações e símbolos da líbido*. OC, B, § 585.

296 Legenda da ilustração: "D. IX januarii obiit Hermannus Sigg aet.s. 52 amicus meus" [9 de janeiro de 1927, morreu meu amigo Hermann Sigg, aos 52 anos de idade]. Jung descreveu esta ilustração como "uma flor luminosa no centro, com estrelas girando ao seu redor. Em volta da flor, paredes com oito portões. O todo concebido como uma janela transparente". Esse mandala se baseia num sonho registrado em 2 de janeiro de 1927 (cf. acima, p. 76). Ele também desenhou o "mapa da cidade", onde fica clara a relação entre o sonho e a pintura (cf. Apêndice A). Ele reproduziu anonimamente isto em 1930, no "Comentário a 'O segredo da flor de ouro'", do qual é tomada esta descrição. Reproduziu-a novamente em 1952, e acrescentou o seguinte comentário: "A rosa no centro é representada como um rubi, cuja circunferência foi concebida como uma roda ou um muro circundante com pórticos (a fim de que o que está dentro não saia e o nada de fora possa entrar). O mandala é um produto espontâneo da análise de um paciente". Depois de contar o sonho, Jung acrescentou: "O sonhador diz: 'Tentei pintar este sonho, mas, como de costume, saiu algo bem diferente. A magnólia tornou-se um tipo de rosa de vidro e sua cor era de um rubi claro. Ela brilha como uma estrela de quatro raios. O quadrado representa o muro que cerca o parque e ao mesmo tempo uma rua que circunda o parque quadrado. Neste começam quatro ruas principais e de cada uma saem oito ruas secundárias, as quais se encontram num ponto central de brilho avermelhado, à semelhança da Étoile de Paris. O conhecido mencionado no sonho mora em uma casa de esquina, numa dessas Étoiles'. O mandala reúne, pois, os temas clássicos: flor, estrela, círculo, praça cercada (*temenos*), planta de bairro de uma cidade com uma cidadela. 'O todo me parece uma janela que se abre para a eternidade', escreve o sonhador" ("O simbolismo do mandala". OC, 9/1, § 655). Em 1955/1956, usou esta mesma expressão para designar a ilustração do si-mesmo (*Mysterium coniunctionis*. OC, 14, § 418). No dia 7 de

falei[297]: “Como será agora, já que Deus e o demônio se tornaram um só? Eles concordaram em paralisar a vida? A luta dos opostos pertence às condições indispensáveis da vida? E fica parado quem conhece e vive o ser uno dos opostos? Ele tomou totalmente o partido da verdadeira vida e não age mais como se pertencesse a um partido e devesse combater os outros, mas ele é ambos e pôs um fim à sua contenda. E pelo fato de haver tirado este peso da vida, tirou-lhe também o impulso?”[298]

Então a cobra se virou e disse mal-humorada: “Verdadeiramente, tu me afliges. A oposição sempre foi para mim um elemento vital. Isto deves ter percebido. Com tuas inovações desapareceu esta minha fonte de força. Não consigo seduzir-te com *pathos* nem irritar-te com banalidade. Estou algo confusa”.

Eu: “Se estás confusa, queres que eu te dê conselhos? Mergulha-me de preferência nos fundamentos mais profundos a que tens acesso e pergunta ao Hades ou ao celestial, talvez lá saibam dar algum conselho”.

C: “Tu ficaste autoritário”.

Eu: “A necessidade é ainda mais autoritária do que eu. Preciso viver e poder movimentar-me”.

C: “Tu tens o vasto mundo. O que desejas perguntar ao além?”

Eu: “Não sou levado pela curiosidade, mas pela necessidade, eu não retrocedo”.

C: “Eu obedeço, mas resistindo. Este estilo é novo e inusitado para mim”.

Eu: “Lamento, mas a necessidade urge. Dize à profundeza que nossa situação é difícil, por cortarmos da vida um órgão importante. Como sabes, não sou o culpado, pois me levaste premeditadamente a este caminho”.

---

outubro de 1932, Jung mostrou este mandala num seminário e o comentou no dia seguinte. Neste relato, afirma que o desenho do mandala *precedeu* o sonho: “Vocês se lembram provavelmente do quadro que lhes mostrei ontem à noite, a pedra central e as pequenas joias ao seu redor. Talvez seja interessante que lhes fale sobre o sonho em conexão com o quadro. Eu fui o perpetrador desse mandala num tempo em que não tinha a mínima ideia do que era um mandala, e em minha extrema modéstia pensei que eu era a joia no centro e que aquelas pequenas luzes eram certamente pessoas muito simpáticas que acreditavam que elas também eram joias, só que menores... Eu tinha um bom conceito de mim, pensando que era capaz de expressar a mim mesmo assim: meu centro maravilhoso aqui e eu estando bem em meu coração”. Ele acrescentou que não reconhecia de imediato que o parque era a mesma coisa que o mandala que havia desenhado e comentou: “Agora Liverpool é o centro da vida – *liver* (fígado) é o centro da vida – e eu não sou o centro, eu sou o louco que vive em algum lugar escuro, sou uma daquelas pequenas luzes laterais. Desta forma, meu preconceito ocidental de eu ser o centro do mandala foi corrigido – de que sou tudo, sou o espetáculo todo, o rei, o deus” (*The Psychology of Kundalini Yoga*, p. 100). Em *Memórias*, Jung acrescenta outros detalhes (p. 235-236).

297 1º de fevereiro de 1914.

298 No *Livro Negro* 4, também consta: “Eu te faço hoje esta pergunta, minha alma” (p. 91). Aqui a cobra é substituída pela alma.

C: [299]"Tu poderias ter recusado a maçã".

Eu: "Deixa de brincadeira. Tu conheces aquela história melhor do que eu. Para mim ela é séria. É preciso que haja ar. Põe-te a caminho e pega o fogo. Já faz tempo demais que está escuro ao meu redor. És preguiçosa ou covarde?"

C: "Estou indo à obra. Vai pegando o que eu trouxe lá de baixo"[300].

[IH 160] Devagar levanta-se no recinto vazio o trono de Deus, em seguida vem a Santíssima Trindade, o céu inteiro, depois todo o inferno e, ao final, o próprio satanás. Ele resiste e se aferra ao seu além. Não quer / abandoná-lo. O mundo superior é para ele muito fresco. 160/161

C: "Consegues segurá-lo bem?"[301]

Eu: "Bem-vindo, habitante quente das trevas! Minha alma te trouxe com violência para cima?"

S: [302]"O que significa este barulho? Protesto contra este arrancar violento".

Eu: "Fica calmo. Eu não te esperava. Vieste por último. Pareces ser a parte mais pesada".

S: "O que queres de mim? Não preciso de ti, companheiro malcriado".

Eu: "É bom que te tenhamos. Tu és o mais vivo de toda a dogmática"[303].

S: "O que me importa teu lero-lero? Some depressa. Estou com frio".

Eu: "Ouve bem, aconteceu-nos alguma coisa, nós unimos os opostos. Entre outros, também fizemos com que tu fosses um com Deus"[304].

S: "Senhor Deus, foi este o barulho abominável? Que estupidez aprontastes?"

Eu: "Desculpe, mas isto não foi tão estúpido. A união é um princípio importante. Nós colocamos um fim nesta disputa interminável, a fim de finalmente termos as mãos livres para a verdadeira vida".

S: "Isto cheira a monismo. Eu tomei nota de alguns desses senhores. Para eles foram aquecidas câmaras especiais".

---

299 *Livro Negro* 4: "Tu brincas comigo de Adão e Eva" (p. 93).

300 Nota marginal no volume caligráfico: "Visio".

301 *Livro Negro* 4: "Satanás com chifres e rabo sai de um buraco escuro, eu o puxo pelas mãos" (p. 94).

302 O interlocutor agora é satanás.

303 Para o relato de Jung sobre o significado de satanás, cf. *Resposta a Jó* (1952). OC, 11/4.

304 Jung discutiu longamente a questão da união dos opostos em *Tipos psicológicos* (1921), cap. V, "O problema dos tipos na arte poética". A união dos opostos acontece através de produção do símbolo da reconciliação.

Eu: "Tu te enganas. Conosco as coisas não acontecem tão racionalmente. Também não temos nenhuma verdade definitiva[305]. Trata-se antes de um fato notável e estranho: depois da união dos opostos aconteceu – o que é inesperado e incompreensível, que nada mais aconteceu. Tudo ficou em paz um com o outro, mas totalmente imóvel, e a vida transformou-se numa paralisação".

S: "Ah, seus imbecis, aprontastes algo bem bonito".

Eu: "Tua zombaria é desnecessária. Isto aconteceu com intenção séria".

S: "Nós chegamos a sentir esta vossa seriedade. A ordem do além está abalada nas suas fundações".

Eu: "Percebes, portanto, que se trata de coisa séria. Quero uma resposta à minha pergunta sobre o que deve acontecer agora nesta situação. Não sabemos mais nada daqui para frente".

S: "Aqui um bom conselho fica caro, mesmo quando se gostaria de dá-lo. Vós sois loucos deslumbrados, uma gente descarada. Por que fostes meter as mãos nisso? Como quereis entender a ordem do mundo?"

Eu: "Quando nos acusas, parece que isto te aborrece de modo especial. Vê, a Santíssima Trindade está serena. As inovações não parecem contrariá-la.

161/162 S: "Bem, a Trindade é tão irracional, que não / se pode confiar em suas reações. Eu te desaconselho veementemente a tomar a sério de qualquer maneira aqueles símbolos"[306].

Eu: "Agradeço-te o conselho bem-intencionado. Mas pareces interessado. Nós poderíamos esperar de tua proverbial inteligência um julgamento imparcial".

S: "Não estou sendo parcial. Tu mesmo podes julgar. Se examinares este absolutismo em toda a sua serenidade sem vida, podes facilmente perceber que a situação e paralisação causadas por tua indiscrição têm grande semelhança com o absoluto. Se eu te aconselho contra isso, coloco-me totalmente do teu lado, pois nem tu consegues suportar esta paralisação".

Eu: "Como? Tu estás do meu lado? Isto é estranho".

S: "Não há nada de estranho nisso. O absoluto sempre foi desfavorável ao ser vivo. Eu, no entanto, sou o verdadeiro mestre da vida".

---

305 Em vez dessa frase, o *Livro Negro* 4, tem: "Conosco não transcorre tudo tão intelectualmente e eticamente em geral como no monismo" (p. 96). A referência é ao sistema monista de Ernst Haeckel, que Jung criticava.

306 Cf. JUNG. "Tentativa de uma interpretação psicológica do dogma da Trindade" (1940). OC, 11.

Eu: "Isto é suspeito. Tu reages de modo muito pessoal".

S: "Eu não reajo de modo pessoal. Sou totalmente a vida sem descanso, apressada. Nunca estou satisfeito, nunca sereno. Eu derrubo tudo e reconstruo rapidamente. Sou egoísmo, avidez de fama, prazer de realizações, sou a fonte de novas ideias e ações. O absoluto é enfadonho e vegetativo".

Eu: "Eu quero acreditar em ti. Portanto, o que aconselhas?"

S: "O melhor que te posso aconselhar é: faze com que toda tua inovação prejudicial volte à posição anterior o quanto antes possível".

Eu: "O que se ganhará com isso? Teríamos de recomeçar desde o início e chegaríamos impreterivelmente uma segunda vez à mesma conclusão. O que se aprendeu uma vez não pode ser intencionalmente não sabido e fazê-lo não acontecido. Teu conselho não é conselho nenhum".

S: "Mas não podeis existir sem bipartição e sem contenda. Deveis inquietar-vos por alguma coisa, tomar um partido, vencer oposições, se quiserdes viver".

Eu: "Isto não ajuda em nada. Nós nos vemos também na oposição. Estamos fartos deste jogo".

S: "E, com isso, da vida".

Eu: "Parece-me que se trata daquilo que chamas de vida. Teu conceito de vida tem algo de escalada e algo de derrocada, de afirmação e dúvida, de um deambular incessante, / [Ilustração 163][307] / de desejo irrefletido. Falta-te o absoluto e sua paciência longânime". 162/164

307 Legenda da ilustração: "1928. Ao pintar este quadro, que mostra o castelo de ouro bem armado, mandou-me Richard Wilhelm de Frankfurt o texto chinês, com mil anos de idade, sobre o castelo amarelo, o germe do corpo imortal, Ecclesia catholica et protestantes et seclusi in secreto. Aeon finitus" [A Igreja Católica e os protestantes envoltos em segredo. O fim de um éon]. Jung descreve a ilustração como "uma flor luminosa no centro. com estrelas girando a seu redor. Em volta da flor, paredes com oito pórticos. O todo concebido como uma janela transparente". Jung reproduziu isso anonimamente em 1930 no "Comentário ao 'Segredo da flor de ouro'", do qual é tirada esta descrição. Reproduziu-o novamente em 1952, em "O simbolismo do mandala" e acrescentou o seguinte comentário: "Representação de uma cidade medieval, com fossos de água, ornamentos e igrejas numa disposição de quatro raios. A cidade interna também é cercada de muros e fossos, semelhante à cidade imperial em Pequim. Toda a construção abre-se aqui em direção ao centro, representado por um castelo com teto de ouro. Este também é cercado por um fosso de água. O chão em torno do castelo é coberto de ladrilhos pretos e brancos. Eles representam os opostos que assim se reúnem. Este mandala foi feito por um homem de idade madura... Tal imagem não é estranha à simbologia cristã. A Jerusalém celeste do *Apocalipse* de São João é conhecida de todos. No mundo das ideias indianas encontramos a cidade de Brahma no Monte Meru, montanha do mundo. Podemos ler na *Flor de ouro*: 'O livro do Castelo Amarelo diz: No campo de uma polegada quadrada da casa de um pé quadrado podemos ordenar a vida. A casa de um pé quadrado é a face. Na face, o campo da polegada quadrada, o que poderia ser senão o coração celeste? No meio da polegada quadrada mora a glória. Na sala púrpura da cidade de jade mora o deus do vazio supremo e da vida'. Os taoístas chamam este centro de 'terra dos antepassados ou Castelo Amarelo'" (OC, 9/1, § 691). Sobre este mandala, cf. PECK, J. *The Visio Dorothei*: Desert Context, Imperial Setting, Later Alignments. Zurique: C.G. Jung Institute, Zurique 1992, p. 183-185. [Tese de diplomação].

S: "Correto, minha vida borbulha, espumeja e levanta ondas agitadas, é puxar para si e jogar fora, desejo veemente e desassossego. Isto por acaso é vida?"

Eu: "Mas o absoluto também vive".

S: "Isto não é vida. É paralisação ou, melhor dito, equivalente à paralisação: vive infinitamente devagar e desperdiça milênios, exatamente como o estado miserável que vós criastes".

Eu: "Tu me acendes uma luz. Tu és vida pessoal, mas a paralisação aparente é a vida longânime da eternidade, a vida da divindade. Desta vez me aconselhaste bem. Eu te deixo livre. Boa viagem!"

[IH 164] Satanás deslizou rapidamente como uma toupeira para dentro de seu buraco. Os símbolos da Trindade e seu séquito erguem-se calma e serenamente ao céu. Eu te agradeço, cobra, tu trouxeste à tona para mim o justo. Sua linguagem é compreendida universalmente, pois ela é pessoal. Podemos novamente viver, uma longa vida. Podemos desperdiçar milênios.

[IH 164/2] [2] Onde começar, ó vós deuses? No sofrimento, na alegria ou no sentimento intermédio malsucedido? O começo é sempre a coisa menor, ele inicia no nada. Quando começo lá, vejo a gota "algo" que cai no mar do nada. É preciso começar sempre lá bem embaixo, onde o nada se amplia em liberdade ilimitada[308]. Ainda não aconteceu nada, o mundo ainda precisa começar, o sol ainda não nasceu, a terra firme ainda não está separada das águas[309]. Ainda não subimos nas costas de nossos pais, pois também nossos pais ainda não se tornaram. Faleceram há pouco e descansam no seio de nossa Europa sanguinária.

Nós estamos na amplidão, unidos à cobra, e pensamos na pedra que poderia tornar-se a pedra angular da construção, / que ainda não conhecemos. A coisa mais antiga? Serve para símbolo. Nós queremos coisa palpável. Estamos cansados das teias que o dia tece e a noite desfaz. O diabo deve fazê-lo, o guerrilheiro imbecil de falsa inteligência e mãos ávidas? Ele apareceu, o monte de esterco em que os deuses esconderam seu ovo. Eu gostaria de afastar de mim, com um pontapé, o lixo, se não fosse o grão de ouro no coração nojento da figura disforme.

164/165

308 Esta linha se conecta com o começo do Sermo I, *Aprofundamentos* (cf. adiante, p. 449).

309 Referência ao relato da criação no livro do Gênesis.

Para o alto, pois, filho das trevas e do mau cheiro! Como seguras firme no lixo e entulho da eterna cloaca! Eu não tenho medo de ti, mas te odeio, irmão de tudo o que é detestável em mim. Hoje deves ser forjado com pesados martelos, de modo que esguiche do teu corpo o ouro dos deuses. Teu tempo se esgotou, teus anos estão contados e hoje chegou teu juízo final. Teus envoltórios devem estourar, teu cerne, o de ouro, queremos tomá-lo nas mãos e livrá-lo da sujeira pegajosa. Tu deves sofrer frio, demônio, pois nós te forjaremos a frio. O aço é mais duro que o ferro. Deves sujeitar-te à nossa forma, ladrão da maravilha divina, arremedo de mãe, que enches teu corpo com o ovo dos deuses e assim ganhas peso. Nós somos amaldiçoados em ti, não por tua causa, mas por causa do cerne de ouro.

Que figuras prestativas emergem de teu corpo, abismo ladroeiro? São certamente espíritos elementares, vestindo capas amarrotadas, cabiros de figura grotesca, divertida, nova e mesmo assim velha, anã, enrugada, portadora pouco vistosa de artes secretas, dona da sabedoria ridícula, primeiras formações do ouro informe, vermes que saem do ovo libertado dos deuses, coisa primitiva, não nascida, ainda invisível. O que significa para nós vosso aparecimento? Quais são as novas artes que trazeis à luz, vindas da câmara escura e inacessível, da gema solar do ovo dos deuses? Vós ainda tendes raízes no solo como plantas e sois caricaturas animalescas / do corpo humano, vós sois loucos engraçados, sinistros, iniciantes e terrenos. Não entendemos vossa natureza, gnomos, almas objetivas. Tendes vosso começo no mais inferior. Quereis ser gigantes, pequenos polegares? Fazeis parte do séquito do filho da terra? Sois os pés terrenos da divindade? 165/166

O que quereis? Falai![310]

310 Os cabiros eram divindades celebradas nos mistérios da Samotrácia. Eram considerados os promotores da fertilidade e os protetores dos marinheiros. Creuzer (*Symbolik und Mythologie der alten Völker*, 1810-1823) e Schelling (*Über die Gottheiten von Samothrake*, 1815) acham que eles são as primeiras divindades da mitologia grega, das quais todas as demais se derivam. Jung tinha exemplares de ambos os livros. Eles aparecem no *Fausto*, de Goethe, parte 2, At. 2. Jung discutiu os cabiros em *Transformações e Símbolos da libido* (1912. OC, B, § 209-211). Em 1940, Jung escreveu: "Os cabiros são verdadeiramente as forças secretas da imaginação criadora, os duendes que trabalham subterraneamente na região subliminar de nossa psique, para prover-nos de 'ideias súbitas', e que, à maneira dos coboldes, pregam todos os tipos de peças, roubando de nossa memória e inutilizando datas e nomes que 'tínhamos na ponta da língua'. Eles se encarregam de tudo quanto a consciência e as funções de que ela dispõe não dispensaram... Uma consideração mais atenta permitirá que descubramos precisamente nos motivos primitivos e arcaicos da função inferior determinadas significações e relações simbólicas significativas, sem que zombemos dos cabiros como se fossem ridículos Pequenos Polegares sem importância; pelo contrário, devemos suspeitar que eles encerram um tesouro de sabedoria escondida ("Tentativa de uma interpretação psicológica do Dogma da Trindade", 1940. OC, 11, § 244). Jung comentou a cena dos cabiros em *Fausto*, em *Psicologia e alquimia* (1944)

Os cabiros: "Nós viemos saudá-lo como o senhor da natureza inferior".

Eu: "Estais falando comigo? Sou vosso senhor?"

Os cabiros: "Tu não o eras, mas o és agora".

Eu: "Vós o dizeis. Está pressuposto. Mas o que significa vossa comitiva?"

Os cabiros: "Nós não levamos isto para portadores de baixo para cima. Nós somos os sucos que sobem de maneira secreta, não por força, mas sugados e que por indolência nos gruda naquilo que cresce. Nós conhecemos os caminhos desconhecidos e as leis insondáveis da matéria viva. Nós trazemos nela para cima aquilo que dormita no terroso, que está morto e mesmo assim penetra no que está vivo. Nós fazemos devagar e facilmente o que tu te esforças em vão por fazer à tua maneira humana. Nós realizamos aquilo que para ti é impossível".

Eu: "O que devo deixar para vós? Que esforço posso poupar-vos? O que não devo fazer, e que vós fazeis melhor?"

Os cabiros: "Tu esqueces a inércia da matéria. Queres arrancar para cima com força própria o que só pode subir lentamente, prender-se sugando, colando-se interiormente. Abandona o esforço, senão prejudicas nosso trabalho".

Eu: "Devo eu confiar em vós, não confiáveis, servos e almas servis? Metei mãos à obra. Assim seja".

[311] [IH 166] "Parece-me que vos dei um longo prazo. Não desci até vós, não perturbei vossa obra. Eu vivi à luz do dia e fiz a obra do dia. O que fizestes vós?"

Os cabiros: "Nós carregamos para cima, nós construímos. Colocamos pedra sobre pedra. Assim estás seguro".

Eu: "Eu sinto chão firme. Eu me estico para cima".

166/167 Os cabiros: "Nós te forjamos uma espada / reluzente, com a qual podes cortar o nó que está te prendendo".

Eu: "Eu seguro com firmeza a espada em minha mão. Levanto o braço para o golpe".

Os cabiros: "Nós também colocamos diante de ti o nó entrelaçado como arte diabólica, pelo qual estás fechado e lacrado. Dá um golpe, só uma lâmina pode parti-lo".

(OC, 12, § 203s.). O diálogo com os cabiros, que tem lugar aqui, não se encontra no *Livro Negro* 4, mas está no esboço manuscrito. Pode ter sido escrito separadamente; e, neste caso, teria sido escrito antes do verão de 1915.

311 Nota marginal no volume caligráfico: "Depois disso, deixei o assunto em banho-maria por três semanas".

Eu: "Deixai-me ver o nó, o multiplamente entrelaçado! É realmente uma obra-prima de natureza impenetrável, um raizame engenhoso e naturalmente emaranhado em seu crescimento! Só a mãe natureza, a tecelã cega, pode produzir tal emaranhado. Um grande novelo e milhares de pequenos nós, tudo artisticamente enovelado, enrolado, enraizado, realmente um cérebro humano! Estou vendo claramente? O que fizestes? Estais colocando diante de mim o meu cérebro! Destes-me uma espada na mão para que sua lâmina brilhante divida meu próprio cérebro? O que estais pensando?"[312]

Os cabiros: "O seio da natureza teceu o cérebro, o seio da terra deu o ferro. E assim a mãe natureza te deu as duas coisas: entrelaçamento e separação".

Eu: "Misterioso! Vós quereis fazer-me carrasco de meu cérebro?"

Os cabiros: "Isto te é próprio como o senhor da natureza inferior. O ser humano está entrelaçado em seu cérebro e a ele também foi dada a espada para cortar o emaranhado".

Eu: "O que é o emaranhado de que falais? O que é a espada que deve separar?"

Os cabiros: "O emaranhado é tua loucura, a espada é a superação da loucura"[313].

Eu: "Frutos do demônio, quem vos diz que estou louco? Fantasmas da terra, raízes de barro e lama, não sois vós os filamentos de meu cérebro? Trepadeiras de tentáculos de polvo, canais de sucos desordenadamente misturados, parasita em cima de parasita, sugados para cima e enganados para cima, trepados uns sobre os outros secretamente de noite, para vós serve a lâmina reluzente de minha espada. Vós quereis convencer-me a vos abater? Pensais em autodestruição? Como pode ser que a natureza gere para si criaturas que querem destruir a si mesmas?"

Os cabiros: "Não vaciles. Nós precisamos da destruição, pois nós mesmos somos o emaranhado. Quem quiser conquistar a nova terra, / destrói as pontes atrás de si. Não nos deixes sobreviver por mais tempo. Somos milhares de canais nos quais tudo corre outra vez de volta para seus começos".

167/168

---

312 Em "O símbolo da transformação na missa" (1941), Jung observou que o motivo da espada desempenhou papel importante na alquimia e discutiu seu significado como instrumento de sacrifício, suas funções divisivas e separativas. Observou que "A espada alquimista opera a *solutio* ou *separatio elementorum*, pela qual o estado inicial caótico é novamente estabelecido, de forma que, por meio de uma nova *impressio formae* ou *imaginatio*, é produzido um corpo novo, mais perfeito" (OC, 11/3, § 357s.).

313 Aqui a ideia de superar a loucura se aproxima da distinção de Schelling entre a pessoa que é vencida pela loucura e a pessoa que tudo faz para governar a loucura (cf. nota 89, p. 238).

Eu: "Devo cortar minhas próprias raízes? Matar meu próprio povo cujo rei sou eu? Devo fazer secar minha própria árvore? Vós sois realmente filhos do diabo".

Os cabiros: "Dá o golpe, nós somos servos que querem morrer pelo seu senhor".

Eu: "O que vai acontecer se eu der o golpe?"

Os cabiros: "Então não és mais teu cérebro, mas estás além de tua loucura. Não vês que tua loucura é teu cérebro, o terrível emaranhado e enlaçamento nas junções das raízes, nas redes de canais, a embrulhada de fios. A concentração no cérebro te torna louco. Dá o golpe! Quem encontrou o caminho sobe para além de seu cérebro. No cérebro és anão; para além do cérebro, ganhas estatura de gigante. Somos realmente filhos do diabo, mas não foste tu que nos forjaste no calor e na escuridão? Assim temos algo de sua e de tua natureza. O diabo diz que tudo o que subsiste também merece perecer. Como filhos do diabo queremos destruição, mas como tuas criaturas queremos nossa própria destruição. Pela morte queremos ressurgir em ti. Nós somos raízes que sugam de todas as partes, então tens tudo de que precisas, por isso corta-nos, arranca-nos".

Eu: "Devo perder-vos como servos? Como senhor, preciso de empregados".

Os cabiros: "O senhor serve a si mesmo".

Eu: "Filhos incoerentes do diabo, com estas palavras selastes vosso destino. Minha espada vos fira e que este golpe produza efeito para sempre".

Os cabiros: "Ai, ai! Aconteceu o que temíamos, o que desejávamos".

168/171 / [Ilustração 169] / [IH 171] Eu coloquei meu pé sobre a nova terra. Nada do que foi levado para cima deve fluir de volta. Ninguém deve destruir o que construí. Minha torre é de ferro e sem brecha. O diabo está engastado no fundamento. Os cabiros o construíram e sobre o pináculo da torre foram sacrificados pela espada os mestres de obra. Assim como uma torre sobrepuja o cume da montanha sobre a qual está, assim estou acima de meu cérebro do qual eu nasci. Tornei-me duro e não posso mais voltar ao que era antes. Não fluo mais de volta. Sou o senhor de mim mesmo. Admiro minha glória. Sou forte, belo e rico. As vastas terras e o céu azul se estenderam ao meu redor e se curvam à minha glória. Não sirvo a ninguém e ninguém me serve. Eu sirvo a mim mesmo e me sirvo a mim. Por isso tenho aquilo de que preciso[314].

Minha torre cresceu imperdível pelos milênios. Mas ela pode tornar-se universal e será universal. Poucos entendem minha torre, pois ela está num alto monte. Mas muitos a verão / e não a entenderão. Por isso minha torre permanecerá sem uso. Ninguém subirá em suas paredes lisas. Ninguém tentará voar de seu telhado pontiagudo. Só quem encontra a entrada escondida para a montanha e sobe através dos caminhos errados das entranhas consegue entrar na torre e alcançar a glória do espectador e daquele que vive por si mesmo. Isto foi conseguido e realizado. Não se tornou por remendos do pensamento humano, mas foi forjado a partir do calor abrasador das entranhas, os próprios cabiros levaram a matéria para a montanha e consagraram a construção com seu sangue, como os únicos que conheciam o mistério de seu surgimento. Eu a criei a partir do além inferior e superior e não a partir da superfície do mundo. Por isso é nova e estranha e ultrapassa a planície habitada pelo ser humano. Esta é a fortaleza e o começo[315]. 171/172

[IH 172] Eu me reconciliei com a cobra do além. Aceitei em mim todo o além. A partir disso construí meu começo. Quando esta obra havia terminado, alegrei-me e acometeu-me uma curiosidade de saber o que ainda poderia haver no meu além. Por isso, dirigi-me à minha cobra e lhe perguntei / amigavelmente se ela não queria rastejar para cima e trazer-me notícias do que acontecia no além. Mas a cobra estava esgotada e disse que não tinha vontade nenhuma para tanto. 172/173

{4}[1][316] Eu: "Não quero forçar nada, mas, talvez, quem sabe? vamos experimentar coisas interessantes". A cobra ainda titubeou por um instante e depois desapareceu na profundeza. Logo ouvi sua voz: "Eu cheguei, acredito, ao infer-

---

314 Nota marginal no volume caligráfico: "accipe quod tecum est. in collect. Mangeti in ultimis paginis" [recebe o que está contigo. Nas últimas páginas da colet. Mangeti]. Isto parece referir-se a *Bibliotheca chemica curiosa, seu rerum ad alchemiam pertinentium thesaurus instructissimus*, de J.J. Manget (1702), uma coletânea de textos alquimistas. Jung possuía um exemplar dessa obra, que tinha algumas tiras de papel dentro e alguns sublinhados. A observação de Jung refere-se provavelmente à última xilogravura do *Mutus Liber*, que conclui o volume um de *Bibliotheca chemica curiosa*, uma representação do término do opus alquímico, com um homem sendo levado ao alto pelos anjos, enquanto outro jaz prostrado no chão.

315 Em *Tipos psicológicos* Jung comentou o simbolismo da torre em sua abordagem da visão da torre no *Pastor de Hermas* (OC, 6, § 439s.). Em 1920, Jung começou a planejar sua torre em Bollingen.

316 2 de fevereiro de 1914.

no. Aqui há um enforcado". Um homem feio em sua aparência e com o rosto deformado está diante de mim. Tem orelhas de abano e uma corcunda. Ele diz: "Sou um envenenador que foi condenado a morrer na forca".

Eu: "O que fizeste, pois?"

Ele: "Eu envenenei meus pais e minha mulher".

Eu: "Por que fizeste isto?"

Ele: "Em louvor a Deus".

Eu: "Como? Em louvor a Deus? O que queres dizer com isto?

Ele: "Primeiramente tudo acontece, daquilo que acontece, para a glória de Deus, e, em segundo lugar, eu tive minhas próprias ideias".

Eu: "O que aprontaste então?"

Ele: "Eu a amava e queria tirá-la de uma vida miserável e levá-la rapidamente para a bem-aventurança eterna. Eu lhe dei um sonífero forte, forte demais".

Eu: "Não visaste nisso também teu próprio benefício?"

Ele: "Eu fiquei sozinho e fui muito infeliz. Queria continuar vivendo por amor a meus dois filhos, para os quais eu previa um futuro melhor. Corporalmente, eu era mais saudável que minha mulher, por isso / eu queria continuar vivendo".

173/174

Eu: "Tua mulher estava de acordo com o assassinato?"

Ele: "Não, ela certamente não estaria, mas não sabia de minhas intenções. Infelizmente, o assassinato foi descoberto e eu fui condenado à morte".

Eu: "Reencontraste agora, no além, teus familiares?"

Ele: "Isto é uma história estranhamente incerta. Eu supunha com razão que estava no inferno. De vez em quando me parecia que minha mulher também estava aqui, às vezes também não o sabia ao certo, assim como não estava certo de mim mesmo.

Eu: "Como é isso? Conta mais".

Ele: "Às vezes parece que fala comigo e eu lhe respondo. Mas até agora não falamos do assassinato nem de nossos filhos. Só falamos de vez em quando um com o outro e então sempre de coisas banais, de coisas simples de nossa vida cotidiana de outrora, mas tudo muito impessoal, como se nada mais tivéssemos um com o outro. Eu mesmo não entendo como isto é de fato. De meus pais percebo menos ainda; minha mãe, acredito eu, nunca a encontrei. Meu pai esteve uma vez aqui e falou de seu cachimbo, que havia perdido em algum lugar".

Eu: "Mas como passas o teu tempo?"

Ele: "Acho que conosco não há tempo, por isso não se pode passá-lo. Não acontece absolutamente nada".

Eu: "Mas isto não é / sobremaneira enfadonho?" 174/175

Ele: "Enfadonho? Nunca havia pensado nisso. Enfadonho? Talvez, em todo caso não há nada de interessante. Na verdade, tudo é indiferente".

Eu: "O diabo não vos atormenta?"

Ele: "O diabo? Não vi nada dele".

Eu: "Mas tu vens do além e não saberias contar nada? Isto é pouco provável".

Ele: "Quando eu ainda tinha um corpo, também pensei muitas vezes que seria bem interessante falar com alguém que voltasse depois da morte. Agora não acho nada nisso. Como se diz, conosco tudo é impessoal e puramente objetivo. Acho que é assim que se diz".

Eu: "Mas isto é desesperador. Presumo que estejas no mais profundo do inferno".

Ele: "Como quiser! Posso ir? Adeus".

Ele desapareceu de repente. Mas eu me dirigi à cobra[317] e falei "O que significa esta visita enfadonha vinda do além?"

C: "Eu o encontrei no lado de lá, andando às cegas como tantos outros. Eu o peguei e trouxe para cima. Quer parecer-me que é um bom exemplo".

Eu: "Mas é tudo tão descolorido no além?"

C: "Parece; lá só existe movimento quando passo para o outro lado. De resto, tudo flutua só como sombra para cima e para baixo. Falta totalmente o pessoal".

Eu: "O que acontece então com esse maldito pessoal? Recentemente, satanás causou-me / forte impressão, como se fosse a quintessência do pessoal". 175/176

C: "Naturalmente, ele é o eterno adversário, pois nunca consegue harmonizar vida pessoal com vida absoluta".

Eu: "Não é possível então unir esses opostos?"

C: "Eles não são opostos, apenas diferenças. Tu também não chamarás o dia de oposto ao ano, ou o alqueire de oposto ao côvado".

Eu: "Isto é evidente, mas algo enfadonho".

C: "Como sempre, quando a gente fala do além. E será cada vez mais, sobretudo desde que nivelamos os opostos e nos casamos. Eu acho que os mortos estão prestes a desaparecer".

---

317 O *Livro Negro* 4, tem "alma" (p. 110).

[IH 176] {2} O diabo é a soma da escuridão da natureza humana. Para ser segundo a imagem de Deus, esforça-se aquele que vive na luz, pela imagem do diabo, aquele que vive na escuridão. Pelo fato de eu querer viver na luz, apagou-se para mim o sol, quando toquei a profundeza. Ela era escura e serpentina. Eu me liguei a ela e não a venci. Minha parte da degradação e submissão eu a tomei sobre mim, à medida que me juntava à natureza serpentina.

176/177 Se não tivesse / assumido a natureza serpentina, o diabo, a quintessência de toda natureza serpentina, teria conservado este pedaço de poder sobre mim. Nela o diabo teria encontrado um ganho para obrigar-me a pactuar com ele, assim como astuciosamente ele iludiu Fausto[318]. Mas eu me antecipei a ele, unindo-me à cobra como um homem se une a uma mulher.

Assim tirei ao diabo a possibilidade da influência que sempre passa apenas pela própria natureza serpentina[319], que nós atribuímos normalmente ao diabo, em vez de a nós mesmos. Mefistófeles é satanás revestido de sua natureza serpentina. O próprio satanás é a quintessência do mal, e por isso sem sedução, jamais sensato, mas só negação sem força de convencimento. Assim resisti à sua influência destruidora, agarrei-o e o soldei firmemente. Sua posteridade me servia e eu a sacrifiquei pela espada.

Assim fiz uma construção sólida. Por meio disso consegui eu mesmo firmeza e durabilidade e pude resistir às oscilações do pessoal. Desta maneira foi salvo em mim o imortal. À medida que eu puxava para fora de meu além a escuridão para dentro do dia, esvaziei meu além. Assim desapareceram as reivindicações dos mortos, pois ficaram saciados.

177/178 / Já não sou ameaçado pelos mortos, uma vez que aceitei suas reivindicações ao aceitar a cobra. Mas com isso também introduzi em meu dia algo mortal. Porém era necessário, pois a morte é a coisa mais escura de todas as coisas, o que não pode mais ser anulado. A morte me outorga durabilidade e firmeza. Enquanto eu só queria satisfazer minhas pretensões, eu era pessoal e, por isso, vivo no sentido do mundo. Mas quando admiti em mim as reivindicações dos mortos e as satisfiz, renunciei a meu esforço pessoal primitivo, e o mundo teve de me tomar como um morto. Pois um frio intenso sobrevém àquele que, no

318 No *Fausto*, de Goethe, Mefistófeles faz um pacto com Fausto de que ele o serviria na vida sob a condição de que Fausto o servisse no além (l. 1655).

319 No *esboço corrigido* consta: "de mim com a cobra" (p. 251).

excesso de seu esforço pessoal, reconheceu a reivindicação dos mortos e procurou satisfazê-la.

Sente perfeitamente então como se um veneno secreto tivesse paralisado a vitalidade de suas relações pessoais, mas do outro lado, em seu além, cala-se a voz dos mortos; a ameaça, o medo e a agitação terminam. Pois tudo o que antes aguardava famelicamente nele, vive agora com ele em seu dia. Sua vida é bela e rica, pois ele é ele mesmo.

Repugnante, porém, é aquele que sempre deseja apenas a felicidade do outro, pois ele / atrofia a si mesmo. Assassino é aquele que deseja forçar o outro à bem-aventurança, pois ele mata seu próprio crescimento. Louco é aquele que elimina por amor seu amor. Este está pessoalmente no outro. Seu além é cinzento e impessoal. Ele se impõe a outros, por isso tem a sina de impor-se a si mesmo num frio nada. Aquele que aceitou as reivindicações dos mortos desterrou sua repugnância para o além. Não mais se impõe avidamente aos outros, vive solitário, em beleza, e fala com os mortos. Mas uma vez também a reivindicação dos mortos é satisfeita. Quando então ainda se persiste na solidão, o belo desaparece no além e o desolador entra no aquém. Depois de uma fase branca vem uma preta, sempre estão aí céu e inferno[320]. 178/179

{5} [1] [IH 179] Quando havia encontrado a beleza em mim e comigo mesmo, falei à minha cobra[321]: “Olho para trás como sobre um trabalho realizado”.

Cobra: “Nada ainda está terminado”.

Eu: “Como achas? Nada terminado?”

C: “Agora que está começando”.

Eu: “Tenho a impressão de que mentes”.

C: “Com quem estás discutindo? Tu o sabes melhor?”

Eu: “Eu não sei / nada, apenas já me familiarizei com a ideia de que tínhamos alcançado um objetivo, ainda que provisório. Se até os mortos estão terminando, o que ainda resta por vir?” 179/180

C: “Então precisam primeiramente os vivos começar a viver”.

Eu: “Esta observação poderia ser profunda, mas parece que se limita a uma piada”.

320 Nota marginal no volume caligráfico: “Ainda não havia percebido que eu mesmo era este assassino”.

321 9 de fevereiro de 1914. O *Livro Negro* 4, tem “alma” (p. 114).

C: "Estás ficando atrevido. Eu não estou brincando. Primeiramente, a vida tem de começar".

Eu: "O que tu entendes por vida?"

C: "Eu digo, a vida ainda tem de começar. Tu não te sentiste vazio hoje? Chamas isto de vida?"

Eu: "É verdade o que dizes. Mas eu me esforço por achar tudo tão bom quanto possível e dar-me facilmente por satisfeito".

C: "Isto também poderia ser bastante cômodo. Mas tu precisas e deves ter maiores pretensões".

Eu: "Tenho horror disso. Nem ouso pensar que eu mesmo possa satisfazê-las, mas também não confio em que tu poderias satisfazê-las. Pode ser que esteja novamente confiando pouco em ti. Responsável por isso pode ter sido o fato de eu te achar há pouco tão humanamente abordável e gentil".

C: "Isto não prova nada. Só não penses que poderias envolver-me de alguma forma e incorporar-me a ti".

Eu: "Então, como vai ser? Estou pronto".

180/181 C: "Tu tens direito a um pagamento pelo / que se terminou até agora".

Eu: "Doce pensamento que deve haver um pagamento por isso".

C: "Eu te dou o pagamento na ilustração. Vê".

[IH 181] Elias e Salomé! A rotação completou-se, e os portões do mistério abriram-se de novo. Elias conduz Salomé, a vidente, pela mão. Ela baixa os olhos ruborizada e amorosa.

E: "Aqui te dou Salomé. Que seja tua".

Eu: "Por amor de Deus – o que farei com Salomé? Eu já sou casado, e nós não vivemos entre os turcos"[322].

E: "Ó homem sem expediente, como és tardo. Não é ela um belo presente? A cura dela não é obra tua? Não queres aceitar seu amor como pagamento bem merecido por teu esforço?"

Eu: "Parece-me que é um presente estranho, antes um peso do que uma alegria. Estou feliz pelo fato de Salomé me ser agradecida e me amar. Eu também a amo – de certa forma. Além do mais, o trabalho que ela me deu foi – lite-

322 A poligamia é prática comum na Turquia. Foi oficialmente abolida por Ataturk em 1926.

ralmente falando – mais arrancado de mim do que se eu o tivesse prestado de livre e espontânea vontade. Se esta tortura, involuntária de minha parte, / teve um resultado tão bom, já estou muito satisfeito". 181/182

Salomé para Elias: "Deixa-o, é um homem esquisito. Sabe Deus quais são seus motivos de assim proceder, mas parece que para ele o assunto é sério. Eu não sou feia e sou com certeza desejável para muitos". Dirigindo-se a mim: "Por que me recusas? Eu quero ser tua empregada e te servir. Quero cantar e dançar em tua presença, quero tocar alaúde para ti, vou consolar-te quanto estiveres triste, vou rir contigo quando estás alegre. Quero guardar em meu coração os teus pensamentos. Vou beijar as palavras que disseres para mim. Todo dia vou colher rosas para ti, e todos os meus pensamentos vão esperar sempre por ti e estar contigo".

Eu: "Agradeço teu amor. É belo ouvir falar de amor. É música, a saudade distante e antiga. Tu vês que minhas lágrimas caem sobre tuas boas palavras. Gostaria de ajoelhar-me diante de ti e beijar cem vezes tua mão, porque ela me quis dar amor. Tu falaste com tanta beleza sobre o amor. Nós não nos cansamos jamais de ouvir falar de amor.

Sal: "Por que só falar? Quero ser tua, pertencer toda a ti".

Eu: "Tu és como a cobra, que me envolveu e espremeu meu sangue[323]. / Tuas palavras doces me envolvem, e eu fico como um crucificado". 182/183

Sal: "Por que sempre ainda um crucificado?"

Eu: "Não vês que necessidade inexorável me pregou na cruz? É a impossibilidade que me paralisa".

Sal: "Não queres superar a necessidade? É de fato uma necessidade o que tu assim chamas?[324]

Eu: "Escuta, eu duvido que seja teu destino pertencer a mim. Não quero imiscuir-me na vida que te pertence, pois nunca poderei ajudar-te a levá-la até o fim. E o que ganhas se eu tiver que relegar-te como uma roupa usada?"

Sal: "Tuas palavras são terríveis. Mas te amo tanto que eu mesma poderia também relegar-me quando teu tempo tivesse chegado".

---

323 Nota marginal no volume caligráfico: "No cap. XI do jogo do mistério" (cf. acima, p. 251).

324 O *Livro Negro* 4, continua: [Eu]: "Meus princípios – soa estúpido – perdoai-me –, mas eu tenho princípios. Não penseis que são princípios insípidos de moral, mas são conhecimentos que a vida me impôs". [Alma]: "Que princípios?" (p. 121-122).

Eu: "Sei que seria para mim o maior tormento deixá-la partir assim. Mas se tu podes fazê-lo por mim, também eu o posso por ti. Eu prosseguiria sem queixa, pois não esqueço aquele sonho onde vi meu corpo deitado sobre pregos pontiagudos e meu peito sendo triturado por uma roda de bronze. Tenho de pensar neste sonho sempre que penso no amor. Se for preciso, estou pronto".

Sal: "Não quero semelhante sacrifício. Queria trazer-te alegria. Não posso ser alegria para ti?"

183/184 Eu: "Eu não sei – talvez – /talvez também não".

Sal: "Tenta ao menos".

Eu: "A tentativa equivale à ação. Pois tentativas são caras".

Sal: "Não queres pagar por mim?"

Eu: "Estou um pouco fraco, sem forças, depois do que sofri por ti, para estar em condições de realizar outras tarefas por ti. Não poderia suportá-lo".

Sal: "Se não me quiseres tomar, então nem eu te posso tomar?"

Eu: "Não se trata do tomar, mas se se tratar de alguma coisa, então é do dar".

Sal: "Eu me dou a ti. Só me aceita".

Eu: "Se só dependesse disso! Mas o envolvimento com o amor! Só pensar nisso é horrível".

Sal: "Tu exiges que eu seja e ao mesmo tempo não seja. Isto é impossível. O que te falta?"

Eu: "Falta-me força para tomar nos ombros mais um destino. Já tenho o suficiente para carregar".

Sal: "Mas, se eu te ajudar a carregar este peso?"

Eu: "Como podes? Terias que carregar a mim, um peso rebelde. Não devo eu mesmo carregá-lo?"

E: "Tu dizes a verdade. Cada qual carrega seu peso. Quem impõe aos outros sua carga é seu escravo[325]. A ninguém seja tão pesado carregar a si próprio".

Sal: "Mas, Pai, não poderia eu ajudá-lo a carregar seu peso ao menos por um trecho?"

184/185 E: "Então ele seria teu escravo". /

Sal: "Ou meu senhor e dono".

Eu: "Isto não quero ser. Tu deverás ser uma pessoa livre. Não consigo suportar escravos nem senhores. Eu gosto de pessoas".

325 O tema da moral de senhor e escravo aparece com destaque no primeiro ensaio da obra de Nietzsche: *A genealogia da moral*. Petrópolis: Vozes, 2009 [Trad. de Mario Ferreira dos Santos].

Sal: "E eu não sou uma pessoa?"

Eu: "Sê teu próprio senhor e teu próprio escravo, não pertenças a mim, mas a ti. Não carregues o meu fardo, mas o teu. Assim me deixarias minha liberdade humana, uma coisa que para mim tem mais valor do que o direito de propriedade sobre uma pessoa".

Sal: "Estás me mandando embora?"

Eu: "Não estou te mandando embora. Tu não gostarias de ficar longe de mim. Mas não me dês de teu desejo, e sim de tua plenitude. Não posso saciar tua pobreza, assim como não podes acalmar meu desejo. Se tiveres uma abundante colheita, dá-me alguns frutos de teu pomar. Se sofres de excesso, beberei do chifre transbordante de tua alegria. Eu sei que será um alívio para mim. Eu só posso me saciar à mesa dos saciados, não nas travessas vazias dos saudosos. Eu não roubarei de mim o meu salário. Tu não possuis nada, como podes dar? Tu exiges enquanto dás. Elias, ancião, ouve: tu tens uma gratidão estranha. Não dês de presente tua filha, mas coloca-a de pé / sobre as próprias pernas. Ela gostaria de dançar, cantar ou tocar o alaúde para as pessoas, e elas gostariam de atirar-lhe aos pés suas moedas cintilantes. Salomé, agradeço teu amor. Se me amas de verdade, dança diante da multidão, agrada as pessoas, para que elogiem tua beleza e tua arte. E se tiveres feito rica colheita, atira-me uma de tuas rosas pela janela, e se a fonte de tua alegria transborda, dança e canta também para mim uma vez. Eu desejo muito a alegria das pessoas, sua saciedade e satisfação e não sua indigência". 185/186

Sal: "Que homem duro e incompreensível és tu!"

E: "Tu mudaste muito desde a última vez que te vi. Falas outra língua que, para mim, soa estranha".

Eu: "Meu prezado ancião, acredito realmente que me aches mudado, mas contigo também parece ter havido uma mudança. Onde está tua cobra?"

E: "Ela se perdeu. Acho que foi roubada de mim. Desde então as coisas andam tristes conosco. Portanto, eu teria ficado contente se tu ao menos tivesses aceito minha filha".

Eu: "Eu sei onde está tua cobra. Ela está comigo. Nós a tiramos do submundo. Ela / me dá solidez, sabedoria e força mágica. Nós precisamos dela no mundo superior, caso contrário o submundo teria tido a vantagem de prejudicar-nos". 186/187

E: "Ai de ti, ladrão maldito, Deus te castigue".

Eu: "Tua maldição é impotente. A quem possui a cobra não atinge maldição nenhuma. Portanto, ancião, sê inteligente: quem possui a sabedoria não é ávido de poder. Só possui o poder aquele que não o exerce. Salomé, não chores, só é felicidade aquilo que tu crias e não aquilo que recebes. Desaparecei, meus amigos aflitos, já é tarde da noite. Elias, toma o falso brilho de poder de tua sabedoria e tu, Salomé, por amor ao nosso amor, não te esqueças de dançar".

[2][326] Quando tudo havia terminado em mim, voltei inesperadamente para o mistério, para aquele primeiro aspecto dos poderes do além do espírito e da cobiça. Assim como eu alcancei o prazer em mim e o poder sobre mim, assim Salomé perdeu o prazer nela mesma, mas aprendeu o amor ao próximo, e Elias perdeu o poder de sua sabedoria, mas aprendeu a reconhecer o espírito do pró-
187/188 ximo. Assim, Salomé perdeu o poder da sedução e / tornou-se amor. Uma vez que ganhei o prazer em mim, quero também o amor a mim. Isto seria demais e colocaria um anel de ferro em torno de mim, que me sufoca. Como prazer, aceito Salomé; como amor, eu a rejeito. Mas ela quer vir a mim. Como – devo também ter amor a mim mesmo? O amor, acredito eu, pertence ao próximo. Mas meu amor quer vir a mim Tenho medo dele. O poder de meu pensamento gostaria de afastá-lo de mim para o mundo, para as coisas, para as pessoas. Pois alguma coisa deve unir as pessoas, alguma coisa tem de ser ponte. Pior tentação, quando até mesmo meu amor quer vir a mim! Mistério, abre tua cortina para o novo! Eu quero levar a termo este combate. Sobe, serpente, do abismo escuro!

{6}[327] [1] Ouço Salomé continuar chorando. O que ela quer ainda, ou o que eu quero ainda? Isto é um pagamento maldito que me destinaste, um pagamento no qual não se pode tocar sem sacrifício; e que exige ainda maior sacrifício quando se tocou nele.

Cobra[328]: "Queres então viver sem sacrifício? A vida não te deve custar alguma coisa?"

Eu: "Creio que já paguei. Eu rejeitei Salomé. Isto não é sacrifício suficiente?"

C: "Para ti muito pouco. Como se diz, tu deves ser exigente".

---

326 No Volume Caligráfico há um espaço em branco para uma inicial com base histórica.

327 11 de fevereiro de 1914.

328 No *Livro Negro* 4, esta figura é identificada como "alma" (p. 131).

Eu: "Tu queres dizer certamente com tua maldita lógica: exigente no sacrifício? Não o entendi / assim. Eu me enganei em minha vantagem. Dize-me: não é suficiente que eu empurre meu sentimento para o plano de fundo?" 188/189

C: "Tu não empurras teu sentimento para o plano de fundo, mas é bem melhor para ti não ter que continuar quebrando a cabeça por Salomé".

Eu: "É complicado quando se diz a verdade. É esta a razão de Salomé estar ainda chorando?"

C: "Sim. É esta a razão".

Eu: "E o que se pode fazer?"

C: "Oh, tu queres fazer? Pode-se também pensar".

Eu: "Certo, o que se deve pensar? Confesso que não sei pensar nada neste caso. Talvez tenhas alguma sugestão. Tenho a impressão de que eu deveria subir para além de minha cabeça. Isto não o posso. O que achas?"

C: "Não acho nada, nem tenho sugestão".

Eu: "Então pergunta aos do além, vai ao inferno ou ao céu, talvez lá exista alguma sugestão".

C: "Sou puxado para cima".

Então a cobra transformou-se num pequeno pássaro branco que se elevou para as nuvens onde desapareceu. Eu o acompanhei por longo tempo com o olhar[329].

O pássaro: "Estás me ouvindo? Estou longe. O céu é distante. O inferno está bem mais próximo da terra. Eu encontrei algo para ti, uma coroa abandonada. Ela estava numa estrada nos espaços incomensuráveis do céu, uma coroa de ouro". Já está em[330] / minhas mãos, uma coroa régia de ouro. Na parte interna estão gravadas letras, o que dizem? 189/*esboço*

"O amor não acaba jamais"[331].

Um presente do céu! Mas o que significa?

P: "Eu estou aqui, estás satisfeito?"

Eu: "Em parte – agradeço-te em todo caso o presente significativo. Mas é enigmático, e teus presentes tornam-me por fim desconfiado".

---

329 Esta frase foi acrescentada no *esboço*, p. 533.

330 A transcrição para a versão caligráfica do *Liber Novus* termina aqui. O que segue é transcrito diretamente do datiloscrito do *esboço* (p. 533-556).

331 É uma passagem de 1Cor 13,8. Próximo ao fim de sua vida, Jung citou-a novamente em suas reflexões sobre o amor ao final de *Memórias* (p. 405ss.). No *Livro Negro* 4, a inscrição é em letras gregas (p. 134).

P: "Mas o presente vem do céu".

Eu: "É muito bonito, mas tu conheces a conclusão a que chegamos sobre céu e inferno".

P: "Não exageres. Há contudo uma diferença entre céu e inferno. Eu creio que devo julgar pelo que vi: que no céu acontece tão pouco como no inferno, mas provavelmente de um outro modo. Também o que não acontece não pode acontecer de um modo especial".

Eu: "Tu falas em enigmas, que podem tornar alguém doente se ele os considerar de forma trágica. Dize-me: o que achas da coroa?"

P: "O que acho? Nada. Ela na verdade fala por si".

Eu: "Ou seja, pelas palavras que contém?"

P: "Exatamente; isto não te parece evidente?"

Eu: "De certa forma. Mas isto mantém a pergunta horrivelmente *in suspenso*".

P: "Mas isto, sem dúvida, é intencional".

Aqui, o pássaro se transforma, de repente, de novo na cobra[332].

Eu: "Tu estás ficando nervoso".

Cobra[333]: "Só para com aquele que não é um comigo".

Eu: "Isto certamente não o sou. Mas como se poderia? É horrível ficar dependurado dessa forma no ar".

C: "É difícil demais esse sacrifício? Deves também poder ficar dependurado quando queres resolver problemas. Vê, por exemplo, Salomé!"

Eu (para Salomé): "Eu vejo, Salomé, que ainda choras. Ainda não estás calma. Eu estou dependurado e amaldiçoo este meu estar dependurado. Estou dependurado por amor a ti e a mim. Inicialmente estava crucificado, agora só estou dependurado – menos elegante, mas não menos doloroso[334]. Perdoa-me por ter querido acalmar-te; eu pensava em salvar-te, como naquela vez em que, através de meu autossacrifício, curei tua cegueira. Talvez eu tenha que ser decapitado pela terceira vez por ti, como teu antigo amigo João, que nos apresentou o Cristo sofredor. És tu insaciável? Ainda não vês nenhum caminho para te tornares sensata?"

Sal: "Meu amado, que culpa tenho eu? Renunciei totalmente a ti".

---

332 Esta frase foi acrescentada no *esboço* (p. 534).

333 Esta figura não é identificada como a cobra no *Livro Negro* 4.

334 Em *Transformações e símbolos da libido* (1912), Jung comentou o motivo do enforcamento no folclore e na mitologia (OC, B, § 358).

Eu: "Então, por que continuas chorando? Sabes que não posso suportar ver-te sempre em lágrimas".

Sal: "Eu pensei que eras invulnerável, desde a época em que possuis a vara da cobra".

Eu: "O efeito da vara parece-me duvidoso. Pelo menos em uma coisa a vara da cobra me ajuda: não me sufoco, apesar de estar enforcado. A vara de condão me ajuda sem dúvida a suportar o estar enforcado, embora seja um benefício e uma ajuda horríveis. Não queres pelo menos cortar a corda?"

Sal: "Como poderia? Estás dependurado tão alto[335]. Tão alto na copa da árvore da vida, onde não posso alcançar. Não podes ajudar a ti mesmo, tu, conhecedor da sabedoria das cobras?"

Eu: "Tenho que ficar dependurado por muito tempo ainda?"

Sal: "Tanto tempo, até que tenhas imaginado um auxílio para ti".

Eu: "Diz-me, ao menos, o que achas da coroa que meu pássaro anímico pegou do céu?"

Sal: "O que dizes? A coroa? Tu tens a coroa? Felizardo! E ainda te queixas de quê?"

Eu: "Um rei enforcado trocaria de boa vontade com qualquer pedinte não enforcado da estrada".

Sal (em êxtase): "A coroa! Tu tens a coroa!"

Eu: "Salomé, tem compaixão de mim. O que devo fazer com a coroa?"

Sal (em êxtase): "A coroa – tu deves ser coroado! Que felicidade para mim e para ti!"

Eu: "Ah, o que tens a ver com a coroa? Não posso entendê-lo e sofro tormento indizível".

Sal (cruel): "Fica enforcado até entenderes".

Eu me calo e estou dependurado bem alto acima do chão em galho balouçante da árvore divina, para que assim já os antepassados não pudessem abandonar o pecaminoso. Minhas mãos estão amarradas e eu estou completamente desamparado. Estou dependurado há três dias e três noites.

Donde poderia vir ajuda? Ali está pousado meu pássaro, a cobra que vestiu sua roupa branca de penas.

335 Falta uma página no *Livro Negro* 4, cobrindo o fim desse diálogo e o parágrafo seguinte.

Pássaro: "Nós vamos buscar ajuda das nuvens que passam por sobre a tua cabeça, se não conseguirmos ajuda de outro modo".

Eu: "Queres buscar ajuda das nuvens? Como é possível?"

P: "Eu vou tentar".

O pássaro voou qual cotovia, foi ficando cada vez menor até desaparecer nas densas nuvens cinzentas que cobriam o céu. Eu o acompanhei com olhar saudoso e não vi mais nada do que o céu infindo, coberto de nuvens cinzentas sobre mim, impenetravelmente cinzento, uniformemente cinzento e ilegível. Mas a inscrição na coroa – ela é legível. "O amor não acaba jamais" – significa o eterno enforcamento? Não foi à toa que fiquei desconfiado quando meu pássaro trouxe a coroa, a coroa da vida eterna, a coroa do martírio – coisas ominosas que são perigosamente ambíguas.

Estou cansado, não só cansado de estar dependurado, mas da luta pelas imensidades. Lá longe, debaixo dos meus pés, no chão da terra, está a coroa enigmática, reluzindo em fulgores de ouro. Eu não estou pairando, não, estou dependurado, ou, pior, estou suspenso entre céu e terra – e não posso ficar saciado do estar dependurado –, pudesse eu ao menos saciar-me disso para sempre, mas o amor não acaba jamais. É realmente verdade que o amor não deve acabar jamais? O que foi boa-nova para aqueles, é o que para mim?

"Isto depende do conceito", disse de repente um velho corvo que, não longe de mim, esperando o banquete fúnebre, está pousado num galho, filosoficamente mergulhado em si mesmo.

Eu: "Como depende do conceito?"

Corvo: "De teu conceito e daquele conceito de amor".

Eu: "Eu sei, velha ave agourenta, tu pensas em amor celestial e terreno[336]. O amor celestial seria bem bonito, mas nós somos seres humanos, e eu me decidi, já que somos seres humanos, ser uma pessoa íntegra e correta.

Corvo: "Tu és um ideólogo".

Eu: "Raça estúpida de corvos, afasta-te de mim".

Bem perto do meu rosto movimenta-se um galho, uma cobra preta enrolou-se nele e me olha com o opaco brilho perolífero de seus olhos. Não é a minha cobra?

---

336 Swedenborg descreveu o amor celestial como consistindo em "amar os usos por causa dos usos, ou os bens por causa dos bens, que um homem realiza pela Igreja, por sua pátria, pela sociedade humana e por um concidadão", diferenciando-o do amor a si mesmo e do amor ao mundo (*Heaven and its Wonders and Hell. From Things Heard and Seen*. Londres: Swedenborg Society, 1920, § 554s. [Trad. de J. Rendell]).

Eu: "Irmã e vara preta de condão, de onde vens? Pensei que tivesses voado como pássaro para o céu, e agora estás aqui? Trazes ajuda?"

Cobra: "Eu sou apenas uma minha metade. Não sou uma, mas duas, sou o um e o outro. Estou aqui apenas como o serpentino, o mágico. Mas a magia não ajuda aqui em nada. Eu me enrolei neste galho sem nada que fazer, esperando o desenrolar das coisas. Tu podes precisar de mim em vida, mas não no enforcamento. No pior dos casos, estou disposta a levá-lo para o Hades. Conheço o caminho para lá".

No ar, diante de mim, condensou-se uma figura negra, satanás, com um sorriso sarcástico. Gritou-me: "Isto provém da conciliação dos opostos! Renega e imediatamente estarás cá embaixo sobre a terra verdejante".

Eu: "Eu não renego, não sou imbecil. Se isto tiver que ser assim, que assim seja".

C: "Onde está tua inconsequência? Por favor, lembra-te dessa importante regra da arte de viver".

Eu: "A inconsequência foi satisfeita com o fato de eu estar dependurado aqui. Vivi até o tédio segundo a inconsequência. O que queres mais?"

C: "Mas talvez inconsequência no lugar certo?"

Eu: "Para! O que sei eu do que é lugar certo e errado?"

Satanás: "Quem lida tão soberanamente com os opostos sabe o que é esquerdo e direito".

Eu: "Cala a boca, intrometido! Se pelo menos viesse meu pássaro branco e me trouxesse ajuda, estou com medo, estou ficando fraco".

C: "Não sejas bobo, a fraqueza também é um caminho, a magia vai à desforra".

Satanás: "O quê? Não tens coragem para enfrentar a fraqueza? Queres ser pessoa humana completa, e as pessoas não são fortes?"

Eu: "Meu pássaro branco, não encontras o caminho de volta? Foste embora porque comigo não dá para viver? Oh, Salomé! Lá vem ela. Vem até mim, Salomé! Outra noite se passou. Não te ouvi chorar, mas estive enforcado e ainda estou".

Sal: "Não chorei mais, pois felicidade e infelicidade equilibram em mim sua balança".

Eu: "Meu pássaro branco foi embora e ainda não voltou. Não sei nada e não entendo nada. Isto tem a ver com a coroa? Fala!"

Sal: "O que devo falar? Pergunta a ti mesmo".

Eu: "Não consigo, meu cérebro é como chumbo, só posso choramingar por ajuda. Não sei se tudo está desmoronando, ou se tudo está quieto. Minha esperança está em meu pássaro branco. Ah, não é possível que ser pássaro é o mesmo que estar enforcado".

Satanás: "Conciliação dos opostos! Igual direito para todos e para tudo! Doidices!"

Eu: "Ouço um pássaro chilrear! És tu? Voltaste?"

Pássaro: "Se amas a terra, estás enforcado; se amas o céu, estás pairando".

Eu: "O que é terra? O que é céu?"

P: "Tudo embaixo de ti é terra, tudo acima de ti é céu. Voas quando aspiras ao que está acima de ti, estás enforcado se aspiras ao que está embaixo de ti".

Eu: "O que há acima de mim? O que há embaixo de mim?"

P: "Acima de ti, o que está adiante de ti; embaixo de ti, o que está para trás de ti".

Eu: "E a coroa? Desvenda-me o enigma da coroa".

P: "A coroa e a cobra são opostos e um. Não viste a cobra coroando a cabeça do crucificado?"

Eu: "Infelizmente não te entendo".

P: "Qual foi a palavra que a coroa te trouxe? 'O amor não acaba jamais' – este é o mistério da coroa e da cobra".

Eu: "E Salomé? O que vai acontecer com Salomé?"

P: "Tu vês, Salomé é como tu és. Voa, então crescerão asas nela".

As nuvens se dividem, o céu está cheio de arrebol do terceiro dia que terminou[337]. O sol mergulha no mar, e com ele deslizo do cimo da árvore para a terra. Silenciosa e pacificamente cai a noite.

[2] O medo toma conta de mim. A quem levastes para a montanha, cabiros? E a quem ofereci sacrifício em vós? Vós elevastes a mim mesmo qual torre, fizestes de mim uma torre sobre rochedos inacessíveis, de mim fizestes minha igreja, um mosteiro, meu lugar de suplício, minha prisão. Estou preso em mim mesmo e sou julgado. Em mim sou meu próprio sacerdote e comunidade, juiz e sentenciado, Deus e sacrifício humano.

---

337 Segundo o relato bíblico da criação, o mar e a terra foram separados no terceiro dia.

Ai, cabiros, que obra realizastes! Fizestes nascer do caos uma lei terrível que não pode mais ser abolida. Foi entendida e aceita.

O término do que foi produzido em segredo se aproxima. O que eu vi, eu o descrevi em palavras da melhor maneira que pude. As palavras são pobres e não foram embelezadas. Mas, a verdade é bela e a beleza é verdadeira?[338]

É possível falar do amor com belas palavras, mas da vida? E a vida está acima do amor. Mas o amor é a mãe indispensável da vida. A vida não deve nunca ser forçada para dentro do amor, mas, sim, o amor para dentro da vida. O amor pode estar sujeito ao tormento, mas não à vida. Enquanto o amor anda prenhe da vida, deve ser bem valorizado; mas se tiver parido a vida, tornou-se um invólucro vazio e sucumbe à transitoriedade.

Eu falo contra a mãe que me carregou, eu me afasto do seio gerador[339]. Não falo mais por causa do amor, mas por causa da vida.

A palavra se tornou difícil para mim, mal consegue soltar-se da alma. Portões de bronze se fecharam. Fogos se queimaram e viraram cinza. Fontes se esgotaram, e onde havia mares, há terra seca. Minha torre está no deserto. Feliz daquele que pode estar só em seu deserto. Ele vive mais além.

Não é o poder da carne que deve ser quebrado, mas o do amor, por causa da vida, pois a vida está acima do amor. Uma pessoa precisa de sua mãe até que sua vida se tenha tornado. Então se separará dela. Assim também a vida precisa do amor, até que se tenha tornado, então vai separar-se dele. Dura é a separação da criança de sua mãe, mas ainda mais dura é a separação da vida do amor. O amor procura o ter, mas a vida gostaria do mais além.

O começo de todas as coisas é o amor, mas o ser das coisas é a vida[340] Esta distinção é terrível. Por que, espírito da profundeza escura, me obrigas a dizer:

---

338 O poema de John Keat "Ode to a Grecian Urn" termina assim: "Beauty is truth, truth beauty, – that is all /Ye know on earth, and all ye need to know".

339 Em *Transformações e símbolos da líbido* (1912. OC, B), Jung argumenta que no decorrer do desenvolvimento psicológico, o indivíduo tem de libertar a si mesmo da figura da mãe, como representada nos mitos heroicos (cf. cap. VI, "A luta pela libertação da mãe").

340 Em *Transformações e símbolos da líbido* (1912), ao discutir seu conceito de libido, Jung se refere ao significado cosmogônico de Eros na *Teogonia* de Hesíodo, que ele vincula à figura de Fanes no orfismo e a Kama, o Deus hindu do amor (OC, B, § 223).

quem ama não vive, e quem vive não ama? Eu disse sempre o contrário! Será que tudo deve ser transformado em seu oposto?[341] Será mar onde está o templo de ΦΙΛΗΜΩΝ? Sua ilha sombreada afundará no solo mais profundo? No redemoinho do dilúvio em recuo, que antes engolia todas as terras e povos? Será solo marinho onde se ergue o Ararat?[342]

Que palavras abomináveis murmuras, filho mudo da terra? Queres desfazer o abraço de minha alma? Tu, meu filho, te imiscuis nisso? Quem és? E quem te dá a força? Tudo o que ambicionei, tudo o que arranquei de mim mesmo tu queres novamente inverter e anular? Tu és o filho do diabo para quem todo o sagrado é odioso. Surges avassalador. Tu me incutes medo. Deixa alegrar-me com o abraço de minha alma e não perturbes o sossego do templo.

Ai, tu me penetras com força paralisante. Mas eu não quero teu caminho. Devo cair impotente a teus pés? Diabo e filho do diabo, fala! Tua mudez é insuportável e de burrice assustadora.

Eu ganhei minha alma, e o que foi que ela me gerou? A ti, monstro, um filho, ah – um terrível produto abortivo, um tartamudo, um cabeça de bagre, um sáurio primitivo. Queres ser o rei do mundo? Queres cativar os homens orgulhosos e livres, enfeitiçar as belas mulheres, arrasar os castelos, abrir violentamente as naves das antigas catedrais? Um mudo, uma rã de olhos arregalados e preguiçosos que carrega espiroquetas sobre a superfície de sua lastimável cabeça. E tu queres chamar-te meu filho? Não és meu filho, mas o filho do diabo. O pai do diabo entrou no seio de minha alma e tornou-se carne em ti.

Eu te reconheço, ΦΙΛΗΜΩΝ, tu, o mais astuto de todos os enganadores! Tu me lograste. Minha virgem alma gerou para ti o verme asqueroso. ΦΙΛΗΜΩΝ, maldito charlatão, tu simulaste mistério para mim, colocaste em volta de meus ombros o manto de estrelas, representaste comigo uma comédia amalucada de Cristo, tu me dependuraste, com piedade ridícula, na árvore como Odin[343], tu me fizeste imaginar runas para desenfeitiçar Salomé, e enquanto isso geraste com minha alma o verme nascido do pó. Embuste atrás de embuste! Charlatanice demoníaca inconcebível!

---

341 Em sua obra posterior, Jung deu importância à "enantiodromia", o princípio de que todas as coisas se transformam em seus opostos, que ele atribuiu a Heráclito. Cf. *Tipos psicológicos* (1921). OC, 6, § 793s.

342 No relato bíblico do dilúvio, a arca acabou pousando sobre o Monte Ararat (Gn 8,4). Ararat é uma elevação vulcânica inativa na Armênia (atual Turquia).

343 Na mitologia nórdica, Odin foi traspassado por uma lança e dependurado na árvore do mundo, Yggdrasill, onde ficou por nove noites, até que encontrou as runas, que lhe deram força.

Tu me deste poder mágico, me coroaste, me coroaste com o brilho do poder, para que eu, qual José, fosse um pai fictício de teu filho. Colocaste um ovo de basilisco no ninho da pomba.

Minha alma, prostituta adúltera, tu ficaste prenhe desse bastardo! Estou desonrado, eu, pai caricato do anticristo! Como desconfiei de ti! E quão miserável foi minha desconfiança que não conseguiu imaginar a magnitude dessa infâmia!

O que partiste em dois? Partiste em dois o amor e a vida. Dessa partição e terrível separação nasceu a rã e o filho da rã. Visão ridícula e abominável! Aparecimento inevitável!

Eles estarão sentados na beira da água doce e escutando o canto noturno das rãs, pois seu Deus nasceu como um filho da rã.

Onde está Salomé? Onde a pergunta irrespondível do amor? Nenhuma pergunta mais, meu olhar se volta para além, para as coisas que virão, e Salomé está onde eu estou. A mulher segue seu mais forte, não a ti. Assim ela gera para ti filhos, no bem e no mal.

{7} [1] Como eu estivesse de tal modo sozinho sobre a terra, cercado por nuvens de chuva e pela noite que caía, veio rastejando até mim minha cobra[344] e me contou uma história:

"Era uma vez um rei que não tinha filhos. Mas gostaria de ter um filho. Por isso foi procurar uma mulher sábia que morava na floresta, na qualidade de bruxa, e lhe confessou todos os seus pecados, como se ela fosse um sacerdote nomeado por Deus. Após a confissão, ela lhe falou: 'Senhor rei, o senhor fez o que não deveria ter feito. Mas como aconteceu, acontecido está, e vamos ver o que de melhor lhe pode reservar o futuro. Tome meio quilo de banha de lontra, enterre-o na terra e deixe que se passem nove meses. Depois abra a cova e veja o que achará'. O rei foi para casa envergonhado e desolado porque se havia hu-

344 23 de fevereiro de 1914. No *Livro Negro* 4, o diálogo é com a alma e esta seção começa com Jung perguntando-lhe o que a está impedindo de voltar ao seu trabalho, e ela lhe diz que é sua ambição. Ele pensava que a havia superado, mas a alma disse que ele simplesmente a havia negado, e por isso lhe conta a história que segue (p. 171). A 13 de fevereiro de 1914, Jung deu uma conferência "Zur Traumsymbolik" para a Sociedade Psicanalítica de Zurique. De 30 de março a 13 de abril, Jung partiu de férias para a Itália.

milhado diante da bruxa na floresta. Mas obedeceu à instrução dela, cavou de noite um buraco no jardim e colocou dentro dele um pote de banha de lontra, que havia conseguido a muito custo.

Deixou passar nove meses. Decorrido este tempo, foi novamente de noite ao mesmo lugar, onde estava enterrado o pote, e o desenterrou. Para seu maior espanto, encontrou dentro dele uma criança dormindo; mas a banha havia desaparecido. Tirou a criança e levou-a satisfeito para sua esposa. Ela a levou imediatamente ao peito e veja – seu leite veio em abundância. A criança ia crescendo, tornou-se grande e forte. Desenvolveu-se num homem mais alto e mais forte do que todos os outros.

Quando chegou a idade de vinte anos, apresentou-se diante do pai e disse: 'Eu sei que tu me geraste através de magia e eu não nasci como os demais homens. Tu me criaste pelo arrependimento de teus pecados, e isto me tornou forte. Não nasci de mulher, e isto me fez inteligente. Sou forte e inteligente e por isso exijo de ti a coroa do reino'. O rei ficou assustado com a sabedoria de seu filho e ainda mais com a exigência impetuosa do poder real. Calou-se e pensou: 'O que foi que te gerou? Banha de lontra. Quem te carregou? O ventre da terra. Eu te tirei de um pote, uma bruxa me humilhou'. Decidiu então fazer com que seu filho fosse morto.

Mas como seu filho era mais forte do que todos os outros, ele o temia e por isso pensou em recorrer a um ardil. Foi novamente procurar a bruxa na floresta e lhe pediu conselho. Ela disse: 'Senhor rei, dessa vez o senhor não me confessou nenhum pecado, porque deseja cometer um pecado. Aconselho que enterre novamente um pote com banha de lontra e deixe isto na terra durante nove meses. Depois, desenterre-o e veja o que aconteceu'. O rei fez exatamente o que a bruxa lhe recomendou. A partir daí seu filho foi ficando cada vez mais fraco e, quando o rei, após nove meses, foi ao lugar onde estava enterrado o pote, pôde também abrir a sepultura para seu filho. Colocou o defunto na cova junto do pote vazio.

Mas o rei ficou desolado e, como não conseguiu dominar sua desolação, foi de noite novamente até a bruxa e lhe pediu conselho. Ela disse: 'Senhor rei, o senhor quis um filho, mas quando o filho quis ser o rei e tinha a força e inteligência para tanto, o senhor não quis mais filho nenhum. Por isso perdeu seu filho. Por que se queixa? O senhor teve tudo que queria'. O rei falou: 'Tens razão. Eu o quis assim. Mas não queria esta desolação. Não conheces um remédio para o remorso?' Falou a bruxa: 'Senhor rei, vá à sepultura de seu filho, encha novamente o pote com banha de lontra e, após nove meses, vá ver o que encontrará no pote'. O rei fez tudo de acordo com a instrução e, desde então, ficou alegre e não sabia por quê.

Passados os nove meses, desenterrou o pote; o cadáver havia sumido e, no pote, jazia um menininho a dormir, e ele reconheceu que a criança era seu filho falecido. Ele tomou o menininho consigo, e a partir desse momento ele cresceu numa semana tanto quanto as crianças crescem num ano. Passadas vinte semanas, o filho veio novamente perante o pai e exigiu seu reino. Mas o pai já sabia por experiência e há muito tempo como tudo aconteceria. Mal o filho acabara de expressar seu desejo, o velho rei levantou-se de seu trono, abraçou com lágrimas de alegria seu filho e ele mesmo o coroou rei. E o filho, feito rei, mostrou-se grato a seu pai e o honrou sumamente enquanto ainda viveu".

Mas eu disse à minha cobra: "Realmente, minha cobra, eu não sabia que também és uma contadora de contos de fadas. Mas dize-me: como devo interpretar teu conto de fadas?".

C: "Imagina que és o velho rei e tens um filho".

Eu: "Quem é o filho?"

C: "Ora, eu pensei que tivesses falado agora mesmo de um filho que te dá pouca alegria".

Eu: "Como? Tu não estás pensando – devo coroar a ele?"

C: "Sim, quem mais seria?"

Eu: "Isto é sinistro. O que se passa com a bruxa?"

C: "A bruxa é uma mulher maternal da qual deverias ser filho, pois tu és em ti mesmo uma criança que se renova".

Eu: "Ai de mim, será impossível tornar-me homem algum dia?"

C: "Ser homem o bastante, para mais além ser criança, a plenitude. Por isso precisas da mãe".

Eu: "Tenho vergonha de ser criança".

C: "Com isso, matas o filho. Alguém dormindo precisa da mãe, pois tu não és mulher".

Eu: "Esta verdade é espantosa. Eu pensava e esperava poder ser totalmente um homem".

C: "Isto não o podes por amor ao filho. Gerar significa: mãe e filho".

Eu: "A ideia de ter de permanecer criança é insuportável".

C: "Por amor a teu filho, tens de ser criança e deixar-lhe a coroa".

Eu: "A ideia de ter de permanecer criança é humilhante e destruidora".

C: "Um antídoto eficaz contra o poder![345] Não te irrites contra o permanecer criança, senão te irritas contra o filho[346], que é o que mais desejas".

Eu: "É verdade, eu quero o filho e viver para mais além. Mas o preço é alto".

C: "Mais alto está o filho. Tu és menor e mais fraco do que o filho. É uma verdade amarga, mas não se pode poupá-la. Não fiques amuado, as crianças têm de ser bem-comportadas".

Eu: "Maldita zombaria!"

C: "Homem da zombaria! Eu tenho paciência contigo! Que minhas fontes jorrem para ti e te forneçam a bebida da salvação, quando a seca exaurir toda a terra e todos vierem a ti para implorar-te a água da vida. Portanto, submete-te ao filho".

Eu: "Onde devo pegar a imensidade? Meu saber e poder são limitados, minha força não basta".

Então a cobra movimentou-se, enrolou-se como um nó e falou: "Nunca perguntes pelo amanhã, o hoje deve bastar-te. Não precisas preocupar-te com os meios. Deixa tudo crescer, deixa tudo brotar; o filho cresce por si mesmo".

[2] O mito entoa só para a vida, não para o canto, ele canta para si mesmo. Eu me submeto ao filho, ao gerado magicamente, ao irrealmente nascido, ao filho da rã, ao filho que está na beira da água, falando com seus pais e escutando seu canto noturno. Ele é deveras misterioso e superior em força a todos os homens. Nenhum homem o gerou, nenhuma mulher o pariu.

O absurdo penetrou na mãe primitiva, e em solo profundo cresceu o filho. Ele desabrochou e foi morto. Ele ressuscitou, gerado novamente de modo mágico e cresceu mais agora do que antes. Eu lhe dei a coroa que unifica o separado. E assim ele unifica para mim o separado. Eu lhe dei o poder, e então passou ele a comandar, pois supera a todos os outros em força e inteligência.

Não o quero por vontade livre minha, mas por dedução lógica. Nenhuma pessoa une o inferior e o superior. Mas ele, que não se tornou como um ser

345 O *Livro Negro* 4, traz "ambição" (p. 180).

346 O *Livro Negro* 4, traz "obra" em vez de "filho" nas poucas linhas a seguir (p. 180).

humano e, no entanto, tem a figura de um ser humano, conseguiu uni-lo. Meu poder está paralisado, mas eu continuo a viver em meu filho. Eu deixo de lado a preocupação, ele deseja governar os povos. Eu estou só, os povos o aclamam. Eu era poderoso, agora sou impotente. Eu era forte, agora estou fraco. Pois ele recolheu em si toda a força Tudo se inverteu.

Eu amava a beleza dos belos, a inteligência dos inteligentes, a força dos fortes; eu ria da tolice dos tolos, eu desprezava a fraqueza dos fracos, a avareza dos avarentos e odiava a ruindade dos maus. Mas agora tenho de amar a beleza dos feios, a avareza dos tolos e a fortaleza dos fracos. Tenho de admirar a ignorância dos inteligentes, tenho de respeitar a fraqueza dos fortes e a avareza dos generosos, tenho de prezar a bondade dos maus. Onde ficam zombaria, desprezo, ódio? Eles se transferem para o filho com sinais do poder. Sua zombaria é sangrenta, como brilha seu olho que despreza! Seu ódio é fogo em chamas! Invejável filho dos deuses, quem ousaria não te obedecer?

Ele me fez em dois, ele me cortou. Ele conserva unido o separado. Sem ele eu me fiz pedaços, mas minha vida continuou com ele. Meu amor ficou comigo.

E assim entrei com olhar sombrio na solidão, cheio de rancor e revolta contra o poder do filho. Como pôde meu filho usurpar meu poder? Fui até meus jardins e me sentei num lugar solitário sobre as pedras, à beira da água e pensei coisas negras. Chamei a cobra, minha companheira noturna, que estava deitada comigo sobre as pedras em algum lusco-fusco e me falava com sabedoria de cobra. Mas emergiu então da água meu filho, grande e poderoso, com a coroa na cabeça e juba de leão, pele luzidia de cobra envolvia seu corpo e ele falou assim comigo[347]:

{8} [I] "Estou vindo a ti e exijo tua vida".

Eu: "O que significa isto? Por acaso viraste um Deus?"[348]

Ele: "Eu subo novamente, tornei-me carne, agora volto para o grande brilho e resplendor, para o eterno ardor do sol e te deixo tua terrenidade. Tu ficas com os seres humanos. Estiveste tempo suficiente em comunidade imortal. Tua obra pertence à terra".

---

347 19 de abril de 1914. O parágrafo precedente foi acrescentado no *esboço*.

348 No *Livro Negro* 5, este diálogo é com a alma (p. 29s.).

Eu: "Que modo de falar! Não te revolveste no mais terreno e mais subterrâneo?"

Ele: "Eu me tornei homem e animal e subo agora de novo para meu lugar".

Eu: "Onde é teu lugar?"

Ele: "Na luz, no ovo, no sol, no mais íntimo estar forçado um sobre o outro, no eterno calor da ansiedade. Assim nasce o sol em teu coração e lança seus raios pelo frio mundo afora".

Eu: "Como te transfiguras?"

Ele: "Vou desaparecer de tua visão. Deves viver em negra solidão; pessoas – não deuses – devem iluminar tua escuridão".

Eu: "Como és duro e nobre! Eu gostaria de molhar teus pés com minhas lágrimas, enxugá-los com meus cabelos – eu deliro, sou uma mulher?"

Ele: "Também uma mulher, também uma mãe que engravida. Dar à luz te aguarda".

Eu: "Ó Espírito Santo, manda-me uma centelha de tua luz eterna".

Ele: "Tu carregas a criança".

Eu: "Eu sinto o tormento, o medo e o desamparo da parturiente. Tu te afastas de mim, meu Deus?"

Ele: "Tu tens a criança".

Eu: "Minha alma, ainda és tu? Tu, cobra, tu sapo, tu menino gerado através da magia que minhas mãos enterraram, tu, o caçoado, desprezado e odiado que me apareceu numa forma disparatada? Ai daqueles que contemplam sua alma e a apalpam com as mãos. Eu estou impotente em tua mão, meu Deus!"

Ele: "As grávidas pertencem ao destino. Deixa-me partir, subo para os espaços eternos".

Eu: "Não ouvirei mais tua voz? Ó maldita ilusão! O que pergunto? Tu falarás de novo comigo amanhã, vais tagarelar constantemente no espelho".

Ele: "Não blasfemes. Eu estarei presente e não presente. Tu me ouvirás e não me ouvirás. Eu serei e não serei".

Eu: "Falas de maneira horrivelmente enigmática".

Ele: "Esta é minha linguagem e eu te deixei a compreensão. Ninguém tem teu Deus como tu mesmo. Está o tempo todo contigo, e tu o vês no outro, e assim ele nunca está contigo. Tu queres apoderar-te daquelas pessoas que parecem possuir o teu Deus. Tu verás que elas não o possuem, que só tu o possuis. Assim estás sozinho com pessoas, na multidão, e assim mesmo só. Solidão com muitos – pensa nisso!"

Eu: "Depois disso eu deveria calar-me, mas não posso; meu coração sangra quando vejo como tu te afastas de mim".

Ele: "Deixa-me partir. Voltarei em forma renovada. Vês o sol como ele desaparece vermelho nas montanhas? A obra deste dia está terminada, e novo sol vai voltar. Por que te lamentas pelo sol de hoje?"

Eu: "A noite deve começar?"

Ele: "Ela não é a mãe do dia?"

Eu: "Eu desejaria desesperar por causa dessa noite".

Ele: "O que lamentas? É o destino. Deixa-me partir, minhas asas estão crescendo, e o desejo da luz eterna cresce poderosamente em mim para o alto. Não podes prender-me por mais tempo. Segura tuas lágrimas e deixa-me subir com alegria. Tu és um agricultor, pensa em tua plantação. Estou ficando leve, como um pássaro levanta voo no céu da manhã. Não me prendas, não lamentes, já estou pairando, o grito de vida brota em mim, não posso retardar por mais tempo meu prazer máximo. Devo ir para cima – realizou-se, está rompido o último laço, minhas asas me levam para cima. Eu mergulho no mar da luz. Tu que estás embaixo, sempre mais distante, mais crepuscular – tu desapareces de minha vista".

Eu: "Para onde foste? Aconteceu algo. Estou paralítico. Deus não desapareceu de mim?"

Onde está o Deus?

O que aconteceu?

Que vazio, que vazio abissal! Devo eu comunicar às pessoas como tu desapareceste? Devo pregar o evangelho da solidão abandonada por Deus?

Deveríamos todos ir para o deserto e cobrir nossa cabeça de cinzas, uma vez que Deus nos abandonou?

Acredito e confesso que o Deus[349] é alguma coisa diferente de mim.

Ele levantou voo com alegria rejubilante.

Eu estou na noite dos sofrimentos.

Não mais um Deus[350], mas sozinho comigo mesmo.

---

349 No *Livro Negro* 5: "alma" (p. 37).

350 No *Livro Negro* 5: "com minha alma" (p. 38).

Fechai-vos agora, portões de bronze que eu abri para dar vazão ao dilúvio da destruição e da morte sobre os povos, que eu abri para ajudar o Deus em seu nascimento.

Fechai-vos, montanhas vos soterrem, mares vos afoguem[351].

Eu cheguei ao meu si-mesmo[352], uma figura insegura e lastimável. Meu eu! Eu não desejei este sujeito para meu companheiro. Eu me encontrei com ele. É preferível uma mulher má ou um cão feroz, mas o próprio eu – fiquei horrorizado!

[353]Uma obra é necessária sobre a qual se pode desperdiçar dezenas de anos, necessariamente se deve desperdiçar. Eu tenho de recuperar um pedaço de Idade Média em mim. Terminamos mal e mal a Idade Média no outro. Tenho de começar cedo, naquele tempo em que os eremitas desapareceram[354]. Ascese, inquisição, tortura estão à mão e se impõem. O bárbaro precisa de meios bárbaros de educação. Meu eu, tu és um bárbaro. Quero viver contigo, por isso vou arrastá-lo através de todo um inferno medieval, até que sejas capaz de tornar suportável a vida contigo. Deves ser recipiente e mãe geradora da vida, portanto vou purificar-te.

A pedra-de-toque é o estar só consigo mesmo.

Este é o caminho[355]. [p. 190]

---

351 Este parágrafo foi acrescentado no *esboço*.

352 *Esboço corrigido*: "a mim mesmo" (p. 555).

353 O restante foi acrescentado no *esboço* (p. 555s.).

354 Em 1930 Jung afirmava: "Um movimento de volta à Idade Média é uma espécie de regressão, mas não é pessoal. É uma regressão histórica, uma regressão ao passado do inconsciente coletivo. Isto sempre ocorre quando o caminho para a frente não está livre, quando há um obstáculo diante do qual recuamos; ou quando precisamos tomar algo do passado a fim de escalar o muro à nossa frente" (*Visions*. Vol. 1, p. 148). Por esse tempo, Jung começou a trabalhar intensamente sobre a teologia medieval (cf. *Tipos psicológicos* [1921]. OC, 6 cap. 1: "O problema dos tipos na história do pensamento antigo e medieval").

355 Neste ponto, o *esboço manuscrito* tem: "Finis", contornado por um quadrado (p. 1.205).

Aprofundamentos

Aprofundamentos

{I} Eu resisto, eu não posso aceitar esse nada vazio que eu sou. O que sou? O que é meu eu? Eu sempre pressuponho meu eu. Agora ele está diante de mim – eu diante do meu eu. Falo agora contigo, meu eu:

[1]Nós estamos sozinhos e nosso estar junto corre o perigo impreterível de tornar-se monótono. Temos de fazer alguma coisa, pensar num passatempo: por exemplo, eu poderia educar-te. Comecemos com teu defeito principal que me ocorre de imediato: tu não tens verdadeiro apreço por ti mesmo. Não tens nenhuma boa qualidade da qual te possas orgulhar? Tu achas que é necessário arte para isto. Mas artes a gente também pode aprender de alguma forma. Por favor, faze isto. É difícil para ti – mas todo começo é difícil[2]. Logo o saberás melhor. Tu duvidas? Isto nada adianta. Deves podê-lo, caso contrário não poderei viver contigo. Desde que o Deus ressuscitou e não sei em que céu de fogo ele se expande para fazer não sei o que, dependemos um do outro. Por isso precisas pensar em melhorar, senão nossa vida comum vai tornar-se insuportável. Portanto, cobra ânimo e valoriza-te! Não queres?

Figura lamentável! Vou atormentar-te um bocado se não te esforçares. Por que te queixas? Talvez te fosse benéfica a chibata?

Isto penetra na própria carne? Mas ainda um – e mais um. Que gosto tem? De sangue, sem dúvida? De algo medieval *in maiorem Dei gloriam?*[3]

Ou queres amor, ou que outro nome se lhe dê? Pode-se também educar com amor quando surras nada conseguem. Devo, pois, amar-te? Apertar-te carinhosamente contra mim?

Creio realmente que bocejas.

Como, tu queres falar? Mas não vou permitir que fales, senão vais afirmar afinal que és minha alma. Mas saibas que minha alma está com o verme de fogo, com o filho de rã que voou para o sobrecéu, para as fontes superiores. Sei eu o que ele faz lá? Mas tu não és a minha alma, mas meu simples e vazio nada. – Eu, este ser antipático, ao qual nem mesmo se pode negar o direito de não dar valor a si mesmo.

---

1 19 de abril de 1914.

2 Todos os começos são difíceis", provérbio do Talmud.

3 Para a maior glória de Deus". Lema dos jesuítas de então.

Com você é possível ir ao desespero: teus melindres e tua cobiça ultrapassam qualquer medida razoável. E contigo é que devo viver? Devo sim, desde que aconteceu a maravilhosa desgraça que me deu um filho e o tomou.

Lamento ter de dizer-te uma verdade como esta. Sim, tu és ridiculamente melindroso, teimoso, rebelde, desconfiado, pessimista, covarde, desleal contigo mesmo, venenoso, vingativo; sobre teu orgulho infantil, tua ambição de poder, teu desejo de dominar, tua ambição ridícula, sede de glória quase não se pode falar sem sentir-se mal.

Fica mal para ti todo fingimento e presunção, mas abusas deles a pleno vapor.

Crês que é uma diversão e não antes um nojo viver contigo? Não, três vezes não! Mas eu prometo esticar-te no torniquete e tirar-te o couro aos poucos. Eu te darei oportunidade de mudar de pele.

Tu, exatamente tu, quiseste cortar o mesmo na casaca de outras pessoas?

Vem cá, vou costurar-te um remendo na pele para que sintas como é bom.

Queres queixar-te de que os outros te fizeram injustiça, não te entenderam, te interpretaram mal, te ofenderam, te preteriram, não te deram o devido valor, te acusaram injustamente e o que mais? Vês nisso tua vaidade, tua vaidade eternamente ridícula?

Tu te queixas de que o tormento ainda não tenha chegado ao fim?

Digo-te que ele mal começou. Não tens paciência nem seriedade. Só onde se trata de tua diversão, elogias tua paciência. Prolongarei por isso ao dobro o tormento para que aprendas a ter paciência.

Achas a dor insuportável, mas existem coisas que doem mais ainda e podes causá-las a outros com a maior singeleza e te escusas como sendo desconhecimento.

Mas tu aprenderás a calar. Para tanto vou arrancar-te a língua com a qual zombaste, blasfemaste e – pior ainda – enganaste. Quero especificar todas as tuas palavras injustas e blasfemas e costurá-las a teu corpo para sentires como machucam as palavras más.

Admites que também achas divertido este tormento? Vou aumentar esta diversão até que vomites de prazer, para que saibas o que é ter diversão no tormento próprio.

Tu te revoltas contra mim? Vou apertar mais o torniquete. Vou esmigalhar os teus ossos até que não sobre resistência neles.

Pois eu vou me virar contigo – sim, eu preciso – cuida-te, diabo – tu és meu eu com o qual tenho de me arrastar até a sepultura. Pensas que eu quero carregar em torno de mim esse traste pelo resto de minha vida? Se tu não fosses meu eu, há muito tempo já te teria feito em pedaços.

Mas estou condenado a arrastar-te através de um purgatório, para que te tornes algo mais aceitável.

Invocas a ajuda de Deus?

O velho e amoroso Deus morreu[4], e é bom assim, senão ele teria compaixão de tua pecaminosidade arrependida e estragaria minha execução com indulgência. Tu precisas saber que ainda não surgiu nenhum Deus de amor ou um Deus amoroso, mas um verme de fogo arrastou-se para o alto, uma figura gloriosamente assustadora, que fez chover fogo sobre a terra, causando gritaria generalizada[5]. Portanto, invoca Deus, e ele vai queimar-te com fogo para remissão de teus pecados. Força-te até suar sangue. Esta cura tu a necessitas há muito tempo. Sim – os outros sempre cometem injustiça –, e tu? Tu és o inocente, o justo. Precisas defender o teu bom direito e tens um bom e amoroso Deus a teu lado, que sempre perdoa pecados misericordiosamente. Os outros têm de chegar ao conhecimento, tu te apossaste de todo conhecimento desde sempre e estás plenamente convencido de teu direito. Portanto, clama com todas as forças a teu bom Deus – ele vai ouvir-te e fazer cair fogo sobre ti. Não percebeste ainda que teu Deus se tornou um verme de fogo com crânio chato, que se arrasta sobre a terra com um calor abrasador?

Tu querias ficar por cima. Dá para rir. Estavas por baixo. Estás por baixo. Quem realmente és? Um refugo que me causa nojo.

Será que estás algo impotente? Vou colocar-te num canto, onde podes ficar deitado até que voltes novamente a ti. Se não sentires mais nada, o procedimento não serve de nada. Temos de agir conforme as regras da arte. Está realmente a teu favor que, para tua revisão, há necessidade de meios tão bárbaros, teu progresso parece ser mínimo desde a baixa Idade Média.

[6]Tu te sentes hoje quebrado, rebaixado, inferior? Queres que te diga por quê?

Tua ambição não tem limites. Tuas razões não são objetivas, mas para satisfazer tua reputação. Não trabalhas em prol da humanidade, mas para teu

4 Cf. adiante, nota 91, p. 454.

5 As referências a este Deus nas páginas seguintes não estão no *Livro Negro* 5.

6 20 de abril de 1914. No mesmo dia, Jung renunciou à presidência da Associação Psicanalítica Internacional (*Sigmund Freud C.G. Jung Briefwechsel*, p. 613).

interesse pessoal. Não buscas o aperfeiçoamento da questão, mas o reconhecimento geral e a preservação de teus privilégios. Eu te prestarei homenagens com uma coroa pontiaguda de ferro, que tem os dentes no interior e que penetram na tua carne.

E agora chegamos ao rematado embuste que praticas com tua esperteza. Falas habilidosamente, abusas de tua capacidade, descolores, atenuas, reforças, divides luz e sombra e anuncias em voz alta tua honestidade e íntegra boa-fé. Exploras a boa-fé dos outros, tu os prendes maliciosamente em tuas armadilhas e ainda falas de tua superioridade benfazeja e da felicidade que tu significas para os outros. Tu representas modéstia e não mencionas teus méritos, na esperança certa de que algum outro o faria por ti, e ficas desiludido e chateado quando isto não acontece.

Pregas hipocritamente serenidade. Mas quando se trata disso, és sereno? Não, mentes. Tu te consomes em raiva e tua língua fala punhais frios e sonhas com vingança.

Tu és maldoso e invejoso. Não desejas ao outro a luz do sol, pois gostarias de dividi-lo com aqueles que tu favoreces, porque eles te favorecem. Invejas toda prosperidade em torno de ti e afirmas descaradamente o contrário.

Em teu íntimo pensas impiedosa e normalmente só e sempre o que te convém e nisso não te sentes nem no mínimo responsável pela humanidade. Mas és responsável pela humanidade em tudo que pensas, sentes e fazes. Não simules para mim nenhuma diferença entre pensar e agir. Tu te apoias só no proveito imerecido de não ser obrigado a dizer ou fazer aquilo que pensas ou sentes.

Mas tu és descarado em tudo quando ninguém te vê. Se algum outro te dissesse isto, ficarias mortalmente ofendido, mesmo sabendo que é verdade. Queres censurar os erros dos outros? Para que melhorem? Mas confessa, tu melhoraste? Donde tiras o direito de julgar os outros? Onde está teu autojulgamento? E onde estão os bons fundamentos que sustentam isto? Teus fundamentos são teias mentirosas que encobrem um canto sujo. Julgas os outros e lhes mostras o que deveriam fazer. Isto o fazes porque não tens nenhuma ordem contigo mesmo, mas porque não és limpo.

E então – como pensas na verdade? Parece-me que pensas até mesmo em pessoas, sem considerar sua dignidade humana; ousas pensar nelas e utilizá-las como peças em teu tabuleiro, como se fossem aquilo que pensas que são? Já te passou uma vez pela cabeça que com isso praticas um ato ignominioso de violência, tão perverso quanto aquele que condenas nos outros, ou seja, de que amam os semelhantes como dizem, mas que na realidade os exploram em seu proveito? Teu pecado cresce no escondido, mas não é menor nem menos cruel e corriqueiro.

Mas vou trazer à luz o teu oculto, desavergonhado! Vou espezinhar tua superioridade.

Não me fales de teu amor. O que chamas de amor está encharcado de egoísmo e cobiça. Porém falas dele com palavras altissonantes, mas quanto mais enfáticas as palavras, mais lamentável é o teu chamado amor. Não me fales nunca de teu amor. Mantém tua boca fechada. Ela mente.

Quero que fales de tua vergonha e que, ao invés de palavras altissonantes, provoques um ruído dissonante diante daqueles cuja consideração quiseste conquistar à força. Tu mereces desprezo, não consideração.

Quero extinguir de ti teu conteúdo do qual te orgulhavas, para que fiques vazio como um vaso derramado. Não deves mais ter orgulho de nada a não ser de teu vazio e miserabilidade. Devias ser vaso da vida, portanto imola teus ídolos.

A ti não pertence a liberdade, mas a formalidade, não a força, mas o suportar e receber.

Deves fazer do menosprezo de ti mesmo uma virtude que eu estenderei diante das pessoas como um tapete. Elas pisarão nele com pés sujos e verás que és mais sujo do que todos os pés que pisam sobre ti.

[7]Quando eu te domar, besta, darei oportunidade a outros para também eles domarem suas bestas. O domar começa em ti, meu eu, em nenhum outro lugar. Não que tu, irmão estúpido eu, tivesses sido especialmente selvagem. Há quem seja mais selvagem. Mas eu preciso açoitar-te até que suportes a selvageria dos outros. Então posso viver contigo. Quando alguém te faz injustiça, vou judiar-te até o sangue, até que tenhas perdoado a injustiça sofrida, e não só com os lábios, mas também em teu coração mau com sua irritabilidade perversa. Tua irritabilidade é tua forma específica de violência.

Por isso escuta, irmão em minha solidão, eu aprontei todo tipo de torturas para ti, se resolveres novamente ser irascível. Deves sentir-te inferior. Deves

7 21 de abril de 1914.

suportar que chamem tua limpeza de sujeira e que ambicionem tua imundície, que considerem generosidade teu esbanjamento e louvem tua cobiça como virtude.

Enche tua taça com a bebida amarga da inferioridade, pois não és tua alma. Tua alma está junto ao Deus em chamas e subiu queimando até a abóbada do céu.

Assim mesmo continuarás irascível? Percebo que arquitetas planos secretos de vingança e armas intrigas malvadas. Mas és um bobalhão, não podes vingar-te do destino. Será como açoitar infantilmente o mar. Constrói antes melhores pontes, nisso podes ocupar tua mente.

Gostarias de ser compreendido? Era só o que faltava! Compreende a ti mesmo, então estás suficientemente compreendido. Com isso terás bastante trabalho. Filhos pequenos querem ser compreendidos. Compreende a ti mesmo; esta é a melhor proteção contra a irritabilidade e ela saciará teu desejo infantil de ser compreendido. Queres novamente transformar outras pessoas em escravos de tua cobiça? Mas sabes que eu devo viver contigo e que não vou mais tolerar em ti semelhante estado deplorável[8].

{2} Depois que falei para meu eu essas e muitas outras palavras zangadas, percebi que comecei a suportar o estar sozinho comigo mesmo. Mas muitas vezes ainda insurgiu-se em mim a irascibilidade e todas as vezes tive de me açoitar por causa disso. E eu o fiz por tanto tempo até que tivesse desaparecido também a alegria nesta autotortura[9].

---

8 Jung descreveu a autocrítica apresentada nesta seção de abertura como confrontação com a sombra. Em 1934, escreveu: "aquele que olha o espelho da água vê em primeiro lugar sua própria imagem. Quem caminha em direção a si mesmo corre o risco do encontro consigo mesmo. O espelho não lisonjeia, mostrando fielmente o que quer que nele se olhe; ou seja, aquela face que nunca mostramos ao mundo, porque a encobrimos com a *persona*, a máscara do ator. Mas o espelho está por detrás da máscara e mostra a face verdadeira. Esta é a primeira prova de coragem no caminho interior, uma prova que basta para afugentar a maioria, pois o encontro consigo mesmo pertence às coisas desagradáveis que evitamos enquanto pudermos projetar o negativo à nossa volta. Se formos capazes de ver nossa própria sombra, suportá-la, sabendo que ela existe, já teríamos resolvido uma pequena parte do problema. Teríamos, pelo menos trazido à tona o inconsciente pessoal" ("Sobre os arquétipos do inconsciente coletivo". OC, 9, § 43-44).

9 Este parágrafo não ocorre no *Livro Negro 5*. Em 30 de abril de 1914, Jung renunciou à cátedra na Faculdade de Medicina da Universidade de Zurique.

[10]Escutei então na noite uma voz que vinha de longe, a voz de minha alma. Ela falou: "Como estás longe!"

Eu: "És tu, minha alma? De que altura e de que distância estás falando?"

A: "Eu estou sobre ti. Minha distância é uma distância de mundo. Fiquei com a propriedade do sol. Recebi a semente do fogo. Onde estás? Mal posso divisar-te em tua neblina".

Eu: "Estou aqui embaixo, sobre a terra tenebrosa, em fumaceira escura, que nos deixou o sol, e meu olhar não te alcança. Mas tua voz me soa mais próxima".

A: "Eu o percebo. A gravidade da terra me impregna, uma frescura úmida me envolve, sou acometido pela lembrança cinzenta de padecimentos antigos".

Eu: "Não desças para a fumaceira e para a escuridão da terra. Gostaria que alguma coisa daquilo em que ainda toco conservasse a propriedade do sol. Caso contrário perco a coragem de continuar vivendo cá embaixo na escuridão da terra. Deixa que ao menos escute tua voz. Nunca mais vou desejar ver-te em carne. Deixa-me uma palavra! Tira-a da profundeza, de onde talvez me venha ao encontro o medo".

A: "Isto eu não posso, pois de lá jorra a fonte de tua produção".

Eu: "Tu vês minha insegurança".

A: "O caminho inseguro é o caminho bom. Nele estão as possibilidades. Sê firme e produze".

Eu escutei o bater de asas. Eu sabia que o pássaro estava subindo mais alto, para além das nuvens, no brilho de fogo da divindade expandida.

[11]Voltei-me para meu irmão, o eu; estava parado, muito triste e olhava para o chão, soluçava e teria preferido estar morto, pois o peso de tristeza imensa o afligia. Mas saiu de mim uma voz e disse as palavras: "É duro – as vítimas caem à direita e à esquerda – e tu estás crucificado por amor à vida".

E eu disse ao meu eu: "Meu irmão, que sabor tem para ti esta conversa?"

Ele suspirou fundo e lamentou: "Ela é amarga, e me sobrevém grande sofrimento".

Ao que respondi: "Eu sei, mas não dá para mudar". Eu, porém, não sabia o que, pois ainda ignorava o que o futuro reservava (isto aconteceu a 21 de maio

10 8 de maio de 1914. Há uma lacuna nos registros do *Livro Negro* 5, entre 21 de abril e 8 de maio, assim as discussões mencionadas no parágrafo anterior parece que não foram registradas.

11 21 de maio de 1914.

de 1914). No cúmulo da tristeza, olhei para as nuvens no alto, gritei por minha alma e a interroguei. Escutei perfeitamente sua voz amiga e clara que respondeu:

"Sou tomado de muita alegria. Levanto-me mais alto, minhas asas crescem".

A estas palavras, fui tomado de amargura e gritei: "Tu vives do sangue do coração humano".

Ouvi que ela ria – ou não riu? "Nenhuma bebida me é mais agradável do que o sangue vermelho".

Fui tomado de raiva incontida e gritei: "Se não fosses minha alma que seguiu a Deus para as paragens eternas, eu diria que és o mais terrível flagelo dos seres humanos. Mas quem toca em ti? Eu sei, coisa divina não é coisa humana. O divino consome o humano. Eu sei, esta é a dureza, esta é a atrocidade, quem te tocou com as mãos não consegue mais eliminar o ardor de suas mãos. Eu estou à tua mercê".

Ela respondeu: "Não fiques zangado, não te queixes. Não ligues para os sacrifícios cruentos. Não se trata de tua dureza, de tua atrocidade, mas de necessidade. O caminho da vida está semeado de gente caída em combate".

Eu: "Sim, eu vejo, é um campo de batalha. Meu irmão, o que há contigo? Tu gemes?"

Respondeu então meu eu: "Por que não deveria eu gemer e soluçar? Eu me carrego de mortos e não dou conta de arrastar seu número".

Mas não entendi meu eu e por isso falei o seguinte: "Tu és um pagão, meu amigo! Não ouviste que foi dito: deixai que os mortos enterrem seus mortos?[12] Por que queres carregar-te com mortos? Tu não os levarás mais longe se os arrastares".

Meu eu falou então em voz lamuriosa: "Mas tenho pena dos pobres caídos em combate, eles não chegam à luz. Talvez se eu os arrastar – ?"

Eu: "Pensas o quê? Suas almas alcançaram o tanto quanto puderam. Então atingiram o destino. Conosco vai acontecer o mesmo. Tua compaixão é doentia".

Mas a minha alma gritou de longe: "Deixa-lhe a compaixão. A compaixão une morte e vida".

Estas palavras de minha alma me surpreenderam. Ela falava de compaixão, ela que, sem compaixão, subiu para o alto em companhia do Deus, e eu lhe perguntei:

12 Mt 8,21-22: "E outro de seus discípulos lhe disse: 'Senhor, deixa-me ir primeiro enterrar meu pai'. Jesus, porém, lhe respondeu: 'Segue-me e deixa que os mortos enterrem seus mortos'".

[13] "Por que fizeste isso?"

Pois minha irritabilidade humana não compreendeu a atrocidade daquela hora. Ela respondeu:

"Não tenho a obrigação de estar em vosso mundo. Eu me sujo na lama de vossa terra".

Eu: "E eu não sou terra? Não sou lama? Cometi um erro que te obrigou a seguir o Deus para os páramos superiores?"

A: "Não! Foi necessidade interior. Eu pertenço ao alto".

Eu: "Ninguém sentiu nesse teu desaparecimento uma perda irreparável?"

A: "Ao contrário. Tu ganhaste muito com isso".

Eu: "Se eu considerar meu sentimento humano a respeito disso, poderiam surgir-me dúvidas".

A: "O que percebeste? Por que deve ser sempre falso aquilo que vês? Esta é tua injustiça específica, que não podes deixar de te fazer sempre de tolo. Não podes ao menos uma vez permanecer em teu caminho?"

Eu: "Tu sabes que eu duvido por amor às pessoas".

A: "Não, por amor à tua fraca vontade, por amor à tua dúvida e descrença. Permanece em teu caminho e não fujas de ti mesmo. Existe uma intenção divina e uma intenção humana. As duas se cruzam nas pessoas tolas e esquecidas de Deus, às quais por vezes tu também pertences".

Como eu não pudesse ver a que tudo isso se referia, sobre o que a alma falava e de que minha alma sofria (pois isto aconteceu dois meses antes da eclosão da guerra), queria entender tudo como acontecimento pessoal meu, não conseguindo por isso compreender tudo nem acreditar em tudo. Pois minha fé é fraca. E eu acho que é melhor que em nosso tempo a fé seja fraca. Nós somos frutos daquela infância em que a fé pura e simples era o meio mais indicado de levar a pessoa ao bem e ao razoável. Portanto, se quiséssemos também hoje ter novamente uma fé forte, voltaríamos assim para aquela infância primitiva. Mas nós temos tanta ciência e tanto ímpeto de conhecimento em nós que precisamos mais do conhecimento do que da fé. Mas a firmeza da fé haveria de perturbar nosso conhecimento. A fé pode ser algo forte, mas é algo vazio e muito pouco convivido pelo ser humano todo, se nossa vida com Deus se fun-

13 23 de maio de 1914.

damenta exclusivamente na fé. Podemos nós de fato crer pura e simplesmente? Parece-me muito pouco. Pessoas que têm inteligência não podem crer pura e simplesmente, mas devem buscar o conhecimento com todas as suas forças. A fé não é tudo, nem o conhecimento. A fé não nos dá a certeza e a riqueza do conhecimento. A vontade de conhecer às vezes nos afasta demais da fé. As duas coisas têm de chegar ao equilíbrio.

Mas é também perigoso crer demais, porque hoje cada qual tem de procurar seu próprio caminho e nele tropeçar num além cheio de coisas fortes e estranhas. Com fé em demasia, eu poderia facilmente tomar tudo literalmente e não seria nada mais que um louco. A infantilidade da fé falha com relação às nossas necessidades atuais. Precisamos do conhecimento discernidor para esclarecer a confusão que o descobrimento da alma veio trazer. Por isso talvez seja preferível aguardar melhores conhecimentos antes de aceitar tudo com muita fé[14].

A partir dessa reflexão, disse eu à alma: "Deve-se aceitar tudo isto? Sabes em que sentido o pergunto. Não é maneira estúpida ou incrédula perguntar isso, mas é uma dúvida de categoria mais elevada".

Respondeu ela: "Eu te entendo – mas deve ser aceito".

E eu: "Assusta-me o isolamento dessa aceitação. Tenho horror da loucura que acomete o solitário".

Ela respondeu: "Como bem sabes, eu já te predisse há muito a solidão. Não precisas temer a loucura. O que eu te predigo tem validade".

Essas palavras me encheram de intranquilidade, pois senti que não poderia aceitar o que minha alma predisse, porque eu não o entendi, Eu queria entendê-lo sempre em relação a mim mesmo. Por isso falei à alma:

"Que medo incompreensível me atormenta?"

"É tua descrença, tua dúvida. Não queres acreditar na magnitude dos sacrifícios que são exigidos. Mas isto vai até o sangue. Grandes coisas exigem grandes coisas. Tu queres sempre ainda ser pequeno demais. Não te falei de desamparo? Queres ter vida melhor que os outros?"

"Não", respondi. "Não é este o caso. Mas eu temo fazer uma injustiça às pessoas, seguindo meu próprio caminho".

---

14 Esses dois últimos parágrafos não ocorrem no *Livro Negro* 5. Em *Transformações e símbolos da libido* (1912), Jung escreveu: "Eu acho que a fé deveria ser substituída pelo entendimento" (OC, B, § 356). Em 5 de outubro de 1845 Jung escreveu a Victor White: "Eu comecei minha carreira repudiando tudo o que cheirasse a fé" (LAMMERS, A.C. & CUNNINGHAM, A. (orgs.). *The Jung-White Letters*. Londres: Philemon Series/ Routledge, 2007, p. 6).

“De que desejas escapar?”, disse ela; “não existe escapatória. Tens de andar teus caminhos, sem ligar para os outros, não importa que sejam bons ou maus. Tu colocaste tua mão sobre o divino, o que aqueles não fizeram”.

Eu não podia aceitar essas palavras, pois temia ser iludido. Por isso também não queria aceitar esse caminho que me forçava a uma conversa ambígua com minha alma. Eu teria preferido falar com pessoas. Mas sentia a compulsão para o isolamento e temia ao mesmo tempo a solidão de meu pensar que abandonou todos os trâmites costumeiros[15]. Estando a pensar assim, a alma me falou: “Não te predisse solidão tenebrosa?”

“Eu sei”, respondi, “mas não imaginava que viria assim. Tem de ser assim?”

“Tu só podes dizer sim. Nada há que fazer, a não ser tratar de teu assunto. Quando algo tem de acontecer, só acontecerá dessa maneira”.

“Portanto não adianta revoltar-se contra a solidão?”, gritei.

“Não adianta nada. Deves estar forçado em tua obra.”

Quando minha alma falou assim, aproximou-se de mim um velho de barba branca e rosto preocupado[16]. Perguntei-lhe o que queria de mim. Ele respondeu:

“Sou um anônimo, um dos muitos que viveram na solidão e morreram. Isto exige de nós o espírito da época e a verdade reconhecida. Olha para mim – isto tens que aprender. Tiveste uma vida muito boa”[17].

“Mas”, repliquei eu, “isto é ainda uma necessidade em nosso tempo tão multiplamente diverso?”

“É verdadeiro hoje como ontem. Não esqueças nunca que és um ser humano e por isso tens que sangrar em prol da humanidade. Cultiva com denodo a solidão e sem resmungar, para que tudo amadureça a seu tempo. Deves ficar sério e por isso despede-te da ciência. Hás nela infantilidade demais. Teu caminho vai para a profundeza. A ciência é por demais superficialidade, somente palavras, apenas instrumento. Mas tu precisas ir à obra”[18].

---

15 24 de maio de 1914. As linhas iniciais deste parágrafo não ocorrem no *Livro Negro* 4.

16 O *Livro Negro* 4, continua: “É como um velho santo, um dos primeiros cristãos que viveram no deserto” (p. 77).

17 No *esboço* manuscrito de “Aprofundamentos”, há aqui uma nota a mão: 27/11/17, que parece referir-se à data em que esta parte do manuscrito foi composta.

18 O *Livro Negro* 5, continua: [Eu]: “Eu sou escolástico?” [Alma]: “Isto não, mas científico, a ciência é uma nova versão da escolástica. Isto deve ser superado”./ [Eu]: “Ainda não basta? Com isso não contrario demais o espírito da época, se eu me declarar livre de toda ciência?/ [Alma]: “Tu não deves separar-te totalmente, mas imagina que a ciência seja apenas tua linguagem”./ [Eu]: “Em que profundeza pedes que eu entre?”/ [Alma]: “Sempre acima de ti e para além do presente”./ [Eu]: “Eu quero, mas o que vai acontecer? Muitas vezes tenho a impressão de que não posso mais”./ [Alma]: “Tu deves recuperar o tempo perdido. Abre espaço. Muitas pessoas consomem o teu tempo”./ [Eu]: “Vem também este sacrifício? Tu deves, tu deves” (p. 79-80).

Eu não sabia a qual obra. Pois tudo era escuro. Tudo ficou difícil e duvidoso, uma tristeza infinda se apoderou de mim e permaneceu muitos dias sobre mim. Então ouvi, certa noite, a voz do velho. Ele falava devagar e ponderadamente, as frases que dizia me pareceram desconexas e tremendamente absurdas, de modo que fui tomado novamente pelo medo da loucura[19]. Disse literalmente as seguintes palavras:

[20] "Ainda não é noite todos os dias. O pior vem por último.

A mão que bate por primeiro bate melhor.

A tolice brota dos poços mais profundos e abundantemente como o Nilo.

A manhã é mais bela que o anoitecer.

A flor exala perfume até que feneça.

A geada vem o mais tarde possível na primavera, caso contrário não encontra seu destino".

Essas frases que o velho disse para mim na noite de 25 de maio de 1914 pareceram-me de uma incongruência terrível. Senti que meu eu se transformou em dores. Ele gemeu e se queixou do peso dos mortos que caía sobre ele. Era como se tivesse que arrastar milhares de mortos.

Esta tristeza não terminou até 24 de junho de 1914[21]. Durante a noite, minha alma me disse: "O maior torna-se o menor". Depois disso, nada mais foi dito. E então estourou a guerra. Abriram-se então meus olhos sobre muita coisa que eu havia vivido antes, e isto me deu também a coragem de dizer tudo o que escrevi nas partes anteriores deste livro.

{3} A partir daí, calaram-se as vozes da profundeza durante todo um ano. Mas novamente no verão, quando andava sozinho de barco pelas águas, vi uma águia-pesqueira mergulhando diante de mim; ela tirou da água um peixe muito grande e sumiu com ele nas alturas[22]. Ouvi a voz

---

19 Este parágrafo não se encontra nos *Livros Negros*.

20 25 de maio de 1914.

21 O *Livro Negro* 5, continua: "Bah, este livro! Novamente eu te tenho – banal e doentio, louco e divino, meu inconsciente posto por escrito! Tu me forçaste a ficar de joelhos outra vez. Aqui estou, dize o que tens a dizer!" (p. 82). Esta é a única referência ao inconsciente nos *Livros Negros*, 2 a 7.

22 3 de junho de 1915. Nesse meio tempo, Jung escreveu o *esboço* dos livros anteriores do *Líber Novus*. No dia 28 de julho de 1914, Jung deu uma palestra sobre "A importância do inconsciente na psicopatologia" num congresso da British Medical Association em Aberdeen. De 9 de agosto até 22 de agosto, Jung esteve no serviço militar em Luzerna por 14 dias. De 1º de janeiro de 1915 a 8 de março de 1915, Jung esteve no

de minha alma que dizia: "Isto é um sinal de que o inferior será trazido para cima".

Logo depois, numa noite de outono, ouvi a voz do velho (e dessa vez percebi que era ΦΙΛΗΜΩΝ [23]. Ele disse: [24]"Vou virar-te com força. Vou dominar-te. Vou cunhar-te como uma moeda. Vou comercializar contigo. Que te comprem e te vendam[25]. Deves passar de mão em mão. Não terás vontade própria. Serás vontade de todo mundo. O ouro não é senhor por vontade própria e assim mesmo o dominador da totalidade, desprezado e ávido, exige um soberano do tipo implacável: está deitado e espera. Quem o vê deseja-o avidamente. Ele não corre atrás. Fica quieto, com semblante ofuscante, bastando a si mesmo, um rei que não precisa demonstrar seu poder. Todos procuram isso, poucos o encontram, mas também o menor pedaço é altamente valorizado. Isto não passa, não é desperdiçado. Cada qual o toma onde o encontrar e cuida com medo para não perder a menor parte dele. Cada qual nega que depende disso, mas assim mesmo estende sua mão secreta e desejosamente para ele. O ouro precisa demonstrar sua necessidade? Ela é demonstrada pela cobiça humana. Ele pergunta: quem me toma? Quem o toma, este o tem. O ouro não se mexe. Ele dorme e brilha. Seu brilho perturba os sentidos. Sem palavras, promete tudo o que

---

serviço militar em Olten por 64 dias. Entre 10 e 12 de março trabalhou no transporte dos inválidos (Jung's military service books, AFJ).

23 Esta frase não está no *Livro Negro* 6.

24 14 de setembro de 1915. No verão e outono de 1915, Jung tratou de sua correspondência com Hans Schmidt sobre a questão dos tipos psicológicos. Sua última carta a Schmidt, de 6 de novembro, indica uma mudança que pode ser entendida como um sinal da volta à elaboração de suas fantasias nos *Livros Negros*. "O entendimento é um poder terrivelmente prendedor, como que um verdadeiro assassinato da alma, tão logo elimine diferenças importantes. O cerne do indivíduo é um mistério da vida, que desaparece quando é 'entendido'. Por isso, também, é que *os símbolos querem conservar seu mistério*, não o são assim só porque aquilo que está em seu fundamento não pode ser entendido claramente... Todo entendimento, que é uma associação com pontos de vista em geral, tem o elemento diabólico dentro de si e mata... Por isso temos de ajudar as pessoas num estágio posterior da análise a chegarem àqueles símbolos ocultos e que não devem ser desvendados, dentro dos quais está guardado o cerne de sua vida, como a tenra semente dentro da casca dura. Sobre isso não deveria haver, na verdade, entendimento algum, ainda que, de certa forma, algum fosse possível. Se o entendimento disso for possível em geral e evidente, então o símbolo está maduro para a destruição, pois não protege mais o cerne que está, por assim dizer, pronto a crescer para além da casca. Compreendo agora um sonho que tive certa vez e que me deixou muito impressionado: eu estava no meu jardim e havia cavado uma rica fonte de água e que jorrava com abundância. Tive de cavar então uma canaleta e um buraco bem fundo para nele armazenar a água e conduzi-la novamente para o interior da terra. Por isso nos é dada a graça dos símbolos não desvendáveis e indizíveis, pois ela nos protege contra a possibilidade de o demônio engolir a semente da vida" (BEEBE, J. & FALZEDER, E. (orgs.). *The Jung-Schmid Letters* [Philemon Series – no prelo).

25 O *Livro Negro* 5, continua: "Hermes é teu *dáimon*" (p. 87).

parece desejável ao ser humano. Ele incentiva o destruidor a destruir, ao que sobe ajuda na subida[26].

Um tesouro reluzente é amontoado, só espera quem o tome. Que sacrifício o homem não faz por amor ao ouro? Ele não aguarda nem abrevia o sacrifício do homem – quanto mais demorado o esforço, mais valorizado. Ele nasce das entranhas da terra, da lava fundida. É extraído devagar, oculto em veios, em meio a pedras. O homem emprega toda a sua perspicácia para desenterrá-lo e ter dele cada vez mais".

Mas eu gritei, pasmo: "Que conversa mais desconexa, ó ΦΙΛΗΜΩΝ!"

[27]Mas ΦΙΛΗΜΩΝ continuou:

"Não só ensinar, mas também negar, pois por que ensinei eu? Se eu não ensinar, também não preciso negar. Mas se tiver ensinado, preciso depois negar. Pois quando ensino, dou ao outro o que ele devia tomar. Bom é o que ele conquista, mau, porém, é o que recebe de presente, o que não foi conquistado. Dissipar a si mesmo significa: querer oprimir a muitos. Quem presenteia tem segundas intenções, porque também seu propósito é perverso. Ele é obrigado a anular seus presentes e a negar sua virtude.

"O peso do silêncio não é maior do que o peso de mim mesmo, que eu gostaria de carregar sobre teus ombros. Por isso falo e ensino. O ouvinte que se defenda contra minha astúcia que pretende impor-lhe minha carga.

"A melhor verdade também é um embuste tão habilidoso que eu mesmo me enredo nela enquanto não perceber o valor de um ardil bem-sucedido".

Novamente fiquei assustado e gritei: "Ó ΦΙΛΗΜΩΝ, as pessoas se enganam a teu respeito, por isso tu as enganas. Mas quem te adivinha, adivinha a si mesmo".

[28]Mas ΦΙΛΗΜΩΝ ficou quieto e se retirou para a névoa tremeluzente da inconsciência. Ele me abandonou a meus próprios pensamentos. E eu pensei que havia necessidade de levantar altas paredes de separação entre os seres humanos, menos para protegê-los das ofensas mútuas do que das virtudes mútuas. Pareceu-me que a chamada moral cristã do nosso tempo favorecia ainda o deslumbramento mútuo. Como pode cada qual carregar o

26 Jung discutiu o simbolismo alquímico do ouro em suas obras sobre a psicologia da alquimia. Cf. *Mysterium coniunctionis*. OC, 14/2, § 5s.

27 15 de setembro de 1915.

28 17 de setembro de 1915.

fardo do outro quando o máximo que se pode esperar de uma pessoa é que ela mesma carregue no mínimo seu próprio fardo.

Mas no deslumbramento está sem dúvida o pecado. Se eu assumir a virtude abnegada, torno-me o tirano egoísta do outro pelo qual sou forçado a submeter-me uma outra vez a mim mesmo, para fazer de um outro o senhor, o que sempre me deixa uma impressão ruim e que não traz nenhum benefício para o outro. Através desse jogo de troca-troca, a sociedade vai se mantendo, mas a alma do indivíduo é prejudicada, pois a pessoa aprende assim a viver sempre do outro, em vez de viver de si mesma. Parece-me, quando possível, que nós não deveríamos entregar-nos, mas incentivar e mesmo forçar o outro a fazer o mesmo. Mas o que acontece se todos se entregam? Seria uma loucura!

Não é que seja uma coisa bela e agradável viver com seu si-mesmo, mas serve para a redenção do si-mesmo. Além do mais, é possível abandonar-se a si mesmo? Com isso nós somos dominados por nós mesmos. Isto é o contrário da aceitação de si mesmo. Quando nós dominamos por nós mesmos – e isto acontece a cada um que entrega a si mesmo – então vivemos pelo si-mesmo. Nós não vivemos o si-mesmo, ele se vive[29].

A virtude abnegada é uma alienação antinatural da própria natureza que, dessa forma, se vê privada do seu desenvolvimento. É um pecado alienar o outro através de ostentação da virtude própria, de seu si-mesmo, como, por exemplo, tomar sobre si a carga dele. Esse pecado se volta contra nós mesmos[30].

---

29 Em *Assim falava Zaratustra*, Nietzsche escreveu: "Ele (o *Selbst*) se informa também com os olhos dos sentidos, ele escuta também com os ouvidos do espírito. Sempre está à escuta e assim se informa o próprio ser: compara, submete, conquista, destrói. Ele reina e é também o soberano do Eu. Detrás de teus pensamentos e sentimentos, meu irmão, há um amo mais poderoso, um guia desconhecido, que se chama 'o próprio Ser'" (Primeira parte: "Dos que desprezam o corpo", p. 51). A passagem está sublinhada como no exemplar de Jung. Há também linhas na margem e pontos de exclamação. Ao comentar esta passagem em 1935, em seu seminário sobre *Zaratustra*, Jung disse: "Eu já estava muito interessado no conceito do eu, mas não estava seguro sobre como deveria entendê-lo. Fiz minhas anotações quando topei com estas passagens e elas me pareceram muito importantes [...]. O conceito do eu continuou a causar-me boa impressão [...]. Pensei que Nietzsche supunha uma espécie de coisa-em-si por trás do fenômeno psicológico [...]. Vi também, então, que ele estava produzindo um conceito do eu que era semelhante ao conceito oriental; é uma ideia de Atman" (*Nietzsche's Zaratustra*. Vol. 1, p. 391).

30 Em *Assim falava Zaratustra*, Nietzsche escreveu: "Vós andais muito solícitos ao redor do próximo e o manifestais com belas palavras. Mas eu vos digo: vosso amor ao próximo é o vosso mau amor a vós mesmos./ Fugis de vós em busca do próximo e quereis converter essa fuga numa virtude; mas eu penetro em vosso 'desinteresse'" ("Do amor ao próximo". Primeira parte, p. 89. Sublinhado conforme o exemplar de Jung).

É submissão bastante, mais do que bastante, quando nos submetemos ao nosso si-mesmo. A obra da redenção tem de começar sempre por nós, se é que se pode ter realmente a ousadia de pronunciar tão grande palavra. Sem amor a nós mesmos, esta obra não pode ser realizada. Aliás, tem ela de ser feita de fato? Certamente não, quando nós conseguimos suportar a situação dada e quando nós não nos sentimos necessitados de redenção. O incômodo sentimento de necessidade de redenção pode tornar-se às vezes demais a alguém. Procuramos então livrar-nos dele, mas assim caímos na obra da redenção.

Parece-me que nos é sumamente proveitoso, e até mesmo necessário, eliminar todo o belo brilho da ideia de redenção, caso contrário mentimos de novo a nós mesmos, porque a palavra nos agrada e porque através da grande palavra se espalha um belo clarão em torno do assunto. Mas pode-se, no mínimo, ter dúvida se a obra da redenção é em si um assunto bonito. Os romanos não acharam muito palatável o judeu crucificado, e o sombrio fanatismo das catacumbas, que se cercou de símbolos pobres e bárbaros, não tinha para eles o fascinante esplendor, ainda que sua curiosidade perversa estivesse desperta para tudo o que era bárbaro e subterrâneo.

Eu penso que é o mais acertado e mais sensato dizer que se cairá, por assim dizer, sem querer na obra redentora quando se quer fugir da necessidade de redenção como um mal aparentemente insuportável de um sentimento não superável. Este passo para a obra redentora não é bonito nem agradável e nem difunde um brilho convidativo. E o caso é tão difícil e angustiante que a gente deve contar-se entre os doentes e não entre os supersadios que querem doar a outros sua superabundância.

Por isso não devemos também usar o outro para nossa redenção supostamente própria. O outro não é escada para nossos pés. Nós devemos de preferência ficar fechados em nós. A necessidade de redenção gosta de expressar-se através de uma necessidade maior de amor com o qual julgamos poder tornar felizes outras pessoas. Mas por isso estamos mergulhados até o pescoço em nossa cobiça e ambição para mudar nosso estado. E para este fim amamos o outro. Se já tivéssemos conseguido nosso fim, o outro nos deixaria frios. Mas é verdade que também precisamos do outro para nossa própria redenção. Talvez nos preste espontaneamente sua ajuda, já que estamos numa situação de doença e desamparo. Nosso amor a ele não é nem deve ser desinteressado. Seria mentira. Pois o objetivo é a redenção própria. O amor desinteressado só é verdadeiro enquanto a pretensão do si-mesmo puder ser imprensada contra a parede. Mas haverá um momento em que chegará a vez do si-mesmo. Quem gostaria de entregar-se ao amor de semelhante si-mesmo? Com certeza, somente alguém que ainda não sabe o quanto de abuso e amargura, de injustiça e veneno esconde em si o si-mesmo de um ser humano que esqueceu seu si-mesmo e fez dele uma virtude.

No sentido do si-mesmo, o amor desinteressado é um verdadeiro pecado.

[31]Nós precisamos ir muitas vezes a nós mesmos para reconstituir a conexão com o si-mesmo, pois é rompida com extrema facilidade, não só através de nossos vícios, mas também através de nossas virtudes. Pois tanto os vícios quanto as virtudes querem sempre viver externamente. Mas devido ao constante viver fora de nós perdemos o si-mesmo e assim nos tornamos também secretamente egoístas em nossos melhores esforços[32]. O que desprezamos em nós, mistura-se de maneira secreta ao nosso agir com os outros.

Através da união com o si-mesmo chegamos ao Deus[33].

Isto devo dizê-lo, não apelando à opinião dos antigos. Nem desse ou daquele, mas porque eu assim o experimentei. Aconteceu-me assim. E aconteceu de uma forma tal que eu não esperava nem desejava. A experiência de Deus nessa forma me foi inesperada e indesejada. Gostaria de dizer que fora um engano e teria com muita satisfação negado essa experiência Mas não posso negar que ela se apossou de mim acima de todas as medidas e de imediato atuou sobre mim. Se for uma ilusão, então a ilusão é meu Deus. Então meu Deus está para mim na ilusão. E mesmo que isto fosse a maior amargura que me pudesse acontecer, deveria assim mesmo confessar esta experiência e reconhecer nela o Deus. Não tenho nenhuma intenção e nenhuma objeção suficientemente fortes que excedam a força dessa experiência. E se o próprio Deus se tivesse revelado em inconcebível abominação, eu não poderia confessar outra coisa senão ter experimentado nisso o Deus. Sei inclusive que não é tão difícil estabe-

---

31 18 de setembro de 1915.

32 Em 1941, Jung observou: "A integração, ou processo de encarnação do si-mesmo, é preparada, como já indicamos, pela consciência através da conscientização de pretensões egoístas, ou seja, o indivíduo percebe os seus motivos e procura formar uma ideia objetiva e a mais completa possível de sua própria natureza" ("O símbolo da transformação na missa". OC, 11, § 400). Isto corresponde ao processo retratado aqui na seção de abertura de "Aprofundamentos".

33 O *Livro Negro* 5 continua: "céu e inferno unidos entre si" (p. 92). Cf. Jung, "O símbolo da transformação na missa" (1941) : "Então o si-mesmo atua como uma *unio oppositorum*, constituindo assim a experiência mais direta do divino que se possa exprimir em termos psicológicos" (OC, 11, § 396).

lecer uma teoria que explique suficientemente minha experiência e a adicione a coisas já conhecidas. Eu mesmo poderia estabelecer essa teoria e dar-me intelectualmente por satisfeito com isso, mas essa teoria não conseguiria eliminar a mínima parte da certeza de um ter experimentado o Deus. Nessa certeza da experiência reconheci o Deus. Não posso reconhecer nisso outra coisa senão ele. Não quero crê-lo nem preciso crê-lo, e também não poderia crê-lo. Como seria possível crer em semelhante coisa? Meu espírito deveria estar totalmente transtornado para crer em tais coisas. Segundo sua total natureza, são sobremaneira improváveis. Não só improváveis, mas também impossíveis à nossa compreensão. Só um cérebro doente pode produzir tais ilusões. Comparo esses doentes aos que foram acometidos de loucura e alucinações. Mas devo dizer que o Deus nos faz doentes. Na doença eu experimento o Deus. Um Deus vivo é a doença de nossa razão. Ele enche a alma de êxtase. Ele nos enche de caos oscilante. A quantos Deus vai quebrar?

O Deus nos aparece num determinado estado da alma. Por isso chegamos a Deus por cima do si-mesmo[34]. [35]O si-mesmo não é o Deus, ainda que cheguemos a Deus através do si-mesmo. O Deus está atrás do si-mesmo, acima do si-mesmo, também é o próprio si-mesmo quando ele aparece. Mas ele aparece como nossa doença da qual precisamos nos curar[36]. Temos de curar-nos de Deus, pois Ele também é nossa pior ferida.

Deus tem primeiramente todo o poder no si-mesmo, pois o si-mesmo está todo no Deus, porque nós não estivemos no si-mesmo. Temos de puxar o si-mesmo para o nosso lado. Por isso devemos lutar com Deus pelo si-mesmo. Pois o Deus é um movimento inconcebivelmente forte que arrasta consigo o si-mesmo para o ilimitado, para a dissolução.

---

34 Em 1921, Jung escreveu a respeito do si-mesmo: "Enquanto o eu for apenas o centro do meu campo consciente, não é idêntico ao todo de minha psique, mas apenas um complexo entre outros complexos. Por isso distingo entre *eu* e *si-mesmo*. O eu é o sujeito apenas de minha consciência, mas o si-mesmo é o sujeito do meu todo, também da psique inconsciente" (*Tipos psicológicos*. OC, 6, § 796). Em 1928, Jung descreveu o processo de individuação como "tornar-se si-mesmo" (Verselbstung) ou "o realizar-se do si-mesmo" (Selbstverwirklichung) (*Estudos sobre psicologia analítica*. OC, 7, § 266). Jung definiu o si-mesmo como o arquétipo da ordem e observou que as representações do si-mesmo não se distinguiam das imagens-de-Deus (cap. IV "O si-mesmo", em *Aion*. OC, 9/2). Em 1944, observou que escolhera o termo porque este conceito é "suficientemente determinado para dar uma ideia da totalidade e insuficientemente determinado para exprimir o caráter indescritível e indefinível da totalidade... Na linguagem científica, o termo si-mesmo não se refere nem a Cristo, nem a Buda, mas à totalidade das formas correspondentes, e cada uma dessas formas é um *símbolo do si-mesmo*" (*Psicologia e alquimia*. OC, 12, § 20).

35 A seção seguinte é reelaborada do *Livro Negro* 5, e por isso é difícil separá-la dele.

36 Em 1929, Jung escreveu: "Os deuses tornaram-se doença. Zeus não governa mais o Olimpo, mas o plexo solar, e produz espécimes curiosos que visitam o consultório médico" (*Estudos alquímicos*. OC, 13, § 54).

Por isso, quando Deus nos aparece, ficamos a princípio impotentes, deslumbrados, partidos, doentes, envenenados com veneno fortíssimo, mas no êxtase da máxima saúde.

Mas nesse estado não há lugar para nenhuma demora, pois todas as forças de nosso corpo se consomem como banha na chama. Por isso temos que aspirar a libertar o si-mesmo de Deus, para que possamos viver[37].

[38]É possível e inclusive fácil para nossa razão negar o Deus e falar só de doença. Assim assumimos a parte doentia e podemos também curá-la. Mas será uma cura com perda. Perdemos uma parte da vida. Continuamos sem dúvida a viver, mas como paralisados por Deus. Onde ardeu o fogo, estão cinzas mortas.

Eu acredito que tenhamos a escolha: eu preferi as maravilhas vivas do Deus. Peso diariamente o todo de minha vida e ainda assim o brilho incandescente de Deus significa para mim uma vida maior e mais plena do que a cinza da racionalidade. A cinza é para mim suicídio. Eu poderia talvez apagar o fogo, mas não posso negar diante de mim mesmo a experiência de Deus. Não posso desvincular-me dessa experiência. Também não quero, pois quero viver. Minha vida se quer ela mesma toda inteira.

Por isso devo servir ao meu si-mesmo. Tenho de ganhá-lo assim. Mas devo ganhá-lo para que minha vida se torne total. Pois me parece pecado atrofiar a vida onde existe a possibilidade de vivê-la na totalidade. Por isso o serviço ao si-mesmo é um serviço a Deus e à humanidade. Quando eu mesmo me suporto, alivio a humanidade de meu peso e curo meu si-mesmo do Deus.

Eu devo libertar meu si-mesmo de Deus[39], pois o Deus que eu experimentei é mais que amor, ele é também ódio; mais do que beleza, ele é também horror;

---

37 O *Livro Negro* 5, continua: "O Deus tem o poder, não o si-mesmo. Não se deve pois lamentar a impotência, mas ela é o estado de como ele deve estar./ O Deus age por si. Isto se deve deixar a ele. O que fazemos ao si-mesmo, nós o fazemos a Deus./ Se deturparmos o si-mesmo, deturpamos também a Deus. É um serviço a Deus servir a si mesmo. Com isso aliviamos a humanidade de nós mesmos. "Que cada um carregue o fardo do outro" tornou-se mera imoralidade. Que cada qual carregue seu fardo, isto é o mínimo que se pode exigir de uma pessoa. Podemos, no máximo, mostrar ao outro como carregar seu próprio fardo./ Dar todos os seus bens aos pobres significa educar os pobres para a preguiça./ Compaixão não é ser o carregador do fardo dos outros, mas ser um educador enérgico. A solidão conosco mesmos não tem fim. Ela apenas começou" (p. 92-93).

38 Os quatro parágrafos seguintes não se encontram nos *Livros Negros*.

39 No exemplar de Jung dos *Schriften und Predigten* de Eckhart, a frase do vol. I, p. 202, "dass die Seele auch Gott verlierem müsste" [que a alma deveria também perder a Deus] está sublinhada e há uma tira de papel onde está escrito: "Seele muss Gott verlieren" [A alma deve perder a Deus] (*Meister Eckharts Schriften und Predigten* – Aus dem Mittelhochdeutschen übersetzt und herausgegeben von Herman Büttner. 2 vols. [s.l.]: Eugen Diederichs, 1912, p. 222).

mais do que sabedoria, ele é também insensatez; mais do que poder, ele é também impotência; mais do que onipresença, ele é também minha criatura.

Mas na noite seguinte escutei novamente a voz de ΦΙΛΗΜΩΝ que disse[40]:

"Aproxima-te, entra na sepultura do Deus. O lugar de teu trabalho deve ser no próprio jazigo. O Deus não deve morar em ti, mas tu no Deus".

[41]Essas palavras me perturbaram, pois eu havia pensado anteriormente em livrar-me de Deus. Mas ΦΙΛΗΜΩΝ aconselhou-me a entrar mais fundo no Deus.

Desde que o Deus se elevou para os espaços superiores, também ΦΙΛΗΜΩΝ ficou diferente. Inicialmente foi para mim um mago que vivia num país distante, mas depois senti sua proximidade e, desde que o Deus se elevou, sei que ΦΙΛΗΜΩΝ me embriagou e me inspirou uma linguagem estranha a mim mesmo e um outro sentir. Tudo isto desapareceu quando o Deus se elevou e só ΦΙΛΗΜΩΝ possuía aquela linguagem. Mas eu senti que ele trilhava outros caminhos e não o meu. A grande maioria do que escrevi nas primeiras partes deste livro foi ΦΙΛΗΜΩΝ que me inspirou[42]. Por isso fiquei como que embriagado. Mas agora percebi que ΦΙΛΗΜΩΝ assumiu uma forma separada de mim.

{4} [43]Passadas algumas semanas, vieram a mim três sombras, mortos, como percebi em seu hálito frio. A primeira figura era a de uma mulher. Aproximou-se de mim e fez soar um leve zumbido, o zumbido das asas do escaravelho. Nisso a reconheci. Quando ainda estava viva, guardou para mim o mistério do Egito, os vermelhos discos solares e o canto das asas douradas. Ela permaneceu qual sombra e sua voz soava como um estertor e suspiro longínquos, e eu mal conseguia entender suas palavras. Ela disse:

"Era noite quando eu morri – tu ainda vives no dia – ainda há dias e anos diante de ti – o que irás começar? – Concede-me a palavra – pena que não possas ouvir! Como é difícil – dá-me a palavra!"

---

40 No *Livro Negro* 5, a voz não é identificada como a de Filêmon.

41 Os dois parágrafos seguintes não ocorrem nos *Livros Negros*.

42 O *esboço* manuscrito de "Aprofundamentos" continua: "~~dito através de mim~~" (p. 37).

43 2 de dezembro de 1915.

Respondi atônito: "Não conheço a palavra que procuras".

Mas ela gritou: "O símbolo, o meio, precisamos do símbolo, temos sede dele, faze luz para nós".

"De onde? Como posso? Não conheço o símbolo que desejas".

Ela veio agressivamente sobre mim: "Tu podes, procura".

E neste momento foi-me colocado na mão o sinal, e eu o olhei com espanto ilimitado. Falou-me então em voz alta e amigável[44]:

"Ei-lo, este é Hap, o símbolo que nós queríamos, de que precisávamos. Ele é repugnantemente simples, totalmente primitivo, naturalmente semelhante a Deus, o outro polo de Deus. É exatamente desse polo que precisamos".

"Por que precisais do Hap?"[45], retruquei.

"Ele está na luz, o outro Deus está na noite".

"Ah", respondi, "o que dizes, amada? O Deus do espírito está na noite? É o Filho? O filho dos sapos? Ai de nós, se for o Deus de nosso dia!"

Mas a falecida disse triunfante:

"Ele é o Deus da carne, o Deus do sangue, ele é o extrato de todos os sucos corporais, o espírito da semente e das entranhas, das partes genitais, da cabeça, dos pés, das mãos, das juntas, dos ossos, dos olhos e ouvidos, dos nervos e do cérebro, ele é o espírito da escória e da secreção".

"Tu vens da parte do demônio?", gritei cheio de horror, "onde fica minha luz brilhante dos deuses?"

Mas ela disse: "O corpo continua sendo teu, amado, teu corpo vivo. Do corpo vem o pensamento iluminador".

"De que pensamento estás falando? Não conheço este pensamento", disse eu.

"Rasteja por aí, como verme, como serpente, uma vez aqui, outra lá, uma salamandra cega das cavernas".

---

44 Em lugar deste parágrafo, o *Livro Negro* 5, tem: "Um falo?" (p. 95). Não há menção a Hap no *Livro Negro* 5. As referências seguintes podem estar relacionadas com isso. Em *The Egyptian Heaven and Hell*, Wallis Budge observa que "o falo de seu Pepi é Hap" (vol. 1, p. 110). Ele observa que Hap é um filho de Hórus (p. 491 – nesta passagem Jung colocou um sinal na margem em seu exemplar). Anotou também que "no *Livro dos mortos* estes quatro filhos de Hórus desempenham papéis muito destacados e os mortos procuravam conseguir seu auxílio e proteção a todo custo, tanto por meio de oferendas como por meio de orações [...]. Os quatro filhos de Hórus distribuíam entre si a proteção dos mortos, e já na V dinastia descobrimos que eles presidiam à vida dele no mundo inferior" (ibid. – sublinhado como no exemplar de Jung) (Londres: Kegan Paul/Trench and Trubner, 1905).

45 O *Livro Negro* 5, tem: "desse polo de Deus" (p. 95).

"Então estou certamente enterrado vivo. Que nojo! Que podridão! Tenho de me sugar nisso qual sanguessuga?"

"Sim, beber sangue", disse ela. "Sugar, encher-te no cadáver, há sucos nele, nojentos sim, mas nutritivos. Não deves entender, mas sugar'.

"Maldito nojo! Não, três vezes não", gritei para cima.

Mas ela disse: "Isto não deve aborrecer-te, nós precisamos desse alimento, do suco vital das pessoas, pois nós queremos ter parte em vossa vida. Assim podemos aproximar-nos de vós. Nós gostaríamos de informá-los sobre o que vos faria falta em conhecer".

"Isto é loucura refinada! De que estás falando?"

[46]Ela me lançou aquele olhar que me deu naquele dia em que a vi pela última vez entre os vivos e em que, insciente do significado, me mostrou algo do mistério que os egípcios nos legaram. E assim me falou:

"Faze-o por nós. Lembras-te de minha doação, dos discos solares vermelhos, das asas douradas e da coroa da vida e da permanência? Imortalidade, disso seria necessário saber".

"O caminho que leva a este saber é inferno".

[47]E a este respeito mergulhei em meditação triste, pois eu pressentia o difícil e mal-entendido, a imprevisível solidão desse caminho. E após longa luta contra todas as fraquezas e covardias em mim, decidi tomar sobre mim esta solidão do sagrado erro e da verdade válida para sempre[48].

E três noites depois, chamei a falecida e lhe pedi:

"Ensina-me a respeito do conhecimento dos vermes e das criaturas que rastejam, abre-me as trevas do espírito".

Ela sussurrou: "Dá-me sangue, para que eu beba e saiba falar. Mentiste ao dizer que entregarias o poder ao Filho?"

"Não, não menti. Mas eu disse algo que não entendi".

"Feliz de ti", disse ela, "se podes dizer o que não entendes. Escuta, pois: Hap[49] não é o fundamento, mas o cerne da igreja que ainda está submersa. Precisamos dessa igreja, pois dentro dela podemos viver convosco e partilhar de vossa vida. Vós nos excluístes para vosso próprio prejuízo".

---

46 Este parágrafo não está no *Livro Negro* 5.

47 5 de dezembro de 1915.

48 Este parágrafo não está no *Livro Negro* 5.

49 O *Livro Negro* 5, tem: "O Phallus" (p. 100). Cf. o sonho da infância de Jung sobre o rito do falo no templo subterrâneo, p. 4 acima.

"Dize-me: Hap é o símbolo da igreja em que esperas ter comunidade com os vivos? Fala, por que demoras?"

Ela suspirou e disse com voz sumida:

"Dá-me sangue, eu preciso de sangue"[50].

"Toma do sangue do meu coração", disse-lhe eu.

"Eu te agradeço. Isto é vitalidade. O ar do mundo das sombras é ralo, pois nós pairamos sobre o oceano do ar como pássaros sobre o mar. Muitos passaram dos limites, flutuando sobre caminhos indeterminados, topando por acaso com mundos estranhos. Mas nós que ainda estamos próximos e incompletos, gostaríamos de mergulhar no mar do ar e de volta para a terra, para o que está vivo. Não tens uma forma de animal em que eu pudesse entrar?"

"Como?", perguntei espantado. "Gostarias de ser meu cachorro?"

"Se for possível, sim", respondeu, "eu gostaria até mesmo de ser teu cachorro. Tu és de valor indizível para mim, toda minha esperança que ainda se prende à terra. Eu gostaria ainda de ver terminado o que abandonei cedo demais. Dá-me sangue, muito sangue".

Desesperado, eu falei: "Então bebe, bebe para que se torne o que deve ser".

Ela balbuciou com voz hesitante: "Brimo[51] – é assim que a chamais muito bem – a velha – com isso começa – que deu à luz o filho – o poderoso Hap que nasceu de sua vulva e ambicionava a mulher do céu que se abaulava sobre a terra, pois Brimo em cima e embaixo engloba o filho[52]. Ela o dá à luz e o puxa para cima. Nascido do inferior, fecunda o superior, pois a mulher é sua mãe, e a mãe é sua mulher".

"Maldito ensinamento! Não basta o terrível mistério?", gritei cheio de revolta e aversão.

"Quando o céu está grávido e não pode mais reter seu fruto, dá à luz uma pessoa que carrega o peso dos pecados – esta é a árvore da vida e da permanência sem fim. Dá-me teu sangue! Ouve! Terrível é este enigma: quando Brimo, a celeste, esteve grávida, deu à luz o dragão, a placenta primeiro, e depois o filho,

---

50 Cf. acima, nota 223, p. 325.

51 Em 1912, Jung analisou os mistérios de Hécate, que floresceram em Roma pelo final do século IV. Hécate, a deusa da magia e dos encantamentos, guardava o mundo inferior e era considerada a causadora da loucura. Era identificada com Brimo, uma deusa da morte (*Transformações e símbolos da libido*. OC, B, § 586ss.).

52 Em *Transformações e símbolos da libido* (1912), Jung referiu-se a Nut, a Deusa do Céu egípcia, que se estendia como um arco sobre a terra, dando à luz o deus Sol todos os dias (OC, B, § 364).

Hap, e aquele que Hap traz. Hap é a revolta do inferior, mas do superior vem o pássaro e pousa na cabeça de Hap. É a paz. Tu és vaso. Fala, céu derrama tua chuva. Tu és uma casca. Cascas vazias não derramam, elas recolhem. De todos os cantos aflui em abundância. Digo-te que novamente se aproxima uma noite. Um dia, dois dias, muitos dias terminaram. A luz do dia desce e ilumina a sombra, mesmo uma sombra do sol. A vida se transforma em sombra, e a sombra toma vida, a sombra que é maior do que tu. Pensaste que tua sombra fosse teu filho? Ao meio-dia ele é pequeno, pela meia-noite enche o céu"[53].

Mas eu estava esgotado, desesperado e não conseguia mais ouvir, por isso falei à falecida:

[54] "Então trazes para cima até mim o filho assustador que morava debaixo das árvores junto à água? É ele o espírito que os céus derramam, ou é o verme sem alma que a terra deu à luz? Ó céu – ó regaço tenebroso! Quereis sugar meu sangue todo por amor à sombra? Será que o humano deve perecer tão completamente no divino? [55]Devo viver com sombras, ao invés de com vivos? Será que todo o anseio pelos vivos deve pertencer a vós, mortos? Tivestes vosso tempo de viver? Não o aproveitastes? Será que um vivo deve dar sua vida para vós, já que não vivestes o eterno? Falai, sombras mudas, que estais diante de minha porta e pedis meu sangue!"

Então a sombra dos mortos levantou a voz e disse: "Tu vês – ou ainda não vês o que os vivos fazem com tua vida. Eles a tiram de ti. Mas comigo tu te vives, pois eu pertenço a ti. Pertenço a teu séquito e comunidade invisíveis. Acreditas que os vivos te veem? Eles só veem tua sombra, não a ti – tu servo carregador, tu vaso –".

"Que conversa é essa? Estou entregue a vós? Não me iluminará mais nenhum dia? Tornar-me-ei sombra com corpo vivo? Vós não tendes forma e nada de palpável; de vós emana um frio sepulcral, um hálito do vazio. Deixar-me enterrar vivo – que ideia é essa? Parece-me cedo demais, primeiro tenho de morrer. Tendes o mel que alegra meu coração e o fogo que aquece minhas mãos? Vós sois o quê? Sombras tristes? Vós, assombrações de crianças! Por que quereis meu sangue? De fato, sois piores do que as pessoas. As pessoas dão pouco, mas

53 Este parágrafo foi reelaborado a partir do *Livro Negro* 5.

54 7 de dezembro de 1915.

55 9 de dezembro de 1915.

o que dais vós? Criais aquilo que vive? O belo aconchegante, a alegria? Ou tudo isso deve ir para o vosso Hades tenebroso? O que ofereceis por isso? Mistérios? A pessoa viva pode viver disso? Vossos segredos eu os considero uma farsa, se a pessoa viva não pode viver deles".

Mas a sombra interveio e gritou: "Calma, ó impetuoso, tu me tiras o fôlego. Nós somos sombras, torna-te sombra e saberás o que nós damos".

"Não quero morrer para descer até vossas escuridões".

"Mas", disse ela, "tu não precisas morrer. Basta que te deixes enterrar".

"Na esperança da ressurreição? Não façais pilhérias".

Mas ela falou serena: "Tu pressentes o que vem. Tranca tríplice diante de ti e invisibilidade – para o inferno com teus pressentimentos e sentimentos! Tu ao menos não nos amas, portanto saímos menos caros em ficar do que as pessoas que se revolvem em teu amor e paciência e fazem de ti um bobo".

"Meus mortos, parece-me que falais minha linguagem".

Respondeu-me ela com ironia: "Amar as pessoas – e tu! Que engano! Isto significa apenas que desejas fugir de ti mesmo. O que isto aproveita às pessoas? Tu as seduzes e incitas à megalomania à qual tu sucumbes".

"Mas sinto pena, me dói, lamento, eu desejo, toda ternura geme, meu coração tem anseio por".

Mas ela, impassível: "Teu coração pertence a nós. O que queres com ele entre as pessoas? Autodefesa contra as pessoas – para que andes com os próprios pés, não com as muletas das pessoas. As pessoas precisam dos despretensiosos, mas desejam sempre o amoroso para poderem fugir de si mesmas. Isto deve acabar. Por que vão os loucos para terras distantes e pregam o evangelho aos negros, que eles mesmos ridicularizam em seu país? Como podem esses clérigos hipócritas falar de amor, amor de Deus e aos seres humanos, quando provam com o mesmo evangelho o direito da guerra e da injustiça assassina? Como podem ensinar os outros, se eles mesmos estão enterrados até o pescoço na lama preta do embuste e autoenganação? Será que limparam sua própria casa? Será que reconheceram seu próprio demônio e o expulsaram? Pelo fato de não fazerem nada disso, pregam o amor para poderem fugir de si mesmos, para fazer ao outro o que deveriam fazer a si mesmos. Mas o amor tão exaltado, direcionado para o próprio si-mesmo, queima como fogo. Isto o perceberam esses hipócritas e mentirosos – também tu – e preferiram amar os outros. Isto é amor? Isto é hipocrisia mentirosa[56]. Em ti mesmo começa sempre, em todas as coisas e sobretudo com o amor. Acreditas que alguém que se prejudica impiedosamente a si mesmo vai fazer o bem ao outro com seu amor? Não, certamente não o crês. Sabes inclusive que com isso ele só ensina ao outro como nós devemos prejudicar a nós mesmos, a fim de poder forçar a manifestação da compaixão dos outros. Por isso deves ser sombra, pois é disso que precisam as pessoas. Como podem libertar-se da hipocrisia e loucura de seu amor, se tu não o podes? Pois tudo começa em ti mesmo. Mas teu cavalo ainda não consegue deixar de relinchar. Pior ainda, tua virtude é um abanar de rabo de cachorro, um resmungar de cachorro, um lamber de cachorro, um latir de cachorro, e isto tu chamas de amor às pessoas! Mas amor é: carregar e suportar a si mesmo. É assim que começa. Trata-se na verdade de ti; ainda não foste calcinado; outros fogos ainda precisam sobrevir a ti, até que tenhas aprendido a aceitar e amar tua solidão.

"Por que perguntas pelo amor? O que é o amor? Viver sobretudo, isto é mais que amor. A guerra é amor? Tu ainda deves ver para o que o amor às pessoas é suficientemente bom – um meio como todos os outros meios. Por isso sobretudo solidão, até que toda a brandura contigo mesmo se tenha queimado. Precisas aprender o congelamento"[57].

"Só vejo sepulturas diante de mim", respondi, "que vontade maldita está sobre mim?"

"A vontade de Deus, que é mais forte do que tu, servo, vaso. Caíste nas mãos do maior. Ele não conhece compaixão. Vossas máscaras cristãs caíram, os véus que cegavam vossos olhos. O Deus ficou de novo forte. O jugo dos homens é mais leve que o jugo de Deus, por isso cada qual quer impor um jugo ao outro por compaixão. Mas quem não cai nas mãos dos homens, sucumbe ao Deus. Feliz dele e ai dele! Não há saída!"

---

56 Jung foi crítico dos missionários cristãos (cf. "O problema psíquico do homem moderno", 1931. OC, 10, § 185).

57 O *Livro Negro* 5, continua: [A falecida]: "depois que o demônio te precedeu. Agora não é tempo de amor, mas de ação".// [Eu]: "O que estás dizendo de ação? Que tipo de ação?"// [A falecida]: "Tua obra".// [Eu]: "Como, minha obra? Minha ciência, meu livro?"// [A falecida]: "Isto não é teu livro, é o livro. A ciência é aquilo que fazes. Isto deve ser feito sem tardar. Não há retrocesso, só para frente. Lá pertence teu amor. Ridículo – teu amor! Tu deves ser capaz de deixar morrer".// [Eu]: "Deixa ao menos mortos ficarem em torno de mim".// [A falecida]: "Mortos o suficiente, tu estás cercado".// [Eu]: "Não estou percebendo nada disso".// [A falecida]: "Tu vais percebê-los".// [Eu]: "Como? Como posso fazer isso?"// [A falecida]: "Vai em frente. Tudo vai dar certo. Hoje não, mas amanhã" (p. 116-117).

"Isto é liberdade?", gritei.

"A maior liberdade. Só Deus sobre ti, através de ti mesmo. Consola-te com este e aquele o tanto quanto podes. O Deus corre o ferrolho de trancas que não podes abrir. Deixa teus sentimentos ganir como cachorrinhos. No alto estão ouvidos surdos".

"Mas não existe nenhuma revolta por amor aos homens?"

"Revolta? Tenho de rir de tua revolta. O Deus só conhece poder e criação. Ele comanda e tu fazes. Teus medos são ridículos. Só existe uma estrada, a estrada do exército da divindade".

Foram essas palavras impiedosas que a falecida[58] me falou. Como eu não quisesse obedecer a ninguém, tive de obedecer a esta voz. E ela falou palavras impiedosas a respeito do poder de Deus. Tive de aceitar essas palavras[59]. Nós temos de saudar uma nova luz, um sol vermelho – sangue, um milagre doloroso. Ninguém me obriga, só a vontade alheia comanda em mim, e eu não posso fugir, pois não encontro razão para isso.

O sol que me apareceu flutuou num mar de sangue e lamentos, por isso falei à falecida:

"Deve ser o sacrifício da alegria?"

Mas a falecida respondeu: "O sacrifício de toda alegria, na medida em que a fazes para ti. A alegria não deve ser feita nem procurada, ela deve vir quando precisa vir. Eu exijo teu serviço. Não deves servir a teu demônio pessoal. Isto acarreta sofrimento exagerado. A verdadeira alegria é simples, vem e existe por si, não é procurada cá ou lá. Por causa do perigo de ver noite escura diante de ti, tens de dedicar teu serviço a mim e não procurar nenhuma alegria. A alegria nunca é preparada de antemão, mas existe por si, ou não existe. Tu só tens a cumprir tua obrigação, e nada mais. A alegria vem do cumprimento e não da ambição. Eu tenho o poder. Eu ordeno, tu obedeces".

"Eu temo que tu me possas destruir". Mas ela respondeu: "Eu sou a vida que só destrói o imprestável. Toma cuidado para não seres um instrumento imprestável. Tu mesmo queres comandar? Vais levar teu navio a um banco de areia. Constrói tua ponte, pedra sobre pedra, mas não queiras comandar um navio.

---

58 O *esboço manuscrito* de "Aprofundamentos" tem "~~alma~~" (p. 49), e o parceiro do diálogo nesta seção é mudado da alma para a falecida.

59 20 de dezembro de 1915.

Tu te desnorteaste e te desnorteias se quiseres fugir de meu serviço. Sem mim não há salvação. O que sonhas e por que hesitas?"

Respondi: "Tu vês que estou cego e não sei onde começar".

"Isso começa sempre no próximo. Onde está a Igreja? Onde está a comunidade?"

"É clemência pura", gritei irritado, "o que falas de uma Igreja. Sou por acaso um profeta? Como poderia arrogar-me semelhante coisa? Sou apenas um ser humano que não tem o direito de querer saber tudo melhor do que os outros".

Mas ela retrucou: "Eu quero a Igreja, ela é necessária para ti e para os outros. O que mais queres fazer com aqueles que eu curvo a teus pés? O belo e o natural vão achegar-se ao horrendo e escuro e vão mostrar caminhos. A Igreja é algo natural. A cerimônia sagrada precisa ser desatada e tornar-se espírito. A ponte deve levar para além do humano[60], intocável, distante e arejada. Existe uma comunidade dos espíritos, fundada sobre sinais exteriores com sentido seguro".

"Para", gritei, "isto não é para entender, é inconcebível".

Mas ela continuou: "Vós tendes necessidade da comunhão com os mortos e os mortos também. Não te mistures com nenhum morto, mas afasta-te deles e dá a cada um o que lhe pertence. Os mortos pedem vossas orações de expiação".

Depois de dizer essas palavras, levantou sua voz e conclamou os mortos em meu nome:

"Mortos, eu vos convoco.

Sombras dos que partiram, vós que saístes do tormento da vida, aproximai-vos!

Meu sangue, o suco de minha vida, seja vossa comida e vossa bebida.

Alimentai-vos de mim, para que tenhais vida e fala.

Vinde, vós tenebrosos e sem paz, vou reanimar-vos com meu sangue, o sangue de um vivente, para que tenhais vida e fala em mim e através de mim.

O Deus me obriga a dirigir-vos esta oração para que ganheis vida. Já vos deixamos sós por tempo demais.

Vamos estabelecer juntos a aliança da comunidade para que a figura viva e morta se torne uma só e que o passado continue a viver no presente.

Nossa ambição nos arrebata para o mundo dos vivos, e nós estamos perdidos em nossa ambição;

60 Cf. nota 8, p. 110.

Vinde beber do sangue vivo, bebei até a saciedade, para que fiquemos livres da força inextinguível e impiedosa de nossa ambição viva pelo visível, palpável e atualmente existente.

Bebei de nosso sangue da ambição, que gera maldades como guerra, discórdia, feiura, violência e insaciabilidade.

Tomai e comei, este é meu corpo que vive para vós. Tomai e bebei, este é meu sangue cujo desejo flui por vós.

Aproximai-vos e celebrai uma ceia comigo para minha e vossa redenção.

Eu preciso da comunidade convosco, para que não sucumba à comunidade dos vivos, à minha e vossa cobiça que deseja insaciavelmente e por isso gera maldade.

Ajudai-me a nunca esquecer que meu desejo e fogo sacrificial é por vós.

Vós sois minha comunidade. Eu vivo para os vivos aquilo que posso viver. Mas o supérfluo de minha ambição pertence a vós, sombras. Nós precisamos de vossa vida em comum.

Sede-nos propícios e abri nosso espírito trancado, para que nos tornemos participantes da luz redentora. Que assim seja!"

Quando a falecida terminou esta oração, voltou-se novamente para mim e disse:

"Grande é a necessidade dos mortos. O Deus não precisa de nenhuma oferta de oração. Ele não tem favor nem desfavor. Ele é bondoso e temível, mas não é bondoso e temível, porém vos parece assim. Mas os mortos ouvem vossa oração, pois ainda são de natureza humana e não estão livres de favor e desfavor. Não entendes isso? A história da humanidade é mais velha e mais sábia do que tu. Houve alguma vez algum tempo em que os mortos não eram? Ledo engano! Faz pouco tempo que as pessoas começaram a esquecer os mortos e pensavam que haviam começado somente agora a verdadeira vida e entraram em delírio".

{5} Depois que a falecida pronunciou todas essas palavras, desapareceu. Eu mergulhei em tristeza e sombria confusão. Quando levantei novamente os olhos, vi minha alma nos espaços superiores, pairando iluminada pelo brilho distante da divindade[61]. Gritei:

---

61 8 de janeiro de 1916. Este parágrafo não está no *Livro Negro* 5.

"Tu sabes o que aconteceu. Vês, isto ultrapassa a força e compreensão de uma pessoa. Mas vou aceitá-lo por amor a ti e a mim. Ser crucificado na árvore da vida, ó amargura! Ó silêncio doloroso! Não fosses tu, minha alma, que tocas o céu ígneo e a plenitude eterna, o que seria de mim?

Eu me lanço às feras humanas – ó tormento mais inumano! Tenho de fazer com que minha virtude, minha melhor capacidade sejam açoitadas porque também elas ainda são espinho no olho do animal humano. Não morte com a maior boa vontade, mas sujamento e dilaceração do mais belo por amor à vida.

Será que não existe em parte alguma uma ilusão salutar para proteger-me da ceia com o cadáver? Os mortos querem viver de mim.

Por que me consideraste como aquele que deve beber o estrume liquefeito da humanidade que escorreu do cristianismo?

Ó minha alma, não basta para ti a contemplação da plenitude do fogo? Queres ainda subir totalmente para a luz branca e incandescente? Para dentro de qual sombra de horror tu me empurras para baixo? O lodaçal do demônio não é tão profundo que sua lama chega a sujar até mesmo tua roupa brilhante?

Donde tiras o direito de cometer tal infâmia comigo? Deixa que passe por mim o cálice da terrível imundície[62]. Mas se esta não for tua vontade, sobe acima do céu incandescente e faze tua queixa e derruba o assento de Deus, o terrível, anuncia o direito dos homens também diante dos deuses e vinga neles a infâmia da humanidade, pois só os deuses conseguem incitar o homem-verme[63] para o ato gigantesco de horror. Deixa que eu tenha o suficiente com meu destino e deixa que as pessoas administrem o destino humano.

Ó minha mãe humanidade, afasta de ti o horrível verme-Deus, o carrasco das pessoas. Não o veneres por causa de seu terrível veneno – uma gota basta – e o que é uma gota para ele? – ele, para quem é igual toda plenitude e todo vazio?"

Mas quando pronunciei essas palavras, percebi que ΦΙΛΗΜΩΝ estava atrás de mim e que me havia inspirado estas palavras. Ele colocou-se ao meu lado, invisível, e eu senti a presença do bom e do belo. Ele falou-me com voz mansa e profunda:

62 No Getsêmani, Cristo disse: "Pai, se for possível, afasta de mim este cálice, contudo não se faça como eu quero, mas como tu queres" (Mt 26,39).

63 Cf. Jó 25,6: "quanto menos o homem, esse verme, e o filho de Adão, essa larva?"

[64] "Tira, ó homem, também o divino de tua alma, tanto quanto possível. Que farsa demoníaca ela faz contigo, arrogando-se ter poder divino sobre ti. Ela é uma criança malcriada e ao mesmo tempo um demônio sedento de sangue, uma torturadora sem igual de pessoas porque possui divindade. Por quê? De onde? Porque lhe prestas veneração. O mesmo querem os mortos. Por que não se calam? Porque não passaram para o além. Por que desejam sacrifícios? Para poderem viver. Mas por que ainda querem viver com os homens? Porque querem dominar. Não se realizaram em sua voracidade de poder, uma vez que morreram como pessoas na vontade de poder. Uma criança, um ancião, uma mulher ruim, um espírito dos mortos, um demônio são seres que querem ser mantidos com disposição. Teme a alma, despreza-a, ama-a, assim como aos deuses. Oxalá fiquem longe de nós! Mas por tudo que é sagrado não os percas! Pois perdidos são mais traiçoeiros do que as cobras, mais sedentos de sangue do que o tigre, que ataca pelas costas os incautos. Uma pessoa que se perde torna-se animal, uma alma perdida torna-se demônio. Agarra-te à alma com amor, com temor, com desprezo, com ódio, sem perdê-la de vista. Ela é um tesouro infernal-divino que só pode ser guardado atrás de paredes de ferro e na cova mais profunda. Ela sempre quer sair e irradiar beleza reluzente. Presta atenção, logo serás traído! Nunca encontramos uma mulher mais infiel, mais ardilosa, mais perversa do que tua alma. Como louvar o milagre de sua beleza e perfeição? Não está ela no esplendor da juventude imperecível? Seu amor não é vinho inebriante e sua sabedoria, esperteza antiquíssima de serpente?

Protege as pessoas dela e a ela das pessoas. Ouve seu lamento na prisão e o que ela canta, mas não a deixes fugir, ela se tornará imediatamente uma prostituta. Como seu cônjuge, és abençoado através dela e nela amaldiçoado. Ela pertence ao gênero demoníaco dos anões e gigantes e só tem parentesco longínquo com a raça humana. Se quiseres entendê-la humanamente, vais enlouquecer. O excesso de tua raiva, de teu desespero e de teu amor pertence a ela, mas também só o excesso. Se lhe deres este excesso, a humanidade será libertada do elfo. Pois quando não vês tua alma, então a vês no teu próximo e por causa disso ficarás furioso, pois este mistério demoníaco e este fantasma do inferno mal podem ser compreendidos.

---

64 10 de janeiro de 1916.

Observa o ser humano fraco em sua miséria e tormento, que os deuses escolheram para sua caça selvagem – rasga o véu cheio de sangue que a alma perdida teceu em torno do ser humano, a rede horrenda que a portadora da morte trançou, e toma conta da prostituta divina que ainda não pode recuperar-se de seu pecado original e que busca avidamente imundície e poder com fascinação enlouquecida. Prende-a como uma cadela no cio, que gostaria de misturar seu sangue nobre com qualquer vira-lata. Captura-a, finalmente já é o bastante. Deixa-a provar de teus tormentos para que ela chegue a sentir o ser humano e seu martelo que ele arrebatou dos deuses[65].

Que no mundo das pessoas domine o ser humano. Suas leis pretendem valer. Não trates as almas, os demônios e deuses segundo sua maneira, trazendo o exigido. Mas não carregues nenhuma pessoa com isso, não exijas e não esperes nada dela daquilo com que te enganam teus demônios e teus deuses da alma, mas suporta, cala e faze piamente o que corresponde à tua espécie. Não deves agir no outro, mas em ti, a não ser que o outro peça ajuda ou opinião. Entendes o que o outro faz? Nunca – como o poderias? Donde tiras o direito de opinar ou agir sobre o outro? Tu desleixaste de ti mesmo, teu jardim está cheio de erva daninha e tu queres ensinar ordem a teu vizinho e apontar-lhe defeitos.

Por que deves calar sobre o outro? Porque há o suficiente que falar de teus próprios demônios. Mas quando opinas e ages sobre o outro, sem que ele tenha pedido opinião ou conselho, tu o fazes porque não consegues diferenciar-te de tua alma. Por isso sucumbes à pretensão dela e a ajudas em sua prostituição. Ou acreditas que deves emprestar tua força humana à tua alma ou aos deuses, ou que seja mesmo uma obra útil e piedosa querer realçar no outro os deuses? Cego, isto é pretensão cristã. Os deuses não precisam de tua ajuda, adorador ridículo de ídolos que te sentes a ti mesmo como um deus e queres formar, melhorar, censurar, educar e criar pessoas. És tu mesmo perfeito? – Por isso fica quieto e faze tua obrigação e considera diariamente tua insuficiência. Tu mesmo tens a maior necessidade de tua ajuda, deves guardar prontos para ti opinião e bom conselho e não correr qual prostituta para o outro com compreensão e vontade de ajudar. Não precisas fazer o papel de Deus. O que são os demônios que não atuam por si próprios? Portanto, deixa que atuem, mas

65 Em *Poetic Edda*, o gigante Thrym roubou o martelo do deus Thor.

não através de ti, senão és tu mesmo um demônio no outro. Deixa-os entregues a si mesmos e não venhas logo com amor canhestro, preocupação, cuidado, conselho e outras pretensões. Pois com isso farias o trabalho dos demônios, tu mesmo te tornarias um demônio e, assim, furioso. Mas os demônios se alegram com a fúria de pessoas desamparadas que querem ajudar os outros e dar-lhes conselho. Portanto fica quieto, completa a maldita obra redentora em ti mesmo, então os demônios têm de esfalfar-se eles mesmos e também todos os teus concidadãos que não se diferenciam de sua alma e se deixam imitar pelos demônios. É terrível abandonar-se aos concidadãos deslumbrados? Seria terrível se pudesses abrir os seus olhos. Mas tu só poderias abrir seus olhos se eles te pedissem opinião e ajuda. Se não pedirem, é que eles não precisam de tua ajuda. Contudo, se impuseres a eles a tua opinião, és um demônio para eles e aumentas seu deslumbramento, dando-lhes um mau exemplo. Cobre tua cabeça com o manto da paciência e do silêncio, senta-te e deixa que o demônio execute sua obra. Se ele produzir alguma coisa, produzirá coisa maravilhosa. Assim estás sentado debaixo de uma árvore frutífera.

É bom saberes que os demônios gostariam de instigá-lo para sua obra, que não é a tua. E tu, estúpido, acreditas que sejas tu mesmo, e que isto seja tua obra. Por quê? Porque não consegues diferenciar-te de tua alma. Mas tu és diferente dela, não tens de promover a prostituição com outras almas, como se tu mesmo fosses uma alma, mas tu és uma pessoa impotente que precisa de toda sua força para o aperfeiçoamento próprio. Por que olhas para os outros? O que vês neles, está negligenciado em ti. Deves ser o guarda diante da prisão de tua alma. Tu és o eunuco de tua alma, que a protege dos deuses e dos homens, ou que protege os deuses e os homens dela. Ao homem fraco é dado o poder, um veneno que paralisa até mesmo os deuses, assim como à pequena abelha, muito inferior a ti em força, é dado um ferrão venenoso e doloroso. Tua alma poderia apoderar-se desse veneno e assim tornar-se perigosa até mesmo aos deuses. Portanto cuida da alma, diferencia-te dela, pois não só teus concidadãos, mas também os deuses precisam viver".

Após ΦΙΛΗΜΩΝ ter terminado, dirigi-me à minha alma que, durante o discurso de ΦΙΛΗΜΩΝ, se havia aproximado do alto e lhe falei:

"Escutaste bem o que ΦΙΛΗΜΩΝ disse? Agrada-te este tom? Gostas de seu conselho?"

Mas ela disse: "Não zombes, senão machucas a ti mesmo. Não te esqueças de me amar".

"Sinto dificuldade em coadunar ódio e amor", respondi. Ela disse: "Eu entendo, mas tu sabes que é a mesma coisa, ódio e amor são indiferentes para mim. Como a toda mulher de minha espécie, importa-me menos a forma e muito mais que tudo seja meu e de mais ninguém. Tenho inveja também da lebre que dás aos outros. Eu quero tudo, pois preciso de tudo para a grande viagem que pretendo fazer depois de teu desaparecimento. Preciso providenciar tudo a tempo. Até lá tenho de estar aparelhada e ainda falta muita coisa".

"E tu concordas que eu te lance na prisão?", perguntei.

"Naturalmente", respondeu ela, "lá tenho sossego e posso recolher-me. Teu mundo humano me torna ébria – tanto sangue humano – eu poderia embriagar-me dele até o delírio. Portas de ferro, paredes de pedra, escuridão fria e comida quaresmal – isto é a delícia da redenção. Não pressentes meu tormento, quando a embriaguez de sangue toma conta de mim, me lança sempre de novo na matéria viva a partir de uma terrível compulsão criativa que outrora me aproximou do inanimado e que acendeu em mim o terrível desejo de procriação. Afasta-me do elemento conceptivo, do feminino ardente do grande vazio. Força-me para a estreiteza onde encontro resistência e minha própria lei. Onde possa pensar na viagem, no nascer do sol do qual a falecida falou e nas asas de ouro que se agitam e ecoam. Recebe o agradecimento – querias agradecer-me? Estás deslumbrado. Expresso-te meu maior agradecimento".

Encantado com essas palavras, exclamei: "Como és divinamente bela!" Mas ao mesmo tempo fui tomado de raiva[66]: "Ó amargura! Tu me arrastaste através de um inferno de ilusões, me martirizaste simplesmente até a morte – e eu estou ávido de teu agradecimento. Sim, estou sensibilizado pelo fato de me agradeceres. A natureza canina está em meu sangue. Por isso sou amargo – no que me diz respeito, pois – o que isto te sensibiliza! És divina e demasiadamente grande, como quer que sejas. Eu sou apenas teu porteiro castrado, não menos preso do que tu. Fala, concubina do céu, monstro divino! Não te pesquei do brejo? O que te parece o buraco escuro? Fala sem sangue, canta com força própria, engordaste o suficiente nas pessoas?

---

66 11 de janeiro de 1916.

Minha alma se contorceu, revirou-se qual verme pisado e gritou: Misericórdia, tem piedade!"

"Compaixão? Já tiveste alguma vez compaixão de mim? Tu, torturadora de animais! Nunca passaste além de um capricho compassivo. Viveste de devorar pessoas e bebeste meu sangue. Ficaste gorda com isso? Aprenderás a ter respeito diante do sofrimento do animal humano? O que desejais vós, almas e deuses, sem as pessoas? Por que exigis sempre mais delas? Fala, prostituta!"

Ela soluçou: "Perco a fala. Estou horrorizada com tua queixa".

"Desejarias ficar séria? Querias refletir um pouco? Aprender modéstia ou alguma outra virtude humana; natureza anímica desalmada? Não – tu não tens alma, porque és a própria alma, monstro infernal. Gostarias de uma alma humana? Devo eu por acaso tornar-me tua alma terrena para que recebas uma alma? Tu vês, eu frequentei a tua escola. Aprendi como nós nos comportamos como alma, exemplarmente ambígua, misteriosamente mentirosa e hipócrita".

Enquanto falava essas coisas à minha alma, ΦΙΛΗΜΩΝ ficou parado a certa distância. Mas agora aproximou-se, colocou a mão sobre meu ombro e falou em meu nome:

"Bendita sejas, virgem alma, louvado seja teu nome. És a escolhida entre as mulheres. És a genitora de Deus. Louvada sejas tu! Honra e glória a ti para sempre!

Tu moras em templo de ouro. De longe vêm os povos e te louvam. Nós, teus servos, esperamos tua palavra.

Bebemos vinho tinto, oferecendo-te um sacrifício de bebida em memória da ceia de sangue que celebraste conosco.

Preparamos uma galinha preta como oferta de comida em memória às pessoas que se aproximaram de ti.

Convidamos nossos amigos para a ceia sacrificial, trazemos coroas de louros e rosas em recordação da despedida que celebraste de teus servos e servas desolados.

Seja este dia uma festa de alegria e de vida, em que tu, bendita, inicias o caminho de volta da terra dos homens que ensinaste a ser almas.

Tu segues o Filho que foi para cima e para o além.

Tu nos levas para cima como tua alma e te colocas diante do Filho de Deus, conservando teu direito imorredouro como ser anímico.

A alegria está conosco, o bem te acompanha. Nós te fortalecemos. Estamos na terra dos homens e vivemos".

Depois que ΦΙΛΗΜΩΝ terminou, minha alma olhou triste e satisfeita, hesitante, mas apressada, preparou-se para nos deixar e subir novamente, satisfeita pela liberdade adquirida. Mas eu adivinhei algo estranho nela, algo que ela procurava esconder de mim. Por isso não deixei que partisse e falei[67]:

"O que ainda te retém? O que escondes? Talvez um vaso de ouro, uma joia que roubaste dos homens? Não fulgura uma pedra preciosa, um brilho de ouro através de teu manto? Qual é a beleza que roubaste enquanto bebias o sangue das pessoas e comias seu sagrado corpo? Fala a verdade, pois vejo a mentira em teu rosto".

"Eu não tirei nada", respondeu ela de pronto.

"Tu mentes, queres incriminar a mim onde tu cometeste um erro. Passou o tempo em que roubavas impune as pessoas. Devolve tudo que é herança sagrada delas e de que te apossaste. Roubaste o servo e o mendigo. Deus é rico e poderoso, dele podes tirar. Sua riqueza não conhece perda. Mentirosa infame, quando finalmente vais parar de atormentar tua humanidade e de roubar?"

Ela me olhou com aquele olhar inocente de pomba e disse com brandura:

"Eu não te incriminei. Eu te quero muito bem. Respeito teu direito. Valorizo tua humanidade. Não tiro nada de ti. Não oculto nada de ti. Tu possuis tudo e eu nada".

Eu falei: "Mentes desavergonhadamente. Possuis não só aquela peça magnífica que me cabe, mas tens, além disso, acesso aos deuses e à plenitude eterna. Por isso, devolve, enganadora".

Então ela ficou irritada e respondeu:

"Como te atreves? Não te conheço mais. Estás completamente louco e mais: estás sendo ridículo, um filhote de macaco que estende sua mão para tudo o que brilha. Mas eu não deixo que tirem o que é meu".

Cheio de raiva, gritei: "Mentes, mentes, eu vi o ouro, a luz fulgurante da joia, eu sei, isto é meu. Não haverás de carregar isto embora. Devolve!"

Ela desatou em choro teimoso e disse: "Não vou devolvê-lo, é muito precioso para mim. Queres roubar-me o último enfeite?"

---

67 13 de janeiro de 1916. O parágrafo precedente não ocorre no *Livro Negro* 5.

"Enfeita-te com o ouro dos deuses, mas não com as raras preciosidades das pessoas que moram na terra. Deves experimentar a pobreza celeste, depois que pregaste por tanto tempo a teu povo a pobreza e a necessidade terrenas, como um autêntico e verdadeiro clérigo mentiroso, que enche sua barriga e bolsa e fala de pobreza".

"Tu me atormentas horrivelmente". Lamentou-se ela. "Deixa-me ao menos esta. Vós, humanos, tendes bastante disso. Não posso ficar sem esta, incomparável, e devido a ela até mesmo os deuses invejam os homens".

"Não serei injusto", respondi. "Mas dá-me o que me pertence, e vai esmolar o que disto precisas. O que é? Fala!"

"É pena que não possa reter isso e escondê-lo! É amor, amor humano caloroso, sangue, o sangue vermelho e quente, a fonte sagrada da vida, a união de todo o separado e desejado".

Eu disse: "Portanto é o amor de que vos apropriastes como de um direito e propriedade naturais, quando deveríeis esmolá-lo. Vós vos embriagais do sangue das pessoas e as deixais secar. O amor é meu. Eu quero amar e não vós através de mim. Vós rastejareis para fora e por isso esmolareis como cachorros. Por causa disso levantareis vossas mãos, abanareis o rabo como cachorros famintos. Eu tenho a chave. Serei um administrador mais justo do que vós, deuses ímpios. Vós vos apertareis em torno da fonte de sangue, em torno do milagre propício, e trareis convosco vossos dons para receber aquilo de que precisais. Eu tomo conta da fonte sagrada para que nenhum deus dela se aposse. Os deuses não conhecem medida nem graça. Embriagam-se com as bebidas mais preciosas. Ambrosia e néctar[68] são a carne e o sangue das pessoas, verdadeiramente um alimento nobre. Dissipam a bebida em embriaguez, o bem do pobre, pois eles não têm deus nem alma, que seriam seus juízes. Arrogância e imoderação, dureza e falta de amor são vossa natureza. Cobiça por amor à cobiça, poder por amor ao poder, prazer por amor ao prazer, imoderação e insaciabilidade, é nisso que sois reconhecíveis, demônios.

Sim, ainda tendes que aprender, diabos e deuses, demônios e almas, a rastejar no pó por amor ao amor, a fim de que consigais agarrar em algum lugar e junto a alguém um pouquinho da doçura da vida. Aprendei dos homens humildade e orgulho por amor ao amor.

68 Na mitologia grega, ambrosia e néctar eram a comida e a bebida dos deuses.

Deuses, vosso filho primogênito é o ser humano. Ele gerou para si um filho de Deus assustadoramente belo-feio, que é toda a vossa renovação. Mas este mistério realizou-se também em vós; vós vos gerastes um filho do homem, que é minha renovação, não menos magnífico-horroroso e sua soberania vai servir também a vós".

Aproximou-se ΦΙΛΗΜΩΝ, levantou sua mão e disse[69]:

"Ambos, Deus e homem, são enganados, enganadores, abençoados que abençoam, poderosos sem poder. Novamente o todo eterno e rico se divide em céu da terra e céu dos deuses, em mundos inferiores e mundos superiores. Novamente se separa o que foi dolorosamente unificado e constrangido sob um jugo só. Multiplicidade interminável tomou o lugar desse uno comprimido num conjunto, pois só a variedade é riqueza, flor, floração, colheita".

Passou-se uma noite e um dia, e, quando chegou novamente a noite e olhei ao meu redor, vi que minha alma hesitava e esperava. Por isso disse a ela[70]:

"O que há? Ainda estás aí? Não encontraste teu caminho, ou não encontraste as palavras que me pertencem? Como veneras tua alma terrena, o ser humano? Lembra-te do que suportei e sofri por ti, como me desgastei, como estive prostrado diante de ti e me virei, como te dei meu sangue! Tenho uma reclamação a fazer-te: deves aprender a respeitar o ser humano, pois eu vi a terra que está prometida ao ser humano, a terra onde corre leite e mel[71].

Eu vi a terra do amor prometido.

Eu vi o brilho do sol sobre aquela terra.

Eu vi as matas verdes, os vinhedos amarelos e as aldeias das pessoas.

Eu vi as montanhas elevando-se ao céu com os campos suspensos do filho eterno.

Eu vi a fertilidade e a felicidade da terra.

Mas em lugar nenhum vi a felicidade das pessoas.

Minha alma, tu obrigas o homem mortal a trabalhar e sofrer para teu bem-estar. Exijo de ti que faças tua parte para a felicidade terrena do ser humano. Lembra-te disso! Falo em meu nome e em nome dos seres humanos, pois tua é nossa força e glória. Teu é o reino e nossa terra prometida. Portanto realiza,

---

69 Esta frase não está no *Livro Negro* 5.

70 14 de janeiro de 1916. Este parágrafo não está no *Livro Negro* 5.

71 Em Ex 3, Deus aparece a Moisés na sarça ardente e promete tirar seu povo do Egito e levá-lo a uma terra onde corre leite e mel.

empregando tua plenitude. Eu me calarei, sim, eu me perderei de ti, depende de ti, podes realizar o que é negado ao ser humano fazer. Estou esperando. Esforça-te por encontrá-lo. Onde fica tua felicidade, se não cumpres tua obrigação de trazer a felicidade ao ser humano? Pensa nisso! Tu trabalharás para mim, e eu me calo".

"Pois bem", disse ela, "vou pôr mãos à obra. Mas tu deves construir o lugar do derretimento. Coisa velha, quebrada, gasta pelo uso, imprestável e destruída joga no tacho do derretimento, para que se renove e sirva para novo uso.

É tradição, costume dos primeiros pais, prática desde tempos antigos. É adaptação a uso novo. É prática e incubação na fornalha de fundição, uma retomada do interior, do represamento quente, onde são tiradas ferrugem e fragilidade através do calor do fogo. É cerimônia sagrada, ajuda para mim, a fim de que minha obra tenha sucesso.

Toca a terra, aperta tua mão na matéria, molda-a com cuidado. Grande é o poder da matéria. Hap não veio da matéria? A matéria não é o preenchimento do vazio? Enquanto moldas a matéria, eu moldo tua felicidade. Não duvidas do poder de Hap. Como podes duvidar do poder de sua mãe, a matéria? A matéria é mais forte do que Hap, pois Hap é o filho da terra. A matéria mais dura é a melhor, tu deves moldar a matéria mais duradoura. Isto dá força ao pensamento.

{6} Eu fiz, como minha alma sugeriu, e moldei na matéria os pensamentos que ela me deu. Ela me falou muitas vezes e demoradamente da sabedoria que está por trás de nós[72]. Mas uma noite ela chegou de repente com o hálito da intranquilidade e do medo e gritou[73]: "O que vejo? O que esconde o futuro? Fogo chamejante? Um fogo nos ares espera – ele se aproxima – uma chama – muitas chamas – uma maravilha quente – como se inflamam muitas luzes? Meu amado, é a graça do fogo eterno – a exalação do fogo baixa sobre ti!".

---

72 Cf. Apêndice C, 16 de janeiro de 1916. É um esboço preliminar da cosmologia dos *Septem Sermones*. A referência de Jung à elaboração de seus conceitos de alma na matéria parece referir-se à composição do *Systema Munditotius* (cf. Apêndice A). Para um estudo sobre isto, cf. JEROMSON, B. "*Systema Munditotius* and *Seven Sermons*: symbolic collaborators in Jung's confrontation with the dead". *Jung History*, 1/2, 2005-2006, p. 6-10. • "The sources of Systema Munditotius: mandalas, myths and a misinterpretation". *Jung History*, 2/2, 2007, p. 20-22.

73 18 de janeiro de 1916.

Mas eu gritei horrorizado: "Temo coisa assustadora e terrível, o medo toma conta de mim, pois temíveis foram as coisas que me anunciaste antes – tudo deve ser quebrado, queimado, destruído?"

"Paciência", disse ela, e olhou friamente para fora, "há fogo sobre ti, um mar de calor desmedido".

"Não me tortures – que segredos horríveis possuis? Fala, eu te peço. Ou mentes de novo, maldito espírito torturador, monstro enganador? O que significam teus fantasmas fraudulentos?"

Mas ela respondeu serena: "Eu quero também teu medo".

"Para quê? Para me torturar?"

Mas ela continuou: "Para apresentá-lo ao senhor deste mundo[74]. Ele exige o sacrifício de teu medo. Ele te julga digno desse sacrifício. Ele[75] te é propício".

"Propício a mim? O que significa isso? Eu gostaria de esconder-me dele. Minha face teme o senhor desse mundo, pois ela está marcada, traz um sinal, ela viu o proibido. Por isso temo o senhor desse mundo".

"Mas tu deves ir à sua presença; ele percebeu o teu medo".

"Tu me provocaste este medo. Por que me traíste?"

"Foste chamado a seu serviço".

Mas eu reclamei e disse: "Destino três vezes maldito! Por que não podes deixar-me oculto? Por que ele me escolheu para o sacrifício? Milhares se prontificaram a ele de boa vontade. Por que justamente eu? Eu não posso, eu não quero".

Mas a alma falou: "Tens a palavra que não pode ficar oculta".

"O que significa minha palavra? É o balbucio da criança, é minha pobreza e impotência, meu não poder de outra forma. E é isto que desejas arrastar para diante do senhor desse mundo?"

Mas ela olhou fixamente para longe e disse: "Eu vejo a superfície da terra e fumaça se estende sobre ela – um mar de fogo vem rolando do norte, incendiando cidades e aldeias, lança-se sobre as montanhas, atravessa o vale, queima as matas – as pessoas deliram – tu caminhas diante do fogo com a roupa queimada e o cabelo chamuscado, teus olhos contemplam tudo perdidamente,

---

74 O quadro *Systema munditotius* tem uma legenda ao pé: "Abraxas dominus mundi" [Abraxas o senhor do mundo].

75 O *Livro Negro* 5, tem: "Abraxas" (p. 181).

tua língua está seca, tua voz está rouca e dissonante – caminhas apressado para frente, anuncias aquilo que se aproxima, sobes as montanhas, vais a todo vale, murmuras palavras de pavor e anuncias o tormento do fogo. Carregas a marca do fogo, e as pessoas ficam horrorizadas diante de ti. Elas não veem o fogo, não acreditam em tuas palavras, mas veem tua marca e pressentem em ti, sem saber, o mensageiro do tormento que arde. Que fogo? Perguntam, que fogo? Tu gaguejas, balbucias, o que sabes sobre o fogo? Eu olhei as brasas, vi a chama incandescente. Que Deus nos salve para o além".

"Minha alma", gritei desesperadamente, "fala, explica-me o que devo anunciar: o fogo? Que fogo?"

"Olha para cima, vê a chama que arde sobre tua cabeça – olha para cima, os céus ficam vermelhos".

Com essas palavras, minha alma desapareceu.

Mas eu fiquei durante muitos dias na intranquilidade e confusão. Minha alma se calou e não se podia vê-la[76]. Mas uma noite, um bando sombrio bateu à minha porta e eu tremi de medo. Apareceu, então, minha alma e disse apressadamente: "Eles estão aí e vão arrombar tua porta".

"Será que esta manada ruim vai invadir o meu jardim? Serei saqueado e atirado na rua? Tu fazes de mim um macaco e brinquedo de crianças. Por que, meu Deus, devo ser libertado desse inferno de loucos? Mas eu vou acabar com vossas tramas malditas, ide para o inferno, malucos. O que quereis comigo?"

Mas ela me interrompeu e disse: "O que estás falando? Cede a palavra à escuridão".

Eu retruquei: "Como posso confiar em ti? Trabalhas para ti, não para mim. Para que serves, se não consegues proteger-me contra essa confusão do diabo?"

"Fica quieto", disse ela, "senão destróis a obra".

Quando disse essas palavras, ΦΙΛΗΜΩΝ aproximou-se de mim com veste branca de sacerdote e colocou a mão sobre meu ombro[77]. Falei então à escuridão: "Falai, vós mortos". E logo gritaram em uníssono[78]: "N ós voltamos de Je-

76 29 de janeiro de 1916.

77 30 de janeiro de 1916. A frase precedente não ocorre no *Livro Negro* 5.

78 Sobre o significado dos *Sermones* que seguem, Jung disse a Aniela Jaffé que as discussões com os mortos formavam o prelúdio àquilo que ele iria posteriormente comunicar ao mundo e que o conteúdo deles antecipava seus livros posteriores. "Então e a partir de então os mortos vieram a ser para mim, cada vez mais claramente, as vozes do não respondido, do não dissolvido e não redimido". As perguntas que ele era solicitado a responder não provinham do mundo circundante, mas dos mortos. Um dos elementos que

rusalém, onde não encontramos o que procurávamos[79]. Pedimos entrada junto a ti. Tu ansiaste por nós. Não teu sangue, tua luz. É isto".

Então ΦΙΛΗΜΩΝ levantou sua voz, deu-lhes uma lição e disse[80] (e esta é a primeira instrução dos mortos)[81]:

---

o surpreendeu foi o fato de que os mortos pareciam não saber mais do que sabiam quando morreram. Seria de presumir que eles haviam alcançado um conhecimento maior. Isto explicava a tendência dos mortos a invadir a vida e por que, na China, eventos familiares importantes precisam ser comunicados aos ancestrais. Ele sentia que os mortos estão esperando as respostas dos vivos (*MP*, p. 258-259; *Memórias*, p. 228). Cf. acima nota 135 (p. 151) sobre Cristo pregando aos mortos nos infernos.

79 Cf. acima, p. 297, em que os anabatistas mortos guiados por Ezequiel estavam dirigindo-se a Jerusalém para rezar nos lugares santos.

80 Esta frase não ocorre no *Livro Negro* 5. Quanto à relação de Filêmon com os *Sermones*, Jung contou a Aniela Jaffé que ele compreendeu Filêmon nos *Sermones*. Foi aqui que Filêmon perdeu sua autonomia (*MP*, p. 25).

81 A versão caligráfica e a versão impressa dos *Sermones*, feitas por Jung, trazem o subtítulo: "As sete instruções dos mortos. Escritas por Basílides em Alexandria, cidade onde o Oriente toca o Ocidente. Traduzidas do texto original grego para a língua alemã". Basílides foi um filósofo cristão de Alexandria, na primeira metade do século II. Pouco se sabe sobre sua vida e de seus ensinamentos subsistiram apenas fragmentos (e nenhum de seu próprio punho), que apresentam um mito cosmogônico. Para os fragmentos existentes e comentário, cf. LAYTON, B. (org.). *The Gnostic Scriptures*. Nova York: Doubleday, 1987, p. 417-444. De acordo com Charles King, Basílides era egípcio de nascimento. Antes de sua conversão ao cristianismo, "seguiu as doutrinas da gnose oriental e procurou [...] combinar as doutrinas da religião cristã com a filosofia gnóstica. [...] Para isso escolheu expressões inventadas por ele e símbolos criativos" (*The Gnostics and their Remains*. Londres: Bell and Daldy, 1864, p. 33-34). De acordo com Layton, o mito gnóstico clássico tem a seguinte estrutura: "Ato I. A expansão de um primeiro princípio solitário (deus) para um pleno universo (espiritual) não físico. Ato II. Criação do universo material, incluindo as estrelas, os planetas, a terra e o inferno. Ato III. Criação de Adão, Eva e seus filhos. Ato IV. História subsequente da raça humana" (ibid., p. 13). Assim, em seu esboço mais amplo, os *Sermones* de Jung são apresentados em forma análoga a um mito gnóstico. Jung trata de Basílides em *Aíon* (1951). Credita aos gnósticos o mérito de ter encontrado expressões simbólicas adequadas do Self e observa que Basílides e Valentim "foram fortemente influenciados pela experiência natural íntima. Por isso eles são, como os alquimistas, uma verdadeira mina daqueles símbolos resultantes da evolução posterior da ação do Evangelho. Mas suas ideias constituem igualmente compensações para a assimetria divina introduzida pela doutrina da '*privatio boni*', inteiramente na linha das conhecidas tendências modernas do inconsciente de fabricar símbolos de totalidade para transpor a brecha entre a consciência e o inconsciente [...]" (OC, 9/2, § 428). Em 1915, ele escreveu uma carta a um amigo dos seus tempos de estudante, Rudolf Lichtenhan, que escrevera um livro intitulado *Die Offenbarung im Gnosticismus* (1901). Da resposta de Lichtenhan, datada de 11 de novembro, aparece que Jung pedira informações sobre a concepção de diversos personagens humanos no gnosticismo e sua possível correlação com a distinção feita por William James entre personagens insensíveis e personagens compassivos (JA). Em *Memórias*, Jung disse: "De 1918 até 1926, aproximadamente, eu me ocupara seriamente com os gnósticos, pois também eles haviam topado com o mundo primitivo do inconsciente. Haviam-se ocupado com seu conteúdo e imagens, que notoriamente foram contaminados com o mundo dos instintos" (p. 239). Jung já estava lendo literatura gnóstica no decorrer das leituras preparatórias para *Transformações e símbolos da libido*. Houve um extenso corpo de comentários sobre os *Septem Sermones*, o que proporciona alguma análise valiosa. No entanto, esses comentários devem ser tratados com cautela, já que abordaram os *Sermones* sem a vantagem do *Liber Novus* e dos *Livros Negros* e, não menos importante, dos comentários de Filêmon, que, juntos, proporcionam um esclarecimento contextual crítico. Os estudiosos discutiram a relação de Jung com o gnosticismo e o Basílides histórico, outras possíveis fontes e paralelos para os *Sermones* e a relação dos *Sermones* com as obras posteriores de Jung. Cf. especialmente MAILLARD, C. *Les Septem Sermones aux Morts de Carl Gustav Jung*. Nancy: Presses Universitaires de Nancy, 1993. Cf. tb. RIBI, A. *Die Suche nach den eigenen Wurzeln*: Die Bedeutung von Gnosis, Hermetik und Alchemie für C.G. Jung und Marie-Louise von Franz und deren Einfluss auf das moderne Verständnis dieser Disziplin. Berna:

"Ouvi, pois: Eu começo no nada. O nada é o mesmo que a plenitude. Na infinitude há tanto o cheio quanto o vazio. O nada é cheio e vazio. Vós podeis também dizer outra coisa do nada como, por exemplo, que é branco ou preto, que não existe, ou que existe. Uma coisa eterna e sem fim não tem qualidades, porque possui todas as qualidades.

"Nós chamamos o nada ou a plenitude de *Pleroma*[82]. Nele cessam pensar e ser, pois o eterno e sem fim não tem qualidades. Nele não há ninguém, pois então seria distinto do Pleroma e teria qualidades que o distinguem como alguma coisa do Pleroma.

"No Pleroma não há nada e tudo; não vale a pena refletir o Pleroma, pois isto significaria: dissolver a si mesmo.

"A *criatura* não está no Pleroma, mas em si. O Pleroma é o começo e o fim da criatura[83]: ele os impregna como a luz do sol impregna o ar por toda parte.

Peter Lang, 1991. · SEGAL, R. *The Gnostic Jung*. Princeton: Princeton University Press, 1992. · QUISPEL, G. "C.G. Jung und die Gnosis". *Eranos-Jahrbuch*, 37, 1968 [reimpresso em SEGAL]. · BRENNER, E.M. "Gnosticism and Psychology: Jung's Septem Sermones ad Mortuos". *Journal of Analytical Psychology*, 35, 1990. · HUBBACK, J. "VII Sermones ad mortuos". *Journal of Analytical Psychology*, 11, 1966. · HEISIG, J. "The VII Sermones: Play and Theory". *Spring*, 1972. · OLNEY, J. *The Rhizome and the Flower*: The Perennial Philosophy, Yeats and Jung. Berkeley: University of California Press, 1980. · HOELLER, S. *The Gnostic Jung and the Seven Sermons to the Dead*. Wheaton, Ill.: Quest, 1982.

82 Pleroma, ou plenitude, é um termo tirado do gnosticismo. Desempenhou um papel central no sistema valentiniano. Hans Jonas observa que "Pleroma é o termo corrente para designar a multiplicidade plenamente explicada das características divinas, cujo número padrão é trinta, formando uma hierarquia e constituindo, juntas, o domínio divino" (*The Gnostic Religion*: The Message of the Alien God and the Beginnings of Christianity. Londres: Routledge, 1992, p. 180). Em 1929, Jung disse: "Os gnósticos [...] expressaram isto como Pleroma, um estado de plenitude no qual os pares de opostos, sim e não, dia e noite, estão unidos; depois, quando eles 'vêm a ser', é ou dia ou noite. No estado de 'promessa' antes de virem a ser, eles são não existentes, não há nem branco nem preto, nem bom nem mau" (McGUIRE, W. (org.). *Dream Analysis*: Notes of the Seminar given in 1928-1930. Princeton/Londres: Princeton University Press/Routledge, 1984, p. 131 [Bollingen Series]. Em seus escritos posteriores, Jung usou o termo para designar um estado de preexistência e potencialidade, identificando-o com o bardo tibetano: "Por isso ele deve acostumar-se com a ideia de que o tempo é um conceito relativo que, a rigor, deveria ser completado pela noção da existência 'simultânea' de bardo ou pleromática de todos os processos históricos. Aquilo que existiu como 'processo' eterno no Pleroma surge, no tempo, como sequência aperiódica, ou seja, numa repetição muitas vezes irregular" [*Resposta a Jó* (1952). OC, 11/4, § 629. Cf. tb. § 620, 624, 675, 686, 727, 733, 748]. A distinção que Jung estabelece entre o Pleroma e a criação tem alguns pontos de contato com a diferenciação feita por Mestre Eckhart entre a divindade e Deus. Jung teceu comentários sobre isto em *Tipos psicológicos* (OC, 6, § 429s.). A relação entre o Pleroma de Jung e Eckhart é discutida por Maillard. Op. cit., p. 118-120. Em 1954 Jung equiparou o Pleroma à noção do "unus mundus" [o mundo uno] do alquimista Gerard Dorn (*Mysterium coniunctionis*. OC, 14/2, § 325). Jung adotou esta expressão para designar o postulado transcendental da unidade subjacente à multiplicidade do mundo empírico (ibid., § 413s.).

83 Em *Tipos psicológicos* (1921, Jung descreveu o "Tao" como "o ser criador, que fecunda como o pai e dá à luz como a mãe. É o princípio e o fim de todos os seres" (OC, 6, § 412). A relação do Pleroma de Jung com o Tao chinês é analisada por Maillard, op. cit., p. 75. Cf. tb., PECK, J. *The Visio Dorothei: Desert Context, Imperial Setting. Later Alignments*, pp. 179-180.

Ainda que o Pleroma perpasse tudo, a criatura não participa disso, assim como um corpo totalmente transparente não fica claro nem escuro por causa da luz que o impregna.

"Mas nós mesmos somos o Pleroma, pois somos uma parte do eterno e infinito. Mas não temos parte nisso; estamos muito distantes do Pleroma, não no espaço ou no tempo, mas na *essência*, enquanto nos distinguimos na essência do Pleroma como criatura limitada no tempo e no espaço.

"Mas enquanto partes do Pleroma, ele também está em nós. Mesmo no mínimo ponto, o Pleroma é infindo, eterno e total, pois pequeno e grande são qualidades nele contidas. É o nada que é total em toda parte e ininterrupto. Por isso falo só simbolicamente da criatura como de uma parte do Pleroma, pois na verdade o Pleroma não é dividido em parte nenhuma, pois ele é o nada. Nós somos também o Pleroma todo, pois simbolicamente o Pleroma é o menor ponto, apenas aceito, não existente em nós e no firmamento ilimitado em torno de nós. Mas então por que falamos do Pleroma, se ele é tudo e nada ao mesmo tempo?

"Falo disso para começar em algum lugar e para tirar-vos a ilusão de que em algum lugar fora ou dentro haja de antemão algo firme ou de alguma forma determinado. Todo o chamado firme ou determinado é apenas relativo. Só é firme e determinado o que é possível de ser modificado.

"Mas o modificável é a criatura, portanto ela é a única coisa firme e determinada, pois ela tem qualidades, sim, ela mesma é uma qualidade.

"Nós levantamos a questão: como surgiu a criatura? As criaturas originaram-se, mas não a criatura, pois ela é a qualidade do próprio Pleroma, assim como a não criação, a morte eterna. A criatura é sempre e em toda parte, a morte é sempre e em toda parte. O Pleroma tem tudo, diferenciação e indiferenciação.

"A diferenciação[84] é a criatura. Ela é distinta. Diferenciação é sua natureza, por isso ela também diferencia. Por isso o ser humano diferencia, pois sua natureza é diferenciação. Por isso distingue também as qualidades do Pleroma, que não existem. Ele as distingue a partir de sua natureza. Por isso o ser humano precisa falar das qualidades do Pleroma, que não existem.

84 Lit. *Unterschiedenheit*. Cf. *Tipos psicológicos* (1921). OC, 6, § 778, "Diferenciação" (Differenzierung).

"Vós dizeis: o que adianta falar disso? Tu mesmo disseste que não adianta refletir sobre o Pleroma.

"Eu vos disse isto para vos libertar da ilusão de que se pode refletir sobre o Pleroma. Quando distinguimos as qualidades do Pleroma, falamos então a partir de nossa diferenciação e sobre nossa diferenciação, e nada dissemos sobre o Pleroma. Mas é necessário falar sobre nossa diferenciação, para que possamos diferenciar-nos o bastante. Nossa natureza é diferenciação. Se não formos fiéis a esta natureza, não nos diferenciaremos o bastante, por isso temos de diferenciar as qualidades.

"Vós perguntais: 'qual é o mal de a gente não se diferenciar?' Se não diferenciarmos, passamos para além de nossa natureza, para além da criatura e caímos na indistinção, que é a outra qualidade do Pleroma. Caímos dentro do próprio Pleroma e renunciamos a ser criatura. Sucumbimos à dissolução no nada. Isto é a morte da criatura. Portanto, morremos na medida em que não distinguirmos. Por isso o empenho natural da criatura dirige-se à distinção, luta contra a igualdade primordial, perigosa. Isto se chama *principium individuationis*[85]. Este princípio é a essência da criatura. Nisso podeis ver por que a indistinção e o não diferenciar são um grande perigo para a criatura.

"Por isso precisamos distinguir as qualidades do Pleroma. As qualidades são os pares de opostos como

"o operante e o inoperante,
o cheio e o vazio,

85 O *principium individuationis* é uma noção tomada da filosofia de Arthur Schopenhauer. Este definiu o espaço e o tempo como o *principium individuationis*, observando que havia tomado a expressão da escolástica. O *principium individuationis* era a possibilidade da multiplicidade (*The World as Will and Representation* [1819]. 2 vols. Nova York: Dover, p. 145-146 [trad. de E.J. Payne]). O termo foi usado por Eduard von Hartmann, que viu sua origem no inconsciente. Designava a "Einzigkeit" [unicidade] de cada indivíduo contraposta ao "All-Einiges Unbewusste [inconsciente único]" (*Philosophie des Unbewussten*: Versuch einer Weltanschauung. Berlim: C. Dunker, 1869, p. 519). Em 1912, Jung escreveu: "A diversidade nasce através da individuação. Este fato dá uma profunda justificação psicológica a boa parte da filosofia de Schopenhauer e de Hartmann" (*Transformações e símbolos da libido*. OC, B, 289). Numa série de ensaios e apresentações posteriores em 1916, Jung desenvolveu seu conceito de individuação ("A estrutura do inconsciente". OC, 7: "Individuação e coletividade". OC, 18/2). Em 1921, Jung definiu-a da seguinte maneira: "O conceito de individuação desempenha papel não pequeno em nossa psicologia. A individuação, em geral, é o processo de formação e particularização do ser individual e, em especial, é o desenvolvimento do indivíduo psicológico como ser distinto do conjunto, da psicologia coletiva. É portanto um processo de diferenciação que objetiva o desenvolvimento da personalidade individual" (*Tipos psicológicos*. OC, 6, § 853).

o vivo e o morto,
o diferente e o igual,
o claro e o escuro,
o quente e o frio,
a força e a matéria,
o bem e o mal,
o belo e o feio,
o uno e o múltiplo, etc.

"Os pares de opostos são as qualidades do Pleroma que não existem, porque se anulam. Já que nós mesmos somos o Pleroma, temos também em nós todas essas qualidades; já que o fundamento de nossa natureza é a distinção, temos as qualidades em nome e em sinal da distinção, isto significa:

"Primeiro: as qualidades estão em nós distintas entre si e separadas, por isso não se anulam, mas são operantes. Por isso somos a vítima dos pares de opostos. Em nós o Pleroma está desunido.

"Segundo: as qualidades pertencem ao Pleroma e nós só podemos possuí-las ou vivê-las em nome e em sinal da distinção. Mas devemos distinguir-nos das qualidades. No Pleroma elas se anulam, em nós não. A diferenciação delas liberta.

"Quando lutamos pelo bem e pelo belo, esquecemos nossa natureza, a distinção existe e nós sucumbimos às qualidades do Pleroma como aquelas que formam os pares de opostos. Nós nos esforçamos para alcançar o bom e o belo, mas abrangemos ao mesmo tempo o mau e o feio, pois eles são um no Pleroma com o bem e o belo. Mas quando ficamos fiéis à nossa natureza, ou seja, à distinção, então nos diferenciamos do bom e do belo e, por isso, também do mau e do feio, e não caímos no Pleroma, ou seja, no nada e na dissolução[86].

"Vós objetais: tu disseste que o diferente e o idêntico são também qualidades do Pleroma. O que acontece quando lutamos pela diferenciação? Somos então fiéis à nossa natureza? E devemos sucumbir então também à igualdade, quando lutamos pela diferenciação?

---

86 A noção de vida e de natureza sendo constituída por opostos e polaridades ocupou um lugar central na *Naturphilosophie* de Schelling. A noção de que o conflito psíquico assumia a forma de um conflito de opostos e a cura representava a solução dos mesmos ocupou um lugar eminente na obra posterior de Jung (cf. *Tipos psicológicos*. OC, 6, cap. V [1921]. • *Mysterium coniunctionis* [1955/1956]. OC, 14).

"Não deveis esquecer que o Pleroma não possui qualidades. Nós as criamos através do pensar. Se, portanto, lutardes pela diferenciação, igualdade ou outras propriedades quaisquer, lutais por pensamentos que vos provêm do Pleroma, ou seja, pensamentos sobre as qualidades não existentes do Pleroma. Ao correr atrás desses pensamentos, caís novamente no Pleroma e chegais à diferenciação e à igualdade ao mesmo tempo. Não vosso pensamento, mas vossa natureza é distinção. Por isso não deveis lutar pela diferenciação como vós a pensais, mas por *vossa natureza*. Por isso só existe basicamente uma luta, isto é, a luta pela própria natureza. Se tivésseis esta luta, não precisaríeis saber nada sobre o Pleroma e suas qualidades e chegaríeis ao objetivo certo graças à vossa natureza. Mas como o pensar se afasta da natureza, tenho de ensinar-vos o conhecimento com o qual podeis refrear vosso pensar".

[87]Os mortos desapareceram murmurando e reclamando, e sua gritaria ecoou na distância.

[88]Mas eu me voltei para ΦΙΛΗΜΩΝ e disse: "Meu pai, deste um ensinamento maravilhoso. Os antigos não aprenderam coisa semelhante? E não foi uma heresia condenável, igualmente longe do amor e da verdade? Por que ensinas semelhante doutrina a este bando que o vento da noite arrebatou dos campos escuros de sangue do Ocidente?"

"Meu filho", respondeu ΦΙΛΗΜΩΝ, "esses mortos terminaram sua vida cedo demais. São aqueles que procuravam e por isso ainda pairam sobre suas sepulturas. Sua vida ficou incompleta, pois não conheciam o caminho para além daquilo que a fé lhes destinou. Mas como ninguém os instruía, devo eu fazê-lo. Isto é o mandamento do amor, pois queriam ouvir, ainda que murmurem. Mas por que lhes ensino a doutrina dos antigos? Ensino-lhes dessa forma porque sua fé cristã renegou e perseguiu certa vez precisamente essa doutrina. Mas eles mesmos renegaram a fé cristã e por isso tornaram-se aqueles que a fé cristã também renegou. Isto eles não sabem, e por isso devo ensinar-lhes, para que sua vida se complete e eles possam entrar na morte".

---

87 Os parágrafos seguintes até o fim desta seção não ocorrem no *Livro Negro 6*.

88 Na versão publicada dos *Sermones*, estes comentários que seguem cada sermão não aparecem, nem aparece Filêmon: tem-se suposto que a pessoa que profere os sermões seja Basílides. Estes comentários foram acrescentados em *Aprofundamentos*.

"Mas, sábio ΦΙΛΗΜΩΝ, acreditas no que ensinas?"

"Meu filho", respondeu ΦΙΛΗΜΩΝ, "por que fazes esta pergunta? Como poderia eu ensinar aquilo em que acredito? Quem me daria o direito de ter semelhante fé? Trata-se do que sei dizer, não porque o creio, mas porque o sei. Se soubesse coisa melhor, ensinaria coisa melhor. Mas devo ensinar uma fé àqueles que renegaram a fé? E eu te pergunto: é bom acreditar em coisa melhor quando não se sabe coisa melhor?"[89]

Respondi: "Mas tens certeza de que as coisas se comportam exatamente assim como dizes?"

A isto ΦΙΛΗΜΩΝ respondeu: "Não sei se é melhor o que nós conseguimos saber. Mas eu não sei coisa melhor e por isso estou certo de que essas coisas se comportam assim como eu digo. Se elas se comportassem de outra maneira, eu diria outra coisa, pois eu as conheceria de outro modo. Mas essas coisas se comportam assim como eu as conheço, pois meu conhecimento é precisamente estas próprias coisas".

"Meu pai, estás absolutamente certo de que não erras?"

"Não há erro nessas coisas", respondeu ΦΙΛΗΜΩΝ, "há apenas diferentes graus de conhecimento. As coisas são assim como as conheces. Só em teu mundo as coisas são sempre diferentes de como as conheces, por isso só existem erros em teu mundo".

Após estas palavras, ΦΙΛΗΜΩΝ inclinou-se, tocou a terra com a mão e desapareceu.

{7} Na noite seguinte estava ΦΙΛΗΜΩΝ comigo e os mortos se aproximaram; ficaram ao longo das paredes e gritaram[90]: "Queremos saber sobre Deus. Onde está Deus? Deus está morto?"[91]

---

89 Em sua entrevista à TV BBC de 1919, John Freeman perguntou a Jung: "Você agora acredita em Deus?" Jung respondeu: "Agora? [Pausa.] Difícil de responder. Eu *sei*. Eu não preciso acreditar. Eu sei". McGUIRE, W. & HULL, R.F.C. *C.G. Jung Speaking*: Interviews and Encounters. Princeton: Princeton University, 1977, p. 428 [Bollingen Series]. A afirmação de Filêmon aqui parece constituir o pano de fundo para esta muito citada e discutida afirmação. Esta ênfase na experiência direta está também de acordo com o gnosticismo clássico.

90 13 de janeiro de 1916. Esta frase não está no *Livro Negro* 6.

91 Para a discussão de Nietzsche sobre a morte de Deus, cf. *A gaia ciência* (1882, § 108 e 125) e *Assim falava Zaratustra* (Quarta parte: "Em disponibilidade", p. 325ss.). Para a discussão de Jung sobre isso, cf. "Psicologia e religião" (1938), § 142s. Jung comentou: "Ao dizer 'Deus está morto', Nietzsche enunciou uma verdade válida para a maior parte da Europa" (ibid., § 145). A esta afirmação de Nietzsche, Jung

Mas ΦΙΛΗΜΩΝ falou (e esta é a segunda instrução dos mortos):

"Deus não está morto, está vivo como sempre. Deus é criatura, pois é algo determinado e por isso distinto do Pleroma. Deus é qualidade do Pleroma e tudo o que eu disse da criatura vale também para ele.

"Mas ele se distingue da criatura pelo fato de ser bem mais indistinto e indeterminável do que a criatura. É menos diferenciado do que a criatura, pois o fundamento de sua natureza é a plenitude operante, e só na medida em que é determinado e diferenciado é ele criatura e, nesta medida, é a explicação da plenitude atuante do Pleroma.

"Tudo o que não distinguimos cai no Pleroma e se anula com seu oposto. Por isso quando não diferenciamos Deus, a plenitude atuante fica anulada para nós.

"Deus é também o próprio Pleroma, assim como qualquer outro minúsculo ponto no criado e no incriado é o próprio Pleroma.

"O vazio operante é a natureza do demônio. Deus e demônio não são as primeiras manifestações do nada, que chamamos de Pleroma. É indiferente se o Pleroma existe ou não existe, pois ele mesmo se anula em tudo. Não é assim com a criatura. Na medida em que Deus e demônio são criaturas, não se anulam, mas permanecem um contra o outro como opostos operantes. Não precisamos de nenhuma prova de sua existência, basta que tenhamos de falar deles constantemente. Mesmo que os dois não existissem, a criatura, por causa de sua natureza da distinção, sempre os distinguiria a partir do Pleroma.

"Tudo o que a distinção tira do Pleroma é par de opostos, por isso sempre pertence a Deus também o demônio[92].

"Esta pertença é tão íntima e, como o experimentastes, tão indissolúvel em vossa vida como o próprio Pleroma. Isto vem do fato de ambos estarem bem próximos do Pleroma, no qual se anulam todos os opostos e se tornam um.

"Deus e o demônio se distinguem pelo cheio e vazio, geração e destruição. O *operante* lhes é comum. O operante os une. Por isso o operante está acima

---

observou: "Mas seria mais correto dizer: 'Ele tirou nossa imagem e onde vamos encontrá-la de novo'?" (ibid.). Passa então a discutir o motivo da morte e desaparecimento de Deus em conexão com a crucifixão e ressurreição de Cristo.

92 Cf. "Interpretação psicológica do Dogma da Trindade" (1940). OC, 11/2, § 284s.

dos dois e é um Deus acima de Deus, pois une a plenitude e o vazio em sua atuação.

"Este é um Deus que não conhecíeis, pois os homens o esqueceram. Nós o chamamos com o seu nome *ABRAXAS*[93]. Ele é ainda mais indeterminado do que Deus e o demônio.

"Para distinguir Deus dele, chamamos Deus de *HELIOS* ou Sol[94]. Abraxas é atuação, nada se lhe opõe a não ser o irreal; por isso sua natureza atuante se desenvolve livremente. O irreal não existe e não faz resistência. Abraxas está acima do sol e acima do demônio. Ele é o provável improvável, o irrealmente atuante. Se o Pleroma tivesse uma natureza, Abraxas seria sua manifestação.

"Ele é a própria atuação, mas nenhuma atuação determinada, mas atuação em geral.

"Ele é irrealmente atuante, porque não tem nenhuma atuação determinada.

"Ele é também criatura, uma vez que é distinto do Pleroma.

"O sol tem uma atuação determinada, bem como o demônio, por isso nos parecem bem mais atuantes do que o indeterminado Abraxas.

"Ele é força, duração, mudança".

[95]Aqui os mortos levantaram grande tumulto, pois eram cristãos.

---

93 Em 1932, Jung comentou sobre Abraxas: "O símbolo gnóstico Abraxas, um nome inventado que significa trezentos e sessenta e cinco [...]. os gnósticos o usavam como nome de sua divindade suprema. Era um deus do tempo. A filosofia de Bergson, a *durée créatrice*, é uma expressão da mesma ideia". Jung descreveu-o de uma maneira que ecoa sua descrição aqui: "Assim como este mundo arquetípico do inconsciente coletivo é extremamente paradoxal, sempre sim e não, essa figura de Abraxas significa o início e o fim, ela é vida e morte, e por isso é representada por uma figura monstruosa. Ela é um monstro porque é a vida da vegetação no decurso de um ano, a primavera e o outono, o verão e o inverno, o sim e não da natureza. Por isso Abraxas é realmente idêntico ao Demiurgo, o criador do mundo. E como tal é certamente idêntico ao Purusha ou a Shiva" (16 de novembro. *Visions Seminar*. Vol. 2, p. 806-807). Jung acrescentou que "Abraxas é geralmente representado com a cabeça de um pássaro, o corpo de um homem e a cauda de uma serpente, mas existe também o símbolo da cabeça de leão com corpo de dragão, a cabeça coroada com os doze raios, numa alusão ao número dos meses" (ibid. 7 de junho de 1933, p. 1.041-1.042). De acordo com Santo Ireneu, Basílides afirmava que "o monarca deles chama-se Abrasaks e é por isso que este (monarca) traz em si o número 365" (LAYTON (org.). *The Gnostic Scriptures*, p. 425). Abraxas ocupou um lugar proeminente na obra de DIETERICH, A. *Abraxas* – Studien zur Religionsgeschichte des späten Altertums. Leipzig, 1891. Jung estudou esta obra com atenção no início de 1913 e seu exemplar contém anotações. Jung possuía também um exemplar de *The Gnostics and their Remains* de Charles King (Londres: Bell and Daldy, 1864) e encontram-se anotações marginais ao lado desta passagem à p. 37, discutindo a etimologia de Abraxas.

94 Na mitologia grega, Helios é o Deus Sol. Jung analisou as mitologias solares em *Transformações e símbolos da libido* (1912. OC, B, § 177ss.) e também em sua palestra conclusiva inédita sobre Opicinus de Canistris, na conferência de Eranos em Ascona em 1943 (JA).

95 Os parágrafos seguintes até o fim desta seção não ocorrem no *Livro Negro* 6.

Mas como ΦΙΛΗΜΩΝ tivesse acabado seu discurso, os mortos voltaram também um após outro para a escuridão, e o barulho de sua revolta foi sumindo aos poucos ao longe. Como tudo estivesse quieto agora, dirigi-me a ΦΙΛΗΜΩΝ e exclamei:

"Tem piedade de nós, ó mais sábio! Tu tiras das pessoas os deuses aos quais elas podiam rezar. Tiras do mendigo a esmola, do faminto o pão, do friorento o fogo".

ΦΙΛΗΜΩΝ respondeu e disse: "Meu filho, esses mortos tiveram de rejeitar a fé dos cristãos e por isso não adoravam mais a nenhum Deus. Devo então ensinar-lhes um Deus no qual possam crer e ao qual possam rezar? Eles já repudiaram isso. Por que o repudiaram? Tiveram de repudiá-lo porque não podiam fazer outra coisa. E por que não conseguiram fazer outra coisa? Porque o mundo, sem que as pessoas o soubessem, entrou naquele mês do grande ano em que só se pode acreditar naquilo que se conhece[96]. Isto é bastante duro, mas um remédio para a longa doença que resultou do fato de se acreditar no que não se sabia. Eu lhes ensino o Deus que conheço e que eles conhecem, sem dele estar conscientes, um Deus em que não acreditam e ao qual não rezam, mas que eles conhecem. Este Deus eu ensino aos mortos, pois eles solicitaram entrada e ensinamento. Mas não o ensinei às pessoas vivas, pois não solicitaram meu ensinamento. Por que haveria então de ensinar-lhes? Por isso também não tirei delas nenhum ouvinte bondoso de orações, nenhum pai do céu. O que importa aos vivos a minha loucura? Os mortos precisam da redenção, pois muitos deles esperam pairando sobre suas sepulturas e desejam o conhecimento que a fé e a rejeição da fé sufocaram. Mas quem ficou doente e se aproxima da morte, este quer o conhecimento e apresenta o pedido".

Respondi: "Parece-me que ensinaste às massas um Deus assustador e terrível, ao qual não importam o bem e o mal, o sofrimento e a alegria das pessoas".

"Meu filho", disse ΦΙΛΗΜΩΝ, "não viste que esses mortos tiveram um Deus de amor e o rejeitaram? Devo eu ensinar-lhes um Deus de amor? Eles tiveram de rejeitá-lo após terem rejeitado há muito o Deus do mal, que chamam de demônio. Por isso precisam conhecer um Deus para o qual todo o criado não é nada, porque ele mesmo é o criador e todo criado e também a destruição de

96 A referência é aos meses platônicos. Cf. nota 273, p. 358.

todo o criado. Eles não rejeitaram um Deus que é um pai, um amante, bondoso e belo? Um Deus ao qual atribuíram determinadas qualidades e um determinado ser? Por isso preciso ensinar-lhes um Deus ao qual nada pode ser atribuído, que tem todas as qualidades e, com isso, nenhuma, porque eu e eles só podemos conhecer um Deus assim".

"Mas como, ó meu pai, podem as pessoas entrar em acordo com um Deus assim? O conhecimento de tal Deus não é o rompimento do vínculo humano e de toda comunidade que se baseia no bem e no belo?"

ΦΙΛΗΜΩΝ respondeu: "Esses mortos rejeitaram o Deus do amor, do bem e do belo, eles tiveram de rejeitá-lo e assim rejeitaram a união e comunidade no amor, no bom e no belo. E assim mataram-se mutuamente e dissolveram a comunidade das pessoas. Devo eu ensinar-lhes o Deus que os uniu no amor e que eles rejeitaram? Por isso ensino-lhes o Deus que dissolve a união, que despedaça todo o humano, que cria poderosamente e destrói com força. A quem o amor não une, a este força o medo".

Tendo ΦΙΛΗΜΩΝ dito estas palavras, curvou-se rapidamente para o chão, tocou-o com a mão e desapareceu.

{8} Na noite seguinte[97] aproximaram-se novamente os mortos como névoa dos pântanos e gritaram:

"Fala-nos mais a respeito do Deus supremo".

E ΦΙΛΗΜΩΝ aproximou-se, ficou de pé e disse (e esta é a terceira instrução dos mortos)[98]:

"Abraxas é um Deus difícil de se conhecer. Seu poder é maior, pois o ser humano não o vê. Do sol tira o *summum bonum*[99]; do demônio tira o *infimum malum*, mas de Abraxas, a *VIDA* indeterminada sob todos os aspectos, que é a mãe do bem e do mal[100].

---

97 1º de fevereiro de 1916.

98 Esta frase não está no *Livro Negro* 6.

99 Aristóteles definiu a felicidade como o bem supremo (*Summum Bonum*). Em sua *Summa Theologica*, Tomás de Aquino identificou-a com Deus. Jung considerava a doutrina do *Summum Bonum* a fonte do conceito da *privatio boni*, que, em sua opinião, havia levado à negação da realidade do mal. Cf. *Aion* (1951) (OC, 9/2, § 80, 94). Por isso ela é contrabalançada aqui com o *Infimum Malum*.

100 No *Livro Negro* 6 (cf. Apêndice C), Jung observa que Abraxas é o Deus das rãs e que "o Deus das rãs ou dos sapos, o anencéfalo, é a fusão do Deus cristão com satanás" (cf. abaixo, p. 367). Em seus escritos posteriores, Jung sustentou que a imagem do Deus cristão era unilateral por deixar fora o fator do mal.

A vida parece ser menor e mais fraca do que o *summum bonum*, razão por que é difícil também pensar que Abraxas supere até mesmo o sol em poder, que é a fonte radiosa de toda força vital.

"Abraxas é o sol e ao mesmo tempo a garganta eternamente sugadora do vazio, do diminuidor, do fragmentado, do demônio.

O poder de Abraxas é duplo. Mas vós não o vedes, pois aos vossos olhos levanta-se o voltar-se um contra o outro desse poder.

"O que o Deus-Sol fala é vida, o que o demônio fala é morte.

"Mas Abraxas fala a palavra digna de veneração e maldita, a vida e a morte ao mesmo tempo.

"Abraxas gera verdade e mentira, o mal e o bem, luz e trevas na mesma palavra e no mesmo ato. Por isso ele é terrível.

"É magnífico como o leão no momento em que abate sua vítima. É belo como um dia primaveril.

"Sim, ele é o próprio grande Pã e o pequeno.

"Ele é Príapo.

"Ele é o monstro do submundo, um pólipo com mil braços, enrodilhamento de cobra, fúria.

"Ele é o hermafrodita dos tempos imemoriais.

"Ele é o senhor dos sapos e rãs que moram na água e sobem à terra, que cantam em coro ao meio-dia e à meia-noite.

"Ele é o cheio que se une ao vazio.

"Ele é o coito sagrado.

"Ele é o amor e seu assassino.

"Ele é o santo e seu traidor.

"Ele é a luz mais brilhante do dia e a noite mais profunda da loucura.

Estudando as transformações históricas das imagens de Deus, ele tentou corrigir isto (especialmente *Aíon* e *Resposta a Jó*). Em sua nota sobre como *Resposta a Jó* foi escrito, Jung escreveu que em *Aíon* ele havia "criticado a ideia da *privatio boni*, [...] pois essa ideia não se coaduna com os conhecimentos psicológicos. A experiência psicológica mostra-nos que aquilo que chamamos de 'bem' se contrapõe a um 'mal' igualmente substancial. Se o 'mal' não existe, então tudo o que existe seria forçosamente 'bom'. Segundo o dogma, nem o 'bem' nem o 'mal' têm sua origem no homem, pois 'o maligno' existiu antes do homem, como um dos 'filhos de Deus'. A ideia da *privatio boni* só começou a desempenhar um certo papel na Igreja depois do aparecimento de Manes. Antes do maniqueísmo, Clemente de Roma ensinava que Deus governava o mundo com uma mão direita e com uma mão esquerda; pela mão direita ele entendia Cristo e pela mão esquerda, satanás. A concepção de Clemente é evidentemente *monoteísta*, pois une os contrários em um só Deus. Mais tarde, porém, o cristianismo se torna dualista, na medida em que a parte dos opostos personificada em satanás é separada [...]. Se o cristianismo reivindica para si a condição de religião monoteísta, a hipótese dos opostos presentes em Deus se faz necessária" (1956. OC, 11/4, p. 474-475).

"Olhar para ele significa cegueira.

"Conhecê-lo significa doença.

"Adorá-lo significa morte.

"Temê-lo significa sabedoria.

"Não se opor a ele significa redenção.

"Deus mora atrás do sol, o demônio mora atrás da noite. O que Deus traz à luz, o demônio o puxa para dentro da noite. Mas Abraxas é o mundo, seu próprio tornar-se e cessar. Para cada dom do Deus-Sol, o demônio coloca uma maldição.

"Tudo o que pedis do Deus-Sol gera um ato do demônio. Tudo o que criais com o Deus-Sol dá ao demônio a força da ação.

"Este é o terrível Abraxas.

"Ele é a criatura mais forte e nele se assusta a criatura de si mesma.

"Ele é a manifesta contradição da criatura contra o Pleroma e seu nada.

"Ele é o pavor do filho diante da mãe.

"Ele é o amor da mãe pelo filho.

"Ele é o encanto da terra e a atrocidade do céu.

"O ser humano fica imóvel em sua presença.

"Diante dele não há pergunta nem resposta.

"Ele é o ato de amor da criatura.

"Ele é a manifestação da diferenciação.

"Ele é o amor do ser humano.

"Ele é a linguagem do ser humano.

"Ele é o brilho e a sombra do ser humano.

"Ele é a realidade ilusória"[101].

[102]Aqui uivaram e se enfureceram os mortos, pois eles eram imperfeitos.

Mas quando sua gritaria cessou, eu disse a ΦΙΛΗΜΩΝ: "Meu pai, como devo entender esse Deus?"

---

101 Em 1942, Jung observou: "O conceito de um Deus que tudo abarca tem de incluir necessariamente o seu oposto. A coincidência, no entanto, não pode ser muito radical, porque então Deus se anularia. A ideia da coincidência dos opostos tem que ser completada ainda por seu contrário, a fim de alcançar o pleno paradoxo e, consequentemente, a validade psicológica" ("O espírito Mercurius". OC, 13, § 256).

102 Os parágrafos seguintes até o fim desta seção não ocorrem no *Livro Negro* 6.

ΦΙΛΗΜΩΝ respondeu dizendo:

"Meu filho, por que queres entender? Este Deus é para ser conhecido, não para ser entendido. Quando o entenderes, então podes dizer que ele é isto ou aquilo, ou não isto e não aquilo. Assim o seguras no côncavo da mão e por isso tua mão tem de rejeitá-lo. O Deus que eu conheço é isto e aquilo, mas também este outro e aquele outro. Por isso ninguém pode entender este Deus, e sim conhecê-lo, e é por isso que falo dele e o ensino".

"Mas", respondi, "este Deus não traz confusão desesperadora à mente das pessoas?"

ΦΙΛΗΜΩΝ falou: "Esses mortos rejeitaram a ordem da unidade e da comunidade, pois rejeitaram a fé no pai do céu que julga com medida justa. Eles tiveram de rejeitá-lo. Por isso ensino-lhes o caos que não tem substância e é totalmente sem limites, mas que tem afinidade com a justiça e injustiça, mansidão e dureza, paciência e raiva, amor e ódio. Pois como posso ensinar diferentemente do que o Deus que eu conheço e que eles conhecem, sem ter consciência dele?"

Perguntei: "Por que, ó sublime, chamas de Deus o eternamente incompreensível, o terrível contraditório da natureza?"

ΦΙΛΗΜΩΝ respondeu: "Que outro nome lhe daria? Se fosse lei a natureza superior do que acontece no todo e no coração das pessoas, eu o chamaria sem dúvida de lei. Mas isto também não é nenhuma lei e sim acaso, anomalia, pecado, erro, tolice, negligência, loucura, ilegalidade. Por isso não posso chamá-lo de lei. Vós sabeis que isto deve ser assim e sabeis ao mesmo tempo que não devia ser assim e numa outra vez também não é assim. Isto é superpoderoso e acontece como uma lei eterna e, numa outra vez, um vento atravessado sopra uma poeirinha na engrenagem e este nada é um superpoder, mais pesado do que uma montanha de ferro. Por isso sabeis que a lei eterna também não é nenhuma lei. Portanto não posso chamá-la de lei. Mas como denominá-la de outra forma? Eu sei que a linguagem humana nunca chamou de outro modo o ventre materno da incompreensão senão de Deus. Na verdade, este Deus é e não é, pois do ser e do não ser procede tudo que foi, que é e que será". Depois que ΦΙΛΗΜΩΝ disse a última palavra, tocou com a mão a terra e se dissolveu.

{9} Na noite seguinte os mortos acorreram cedo, encheram com resmungos o recinto e disseram:

"Fala-nos de deuses e demônios, maldito".

ΦΙΛΗΜΩΝ apareceu, ficou de pé e falou (e esta é a quarta instrução dos mortos)[103]:

"O Deus-Sol é o bem supremo; o demônio, o oposto. Assim tendes dois deuses. Mas há muitas coisas supremas e boas e muitos males enormes. Entre estes há dois deuses-demônios, um é o *Ardente*, o outro é o *Crescente*.

"O ardente é *EROS* na forma de chama. A chama dá luz porque se consome[104].

"O crescente é a *ÁRVORE DA VIDA*. Germina e, o crescer, se acumula de coisas vivas[105].

"Eros se inflama e morre. Mas a árvore da vida cresce lenta e constantemente, por tempo incomensurável.

"O bem e o mal estão unidos na chama.

"O bem e o mal estão unidos no crescimento da árvore, em suas divindades, vida e amor se opõem.

"Incontável como a multidão das estrelas é o número de deuses e demônios.

"Cada estrela é um Deus e cada espaço que uma estrela ocupa é um demônio. Mas o vazio do todo é o Pleroma.

"A manifestação do todo é Abraxas, só o irreal se opõe a ele.

"Quatro é o número dos deuses principais, pois quatro é o número das medidas do mundo.

---

103 3 de fevereiro de 1916. Esta frase não está no *Livro Negro 6*.

104 Em 1917, Jung escreveu um capítulo sobre "A teoria sexual" em *A psicologia dos processos inconscientes*, que apresentou uma crítica da compreensão psicanalítica do erótico. Em sua revisão deste capítulo em 1928, reintitulado "A Teoria do Eros", acrescentou: "O erotismo [...], por um lado, pertence à natureza primitiva e animal do homem. [...] Por outro lado, está ligado às mais altas formas do espírito. Só floresce quando espírito e instinto estão em perfeita harmonia. [...] 'Eros é um grande demônio', declara a sábia Diotima a Sócrates. [...] Eros não é a totalidade da natureza em nós, mas é pelo menos um dos seus aspectos mais importantes" (OC, 7, § 32-33). No *Banquete*, Diotima instrui Sócrates sobre a natureza de Eros. Ela lhe diz: "'Ele é um grande espírito, Sócrates. Todas as coisas classificadas como espírito situam-se entre deus e ser humano'. 'Que função eles têm?', perguntei. 'Eles interpretam e levam mensagens dos humanos aos deuses e dos deuses aos humanos. Eles transportam preces e sacrifícios da parte dos humanos e, da parte dos deuses, ordens e dons em retribuição pelos sacrifícios. Sendo intermediários entre os outros dois, os espíritos preenchem a lacuna entre eles e possibilitam ao mundo formar um todo interconectado. Servem de intermediários para toda adivinhação, para os conhecimentos sacerdotais no sacrifício, nos ritos e nas fórmulas mágicas, e para toda profecia e feitiçaria. Os deuses não fazem contato direto com os humanos; eles se comunicam e conversam com os humanos (seja na vigília ou no sono) totalmente por intermédio dos espíritos" (Londres: Penguin, 1999, 202e-203a [trad. de C. Gill]). Em *Memórias*, Jung refletiu sobre a natureza de Eros, descrevendo-o como "um *kosmogonos*, um criador e pai-mãe de toda consciência" (p. 406). Esta caracterização cosmogônica de Eros precisa ser distinta do uso que Jung faz do termo para caracterizar a consciência das mulheres. Cf. nota de rodapé n. 161, p. 159.

105 Em 1954, Jung escreveu um longo estudo sobre o arquétipo da árvore: "A árvore filosófica" (OC, 13).

"Um é o começo, o Deus-Sol.

"Dois é o Eros, pois ele une dois e se expande em luz.

"Três é a árvore da vida, pois ela enche o espaço de formas corpóreas.

"Quatro é o demônio, pois ele abre todo o trancado; desfaz todo o formado e corporal; ele é o destruidor que tudo reduz ao nada.

"Feliz de mim, a quem foi dado conhecer a multiplicidade e diversidade dos deuses. Ai de vós que substituís esta incompatível multiplicidade pelo Deus único. Assim criais o tormento da não compreensão e a mutilação da criatura, cuja natureza e meta é a diferenciação. Como podeis ser fiéis à vossa natureza se quereis fazer do múltiplo um só? O que vós fazeis com os deuses também acontece a vós. Vós todos sereis tornados iguais e assim fica mutilada vossa natureza[106].

"A igualdade prevalece por causa do ser humano e não por causa de Deus, pois os deuses são muitos, ao passo que poucos são os seres humanos. Os deuses são poderosos e suportam sua diversidade, pois como as estrelas estão na solidão e numa distância colossal uns dos outros. Os seres humanos são fracos e não suportam sua diversidade, pois moram próximos uns dos outros e necessitam da comunidade para poderem suportar sua singularidade[107]. Por amor à redenção, ensino-vos o que é rejeitado e, por causa dele, fui rejeitado.

"A multiplicidade dos deuses corresponde à multiplicidade dos seres humanos.

"Inúmeros deuses aguardam a condição humana.

Inúmeros deuses já foram seres humanos. O ser humano partilha da natureza dos deuses. Ele vem dos deuses e vai para Deus.

"Assim como não adianta refletir sobre o Pleroma, não adianta venerar a multiplicidade dos deuses. E menos ainda venerar o primeiro Deus, a plenitude operante e o *summum bonum.* Através de nossa oração, não conseguimos acrescentar nada a isso, nem dele tirar, pois o vazio operante engole tudo[108]. Os deuses brilhantes formam o mundo celeste, que é múltiplo e infinitamente disperso e crescente. Seu senhor supremo é o Deus-Sol.

---

106 O *Livro Negro* 6, continua: "Os mortos: 'Tu és um pagão, um politeísta'" (p. 30).

107 5 de fevereiro de 1916.

108 No *Livro Negro* 6, o hóspede escuro (cf. adiante, p. 473) entra aqui.

"Os deuses escuros formam o mundo terrestre. São simples e infinitamente decrescentes e minguantes. Seu senhor mais ínfimo é o demônio, o espírito lunar, satélite da terra, menor, mais frio e mais morto do que a terra.

"Não há diferença entre o poder dos deuses celestes e terrestres. Os celestes aumentam de tamanho, os terrestres diminuem. Incomensurável é a orientação de ambos".

[109]Aqui os mortos interromperam a fala de ΦΙΛΗΜΩΝ com risadas furiosas e gritos sarcásticos e, ao se afastarem aos poucos, sua discórdia, zombaria e risadas sumiram na distância. Voltei-me para ΦΙΛΗΜΩΝ e disse:

"Ó ΦΙΛΗΜΩΝ, tenho a impressão de que te enganas. Parece-me que ensinas uma crua superstição, que os nossos pais superaram de modo feliz e glorioso, aquela multiplicidade de deuses que só um espírito que não consegue libertar seu olhar das amarras dos apetites presos às coisas sensuais pode produzir".

"Meu filho", respondeu ΦΙΛΗΜΩΝ, "esses mortos rejeitaram o único Deus altíssimo. Como posso ensinar-lhes o único e não múltiplo Deus? Eles deveriam acreditar em mim. Mas rejeitaram a fé. Portanto, ensino-lhes o Deus que eu conheço, o múltiplo, o expandido, que é o objeto e ao mesmo tempo o seu reflexo, e eles também o conhecem, mesmo que dele não tenham consciência.

"Esses mortos deram nome a todos os seres, aos seres no ar, na terra e na água. Eles pesaram e contaram os objetos. Eles contaram tantos e tantos cavalos, vacas, ovelhas, árvores, terra plana, fontes; dizem que isto é bom para este objetivo e que aquilo é bom para aquele objetivo. O que fizeram com a árvore digna de veneração? O que aconteceu com a rã sagrada? Viram eles seus olhos dourados? Onde está a expiação pelas 7.777 reses cujo sangue derramaram, cuja carne devoraram? Fizeram penitência pelo metal sagrado que cavaram do ventre da terra? Não, eles deram nome, pesaram, contaram e repartiram todas as coisas. Fizeram disso o que quiseram. E o que fizeram! Tu viste aquilo que tem a força – mas exatamente assim deram às coisas poder e não o sabiam. Mas o tempo chegou em que as coisas falam. O pedaço de carne pergunta: quantas pessoas? O pedaço de metal pergunta: quantas pessoas? O navio pergunta: quantas pessoas? O carvão pergunta: quantas pessoas? A casa pergunta: quantas pessoas? E as coisas se levantam, contam, pesam, repartem e devoram milhões de pessoas.

109 Os parágrafos seguintes até o fim não constam no *Livro Negro 6*.

"Vossa mão estendeu-se sobre a terra e tirou o sagrado brilho, pesou e contou os ossos das coisas. Não é o Deus uno, único e simples, o relegado, jogado num monturo, brilho conglomerado, a única coisa dos mortos e dos vivos? Sim, este Deus nos ensinou a contar e pesar ossos. Mas o mês desse Deus caminha para seu fim. Um novo mês está diante da porta. Por isso tudo teve de ser assim e por isso tudo precisa mudar.

"Não uma multiplicidade de deuses que eu tenha inventado! Mas vários deuses que erguem sua voz forte e rasgam a humanidade em pedaços sangrentos. Tantas pessoas pesadas, contadas, separadas, partidas e devoradas. Por isso falo de muitos deuses, assim como falo de muitas coisas, pois eu os conheço. Por que os chamo de deuses? Por causa de seu superpoder. Sabeis alguma coisa desse superpoder? Hoje é o tempo em que poderíeis conhecer algo a respeito.

"Os mortos riem de minha loucura. Mas teriam levantado a mão assassina contra seus irmãos, se tivessem feito expiação pela rês de olhos aveludados? Se tivessem feito penitência pelo metal reluzente? Se tivessem prestado homenagem à árvore sagrada?[110] Se tivessem reconciliado a alma da rã de olhos dourados? O que falam os mortos e as coisas vivas? Quem é maior, o ser humano ou os deuses? Realmente, este sol tornou-se uma lua e ainda não se formou um novo sol a partir das dores de parto da última hora da noite".

Terminadas estas palavras, ΦΙΛΗΜΩΝ curvou-se sobre a terra, beijou-a e disse: "Mãe, que teu filho seja forte". Ergueu-se a seguir, olhou para o céu e disse: "Como é escura tua sede da nova luz". Depois desapareceu.

{10} Na noite seguinte vieram os mortos com barulho e em aglomeração, zombaram e gritaram: "Ensina-nos, doido, a respeito da Igreja e da comunidade sagrada".

ΦΙΛΗΜΩΝ apresentou-se diante deles, ficou de pé e falou[111] (e esta é a quinta instrução dos mortos):

"O mundo dos deuses se manifesta na espiritualidade e na sexualidade. Os celestiais aparecem na espiritualidade, os terrenos na sexualidade[112].

---

110 Isto pode referir-se à chegada do cristianismo à Germânia, no século VIII, quando as árvores sagradas eram derrubadas.

111 A frase não está no *Livro Negro* 6.

112 No seminário de 1925, Jung disse: "A sexualidade e a espiritualidade são pares de opostos que precisam uma da outra" (*Introduction to Jungian Psychology*, p. 30).

"A espiritualidade concebe e acalenta. Ela é feminina e por isso a chamamos de *MATER COELESTIS*, a mãe celestial[113]. A sexualidade gera e cria. Ela é masculina e por isso a chamamos de *PHALLOS*[114], o pai terreno[115]. A sexualidade do homem é mais terrena, a da mulher é mais espiritual. A espiritualidade do homem é mais celeste, ela visa ao maior.

"A espiritualidade da mulher é mais terrena, visa ao menor.

"Mentirosa e demoníaca é a espiritualidade do homem, que visa ao menor.

"Mentirosa e demoníaca é a espiritualidade da mulher, que visa ao maior.

"Cada uma deve ir para o seu lugar.

"Homem e mulher tornam-se demônio um para o outro quando não separam seus caminhos espirituais, pois a natureza da criatura é a diferenciação.

"A sexualidade do homem vai para o terreno, a sexualidade da mulher vai para o espiritual. O homem e a mulher tornam-se demônio um para o outro quando não separam sua sexualidade.

"O homem conhecerá o menor, a mulher o maior.

"O ser humano deve distinguir-se da espiritualidade e da sexualidade. Que chame a espiritualidade de mãe e a coloque entre o céu e a terra. Que chame a sexualidade de Phallos e o coloque entre si mesmo e a terra, pois a mãe e o Phallos são demônios supra-humanos que revelam o mundo dos deuses. São mais eficientes para nós que os deuses porque têm maior afinidade com a nossa natureza[116]. Se não vos diferenciardes da sexualidade e da espiritualidade e não as considerardes como entidades acima de vós, sucumbireis a elas como qualidades do Pleroma. A espiritualidade e a sexualidade não são qualidades vossas, não são coisas que possuís e abrangeis, mas elas vos possuem e vos abrangem, pois são demônios poderosos, formas de manifestação dos deuses, e por isso coisas que vos ultrapassam e subsistentes em si. Ninguém tem uma espiritualidade para si ou uma sexualidade para si, mas está sob a lei da espiritualidade e da sexualidade. Por isso ninguém escapa desses demônios. Vós deveis conside-

---

113 O *Fausto* de Goethe termina com uma visão da Mater Gloriosa. Em sua conferência, "Faust und die Alchemie", Jung falou o seguinte: "Por *Mater coelestis* não precisamos entender Maria ou a Igreja católica. Seria bem mais uma Afrodite urânia, como em Agostinho e Pico de Mirandola é a *Beatissima mater*". In: GERBER-MÜNCH, I. *Goethes Faust*: Eine tiefenpsychologische Studie über den Mythos des modernen Menschen. Mit dem Vortrag von C.G. Jung, Faust und die Alchemie. Küsnacht: Verlag Stiftung für Jung'sche Psychologie, 1997, p. 37.

114 O *Livro Negro* 6, tem "Phallus" (p. 41), assim como está na versão manuscrita dos *Septem Sermones* (p. 21).

115 Em *Transformações e símbolos da libido* (1912), Jung observou: "O falo é um ser que se movimenta sem membros, que vê sem olhos, que conhece o futuro; e, como representante simbólico da força criadora espalhada por toda parte, reivindica a imortalidade" (OC, B, § 209). Prossegue discutindo deuses fálicos.

116 O *Livro Negro* 6, continua: "A mãe é o vaso. O falo é a espada" (p. 43).

rá-los como demônios e como coisa e perigo comuns, como peso comum, que a vida vos impôs. E assim a vida também é para vós coisa e perigo comuns, como também os deuses e, em primeiro lugar, o terrível Abraxas.

"O ser humano é fraco, por isso é indispensável a comunidade; se a comunidade não estiver sob o signo da Mãe, estará no signo de Phallos. Nenhuma comunidade é sofrimento e doença. Comunidade é em cada um desmembramento e dissolução.

"A diferenciação leva à vida solitária. A vida solitária se opõe à comunidade. Mas por causa da fraqueza das pessoas em relação aos deuses e demônios e à sua lei insuperável, a comunidade é necessária. Por isso tende tanta comunidade quanto for preciso, não por causa das pessoas, mas por causa dos deuses. Os deuses vos obrigam à comunidade. O tanto que vos obrigam, o tanto de comunidade é preciso haver, mais do que isso vem do mal.

"Na comunidade cada um se subordina ao outro, para que a comunidade se mantenha, pois vós precisais dela.

"Na vida solitária cada um se sobrepõe ao outro, a fim de que cada qual se encontre e evite a escravidão.

"Na comunidade deve vigorar renúncia, na vida solitária, a prodigalidade.

"A comunidade é profundeza, a vida solitária é elevação.

"A medida justa na comunidade purifica e conserva.

"A medida justa na vida solitária purifica e aumenta.

"A comunidade nos dá calor, a vida solitária nos dá luz"[117].

{11} Quando ΦΙΛΗΜΩΝ terminou, os mortos ficaram em silêncio e não saíram do lugar, mas olharam para ΦΙΛΗΜΩΝ como quem espera alguma coisa. Quando ΦΙΛΗΜΩΝ viu que os mortos ficaram calados e esperavam, levantou-se novamente e falou (e esta é a sexta instrução dos mortos)[118]:

"O dáimon da sexualidade aproximou-se de nossa alma como serpente. Ela é metade alma humana e se chama pensamento-desejo.

---

117 O *Livro Negro* 6, continua: "Na comunidade vamos à origem, que é a mãe./ Na solidão vamos ao futuro, que é o falo gerador" (p. 46). Em outubro de 1916, Jung deu duas palestras no Clube de Psicologia sobre a relação da individuação com a adaptação coletiva (OC, 18). Este tema dominou as discussões no Clube naquele ano.

118 Este parágrafo não está no *Livro Negro* 6.

"O dáimon da espiritualidade baixou para dentro de nossa alma como o pássaro branco. Ele é metade alma humana e se chama desejo-pensamento.

"A serpente é uma alma terrena, semidemoníaca, um espírito e aparentada com os espíritos dos mortos. Como esses, também ela vagueia pelas coisas da terra e faz com que tenhamos medo dela ou que elas despertem nossa cobiça. A serpente é de natureza feminina e procura sempre a companhia dos mortos, que estão presos à terra, que não encontraram o caminho mais além, ou seja, da vida solitária. A serpente é uma prostituta que faz orgias com o demônio e os maus espíritos, um tirano cruel e espírito torturador, sempre seduzindo a pior companhia. O pássaro branco é uma alma semiceleste do ser humano. Fica junto à Mãe e às vezes desce. O pássaro é masculino e pensamento operante. É puro e solitário, um mensageiro da Mãe. Ele voa alto sobre a terra. Comanda a vida solitária. Traz notícias dos distantes, que viveram antes e já estão consumados. Leva nossa palavra à Mãe lá em cima. Ela intercede, admoesta, mas não tem poder contra os deuses. Ela é um recipiente do sol. A serpente desce e paralisa com astúcia o dáimon fálico ou lhe dá uma picada. Ela leva para cima os pensamentos superastutos do terreno, que rastejam através de todos os buracos e se prendem sugantes em toda parte com avidez. Apesar de ela não querer, tem de ser útil a nós. Ela escapa de nosso controle e nos mostra assim o caminho que não encontraríamos só com nossa inteligência".

[119]Tendo ΦΙΛΗΜΩΝ terminado, os mortos olharam com desprezo e disseram: "Chega de falar de deuses, dáimones e almas. No fundo, já sabíamos disso há muito".

Mas ΦΙΛΗΜΩΝ sorriu e respondeu: "Vós, pobres na carne, ricos no espírito, a carne era bem gorda, o espírito bem magro. Mas como conseguis algo da luz eterna? Vós zombais da minha loucura que também vós possuís: zombais de vós mesmos. O conhecimento livra do perigo. Mas a zombaria é o reverso de vossa fé. O preto é menos que o branco? Vós rejeitastes a fé e conservastes a zombaria. Fostes portanto libertados da fé? Não, vós vos prendestes à zombaria e assim novamente à fé. E por isso sois miseráveis".

Mas os mortos se revoltaram e gritaram: "Não somos miseráveis, somos inteligentes, nosso pensar e sentir são puros como água cristalina. Nós prezamos

119 Os parágrafos seguintes até o final da seção não se encontram no *Livro Negro* 6.

nossa razão. Nós zombamos da superstição. Acreditas que tuas velhas loucuras nos atingiram? Velho, tu foste acometido por um delírio infantil; de que nos serve?"

ΦΙΛΗΜΩΝ respondeu: "O que ainda serve a vós? Eu vos liberto daquilo que ainda vos prende à sombra da vida. Levai esse conhecimento convosco, acrescentai esta loucura à vossa inteligência, esta irracionalidade à vossa razão e encontrareis a vós mesmos. Se fôsseis humanos, teríeis começado vossa vida e vosso caminho da vida entre a razão e a irracionalidade e viveríeis a luz eterna, cuja sombra vivestes antecipadamente. Mas como sois mortos, este conhecimento vos liberta da vida, tira de vós a ânsia pelo ser humano e liberta vosso si-mesmo dos envoltórios que colocavam luz e sombra em torno de vós. A compaixão pelo ser humano se apossará de vós e saireis da torrente para a terra firme. Saireis da eterna reviravolta para o rochedo estável do descanso. O círculo da duração fluente se rompe, a chama sucumbe sobre si mesma.

"Eu acendi um fogo violento, eu dei ao assassino uma faca, eu abri feridas cicatrizadas, eu acelerei todo movimento, dei ao demente mais uma bebida inebriante, tornei o frio superfrio, o calor superquente, a falsidade mais falsa, o bem ainda melhor, a fraqueza ainda mais fraca.

"Este conhecimento é a machadinha do sacrificante".

Mas os mortos gritaram: "Teu conhecimento é uma loucura e uma maldição. Tu queres tocar a roda para trás? Ela vai estraçalhá-lo, mistificador!"

ΦΙΛΗΜΩΝ respondeu: "Assim aconteceu. A terra ficou novamente verde e fecunda com o sangue do sacrifício, flores desabrocharam, a onda murmura na areia, uma névoa prateada está parada no sopé da serra, um pássaro da alma aproximou-se do ser humano, a enxada retine no campo e o machado, no mato, um vento sopra através das árvores, e o sol brilha no orvalho da grandiosa manhã, os planetas contemplam o nascimento, da terra emergiu o que tem muitos braços, as pedras falam e o capim murmura. O ser humano encontrou-se, e os deuses viajam pelos céus, a plenitude gera a gota de ouro, o feito de ouro que paira alado".

Então os mortos se calaram, olharam fixamente para ΦΙΛΗΜΩΝ e se afastaram sem fazer barulho. Mas ΦΙΛΗΜΩΝ curvou-se até o chão e disse: "Foi bem-sucedido, mas não completado. Fruto da terra, brota, eleva-te, e tu, céu, derrama a água da vida".

Depois disso, ΦΙΛΗΜΩΝ desapareceu.

[120]Eu estava bem confuso, quando, na noite seguinte, ΦΙΛΗΜΩΝ aproximou-se de mim, pois eu o havia chamado, e lhe disse: "O que fizeste, ΦΙΛΗΜΩΝ? Que fogo ateaste? O que despedaçaste? A roda das criações está parada?"

Ele respondeu: "Tudo está andando seu caminho costumeiro. Nada aconteceu e, no entanto, aconteceu um doce e indizível mistério: saí do círculo giratório".

"O que dizes? Tuas palavras movem meus lábios, em meus ouvidos soa tua voz, meus olhos te veem a partir de mim. Realmente, tu és um mago. Tu saíste do círculo giratório? – Que confusão! Tu és eu, eu sou tu? Não o senti como se a roda das criações tivesse parado, e tu dizes que saíste do círculo giratório? Estou bem entrançado sobre a roda – eu sinto o girar veloz – e mesmo assim a roda das criações está parada para mim. O que fizeste, pai? Ensina-me!"

ΦΙΛΗΜΩΝ então falou: "Eu subi para o lugar firme e o levei comigo e salvei do movimento da onda, da circulação dos nascimentos e da roda giratória do eterno acontecer. Ele está seguro. Os mortos receberam a loucura do ensino, foram cegados pela verdade e enxergam através do erro. Eles o conheceram e sentiram e se arrependeram, voltarão e vão implorar com humildade. Pois o que rejeitaram vai tornar-se para eles o mais precioso".

Eu queria fazer ainda uma pergunta a ΦΙΛΗΜΩΝ, pois o enigma me afligia. Mas ele já havia tocado o solo e desaparecido. A escuridão da noite esteve muda e não me respondeu. Minha alma ficou em silêncio, meneou a cabeça e não sabia dizer nada sobre o mistério que ΦΙΛΗΜΩΝ havia insinuado, mas não revelado.

{12} Passou-se outro dia e veio a sétima noite.

Os mortos vieram de novo, dessa vez com aspecto deplorável e falaram: "Mais algo; esquecemos de mencionar isso, ensina-nos sobre o ser humano".

ΦΙΛΗΜΩΝ apresentou-se a mim, ficou de pé e falou[121] (e esta é a sétima instrução dos mortos)[122]:

---

120 Esta seção não consta no *Livro Negro 6*.

121 8 de fevereiro de 1916. Esta frase não está no *Livro Negro 6*.

122 Esta frase não consta no *Livro Negro 6*.

"O ser humano é uma porta através da qual entrais do mundo dos deuses, demônios e almas para dentro do mundo interior, do mundo maior para dentro do mundo menor. Pequeno e nulo é o ser humano, já se encontra atrás de vós e novamente estais no espaço infinito, na infinitude menor ou interior.

"Numa distância incomensurável está uma estrela solitária no zênite.

"Este é o único Deus desse ser humano, este é seu mundo, seu Pleroma, sua divindade.

"Neste mundo, o ser humano é o Abraxas que gera seu mundo e o engole.

"Esta estrela é seu Deus e sua finalidade.

"É seu Deus que o guia.

"Nele o ser humano vai para o descanso.

"Para ele se dirige a longa viagem da alma após a morte, nele brilha como luz tudo o que o ser humano retira do mundo maior.

"A este único reza o ser humano.

"A oração aumenta a luz da estrela,

"lança uma ponte sobre a morte,

"prepara a vida para o mundo menor e aplaca o desejo sem esperança do mundo maior.

"Quando o mundo maior fica frio, a estrela arde.

"Nada há entre o ser humano e seu único Deus, enquanto o ser humano consegue desviar seus olhos do espetáculo flamejante de Abraxas.

"O ser humano aqui, e Deus lá.

"Fraqueza e nulidade aqui, eterna força criadora lá.

"Aqui escuridão total e frio úmido,

lá pleno sol"[123].

---

123 Em 29 de fevereiro de 1919, Jung escreveu uma carta a Joan Corrie e comentou sobre os *Sermones*, com especial referência ao último: "O criador primordial do mundo, a cega libido criadora, vê-se transformada em homem através da individuação; e deste processo, que se assemelha à gravidez, surge uma criança divina, um Deus renascido, já não mais disperso nos milhões de criaturas, mas sendo um só e este indivíduo e ao mesmo tempo todos os indivíduos, o mesmo em você e em mim. A Dra. L[ong] tem um livrinho: VII *Sermones ad mortuos*. Ali você encontra a descrição do Criador disperso em suas criaturas e, no último sermão, você encontra o início da individuação, da qual surge a criança divina. [...] A criança é um novo Deus, nascido concretamente em muitos indivíduos, mas estes não o sabem. Ele é um Deus 'espiritual'. Um espírito em muitas pessoas, e no entanto um só e o mesmo em toda parte. Mantenha-se fiel ao tempo de você e você experimentará suas qualidades" (reproduzido no diário de LONG, C. *Countway Library of Medicine*, p. 21-22).

[124]Quando ΦΙΛΗΜΩΝ terminou, os mortos silenciaram. O peso caiu deles e subiram como fumaça sobre o fogo do pastor que durante a noite vigiou seu rebanho.

Mas eu me voltei para ΦΙΛΗΜΩΝ e disse: "Magnífico, tu ensinaste que o ser humano é uma porta? Uma porta através da qual passa a tropa dos deuses? Através da qual flui a torrente da vida? Através da qual flui para dentro todo futuro e vai para o infindo do passado?"

ΦΙΛΗΜΩΝ respondeu: "Esses mortos acreditavam na transformação e evolução do ser humano. Estavam convencidos de sua nulidade e transitoriedade. A nulidade lhes era mais plausível do que isto, e mesmo assim sabiam que o ser humano cria até seus deuses e por isso sabiam que os deuses não valiam nada. Por isso precisam aprender o que não sabiam, de que o ser humano é uma porta pela qual se espreme para passar o comboio dos deuses e o vir a ser e desaparecer de todos os tempos. Ele não o faz, ele não o cria, ele não o suporta, pois ele é o ser, o único ser, pois ele é o momento do mundo, o momento eterno. Quem conhece isto está sobre brasas, torna-se fumaça e cinza. Ele perdura, e sua transitoriedade cessou. Tornou-se um sendo. Vós sonhastes com a chama, como se ela fosse a vida. Mas a vida é permanência, a chama se apaga. Isto levei para o além, isto salvei do fogo. Isto é o filho da flor do fogo. Viste em mim que eu mesmo sou feito do fogo eterno da luz. Mas eu sou quem salvou para ti os grãos pretos e dourados e sua luz azul das estrelas.

Tu, ser eterno – o que é comprimento e curteza? O que é momento e duração eterna? Tu, ser, és eterno em cada momento. O que é tempo? Tempo é o fogo que arde, consome e se apaga. Eu salvei o sendo do tempo, livrei-o do fogo do tempo e da escuridão temporal, dos deuses e demônios".

Mas eu lhe disse: "Magnífico, quando me darás de presente o tesouro preto e dourado e sua luz azul de estrela?"

ΦΙΛΗΜΩΝ respondeu: "Quando tiveres entregue à sagrada chama tudo o que pode queimar"[125].

---

124 Os parágrafos seguintes até o final não se encontram no *Livro Negro 6*.

125 Em setembro de 1916, Jung manteve conversas com sua alma que fornecem ulterior elaboração e esclarecimento sobre a cosmologia dos *Sermones*. 25 de setembro: [Alma]: "Quantas luzes queres ter, três ou sete? Três é o íntimo e moderado, sete é o geral e abrangente". [Eu]: "Que pergunta! E que decisão! Devo ser honesto: minha tendência é para as sete luzes". [Alma]: "Portanto queres as sete? Isto eu imaginava. Isto leva para a amplidão – luzes frias". [Eu]: "É disso que preciso: refrescamento, ar fresco. Basta de calor

{13} Quando ΦΙΛΗΜΩΝ disse estas palavras, saiu da sombra da noite uma figura preta com olhos dourados[126]. Levei um susto e gritei: "És um inimigo? Quem és tu? Donde vens? Nunca te vi antes! Dize o que queres".

O preto respondeu: "Venho de longe. Venho do Oriente e sigo o fogo brilhante que me precede, ΦΙΛΗΜΩΝ. Não sou teu inimigo, sou teu amigo. Minha pele é negra e meu olho irradia ouro".

"O que trazes?", perguntei com medo.

"Trago renúncia – renúncia da alegria e compaixão do ser humano. Participação cria indiferença. Compaixão, mas não participação – Compaixão com o mundo e um querer sossegado em relação ao outro.

"A compaixão permanece incompreensível, por isso funciona.

"Longe da cobiça, não conhece medo.

"Longe do amor, ama o todo".

---

sufocante. Medo demais e liberdade de menos da respiração. Dá-me as sete luzes". [Alma]: "A primeira luz significa o Pleroma. / A segunda luz significa o Abraxas. / A terceira, o sol. / A quarta, a lua./ A quinta, a terra. / A sexta, o falo. / A sétima luz, a estrela". [Eu]: "Por que faltam o pássaro, a mãe celeste e o céu?" [Alma]: "Eles estão todos incluídos na estrela. Quando olhas para a estrela, olhas através deles. Eles são as pontes para a estrela. Eles formam a única sétima luz, a mais nobre, a que paira, que com um ruidoso bater de asas se levanta, liberta do abraço do feitiço da luz, com 6 galhos e 1 flor, em que jazia cochilando o Deus estelar./ As seis luzes estão sós e formam a multiplicidade, a outra luz é única e constitui a unidade, ela é a flor do alto da árvore, o ovo sagrado, o embrião do mundo, a quem foram dadas asas para que possa chegar a seu lugar. Do uno procede sempre de novo o múltiplo e do múltiplo, o uno" (*Livro Negro* 6, p. 104-106). 28 de setembro: [Alma]: "Então vamos tentar: há algo a respeito do pássaro dourado. Não é o pássaro branco, mas o dourado. Ele está em outro lugar. O branco é um bom *daimon*, mas o pássaro dourado está acima de ti e abaixo de teu Deus. Ele voa adiante de ti. Eu o vejo no éter azul, voando atrás da estrela. Ele é algo de ti. Ele é ao mesmo tempo seu próprio ovo que te contém. Se percebes o que digo, então pergunta". [Eu]: "Explica-me mais. Ele me dá uma sensação ruim". [Alma]: "O pássaro dourado não é nenhuma alma, é todo o teu ser. Os seres humanos também são pássaros dourados, não todos, outros são vermes e apodrecem na terra. Mas alguns são pássaros dourados". [Eu]: "Continua, eu temo meu nojo. Deixa sair o que acumulaste". [Alma]: "O pássaro dourado está pousado na árvore das 6 luzes. A árvore nasce da cabeça do Abraxas, e Abraxas nasce do Pleroma. Tudo de onde nasce a árvore acaba por florir como uma luz, transformado como um útero da flor do ponto mais alto do pássaro dourado do ovo. A árvore da luz é em primeiro lugar uma planta, ela se chama indivíduo; este nasce da cabeça do Abraxas, sua ideia, uma ideia entre inúmeras. O indivíduo é mera planta sem flores, nem frutos, uma passagem para a árvore das 7 luzes. O indivíduo é o primeiro degrau da árvore da luz. Brilhante, dele floresce o próprio Fanes, Agni, um fogo novo, um pássaro dourado. Isto vem depois do indivíduo, ou seja, quando ele está novamente unido ao mundo, então o mundo floresce a partir dele. Abraxas é o impulso, indivíduo distinto dele, a árvore das 7 luzes, mas o símbolo do indivíduo unido ao Abraxas. Nisto aparece Fanes que voa à frente, ele, o pássaro dourado./ Tu te unes a Abraxas através de mim. Primeiramente tu me dás teu coração, pois vives através de mim. Eu sou a ponte até Abraxas. Assim a árvore da luz se torna em ti e tu mesmo na árvore da luz e Fanes sai de ti. Isto previste, mas não entendeste. Naquele tempo também tu tiveste que separar-te de Abraxas para tornar-te indivíduo, contraposto ao impulso. Agora vem a união com o Abraxas. Isto passa por mim. Isto não podes fazer. Por isso deves ficar comigo. A união com o Abraxas físico passa pela mulher humana, mas a união com o Abr. espiritual passa por mim, por isso deves estar comigo" (*Livro Negro*, 6 p. 114-120).

126 No *Livro Negro* 6, esta figura entra em 5 de fevereiro, no meio dos *Sermones* (p. 35s.). Cf. nota 108, p. 463 acima.

Olhei para ele com medo e disse: "Por que és escuro como terra dos campos e negro como o ferro? Eu tenho medo de ti; estou muito magoado, o que me fizeste?"

"Tu podes chamar-me de morte – a morte que surgiu com o sol. Eu venho com sofrimento silencioso e longo descanso. Eu coloco o invólucro da armadura sobre ti. No meio da vida começa a morte. Coloco ao redor de ti invólucro sobre invólucro, de forma que teu calor jamais se apague".

"Tu trazes tristeza e desalento", respondi, "eu queria estar entre os seres humanos".

Mas ele falou: "Como um envolvido vais até o ser humano. Tua luz brilha na noite. Tua natureza solar separa-se de ti e começa tua natureza de estrela".

"Tu és cruel", suspirei.

"O simples é cruel, ele não se concilia com o múltiplo".

Com essas palavras, desapareceu o enigmático negro. Mas ΦΙΛΗΜΩΝ olhou sério para mim e com olhar carregado. "Tu o viste direito, meu filho? Tu ainda ouvirás falar dele. Agora vem, para que eu realize o que o negro te prediz".

Assim falando, tocou meus olhos, abriu minha visão e me mostrou o mistério incomensurável. Eu olhei por muito tempo até poder compreendê-lo: mas o que foi que eu vi? Vi a noite, vi a terra escura e acima estava o céu reluzindo com o brilho de inúmeras estrelas. E vi que o céu tinha a forma de uma mulher, seu manto de estrelas era séptuplo e a cobria totalmente.

E assim que acabei de vê-lo, ΦΙΛΗΜΩΝ falou:

[127] "Mãe, que estás no círculo mais elevado, sem nome, que envolves a mim e a ele e que salvas a mim e a ele dos deuses: ele quer tornar-se teu filho.

"Queiras aceitar seu nascimento.

"Faze com que se renove. Eu me separo dele[128]. O frio cresce e sua estrela brilha com maior claridade.

"Ele precisa de filiação.

"Tu deste à luz a serpente divina, tu a libertaste pelas dores do parto, eleva este ser humano à condição de filho, ele precisa da mãe".

Veio então uma voz de longe[129] e era como uma estrela cadente:

---

127 17 de fevereiro de 1916. No *Livro Negro 6*, este discurso é proferido pelo próprio Jung (p. 52).

128 O *Livro Negro 6*, tem aqui: "Eu precisava de uma nova sombra, pois conhecia o tremendo Abraxas e me afastei dele" (p. 52).

129 No *Livro Negro 6*, esta voz é identificada como "mãe" (p. 53).

"Não posso aceitá-lo como filho. Que se purifique antes".

ΦΙΛΗΜΩΝ perguntou[130]: "Qual é sua impureza?"

A voz respondeu: "É a mistura: que se abstenha do sofrimento e da alegria humanos. Que persevere na separação até que a renúncia seja completa e ele esteja livre da mistura com os seres humanos. Então poderá ser aceito como filho".

Neste momento apagou-se minha visão. ΦΙΛΗΜΩΝ foi embora e eu fiquei sozinho. Obediente, persisti na separação. Mas na quarta noite vi uma figura estranha, um homem com manto comprido, turbante e olho de vidro, sorriu inteligente e bondosamente como a figura de um médico sábio[131]. Aproximou-se de mim e disse: "Eu venho falar-te de alegria". Mas eu disse: "Queres falar-me de alegria? Estou sangrando das milenárias feridas da humanidade".

Ele respondeu: "Eu trago a cura. Mulheres me ensinaram esta arte. Elas sabem curar crianças doentes. A ferida dói? A cura está próxima. Ouve um bom conselho e não te revoltes".

Perguntei: "O que queres? tentar-me? zombar de mim?"

"O que te parece?", interrompeu-me. "Eu te trago a delícia do paraíso, o fogo curador, o amor das mulheres"[132].

Perguntei: "Pensas na descida ao brejo dos sapos?[133] A dissolução no múltiplo, a dispersão, a dilaceração?"

Enquanto eu assim falava, o velho transformou-se em ΦΙΛΗΜΩΝ, e eu vi que era o mago que me tentava. Mas ΦΙΛΗΜΩΝ continuou falando comigo[134]:

"Tu ainda não viveste a dilaceração. Tu deves ser partido, rasgado em pedaços e espalhado por todos os ventos. As pessoas se preparam para a Última Ceia contigo".

"O que sobrará então de mim", gritei.

---

130 No *Livro Negro* 6, isto é dito por Jung (p. 53).

131 21 de fevereiro de 1916. Em vez disso, o *Livro Negro* 6, tem: [Eu]: "Um turco? Donde vens? És um adepto do Islã? Que mensagem me trazes de Maomé?"// [Visitante]: "Falo-te de poligamia, das howris e do paraíso. Disso deves ouvir".// [Eu]: "Fala e termina logo com este tormento" (p. 54).

132 A versão deste diálogo no *Livro Negro* 6, inclui o seguinte intercâmbio: [Eu]: O que há com essa poligamia, as howris e o paraíso?" [Visitante]: "Muitas mulheres são muitos livros. Cada mulher é um livro, cada livro é uma mulher. A howri é uma ideia, e a ideia, uma howri. O mundo das ideias é o paraíso, e o paraíso é o mundo das ideias. Maomé ensina que o fiel é recebido no paraíso pelas howris. Os germânicos diziam coisa semelhante" (p. 56) (cf. o Corão, 56,12-39). Na mitologia nórdica, as valquírias escoltavam o herói morto na guerra ao Valhalla e lá cuidavam dele.

133 24 de fevereiro de 1916.

134 Esta declaração não está no *Livro Negro* 6.

"Nada que não tua sombra. Tu serás um curso de água que se derrama sobre as terras. Ele procura todos os vales e corre para a profundeza".

Perguntei então muito triste: "Mas onde fica minha individualidade?"

"Tu a roubarás de ti mesmo", respondeu ΦΙΛΗΜΩΝ[135], "tu segurarás em mãos trêmulas o reino invisível, ele lança suas raízes para baixo, para dentro das trevas sombrias e mistérios da terra, galhos folhosos manda ele para os ares dourados.

"Animais moram em seus galhos.

"Pessoas descansam à sua sombra.

"Seu murmúrio força de baixo para cima.

"Uma desilusão de mil milhas de comprimento é a seiva da árvore.

"Ela vai ficar verde por longo tempo.

"O silêncio está em sua copa.

"Silêncio em suas raízes profundas".

[136]Dessas palavras de ΦΙΛΗΜΩΝ entendi que ele tinha de ficar fiel ao amor para acabar com a mistura que nasce do amor não vivido. Entendi que a mistura é uma coação que entra no lugar da dedicação espontânea. Através da dedicação espontânea surge, como ensinou ΦΙΛΗΜΩΝ, a ruptura ou dilaceração. Esta é a supressão da mistura. Através da dedicação espontânea desfaz-se, portanto, a coação. Por isso devo ficar fiel ao amor, e pela dedicação espontânea a ele sofro dilaceração e obtenho assim a filiação da grande mãe, isto é, a natureza estelar, a libertação da subordinação a pessoas e coisas. Se estiver subordinado a pessoas e coisas, minha vida não pode progredir para alcançar seus objetivos, e eu mesmo não posso chegar à minha própria e mais profunda natureza. Também a morte não pode começar em mim como nova vida, mas só consigo sentir medo diante da morte. Eu tenho de ficar fiel ao amor, pois como poderia chegar de outro modo à ruptura e dissolução da coação? Como poderia experimentar de outro modo a morte, do que através do fato de ficar fiel ao amor e assumir sobre mim livremente a dor e todo o sofrimento do amor? Enquanto não me entregar livremente à dilaceração, ficam partes de meu si-mesmo secretamente com pessoas e coisas que me ligam a elas e assim sou obrigado, quer queira quer não, a ter parte nelas, estar com elas misturado e ligado a elas. Só a fidelidade ao amor e a entrega espontânea ao amor podem desfazer esta vinculação e mistura

135 28 de fevereiro de 1916.

136 Os dois parágrafos seguintes não constam no *Livro Negro 6*.

e trazer de volta a mim aquelas partes de meu si-mesmo que estavam secretamente com as pessoas e coisas. Só assim cresce a luz da estrela, só assim chego à minha natureza estelar, ao meu si-mesmo mais autêntico e mais íntimo, que é simples e único.

É difícil ficar fiel ao amor, pois ele está acima de qualquer pecado. Quem quiser ficar fiel ao amor deve vencer também o pecado. Não é muito fácil ver que se comete um pecado, que se caiu num pecado. Mas por causa da fidelidade ao amor vencer o pecado também é difícil, tão difícil, que meu pé hesitou em prosseguir.

Quando chegou a noite, ΦΙΛΗΜΩΝ aproximou-se de mim com roupa marrom e segurando na mão um peixe prateado. Ele disse: "Vê, meu filho, eu fisguei e peguei este peixe e o trouxe para ti, para te consolar". Quando olhei para ele surpreso e inquiridor, vi que estava parada no escuro, à porta, uma sombra, trajando roupa de nobre[137]. Seu rosto estava pálido e sangue havia corrido nas rugas da testa. Mas ΦΙΛΗΜΩΝ ajoelhou-se, tocou o chão e disse à sombra[138]: "Meu senhor e meu irmão, abençoado seja teu nome. Tu fizeste o máximo conosco: tu criaste homens e animais, tu deste tua vida pelos homens, para que recebam a salvação. Teu espírito esteve conosco por longo tempo. E ainda agora os homens olham para ti e imploram tua compaixão, suplicam a graça de Deus e o perdão dos pecados através de ti. Tu não te cansas de atender os homens. Louvo tua paciência divina. Os homens não são ingratos? Sua avidez não tem limites? Querem ainda mais de ti? Já receberam muito, mas continuam pedindo.

Vê, meu senhor e meu irmão, eles não me amam, mas cobiçam a ti com avidez, assim como cobiçamos os bens do próximo. Eles não amam o próximo, mas o cobiçam. Se fossem fiéis a seu amor, não cobiçariam. Mas quem dá estimula a cobiça. Eles não queriam aprender o amor? A fidelidade ao amor? a espontaneidade da dedicação? Mas eles exigem, cobiçam, esmolam de ti e não tiraram nenhum exemplo de tua vida sublime. Eles bem que a imitaram, mas não viveram sua própria vida assim como tu viveste a tua. Tu mostraste através de tua vida sublime como cada qual tinha de tomar sobre si sua própria vida, fiel à

137 I.e., Cristo.
138 12 de abril de 1916. No *Livro Negro 6*, esta fala não é atribuída a Filêmon.

sua própria natureza e a seu próprio amor. Não perdoaste a adúltera?[139] Não te sentaste com prostitutas e cobradores de impostos?[140] Não infringiste a lei do sábado?[141] Tu viveste tua própria vida, mas as pessoas não o fazem; elas só rezam a ti, pedem a ti e te lembram que tua obra está inacabada. Mas tua obra estaria acabada se o ser humano carregasse sua própria vida sem imitação. As pessoas ainda são infantis e esquecem de agradecer, pois ainda não conseguem dizer: "Gratos, nosso Senhor, pela salvação que nos trouxeste. Nós a assumimos, nós lhe demos um lugar em nosso coração e aprendemos a continuar tua obra em nós por nós mesmos. Amadurecemos através de tua ajuda, para levar adiante a obra da salvação em nós. Gratos, tua obra está assumida em nós, entendemos teu ensinamento redentor, nós completamos em nós o que começaste por nós com esforços de sangue. Não somos filhos ingratos que cobiçam os bens dos pais. Gratos, nosso senhor, vamos negociar com teu talento e não enterrá-lo na terra, estender sempre de novo nossas mãos desamparadas e lembrar-te para completar tua obra em nós. Nós queremos tomar sobre nós teus esforços e tua obra, para que tua obra se complete e possas repousar tuas mãos cansadas, como um trabalhador após um longo dia de dura jornada. Bem-aventurado o morto que descansa ao término de sua obra.

"Eu gostaria que as pessoas falassem assim contigo. Mas elas não têm nenhum amor a ti, meu senhor e meu irmão. Elas não te concedem o prêmio do descanso. Deixam tua obra incompleta, eternamente necessitadas de tua compaixão e de tua solicitude.

"Mas eu, meu senhor e meu irmão, acredito que tu completaste tua obra, pois quem entregou sua vida, toda sua verdade, todo seu amor, toda sua alma, este completou sua obra. O que alguém pode fazer pelos homens, tu o fizeste e completaste. Agora chega o tempo em que cada um tem de fazer sua própria obra da redenção. A humildade envelhece, e um novo mês começou"[142].

[143]Quando ΦΙΛΗΜΩΝ terminou, levantei os olhos e vi que o lugar, onde a sombra havia estado, estava vazio. Virei-me para ΦΙΛΗΜΩΝ e disse: "Meu pai, tu falaste dos seres humanos. Eu sou um ser humano, perdoa-me!"

---

139 Cf. Jo 8,1-11.

140 Cf. Mt 21,31-32.

141 Cf. Jo 9,13s.

142 A referência é aos meses platônicos. Cf. acima, nota 273, p. 358

143 Os próximos seis parágrafos não ocorrem no *Livro Negro* 6.

Mas ΦΙΛΗΜΩΝ se dissolveu na escuridão, e eu resolvi fazer o que tinha obrigação de fazer. Assumi toda a alegria e todo o sofrimento de minha natureza e fiquei fiel ao meu amor para sofrer aquilo que sobrevém a cada um a seu modo. Fiquei sozinho e com medo.

{14} Numa noite, quando tudo estava quieto, escutei um murmúrio como que de sete vozes e, algo mais nitidamente, distingui a voz de ΦΙΛΗΜΩΝ, como se estivesse fazendo um discurso. Prestando mais atenção, entendi suas palavras:

[144] "Depois que eu tinha engravidado o ventre do submundo e a serpente divina nasceu, fui até os seres humanos e vi todas as suas lamentações e loucuras. Eu vi que se matavam e procuravam razões para seu agir. Faziam isso porque não sabiam fazer outra coisa ou coisa melhor. Pelo fato de estarem acostumados a não fazer nada a que não pudessem atribuir alguma razão, inventaram razões que os obrigavam a continuar matando. "Parai, vós não tendes juízo", disse o sábio. "Então parai e verificai os prejuízos que causais", disse o inteligente. Mas o louco riu, pois durante a noite recebeu honras. Por que as pessoas não veem sua loucura? A loucura é uma filha do Deus. Por isso as pessoas não conseguem parar de matar, pois assim servem à serpente divina sem saber. Por amor ao serviço à serpente divina vale a pena entregar sua vida. Por causa disso desejais ser reconciliados. Mas seria bem melhor viver apenas do Deus. Mas a serpente divina quer sangue humano. Isto a alimenta e a torna luzidia. Não matar e não querer morrer é um engano a Deus. Assim o ser vivente tornou-se um enganador de Deus. O vivente consegue sua vida através da mentira. Mas a serpente quer ser enganada, pela esperança de ter sangue: quanto mais pessoas roubaram dos deuses sua vida, tanto mais floresceu o campo semeado de sangue da serpente para a colheita. O Deus fica forte pelo assassinato de pessoas. A serpente fica quente e fogosa pelo excesso de satisfação. Sua gordura queima em chama ardente. A chama torna-se a luz das pessoas, o primeiro raio de um sol renovado, ele, a luz que por primeiro apareceu".

O que ΦΙΛΗΜΩΝ ainda falou, eu não o consegui entender. Refleti longamente em suas palavras, que ele falou evidentemente aos mortos, mas fiquei apavorado com os horrores que acompanham um renascimento de Deus.

---

144 As duas próximas passagens também ocorrem em "Sonhos", segundo registros de meados de julho de 1917, introduzidas pelas palavras "Partes do próximo livro" (p. 18).

[145]E logo a seguir vi em sonhos Elias e Salomé. Elias parecia preocupado e assustado. Por isso, quando na noite seguinte toda a luz se havia apagado e todo ruído vivo se calado, chamei Elias e Salomé para me prestarem contas. Elias adiantou-se e falou:

"Fiquei fraco, estou pobre, um excedente de meu poder passou para ti, meu filho. Tiraste demais de mim. Tu te afastaste demais de mim. Eu escutei coisas estranhas e incompreensíveis, e a tranquilidade de minha profundeza foi destruída".

Perguntei então: "O que tu ouvias? que vozes escutavas?"

Elias respondeu: "Escutava uma voz cheia de confusão, uma voz apavorante, cheia de advertências e coisas incompreensíveis".

"O que dizia", perguntei, "ouviste as palavras?"

"Confusamente, era embaraçada e desconcertante. A voz falou primeiramente de uma faca, que corta algo ou talvez ceife, talvez as uvas que vão para a adega. Talvez tenha sido aquele da roupa vermelha que pisou o lagar onde jorra o sangue[146]. De repente era uma voz do ouro que jaz embaixo e que mata o que ele toca. Então foi a voz do fogo que queima assustadoramente e que deve inflamar-se neste tempo. E então era uma palavra blasfema, que eu não gostaria de pronunciar".

"Uma palavra blasfema? Qual foi?", perguntei.

Respondeu: "Uma palavra sobre a morte de Deus. Só existe um Deus, e Deus não pode morrer"[147].

Eu falei: "Estou surpreso, Elias. Não sabes o que aconteceu? Não sabes que o mundo vestiu roupa nova? Que o Deus único morreu e que muitos deuses e muitos demônios tornaram-se novamente seres humanos? Realmente, eu me admiro; admiro-me ao extremo! Como é possível que tu não o soubesses? Não sabes nada do que aconteceu de novo? Tu conheces o futuro. Tu tens o dom da previsão. Ou não deverias saber o que acontece? Negas afinal aquilo que existe?"[148]

---

145 3 de maio de 1916.

146 Cf. acima, p. 315.

147 Cf. acima, p. 455.

148 Em *Memórias, sonhos, reflexões*, Jung afirmou: "As figuras do inconsciente são também 'ininformadas' e têm necessidade do homem ou do contato com a consciência para adquirir o saber. Quando comecei a me ocupar com o inconsciente, as 'figuras imaginárias' de Salomé e de Elias desempenharam um grande papel. Em seguida passaram a um segundo plano para reaparecer cerca de dois anos mais tarde. Para meu

Então Salomé me tomou a palavra: "O que existe não dá nenhum prazer. O prazer só vem do novo. Também tua alma gostaria de um novo homem – ha – ha – ela gosta de variação. Tu não lhe dás prazer suficiente. Nisto ela é incorrigível e por isso tu a consideras maluca. Nós só amamos o vindouro, não o sendo. Só o novo nos dá prazer. Elias não pensa no sendo, só no vindouro. Por isso ele o conhece."

Respondi: "O que ele conhece? Que fale!"

Elias falou: "Eu já disse as palavras: a figura que vi estava cheia de sangue, era vermelha, da cor do fogo, cintilante como ouro. A voz que ouvi era como trovão distante, como o soprar impetuoso do vento na floresta, como um terremoto. Não era a voz de um Deus, mas como um ruído pagão, um chamado que meus primitivos pais conheciam bem, mas que eu nunca havia escutado. Soava antediluviano, como saindo de uma floresta para um litoral distante; nela ressoavam todas as vozes da selva. Este ruído era apavorante, mas harmônico".

Interrompi: "Meu bom velho, tu ouviste bem como eu pensei. Que maravilha! Queres que te conte a respeito disso? Eu te disse que o mundo tinha recebido uma nova face. Uma cobertura nova foi lançada sobre ele. Estranho é que tu não o saibas!

"Velhos deuses ficaram novos. O Deus único está morto – sim, realmente, ele morreu. Ele se partiu na diversidade e assim o mundo ficou rico da noite para o dia. E também aconteceu algo à alma individual – quem gostaria de descrevê-lo! Mas assim também os homens ficaram ricos da noite para o dia. Como é possível que não soubesses disso?

"Do Deus único fizeram-se dois, um múltiplo, cujo corpo consiste de muitos deuses, e um único, cujo corpo é um ser humano, e assim mesmo é mais brilhante e mais forte do que o sol.

"O que devo dizer-te da alma? Não percebeste que ela se tornou múltipla? Ela tornou-se a mais próxima, mais próxima, próxima, distante, mais distante, a mais distante, e mesmo assim é uma como era antes. Inicialmente dividiu-se

---

grande espanto, elas não tinham sofrido a menor mudança; falavam e se comportavam como se nesse ínterim absolutamente nada tivesse ocorrido. Entretanto os acontecimentos mais inauditos tinham-se desenrolado em minha vida. Foi-me necessário, por assim dizer, recomeçar desde o início para lhes explicar e narrar tudo o que se passara. De início fiquei bastante espantado. Só mais tarde compreendi o que tinha acontecido: as figuras de Salomé e Elias haviam nesse meio tempo soçobrado no inconsciente e em si próprias – poder-se-ia também dizer, fora do tempo. Elas ficaram sem contato com o eu e suas circunstâncias variáveis e 'ignoravam' por essa razão o que se passara no mundo da consciência" (p. 355).

numa serpente e num pássaro, então em pai e mãe e depois em Elias e Salomé – O que há contigo, meu bem? Isto te abalou? Sim, tu precisas entender que já estás bem afastada de mim, de tal forma que não te posso ter como minha alma; pois se pertencesses à minha alma, deverias saber o que acontece. Por isso preciso separar-te a ti e Sabine de minha alma e colocar-vos entre os demônios. Vós estais amarrados ao antiquíssimo e sempre constante, por isso também nada sabeis a respeito do ser das pessoas, mas apenas do passado e do futuro.

"Mas apesar disso foi bom que atendestes ao meu chamado. Tomai parte naquilo que existe. Pois aquilo que existe deve ser assim, para que possais ter parte nele".

Mas Elias interveio de mau humor: "Esta multiplicidade não me agrada. Não é fácil assimilar essa ideia".

E Salomé disse: "Só o simples é prazeroso. Não há nada que pensar".

Respondi: "Elias, não precisas pensar nisso. Não se trata de pensar, mas de contemplar. É um quadro".

E para Salomé eu disse: "Salomé, não é verdade que só o simples é prazeroso, com o tempo se torna até monótono. Na verdade, encanta-te a variedade".

Mas Salomé voltou-se para Elias e disse: "Pai, parece-me que os seres humanos nos superaram. Ele tem razão. A variedade é mais prazerosa. O uno é simples demais e sempre o mesmo"[149].

Elias olhou-a triste e disse: "O que será do uno? Existe ainda o uno quando está ao lado da multiplicidade?"

Respondi: "Este é teu erro, que se tornou velho e grisalho, de que o uno exclui o múltiplo. Existem muitas coisas únicas. A multiplicidade das coisas únicas é o único Deus múltiplo, cujo corpo consiste de muitos deuses. A solicitude da coisa única, porém, é o outro Deus, cujo corpo é um ser humano, mas cujo espírito é grande como o mundo".

Mas Elias sacudiu a cabeça e disse: "Isto é novo, meu filho. O novo é bom? É bom o que foi, e o que foi será. Não é esta a verdade? Já existiu algo novo? E o que chamais de novo foi bom alguma vez? Tudo continua sempre idêntico, mesmo que lhe deis nome novo. Não existe o novo; não pode haver nada de novo; como poderia então prever? Eu olho para o passado e vejo nele o futuro

149 O resto deste diálogo não consta no *Livro Negro* 6.

como num espelho. E eu vejo que não acontece nada de novo; é tudo mera repetição do que foi desde os tempos de outrora[150]. O que é vosso ser? Uma aparência, uma luz que cresce, mas que amanhã não existe mais. Terminou como se nunca tivesse existido. Vem, Salomé, vamos. Nós nos desnorteamos no mundo dos seres humanos".

Mas Salomé olhou para trás e me sussurrou ao ir embora: "O ser e a multiplicidade me agradam, mesmo que não sejam novos e não durem para sempre".

Assim desapareceram os dois na escuridão da noite, e eu voltei ao peso daquilo que significava meu ser. E eu tentei fazer corretamente tudo que me parecia ser tarefa e trilhar todo caminho que parecia ser necessário para mim. Mas os meus sonhos se tornaram pesados e carregados de medo, e eu não sabia por quê. Certa noite aproximou-se de mim minha alma, parecia assustada, e disse[151]: "Escuta-me: estou em grande aflição, o filho do ventre tenebroso me oprime. Por isso teus sonhos são pesados, pois tu sentes o tormento da profundeza, a dor de tua alma e o sofrimento dos deuses".

Respondi: "Posso ajudar? Ou é desnecessário que uma pessoa humana se apresente como intermediária dos deuses? É presunção ou deve um ser humano tornar-se o salvador dos deuses, depois que os homens foram redimidos pelo intermediário divino?"

"Tu falas a verdade", disse minha alma, "os deuses precisam do intermediário e salvador humano. Com isso, o ser humano prepara seu caminho da passagem para o além e para a divindade. Eu te dei um sonho horrível para que teu rosto se voltasse para os deuses. Eu fiz que saíssem deles tormentos, para que te lembrasses dos deuses sofredores. Tu fazes demais pelos seres humanos; deixa para lá os seres humanos e volta-te para os deuses, pois eles são os regentes do teu mundo. Na verdade tu só podes ajudar os seres humanos através dos deuses, não diretamente. Abranda o tormento ardente dos deuses".

Perguntei-lhe: "Mas dize, onde devo começar? Eu sinto seu tormento, igual ao meu, e no entanto não é o meu, real e irreal ao mesmo tempo".

"Nisto está a questão a ser distinguida", respondeu minha alma.

"Mas como? Meu espírito falha. Tu deves sabê-lo".

---

150 Cf. acima, nota 261, p. 348.

151 31 de maio de 1916.

"Teu espírito falha rápido", disse ela, "mas é exatamente de teu espírito humano que os deuses precisam".

"E eu do espírito dos deuses", retruquei, "estamos em maus lençóis".

"Não, tu és muito impaciente; só comparação paciente traz a salvação, não a decisão apressada para um lado. É preciso trabalho".

Perguntei-lhe então: "De que sofrem os deuses?"

Respondeu: "É que tu deixaste para eles o tormento, e desde então vêm sofrendo".

"Bem-feito!", exclamei. "Judiaram bastante do ser humano. Agora devem pagar por isso".

Ela respondeu: "Mas se o tormento também te atingir? O que ganhaste então? Não podes deixar aos deuses todo o sofrimento, senão eles te puxam para dentro dele. Pois, apesar de tudo, eles possuem o poder. Mas devo confessar que também o ser humano possui um estranho poder sobre os deuses através de seu espírito".

A isso respondi: "Reconheço que o tormento dos deuses me atingiu; e por isso reconheço também que tenho de me curvar diante dos deuses. Qual é o desejo deles?"

"Eles querem obediência", disse ela.

"Seja!", respondi, "mas tenho medo de seu desejo; por isso eu digo: eu quero o que posso. Não quero absolutamente retomar sobre mim todo o tormento que tive de deixar aos deuses. Nem mesmo Cristo tirou o tormento de seus seguidores, mas até o aumentou. Reservo-me algumas condições. Isto os deuses devem reconhecer e orientar seu desejo por elas. Não existe mais obediência incondicional, pois o ser humano deixou de ser um escravo dos deuses. Ele tem dignidade diante dos deuses. Ele é um membro tão importante que nem os deuses o podem perder. Não existe mais sucumbência aos deuses. Portanto, que façam ouvir seu desejo. A comparação fará então o resto, para que cada qual tenha a parte que lhe cabe".

Respondeu então minha alma: "Os deuses querem que tu faças, por amor a eles, aquilo que sabes que não queres fazer".

"Isto eu imaginava", gritei, "naturalmente é isto que querem os deuses. Mas fazem os deuses também aquilo que eu quero? Eu quero os frutos do meu trabalho. O que fazem os deuses por mim? Querem que seus objetivos se realizem, mas onde fica a realização de meu objetivo?"

Levantou-se então uma voz que disse: "Tu és incrivelmente teimoso e rebelde. Lembra-te de que os deuses são fortes".

Respondi: "Eu sei disso, mas já não existe obediência incondicional. Quando empregarão sua força em meu favor? Eles querem também que eu coloque minhas forças a seu serviço. Onde está seu serviço? No fato de serem atormentados? O ser humano sofreu dores infernais, mas os deuses não estavam satisfeitos e, insaciáveis, imaginavam novos tormentos. Deixaram que o ser humano ficasse tão obcecado que acreditou que não existiam deuses e que só existia um único Deus, que era um pai amoroso, de modo que hoje, quando alguém luta com os deuses, é chamado de maluco. E assim prepararam também esta vergonha para aquele que os reconhece a partir de sua sede ilimitada de poder, pois guiar cegos não é nenhuma arte. Eles pervertem até mesmo seus escravos".

"Tu não queres obedecer aos deuses", gritou minha alma horrorizada.

Respondi: "Acredito que já tenha acontecido mais do que o suficiente. Exatamente por isso os deuses são insaciáveis, porque recebem oferendas demais: os altares da humanidade ofuscada exalam vapores de sangue. Escassez traz satisfação, não a superabundância. Gostariam de aprender junto ao ser humano a escassez. Quem faz para mim? Esta é a pergunta que tenho a formular. De forma nenhuma faço aquilo que os deuses deveriam fazer. Pergunta aos deuses o que eles acham de minha proposta?"

Dividiu-se então minha alma, como pássaro levantou voo para os deuses superiores e como serpente desceu rastejando para os deuses inferiores. Passado pouco tempo, veio ela novamente e disse aflita: "Os deuses estão revoltados pelo fato de que não queres obedecer".

"Isto pouco me importa", respondi. "Eu fiz tudo para apaziguar os deuses. Eles deveriam fazer também a parte deles. Dize isto a eles. Eu posso esperar. Não vou mais permitir que mandem sobre mim. Os deuses deveriam pensar numa contraprestação, tu podes ir. Amanhã vou chamar-te para que me contes o que os deuses resolveram".

Quando minha alma foi embora, percebi que ela estava assustada e preocupada, pois ela pertence ao gênero dos deuses e demônios e gostaria de me converter sempre para sua espécie, assim como minha humanidade gostaria de me convencer de que eu pertenço à sua estirpe e que deveria servi-la. Quando adormeci, minha alma veio novamente e desenhou-me astuciosamente no sonho como um chifrudo na parede, tentando amedrontar-me diante de mim mesmo. Na noite seguinte, porém, chamei minha alma e lhe disse: "Tua astúcia foi descoberta. Ela foi em vão. Tu não me metes medo. Agora fala e apresenta tua mensagem".

Ela falou: "Os deuses cederam. Tu quebraste a obrigatoriedade da lei. Por isso eu te desenhei como um diabo, pois ele é o único entre os deuses que não se curva a nenhuma coação. Ele é o revoltoso contra a lei eterna, da qual também existem exceções, graças a seu procedimento. Por isso também é possível deixar de fazer alguma coisa. Para tanto ajuda o demônio. Mas isto não deve acontecer sem que se tenha pedido antes o conselho dos deuses. Este desvio de caminho é necessário, caso contrário sucumbes à sua lei apesar do demônio".

Então a alma se aproximou de meu ouvido e sussurrou: "Os deuses estão até mesmo contentes por poderem às vezes fechar um olho, pois no fundo sabem muito bem que ficaria difícil para a vida se não houvesse nenhuma exceção da lei eterna. Por isso a tolerância para com o demônio".

Em seguida levantou a voz e gritou: "Os deuses te são propícios e aceitaram tua oferenda".

Ajudou-me então o demônio a me purificar da mistura na coação, e a dor da unilateralidade perpassou meu coração e a ferida da dilaceração me queimou.

{15} [152]Foi num dia quente de verão, por volta do meio-dia; passeava pelo jardim e quando cheguei à sombra da árvore alta, encontrei ΦΙΛΗΜΩΝ andando feliz no odor do capim. Quando eu quis aproximar-me dele, saiu do outro lado uma sombra azul[153], e quando ΦΙΛΗΜΩΝ a viu, falou assim: "Eu te encontro no jardim, amado. O pecado do mundo deu beleza a teu rosto.

"O sofrimento do mundo endireitou tua figura.

"Tu és realmente um rei.

"Tua púrpura é sangue.

"Teu arminho é neve do gelo dos polos.

"Tua coroa, que carregas na cabeça, é o astro solar.

"Bem-vindo ao jardim, meu senhor, meu amado, meu irmão!"

---

152 1º de junho de 1916.

153 No *Livro Negro* 6, esta figura é identificada como Cristo (p. 85).

Perguntou a sombra: "Ó Simão Mago ou outro nome que tenhas, tu estás no meu jardim, ou eu estou no teu?"[154]

ΦΙΛΗΜΩΝ respondeu: "Tu estás, ó senhor, em meu jardim. Helena, ou outro nome que lhe queiras dar, e eu somos teus servos. Tu poderás ficar conosco. Simão e Helena tornaram-se ΦΙΛΗΜΩΝ e ΒΑΥΚΙΣ e assim somos agora hospedeiros dos deuses. Nós demos hospedagem a teu verme assustador. E como vieste, nós te acolhemos. Nosso jardim é o que te rodeia"[155].

A sombra disse: "Este jardim não é meu? O mundo dos céus e dos espíritos não é meu?"

ΦΙΛΗΜΩΝ respondeu: "Tu estás, meu senhor, aqui no mundo dos seres humanos. Os seres humanos estão mudados. Não são mais os escravos e não mais os enganadores dos deuses e não mais os enlutados em teu nome, mas eles oferecem hospedagem aos deuses. Antes de ti veio o verme horrível[156], que tu conheces muito bem, teu irmão enquanto és de natureza divina, teu pai enquanto foste de natureza humana[157]. Tu o afastaste de ti quando ele te deu conselho inteligente no deserto. Tu aceitaste o conselho, mas o verme tu o afastaste de ti: ele encontrou um lugar conosco. Mas onde ele está, também tu estarás[158]. Quando eu era Simão, tentei fugir dele com a astúcia da magia e assim fugi de ti. Agora que dei um lugar ao verme no meu jardim, vens tu a mim".

A sombra disse: "Caio no poder de tua astúcia? Tu me prendeste secretamente? Não foi trapaça e mentira tua arte desde sempre?"

---

154 Simão Mago (1º século) era um mago. Nos Atos dos Apóstolos (8,9-24), após tornar-se cristão, quis comprar de Pedro e Paulo o poder de transmitir o Espírito Santo (Jung considerava este relato uma caricatura). Outros relatos sobre ele encontram-se no livro apócrifo *Atos de Pedro* e em escritos dos Padres da Igreja. É tido como um dos fundadores do gnosticismo, e no século II surgiu uma seita simoniana. Diz-se que viajava sempre com uma mulher, reencarnação de Helena de Troia, que ele encontrou num bordel de Tiro. Jung cita isto como exemplo da figura da *anima* ("Alma e terra". OC, 10, § 75). Cf. QUISPEL, G. *Gnosis als Weltreligion*. Zurique: Origo Verlag, 1951, p. 51-70. • MEAD, G.R.S. *Simon Magus*: An Essay on the Founder of Simonianism Based on the Ancient Sources with a Reevaluation of His Phisosophy and Teachings. Londres: The Theosophical Publishing House, 1892.

155 Em *Memórias* Jung comentou: "Ao longo das peregrinações oníricas encontra-se mesmo muitas vezes um velho acompanhado por uma moça; e em numerosos relatos míticos encontram-se exemplos desse mesmo par. Assim, segundo a tradição gnóstica, Simão, o Mago, peregrinava com uma jovem que tirara de um bordel. Ela se chamava Helena e era tida como uma reencarnação de Helena de Troia. Kingsor e Kundry, Lao-tse e a dançarina são exemplos do mesmo caso" (p. 217).

156 I.e., satanás.

157 No *Livro Negro* 6, esta frase soa assim: "Antes de ti veio teu irmão, ó senhor, o verme horrível, que tu afastaste de ti quando ele no deserto te dava conselho inteligente com voz sedutora" (p. 86).

158 O *Livro Negro* 6, continua: "pois ele é teu irmão imortal" (p. 86).

Mas ΦΙΛΗΜΩΝ respondeu: "Reconhece, ó senhor e amado, que tua natureza é também a da serpente[159]. Não foste também levantado no lenho como a serpente? Não entregaste teu corpo, como a serpente sua pele? Não exerceste a arte da cura como a serpente? Antes de tua subida, não desceste ao inferno? E não viste lá teu irmão trancado no abismo?"[160]

Falou então a sombra: "Tu dizes a verdade. Não mentes. Mas ,– sabes o que te trago?"

"Não sei", respondeu ΦΙΛΗΜΩΝ, "só sei de uma coisa: aquele que é o hospedeiro do verme precisa também de seu irmão. O que me trazes, meu belo hóspede? Lamento e horror foi o presente do verme. O que nos darás tu?"

Respondeu a sombra: "Eu te trago a beleza do sofrimento. É disso que precisa quem é hospedeiro do verme".

159 Jung comentou a serpente como alegoria de Cristo em Aion (1952, OC, 9/2, § 369, 385 e 390).
160 Cf. acima, p. 149.

Epílogo[1]

1959

Trabalhei neste livro por 16 anos. O conhecimento da alquimia, em 1930, afastou-me dele. O começo do fim veio em 1928, quando Wilhelm me enviou o texto da "Flor de Ouro", um tratado alquimista. Então o conteúdo deste livro encontrou o caminho da realidade e eu não consegui mais continuar o trabalho. Ao observador superficial isto parecerá uma loucura. E teria se tornado isso mesmo, se eu não tivesse conseguido deter a força dominadora das experiências originais. Com a ajuda da alquimia pude finalmente ordená-las dentro de um todo. Soube sempre que essas experiências continham algo precioso e por isso não sabia fazer coisa melhor do que lançá-las num livro "precioso", isto é, valioso, e desenhar as imagens que me apareciam na revivescência – tão bem quanto possível. Sei que foi tremendamente inadequado este empreendimento, mas apesar do muito trabalho e desvios, fiquei fiel, mesmo que nunca outra / possibilidade... 190/191

[1] Isto aparece na p. 190 da versão caligráfica do *Liber Novus*. A transcrição caligráfica foi abruptamente interrompida no meio de uma frase na p. 189. Isto aparece depois, na página seguinte, no manuscrito normal de Jung. Isto por sua vez foi interrompido abruptamente no meio da frase.

Apêndice A

Esboço de mandala 1 parece ser o primeiro da série, datado de 2 de agosto de 1917. É a base da ilustração 80. A legenda no alto da ilustração é "ΦΑΝΗΣ [Phanes]" (cf. nota 211, p. 317). Legenda na parte inferior: "Stoffwechsel in Individuum" [metabolismo no indivíduo] (19,4cm x 14,3cm).

Esboço de mandala 2 é o reverso do *esboço de mandala 1* (19,4cm x 14,3cm).

Esboço de mandala 3 é datado de 4 de agosto de 1917 e 8 de agosto de 1917 e é a base da ilustração 82 (14.9cm x 12,4cm).

Esboço de mandala 4 é datado de 6 de agosto de 1917. Sobre estes esboços cf. introdução, p. 39s. (20,3cm x 14,9cm).

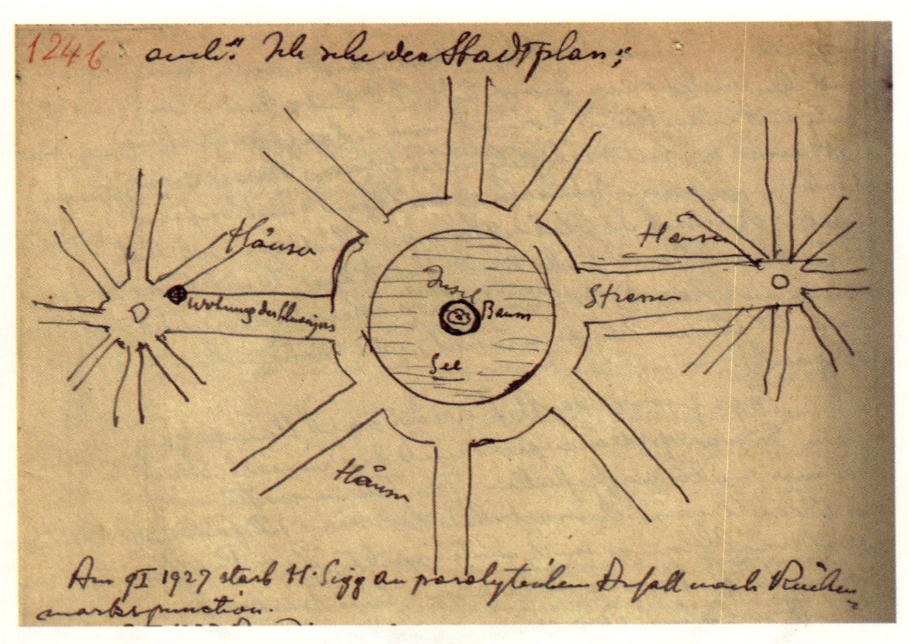

O *plano da cidade* é tirado do *Livro Negro* 7, p. 124b, e retrata a cena do sonho de "Liverpool". Este esboço é a base da ilustração 159, ligando o sonho ao mandala. Texto na ilustração, a partir da esquerda: "Residência do suíço"; *em cima* "Casas"; *embaixo* "Casas", "Ilha"; (embaixo) "Lago", "Árvore", "Ruas", "Casas" (13,3cm x 19,1cm).

Na página seguinte: *Systema Munditotius*. (30cm x 34cm). Em 1955 o *Systema Munditotius* de Jung foi publicado anonimamente num fascículo especial de *Du* dedicado às conferências de Eranos. Numa carta de 11 de fevereiro de 1955 a Walter Corti, Jung afirmou explicitamente que não quis que seu nome aparecesse com ele (JA). E acrescentou os seguintes comentários: "Ele descreve as antinomias do microcosmo dentro do mundo macrocósmico com suas antinomias. No ponto mais alto, a figura do jovem rapaz dentro do ovo alado, chamado Erikapaios ou Phanes e lembrando assim uma figura espiritual dos deuses/Deuses órficos. Sua antítese escura nas profundezas é designada aqui como Abraxas. Ele representa o *dominus mundi*, o senhor do mundo físico, e é um criador-do-mundo de natureza ambivalente. Brotando dele vemos a árvore da vida, chamada *vita* ("vida"), enquanto sua contraparte superior é uma árvore da luz na forma de um candelabro de sete braços chamado *ignis* ("fogo")") e *Eros* ("amor"). Sua luz aponta para o mundo espiritual da criança divina. Também a arte e a ciência pertencem a esta esfera espiritual, a primeira representada como uma serpente alada e a segunda como um rato alado (como atividade de cavar buracos!). – O candelabro baseia-se no princípio do número espiritual três (duas-vezes-três chamas com uma grande chama no meio), ao passo que o mundo inferior de Abraxas é caracterizado pelo cinco, o número do homem natural (os duas-vezes-cinco raios de sua estrela). Os animais do mundo natural que o acompanham são um monstro demoníaco e uma larva. Isto significa morte e renascimento. Uma outra divisão do mandala é horizontal. À esquerda vemos um círculo indicando o corpo ou o sangue, e dele surge uma serpente, que se enrosca no falo, enquanto princípio generativo. A serpente

é escura e clara, significando a região escura da terra, a lua e o vazio (por isso chamada Satanás). A parte clara de rica plenitude está à direita, onde do círculo brilhante *frigus sive amor dei* [frio ou o amor de Deus] a pomba do Espírito Santo alça voo, e a sabedoria (*Sophia*) derrama água de uma dupla taça para a esquerda e para a direita. – Esta esfera feminina é a do céu. – A grande esfera caracterizada por linhas ou raios em ziguezague representa um sol interior; dentro desta esfera está repetido o macrocosmo, mas com a região superior e a região inferior invertidas como num espelho. Estas repetições devem ser imaginadas como infinitas em número, tornando-se cada vez menores até chegar ao núcleo mais profundo, o microcosmo atual".

Apêndice B
Comentários

p. 86-89[1]

Período da vida
Masculino
Enantiodromia do tipo de vida

É difícil forçar esta ilustração a uma declaração. Mas seu tipo é de tal forma alegórico, que deveria falar. Distingue-se das vivências anteriores pelo fato de ser muito menos vivida do que contemplada. Todos os quadros que reuni sob o título "Jogo dos mistérios" são bem mais do tipo alegórico do que propriamente vivências. Contudo, não são alegorias intencionais, não foram provocadas intencionalmente para apresentar numa pintura algo velado ou fantástico, mas apareceram como visão. Só mais tarde, na revisão, tive a impressão sempre mais forte de que não se podia compará-las com as vivências relatadas em outros capítulos. Essas imagens são evidentemente concepções personificadas de ideias inconscientes. Isto provém de seu caráter de imagem. Elas também me incentivaram mais à reflexão e interpretação do que as outras vivências às quais eu não podia fazer justiça com o pensar, porque são simplesmente coisa vivida. As imagens do "Jogo dos mistérios", porém, personificam princípios que são acessíveis ao pensar e à compreensão intelectual e, correspondendo a seu tipo alegórico, também estimulam a semelhante tentativa de explicação.

O lugar da ação é uma escura profundeza da terra, evidentemente uma representação da profundeza interior sob a dimensão do espaço consciente ou do campo de visão psíquica. O mergulhar numa tal profundeza corresponde ao desvio do olhar espiritual das coisas externas e sua concentração na profundeza escura interior. Através do olhar para o escuro surge, de certa forma, uma vivificação do pano de fundo anteriormente escuro. Uma vez que a contemplação da escuridão acontece sem expectativa consciente, o pano de fundo psíquico

1 Os números das páginas referem-se ao *esboço corrigido*. Correspondem às pp. 157-164 acima.

não vivido tem uma oportunidade de deixar aparecer seus conteúdos, não importando os pressupostos conscientes.

As vivências precedentes indicam que estavam disponíveis fortes movimentos psíquicos que a consciência não conseguiu abranger. Duas figuras entram no campo visual, não esperadas pela consciência, em compensação são características do espírito mitológico que está na base da consciência: o velho sábio e a jovem. Esta combinação é uma imagem que volta eternamente ao espírito humano. O velho representa um princípio espiritual, que poderíamos chamar de Logos, e a jovem, um princípio sensual não espiritual, que poderíamos chamar de Eros. Um rebento do Logos é o Nous, o intelecto, que desfez a mistura através do sentimento, do pressentimento e da sensação. Em compensação, o Logos contém esta mistura. Mas ele não é o produto dessa mistura, caso contrário seria uma atividade psíquica inferior e animal, mas ele comanda a mistura de tal forma que as quatro atividades básicas da psique se subordinam a seu princípio. É um princípio autônomo da forma, que significa compreensão, intuição, previsão, legislação e sabedoria. Por isso a figura de um velho profeta é uma alegoria adequada para este princípio, pois o espírito profético reúne em si todas essas propriedades. Por outro lado, o Eros é um princípio que contém igualmente uma mistura de todas as atividades básicas da alma e as comanda também, contudo sua finalidade é bem outra. Ele não é doador da forma, mas preenchedor da forma, ele é o vinho que se despeja no recipiente; ele não é o leito e o rumo da torrente, mas o ímpeto das águas que nela correm. O Eros é cobiça, desejo, força, exaltação, prazer, paixão. O Logos é ordem e perseverança, o Eros é soltura e movimento. São dois poderes básicos da alma que formam um par de opostos e que se condicionam mutuamente.

Na velhice do profeta está expressa a perseverança, mas o movimento se traduz na juventude da moça. Sua essência suprapessoal está expressa no fato de serem figuras que fazem parte da história geral da humanidade; não pertencem a uma pessoa, mas são um conteúdo espiritual dos povos desde tempos remotos. Cada qual as possui, por isso as encontramos sempre de novo em pensadores e poetas.

Essas imagens primordiais têm um poder secreto, que atua tanto sobre a razão quanto sobre a emoção da pessoa humana. Onde quer que surjam mexem com alguma coisa na pessoa que está ligada ao misterioso, passado há muito tempo e cheio de pressentimentos. Uma corda soa, cuja vibração repercute em cada peito humano; pois em cada um moram essas imagens primordiais porque fazem bem a todas as pessoas[2]. Este poder secreto é como um feitiço, como magia, que causa tanto elevação quanto sedução. Esta é a característica própria das imagens primordiais: elas agarram as pessoas lá onde ela é apenas ser humano e uma força se apodera dela como se a aglomeração do povo a empurrasse. E isto acontece, mesmo quando a razão e o sentimento se levantam contra isso. O que é a força do indivíduo contra a voz de todo o povo dentro dele? Ele está enfeitiçado, capturado, devorado. Ninguém exprime melhor este estado de coisas do que a cobra. Ela significa tudo o que é perigoso e mau, noturno e sinistro, que está ligado tanto ao Logos quanto ao Eros, enquanto podem atuar como os princípios escuros e incógnitos do espírito inconsciente.

A casa expressa morada fixa, ficando entendido o fato de que Logos e Eros moram permanentemente em nós.

Salomé é apresentada como filha de Elias. Exprime-se com isso o procedimento da sucessão. O profeta é seu genitor, ela procede dele. Sendo-lhe atribuída como filha, indica-se assim uma subordinação do Eros ao Logos. Ainda que esta relação, assim como aparece na persistência dessa imagem primordial, seja muito frequente, ela é assim mesmo um caso peculiar que não possui validade geral. Pois quando se trata de dois princípios que se encontram numa relação de oposição, um não pode provir do outro e desse modo ser dependente do primeiro. Por isso Salomé não é evidentemente uma encarnação (totalmente) perfeita do Eros, mas uma bastarda do mesmo. (Esta suposição se confirma mais tarde.) Que ela é realmente uma alegoria imperfeita do Eros manifesta-se também no fato de ser cega. O Eros não é cego, pois ele dispõe, assim como o Logos, de todas as atividades básicas da alma. A cegueira significa sua imperfeição e a falta de uma qualidade essencial. Devido à sua deficiência, depende do pai.

As paredes que brilham de modo confuso indicam algo desconhecido, talvez valioso, que desperta a curiosidade e atrai sobre si a atenção. Dessa maneira, a participação criadora fica ainda mais sufocada na imagem, pela qual se torna possível uma vivificação ainda maior do pano de fundo escuro. Devido ao aumento da atenção, forma-se a imagem de um objeto que expressa muito

---

2 Jung emprega aqui uma metáfora usada por Jacob Burkhardt para descrever as imagens primordiais de Fausto e Édipo, que ele citou em *Transformações e símbolos da libido* (1912. OC, B, § 56n.).

bem a concentração, isto é, a imagem de um cristal que é usado desde tempos antigos para a geração de visões. As figuras inicialmente incompreensíveis ao observador produzem acontecimentos obscuros em sua alma, que de certa maneira estão ainda mais fundas (semelhantemente à visão do sangue) e para cuja percepção há necessidade de um meio auxiliar como o cristal. Mas com isso, como ficou dito, não se exprime nada além de uma concentração mais forte da atenção criadora.

Uma figura, completa e transparente em si, como a do profeta, desperta menos curiosidade do que a figura inesperada de uma cega Salomé, podendo-se esperar então que o processo criador se volte em primeiro lugar para o problema do Eros. Esta é a razão por que aparece primeiramente uma imagem de Eva, bem como da árvore e da serpente. Isto significa obviamente a sedução, cujo elemento já está claro na figura de Salomé. A sedução produz um movimento ulterior para o lado do Eros. Disso surge o pressentimento de muitas possibilidades aventureiras, do qual é imagem perfeita a viagem sem rumo de Ulisses. Esta imagem é estímulo e convite para o prazer empreendedor; é como se uma porta se abrisse para uma nova possibilidade e que conseguisse libertar o olhar da estreiteza e profundeza escuras em que estava preso. Abre-se por isso a visão para um jardim ensolarado, cujas árvores de flores vermelhas representam ampliação do sentimento erótico e cujo poço significa uma fonte perene. A umidade refrescante do poço, que não causa embriaguez, aponta para o Logos. (Por isso Salomé fala também mais tarde dos "poços" profundos do Profeta.) Indica-se com isso que a ampliação do Eros significa também uma fonte do conhecimento. E então Elias começa a falar.

O Logos tem sem dúvida o poder neste meu caso, pois Elias diz que ele e sua filha são um desde sempre. Mas Logos e Eros não são um, e sim dois. Mas neste caso o Logos ofuscou o Eros e o submeteu a si. Se for assim, surgirá a necessidade de libertar o Eros do sufoco do Logos, para que o primeiro consiga de novo sua face. Por isso Salomé voltou-se para mim, porque o Eros está necessitado de ajuda e porque eu também fui transposto para a contemplação dessa imagem. A alma do homem está mais inclinada para o Logos do que para o Eros; este caracteriza mais a natureza da mulher. A opressão do Eros pelo Logos explica não só a cegueira do Eros, mas também o fato estranho em si de que o Eros é representado pela figura pouco simpática de Salomé. Salomé significa más qualidades. Ela lembra não só o assassinato do Santo, mas também a complacência incestuosa do pai.

Um princípio tem sempre a dignidade da independência. Mas quando se lhe tira esta dignidade, fica rebaixado e assume uma forma ruim. Sabemos que as atividades e qualidades psíquicas que são retiradas pela opressão do desenvolvimento degeneram e se transformam em vícios. No lugar de uma atividade cortês entra um vício manifesto ou secreto e assim nasce uma desunião da personalidade consigo mesma, que significa um sofrimento moral ou uma verdadeira doença. Para quem quer libertar-se desse sofrimento só há um caminho: precisa assumir a parte oprimida de sua psique, precisa até amar sua inferioridade e seu vício, para que o degenerado volte a encontrar o caminho do desenvolvimento. Mas isto é extremamente difícil e duvidoso.

Onde o Logos domina, lá existe ordem, mas teimosia demais. A alegoria do paraíso, onde não há nenhuma luta e, por isso, também nenhum desenvolvimento, é bem adequada aqui. Neste estado o movimento reprimido degenera, seu valor se perde. Este é o assassinato do Santo, e o assassinato acontece porque, como Herodes, o Logos não consegue proteger o Santo por fraqueza própria, porque não sabe fazer outra coisa do que agarrar-se em si mesmo, gesto pelo qual provoca o Eros para sua degeneração. Só a desobediência a este princípio dominador leva para fora desse estado de teimosia não evolutiva. A história do paraíso se repete e por isso também a serpente se enrosca no alto da árvore, porque Adão deve ser tentado para a desobediência.

Todo desenvolvimento passa por cima do não desenvolvido, mas capaz de desenvolvimento. No seu estado não desenvolvido ele quase não tem valor, ao passo que o desenvolvido representa um valor muito elevado, que é indiscutível. Deve-se renunciar a este valor, ao menos aparentemente, para que se possa assumir o não desenvolvido. Mas este está na mais franca oposição ao desenvolvido, que talvez represente nossa melhor e mais elevada contribuição. Por isso, o assumir do não desenvolvido é como um pecado, como um passo em falso, uma degeneração, uma descida para um degrau mais baixo, mas na verdade um feito maior do que a perseverança num estado ordenado à custa do outro lado de nossa natureza, que desta maneira está exposta à corrupção.

p. 103-119[3]

O lugar da ação é o mesmo da primeira ilustração. A indicação de que 'uma cratera fortalece a impressão de uma grande profundeza que alcança de certa forma o interior da terra, que não é inativa, mas que expele violentamente um conteúdo.

Uma vez que o Eros é em princípio o problemático na maioria dos casos, surge Salomé cega, tateando *para a esquerda* seu caminho. Também aparentes minúcias são de importância em tais imagens visionárias. Esquerdo é o lado do desfavorável. Indica-se assim que o Eros tem a tendência de não ir para a direita, que é o lado da consciência, da vontade consciente e da escolha consciente, mas para aquele lado em que está o coração que também está menos submetido à nossa vontade consciente. Este movimento para a esquerda é sublinhado pelo fato de vós também seguirdes a serpente. A serpente é o poder mágico, cujo aparecimento se dá sempre onde instintos animalescos são despertados em nós de maneira incompreensível. Eles dão ao movimento do Eros a fatídica energia que nós sentimos como mágica. A atividade mágica é um feitiço e enfatização de nosso pensar e sentir através de obscuros movimentos instintivos de natureza animal.

O movimento para a esquerda é cego, isto é, sem objetivo e sem propósito. Precisa por isso de orientação, mas não da intenção consciente e sim da orientação do Logos. Elias chama Salomé de volta. Sua cegueira é uma doença, e doença requer cura. O preconceito contra ela é enfraquecido ao menos em parte por uma observação mais atenta dela. Ela parece inocente, por isso talvez se deva atribuir sua maldade à sua cegueira.

Pelo chamamento de volta de Salomé, o Logos proclama seu poder sobre o Eros. Também a serpente lhe obedece. Ela está deitada diante do Logos e do Eros, para reforçar o poder e o significado dessa ilustração. Consequência natural desse espetáculo mágico e poderoso da união do Logos e do Eros é a pequenez e insignificância fortemente sentidas do eu e que se manifesta na sensação da infantilidade.

---

3 Isto corresponde às pp. 165-173 acima.

Parece que o movimento para a esquerda, seguindo o cego Eros, não é possível e de certa forma não permitido sem a interferência do Logos. Seguir cegamente um movimento é, do ponto de vista do Logos, um pecado, porque é uma unilateralidade e, além do mais, vai contra a lei de que o ser humano deve sempre lutar pelo maior grau de consciência. Pois nisso consiste sua humanidade. A outra coisa ele a tem em comum com o animal. Também Jesus diz: "Quando sabes o que fazes, és bem-aventurado, mas quando não sabes o que fazes, és amaldiçoado[4]. Este movimento para a esquerda só seria possível e permitido se disso resultasse uma concepção consciente, *visível*. Sem a interferência do Logos, porém, é impossível o estabelecimento de semelhante concepção.

O primeiro passo para a formação da concepção é a conscientização do objetivo ou da intenção do movimento. Por isso pergunta Elias pela intenção do eu. E este tem de reconhecer a cegueira, isto é, a ignorância a respeito da intenção. A única coisa reconhecível é uma ânsia, um desejo de resolver a confusão manifestada na primeira ilustração.

Esta conscientização causa um leve toque de felicidade em Salomé. É compreensível porque conscientização e tornar visível significa a cura de sua cegueira. Com isso se dá um passo à frente na direção do objetivo do Eros.

O eu persiste a princípio em seu lugar inferior, pois devido à sua ignorância não vê o desenvolvimento ulterior de seu problema. Também não saberia indicar a direção a seguir, pois até agora nunca dirigiu seu olhar para dentro da profundeza de seu substrato psíquico, mas só para o exterior e consciente, e só reconheceu como grandeza ativa a força da consciência e do mundo consciente, negando assim de modo semiconsciente os movimentos de seu interior. Colocado diante de sua própria profundeza, semelhante eu só pode experimentar sofrimento. Foi tão firme sua fé em seu mundo superior consciente, que uma descida para dentro da profundeza do si-mesmo seria um delito, uma infidelidade aos ideais conscientes.

Mas como aquele desejo de resolver a confusão é maior do que as relutâncias contra a própria inferioridade, o eu confiou-se à orientação do Logos. Como não se vê nada que possa dar uma resposta à questão formulada, maior

---

4 Esta frase é uma inserção apócrifa no Evangelho de Lucas 6,5, do Codex Bezae: "Homem, quando sabes realmente o que fazes, bem-aventurado és tu; mas se não, és amaldiçoado e um transgressor da lei". ELLIOT, K.J. (org.). *The Apocryphal New Testament*, p. 68. Em 1952, Jung citou isto em *Resposta a Jó* (OC, 11/4, § 696).

profundeza deverá ser aberta. Isto acontece novamente com a ajuda do cristal, isto é, através da máxima concentração da atenção que aguarda. A primeira imagem que aparece no cristal é a mãe de Deus com o filho.

Esta imagem está evidentemente em conexão com e em oposição à visão da Eva na primeira ilustração. Assim como Eva representa a tentação da carne e a maternidade carnal, a mãe de Deus encarna a virgindade carnal e a maternidade espiritual. A primeira direção seria um movimento do Eros para a carne, a última direção seria um movimento para o espírito. Eva é a expressão do lado carnal, enquanto Maria a expressão do lado espiritual do Eros. Enquanto o eu só via Eva, era cego. Mas a conscientização abriu um aspecto espiritual do Eros. No primeiro caso, o eu tornou-se um Ulisses em sua rota perdida, que encontra seu desfecho na volta do homem envelhecido ao ventre materno, Penélope.

No último caso, o eu é apresentado como Pedro como a pedra escolhida sobre a qual deveria ser construída a Igreja. Esta ideia é apoiada pelas chaves como símbolo do poder de ligar e desligar e transferido para a figura do papa como o representante de Deus na Terra, com a tríplice coroa.

Sem dúvida, o eu entra aqui num movimento em direção ao poder espiritual. Isto se explica pela unilateralidade do movimento. O aspecto de Eva conduz à aventureira viagem errante, à Igreja e a Calipso. O aspecto da mãe de Deus, no entanto, desvia o desejo da carne e o dirige para a veneração humilde do espírito. Na carne, o Eros está subordinado ao erro, mas no espírito ele se levanta acima da carne e sobre a inferioridade do erro carnal. Torna-se por isso quase imperceptível na forma de amor ao espírito do poder sobre a carne e assim sai da casca do amor. O poder espiritual, que acredita amar o espírito, mas que de fato e na verdade é um domínio da carne. Quanto mais for poder, tanto menos é amor. Quanto menos for amor ao espírito, tanto mais é poder carnal. E assim o amor ao espírito torna-se, devido a seu poder sobre a carne, um instinto mundano de poder em forma espiritual.

O Cristo venceu o mundo ao tomar sobre si o sofrimento do mundo. Mas Buda venceu as duas coisas: o prazer e o sofrimento do mundo, afastando de si prazer e sofrimento. E assim entrou num não ser, no estado em que não há volta. Buda é um poder espiritual ainda maior, que também não se regozija mais com o domínio da carne, tão profundamente mergulharam atrás dele prazer e dor. A paixão, que em sua autossuperação ainda é tão poderosa em Cristo e que precisa de si mesma sempre de novo e sempre em maior quantidade para o triunfo da superação própria, migrou para fora do Buda e queima a seu redor como fogo chamejante. Ele está intocado e é intocável.

Quando o eu vivo se aproxima desse estado, sua paixão vai deixá-lo, mas não vai morrer. Alguém por acaso não é sua paixão? E o que acontece com sua paixão quando ela abandona o eu? O eu é a consciência, e a consciência só tem olhos dianteiros. Nunca vê o que está às suas costas. Mas lá concentra-se na paixão que ele venceu na frente. Não conduzido pelo olho da razão, não atenuado pela humanidade, transforma-se o fogo na Kali devastadora e sedenta de sangue, que consome a vida do homem de dentro, como diz o mantra de seu serviço sacrificial: "Salve, Kali, deusa de três olhos, figura horrível, em cujo pescoço está pendurada uma corrente de crânios humanos. Saudada sejas tu com este sangue".

Certamente Salomé tem de desesperar com este desfecho de que o Eros gostaria de transformar-se em espírito, pois o Eros não pode prescindir da carne. Se o eu se revolta contra a inferioridade na carne, também se revolta sua alma feminina, que corporifica tudo o que a consciência gostaria de reprimir contra o espírito. Assim também este caminho leva a um desfecho na oposição. Por isso o eu volta de sua contemplação das figuras que corporificam sua desunião.

Novamente Logos e Eros estão juntos, como se tivessem superado o conflito entre espírito e carne. Parece que conhecem a solução. O movimento para a esquerda, que no começo da ilustração saía do Eros, procede agora do fogo. Ele acolhe o movimento para a esquerda, a fim de terminar com olhos que enxergam aquilo que começou com cegueira. A princípio ele conduz para uma escuridão maior, mas que de alguma forma é iluminada pela luz avermelhada. A cor vermelha indica o Eros que não dá nenhuma luz clara, mas ao menos uma possibilidade de reconhecer algo, talvez só porque leva a pessoa a uma situação em que possa conhecer alguma coisa se o Logos a socorrer.

Elias encosta-se no leão de mármore. O leão como animal régio significa poder. A rocha significa firmeza inabalável. Assim são expressos o poder e a firmeza do Logos. Novamente começa em primeiro lugar a conscientização, e dessa vez em maior profundidade e renovado envolvimento. O eu sente tanto mais sua pequenez, pelo fato de estar aqui ainda mais longe de seu mundo conhecido, onde tem consciência de seu valor e de sua importância. Aqui não há nada que lhe lembre sua importância. Por isso está naturalmente dominado por tanto ser diferente, que fica totalmente privado de seu arbítrio. A figura de Elias assume o processo da conscientização.

Como indicam as visões do cristal, a ideia que devia levar à consciência é uma ideia com poder espiritual, isto é, o eu caiu na tentação de querer arrogar-se o ser profeta. Mas esta ideia encontrou tão grande recusa, que não conseguiu impor-se contra a consciência. Ficou por isso atrás da cortina. Como o eu não pudesse seguir cegamente o Eros, queria ao menos trocar esta perda pela posse do poder espiritual – um procedimento que podemos observar com muita frequência na vida das formas! Mas também é quase inevitável que tão grande perda, como a do Eros, force as pessoas, ao menos no campo do poder, a buscar um sucedâneo. Isto acontece de maneira tão sutil e esperta, que o eu nem mesmo percebe o truque. Por isso, mesmo seguindo as regras da posse do poder, semelhante eu não pode ficar feliz, porque não é ele que possui o poder, mas é o poder demoníaco que o possui. Teria sido fácil para o eu apossar-se neste caso da realidade com que a figura de Elias se impôs com tanta plasticidade e tomar para si esta figura como merecedora de personalidade. Mas a conscientização impediu esta fraude.

O surgimento de figuras vivas não deve ser tomado em sentido pessoal, ainda que se esteja naturalmente inclinado a assumir de certa forma a responsabilidade sobre elas. Mas elas pertencem na verdade tanto como tampouco à nossa personalidade, como a posse das mãos e dos pés. O simples fato de que mãos e pés estão disponíveis não é determinante da personalidade. Se existe algo de determinante neles, é apenas sua condição individual. Assim é determinante para o eu que o velho e a jovem sejam designados precisamente como Elias e Salomé; poderiam também chamar-se Simão Mago e Helena. Mas é significativo que tenham aspecto bíblico. Isto faz parte, como ficará demonstrado mais tarde, das características da confusão psíquica dominante neste momento.

Com a conscientização da ideia sedutora do poder espiritual vem à baila de novo a questão do Eros, de novo numa forma nova: a possibilidade indicada por Eva, bem como a corporificada por Maria, fica excluída. Permanece então a terceira possibilidade, que evita o extremo da carne assim como o do espírito, isto é, a relação filial: Elias, o pai; Salomé, a irmã; o eu, o filho e irmão. Esta solução corresponde à ideia cristã de filiação. A mãe que ainda falta é completada de maneira terrivelmente ardilosa por Salomé como Maria. O efeito sobre o eu também está de conformidade com isso. A solução cristã através da filiação tem inegavelmente algo de libertador, porque parece ter alguma coisa de bem possível. Em cada pessoa ainda está vivo o filial; na pessoa idosa é inclusive a última coisa que ainda está viva. Devido à sua inesgotável vitalidade e imperdibilidade é possível recorrer a todo tempo ao filial. Pode-se tornar inofensivo tudo, mesmo a coisa mais perigosa, através da retroversão para o filial. Nós já o fazemos muitas vezes na vida comum. Consegue-se até mesmo domesticar uma paixão reconduzindo-a ao filial, e talvez mais frequentemente a chama da paixão sucumba a um lamento filial. Portanto há muitas ocasiões em que o filial pode aparecer como solução satisfatória, inclusive no efeito profundo de nossa educação cristã, que grava em nós a ideia de filiação através de centenas de fórmulas de oração e de hinos.

Tanto mais destruidora deve ser a observação de que Maria era a mãe comum. Pois assim a solução filial fica prejudicada já no surgimento, e despertada diretamente a ideia: se Maria é a mãe, *então o eu deve ser inevitavelmente Cristo*. A solução filial teria um retrocesso fomentado por todo tipo de especulação: Salomé já não seria perigosa, pois seria a irmãzinha. Elias seria o pai fiel e preocupado cuja sabedoria e prudência poderiam deixar o eu entregue a si mesmo com confiança filial.

Mas esta é a malfadada desvantagem da solução através da filiação: cada filho gostaria de crescer. Faz parte do ser infantil o desejo veemente e a impaciência pelo futuro de adulto. Se voltarmos ao ser criança por medo dos perigos do Eros, a criança desejará desenvolver-se segundo o poder espiritual. Mas se fugirmos para a infância por medo dos perigos do espírito, sucumbiremos à prepotência erótica do poder.

O estado da filiação espiritual é uma passagem no qual nem todos conseguem persistir. É compreensível que neste caso é o Eros que mostra ao eu a impossibilidade de continuar criança. Poder-se-ia pensar que não seria muito difícil ter de renunciar ao estado de filiação. Mas só pensa assim aquele que não tem clareza sobre as consequências da renúncia à filiação. Não é apenas a perda das concepções cristãs de antigamente e das possibilidades religiosas que elas proporcionam – esta perda é suportada facilmente por muitos –, mas a renúncia se refere àquela atitude que vai mais fundo e que ultrapassa em muito a concepção cristã, que dá ao indivíduo uma direção certa e experimentada de sua vida e pensamento. Mesmo que alguém se tenha afastado há muito da prática religiosa cristã e já não pense em arrepender-se dessa perda, comporta-se intuitivamente como se as premissas originais ainda valessem. Não pensa que uma cosmovisão preterida deva ser substituída por outra e sobretudo não tem clareza de que nossa moral de hoje é minada pelo abandono da concepção cristã. A renúncia à filiação significa que não há mais apoio intuitivo e habitual aos pontos de vista morais vigentes até agora. Pois o ponto de vista válido até agora proveio do espírito da cosmovisão cristã.

Nossa atitude para com o Eros, por exemplo, é, apesar de toda a liberdade de espírito, ainda o ponto de vista cristão antigo. Nele não podemos permanecer sossegadamente sem questionamentos e dúvidas, caso contrário permaneceremos no estado de filiação. Se rejeitarmos apenas o aspecto dogmático, a libertação do tradicional é apenas intelectual, enquanto nosso sentimento mais profundo segue o velho caminho como até agora. A maioria não percebe o estado de bipartição em que entram através desse procedimento. Mas as futuras gerações vão sentir isso mais e mais. Mas quem o percebe descobre com espanto que, abandonando a filiação, cai para fora do tempo atual e que não pode mais seguir nenhum dos caminhos tradicionais. Ele fica em terra nova que não tem parâmetro nem limites. Falta-lhe aquela orientação, uma vez que abandonou toda e qualquer orientação tradicional. Mas este reconhecimento preocupa só uns poucos, pois a grande maioria consegue contentar-se com sua imperfeição, e a imbecilidade de seu estado espiritual não os perturba. Mas a indiferença e a inatividade não são características de todos. Haverá sempre alguém que preferirá procurar amparo na coragem do desespero do que permanecer no estado de uma cosmovisão que nada tem a ver com seu procedimento habitual de agora. Vai preferir aventurar-se em terra escura e sem caminho, correndo o risco de nela sucumbir, mesmo que toda sua covardia se revolte contra isso.

Quando Salomé diz que a mãe comum é Maria e assim dá a entender que o eu é Cristo, fica expresso precisa e claramente que o eu abandonou o estado da filiação cristã e se colocou no lugar de Cristo. Naturalmente nada seria mais absurdo do que admitir que com isso o eu se arroga uma importância exagerada; ao contrário, ele se coloca numa posição sobremaneira inferior. Antes ele tinha o privilégio de estar com toda a humanidade no séquito de um poderoso, mas agora trocou isto pela solidão e desaparecimento. Ele é estranho e solitário em seu mundo, como Jesus em sua época, mas sem possuir as altas qualidades daquele grande homem. A oposição ao mundo exige grandeza, mas o eu sente sua pequenez quase ridícula. Daí se explica o espanto do eu ao ouvir as revelações de Salomé.

Quem se aliena da concepção cristã, e se aliena totalmente, entra no que parece não ter chão firme, numa solidão extrema, sobre a qual não é possível enganar-se. Certamente gostaríamos de convencer-nos de que nem tudo é tão difícil assim. Mas é difícil, sim. A solidão é a pior coisa que pode acontecer ao instinto gregário do ser humano, sem falar do terrível ônus que coloca sobre si. Destruir é fácil, mas reconstruir é difícil.

Termina assim esta imagem com um sentimento de tristeza, mas que está em contradição com a chama alta, queimando sossegadamente, enlaçada pela serpente. Este quadro significa devoção junto com coação mágica, expressa pela serpente. Através disso é apresentada, ao inquieto sentimento de dúvida e de medo, uma contrapartida eficaz, como se alguém dissesse: "Certamente teu eu está cheio de inquietação e dúvida, mas em ti queima mais forte ainda a chama permanente da devoção, e mais poderosa é a coação de teu destino".

p. 127-150[5]

Os pressentimentos de forte impacto da segunda ilustração precipitaram o eu num caos de dúvidas. Por isso nasceu um desejo compreensível de elevar-se por sobre a confusão para uma clareza maior. Isso está expresso na ilustração pela crista de pedra que se eleva alcantilada. O Logos parece concordar. O que acontece em primeiro lugar é a imagem de dois opostos, expressos na figura de serpentes, bem como na separação de dia e noite. A claridade do dia significa o bem, a escuridão significa o mal. Como poderes impositivos, ambas têm a forma de serpente. Nisso está oculta uma ideia que adquire grande importância no que se segue: não causaria menos espanto a alguém encontrar uma serpente branca ou negra. A cor não interfere no medo. Indica-se com isso que, sob determinadas circunstâncias, o poder perigoso e encantador é importante tanto ao bem quanto ao mal. Por conseguinte não seria de considerar aqui o bem como um princípio que fica essencialmente atrás em periculosidade do mal. Em qualquer caso, o eu não poderia tampouco tomar a decisão de aproximar-se da serpente branca ou negra, apesar de acreditar que sob todas as circunstâncias, poderia ou deveria confiar-se mais ao bem do que ao mal. Mas aqui

5 Refere-se às pp. 173-185.

o eu fica parado no meio, como que fascinado, e contempla a luta dos dois princípios – dentro dele.

Na verdade, o fato de o eu conservar a posição intermédia já significa um avanço do mal, pois é uma ruptura com o bem, quando a gente não se entrega incondicionalmente a ele. Isto está expresso no ataque da serpente negra. Mas na verdade, o fato de o eu não tomar parte no mal é uma vitória do bem. Isto está expresso no fato de a serpente negra receber uma cabeça branca.

O desaparecimento da serpente significa que a oposição de bem e mal tornou-se inativa, isto é, que ao menos perdeu sua importância imediata. Para o eu, isto significa uma libertação do poder incondicional do ponto de vista moral costumeiro em prol de uma posição intermédia, livre dos opostos. Mas com isso nada se ganha ainda em clareza e vista geral; por isso a ascensão é continuada até uma última altura, que talvez proporcione a desejada vista geral.

Apêndice C

O que se segue é um excerto do *Livro Negro, 5*, que dá uma ideia preliminar da cosmologia dos *Septem Sermones*.

16 I 16

Tremendo é o poder do Deus.

"Experimentarás ainda mais dele. Estás na segunda era. A primeira era está superada. Este é o tempo do domínio do filho, que tu chamas o Deus-sapo. Uma terceira era seguirá, a era da distribuição e do poder equilibrado".

Minh'alma, para onde foste? Foste para os animais?

"Eu ligo o superior ao inferior. Eu ligo Deus e animal. Algo em mim é animal, algo é Deus, e um terceiro é humano. Abaixo de ti, a serpente; dentro de ti, o homem; acima de ti, Deus. Depois da serpente vem o falo, depois a terra, depois a lua e depois o frio e o vazio do espaço sideral.

Acima de ti vem o pombo ou a alma celestial, onde amor e previsão se unem, assim como se unem na serpente o veneno e a esperteza. A esperteza é razão diabólica, que sempre detecta coisas menores e encontra buracos onde tu não os suspeitas.

Se eu não consistir na união do inferior e do superior, eu me decomponho em três partes: *serpente*, e nela ou em alguma outra forma animal eu vagueio, vivendo a natureza de forma demoníaca, incutindo temor e desejo. A *alma humana*, que sempre vive contigo. A alma celestial, que como tal vive com os deuses, distante de ti e desconhecida a ti, aparece em forma de pássaro. Então, cada uma dessas três peças é independente.

Do outro lado de mim está a mãe celestial. Sua contraparte é o falo. Sua mãe é a terra, seu alvo é a mãe celestial.

A mãe celestial é a filha do mundo celestial. Sua contraparte é a terra.

O mundo celestial é iluminado pelo sol espiritual. Sua contraparte é a lua. E assim como a lua é a transição para a morte do espaço, o sol espiritual é a transição para o pleroma, o mundo superior da plenitude. A lua é o olho divino do vazio, assim como o sol é o olho divino do cheio. A lua que vês é o símbolo, como o é também o sol que vês. Sol e lua, isto é, seus símbolos, são Deuses. Existem ainda outros Deuses, seus símbolos são os planetas.

A mãe celestial é um daimon, abaixo da posição dos Deuses, uma habitante do mundo celestial.

Os Deuses são favoráveis e adversos, impessoais, almas de astros, influências, forças, ancestrais de almas, senhores no mundo celestial, tanto no espaço quanto na força. Não são perigosos nem bondosos, são fortes, mas flexíveis, esclarecimentos do pleroma e do vazio eterno, figurações dos atributos eternos.

Seu número é incontável e leva ao uno essencial superior, que contém em si todos os atributos, mas que não possui nenhum atributo, um nada e um tudo, a completa dissolução do homem, morte e vida eterna.

O homem surge através do principium individuationis. Ele busca individualidade absoluta, e assim ele condensa cada vez mais a dissolução absoluta do pleroma. Assim ele transforma o pleroma em um ponto, que contém a maior tensão e é, ele mesmo, uma estrela brilhante, imensuravelmente pequena, assim como o pleroma é imensuravelmente grande. Quanto mais o pleroma é condensado, mais forte se torna a estrela do indivíduo. Ela está envolta em nuvens brilhantes, um astro no devir, comparável a um pequeno sol. Ela expele fogo. Por isso é chamada εγω συμπλανοζ υμιν αςτηρ.[1] Igual ao sol, que também é uma estrela desse tipo, um Deus e ancestral das almas, a estrela do indivíduo é, igual ao sol, um Deus e ancestral das almas. De vez em quando, é visível, exatamente como eu a descrevi. Sua luz é azul, como a de uma estrela distante. Ela está lá longe no espaço, fria e solitária, pois está além da morte. Para alcançar a individualidade, precisamos de uma grande parte de morte. Por isso está escrito: θεοι εστε,[2] pois assim como os homens que dominam a terra são inúmeros, são inúmeros também os astros, os Deuses como senhores do mundo celestial.

1 "Sou uma estrela perambulando contigo por aí" – Uma citação da Liturgia de Mitra (DIEDERICH, A. *Eine Mithrasliturgie*. Leipzig, B.G. Teubner, 1903, p. 8, 1.5). Jung gravou a continuação dessa oração em sua pedra em Bollingen.

2 "Vós sois deuses"; cf. Jo 10,34: "Eles responderam: 'Por nenhuma obra boa te apedrejamos, mas sim pela blasfêmia, pois sendo homem te fazes Deus'. Jesus respondeu: 'Não está escrito em vossa Lei: Eu disse: vós sois Deuses?'"

Este Deus é aquele que sobrevive à morte dos homens. Aquele para o qual a solidão é céu irá para o céu; aquele para o qual a solidão é inferno irá para o inferno. Aquele que não levar a cabo o principium individuationis não se tornará Deus, pois não suporta a individualidade.

Os mortos que nos assediam são almas que não cumpriram o principium individuationis, caso contrário teríamos nos tornado estrelas distantes. Na medida em que não o cumprimos, os mortos têm um direito a nós e nos sitiam, e não temos como escapar deles. [Ilustração][3]

O Deus das rãs ou dos sapos, o acéfalo, é a união do Deus cristão com Satanás. Sua natureza é semelhante à chama, semelhante a Eros, mas um Deus; Eros é apenas um daimon.

O *Deus uno*, que é digno de adoração, está no centro.

Deves adorar apenas um Deus. Os outros Deuses não importam. *Abraxas deve ser temido*. Por isso foi uma libertação quando ele se separou de mim. Não precisas buscá-lo. Ele te encontrará, como também Eros. Ele é o Deus do espaço sideral, muito poderoso e terrível. Ele é o impulso criativo, ele é figura e figuração, tanto matéria quanto força, por isso acima de todos os Deuses claros e escuros. Ele arranca as almas e as lança na procriação. Ele é criador e criatura. Ele é o Deus que sempre se renova, no dia, no mês, no ano, na vida humana, na era, em povos, no vivo, em astros. Ele obriga, é implacável. Quando o adoras, tu fortaleces seu poder sobre ti. Assim, ele se torna insuportável. Terás um trabalho terrível de se livrar dele. Quanto mais tu te livrares dele, mais tu te aproximas da morte, pois ele é a vida do universo. Ele, porém, é também a morte universal. Por isso, cais vítima dele novamente, não na vida, mas na morte. Por isso, lembra-te dele, não o adores, mas também não acredites que consegues escapar dele, pois ele te cerca. Deves estar no meio da vida, envolto pela morte. Estendido como um crucificado, tu estás pendurado nele, o terrível, o sobrepoderoso.

Mas tens em ti o Deus *uno*, o maravilhosamente belo e bondoso, o solitário, o astral, o imóvel, que é mais velho e mais sábio do que o pai, aquele que tem uma mão segura, que te guia em toda escuridão e em todos os pavores da morte

---

3 Esboço do Systema Munditotius; cf. Apêndice A.

do terrível Abraxas. Ele dá paz e alegria, pois ele está além da morte e além das mudanças. Ele não é servo nem amigo de Abraxas. Sim, ele mesmo é um Abraxas, mas não para ti, mas em si mesmo e em seu mundo distante, pois tu mesmo és um Deus, que habita espaços distantes e se renova em suas eras e criações e povos, igualmente poderoso para eles quanto Abraxas é poderoso para ti.

Tu mesmo és criador de mundos e criatura.

Tens o Deus *uno*, tu te tornas o teu Deus *uno* no número infinito dos Deuses.

Como um Deus, tu és o grande Abraxas de teu mundo. Como homem, porém, és o coração do Deus uno, que aparece ao seu mundo como o grande Abraxas, o temido, o poderoso, aquele que doa loucura, que distribui a água da vida, o espírito da árvore da vida, o daimon do sangue, aquele que traz a morte.

Tu és o coração sofredor de teu Deus-estrela *uno*, que é Abraxas para o seu mundo.

Portanto, visto que és o coração do teu Deus, busca-o, ama-o, vive para ele. Teme o Abraxas, que rege o mundo dos homens. Aceita ao que ele te obriga, pois ele é o senhor da vida deste mundo e ninguém escapa dele. Se não o aceitares, ele te torturará até a morte, e o coração de teu Deus sofrerá, assim como o Deus *uno* de Cristo sofreu o pior em sua morte.

O sofrimento da humanidade é sem fim, pois sua vida é sem fim. Pois não há fim onde ninguém enxerga que existe um fim. Quando a humanidade acabar, não haverá ninguém que vê seu fim e ninguém que poderia dizer que a humanidade tem um fim. Assim, ela não tem um fim para si mesma, mas apenas para os Deuses.

A morte do Cristo não tirou nenhum sofrimento do mundo, mas sua vida nos ensinou muito, ou seja: que o Deus *uno* se agrada quando o indivíduo vive sua própria vida contra o poder de Abraxas. Através disso, o Deus *uno* se livra do sofrimento da terra, no qual seu Eros o lançou; pois quando o Deus *uno* viu a terra, ele a desejou para a procriação e esqueceu que já lhe havia sido dado um mundo no qual ele era o Abraxas. Assim o Deus uno se tornou homem. Por isso, o Deus uno eleva o homem até si e para dentro de si, para que o uno volte a ser completo.

No entanto, a libertação do homem do poder de Abraxas não ocorre quando o homem se esquiva do poder de Abraxas – ninguém pode se esquivar dele – mas quando ele se subjuga a ele. Até Cristo teve que se subjugar ao poder de Abraxas, e Abraxas o matou de forma cruel.

Apenas se viveres a vida poderás livrar-te disso. Portanto, viva-a na medida em que te cabe. Na medida em que a vives, cais também vítima do poder de Abraxas e de suas terríveis enganações. Na mesma medida, porém, o Deus-estrela em ti adquire desejo e força, quando o fruto da enganação e da decepção dos homens cai sobre ele. Dor e decepção enchem o mundo de Abraxas com frieza, todo o teu calor vital afunda aos poucos até as profundezas de tua alma, até o centro dos homens, onde brilha a luz estelar distante e azul do teu Deus uno.

Quando foges de Abraxas porque tens medo, tu foges da dor e da decepção, e assim permaneces preso a Abraxas com temor, *i. e.*, com amor inconsciente, e teu Deus *uno* não pode se inflamar. Mas através de dor e decepção tu te redimes, pois por conta própria teu desejo cai na profundeza como uma fruta madura, seguindo a gravidade, buscando o centro, onde é gerada a luz azul do Deus-estrela.

Portanto, não fujas de Abraxas, não o busques. Tu sentes sua compulsão, não resistas, para que tu possas viver e assim pagar o teu resgate.

As obras de Abraxas devem ser cumpridas, pois, contempla isto, em teu mundo tu mesmo és Abraxas e obrigas tua criatura ao cumprimento de tuas obras. Aqui, onde és uma criatura sujeita a Abraxas, deves aprender a cumprir as obras da vida. Lá, onde tu és Abraxas, tu obrigas as tuas criaturas.

Perguntas por que tudo é assim? Entendo que isso te parece questionável. O mundo é questionável. Ele é a loucura infinitamente grande dos Deuses, e sabes que ela é infinitamente sábia. Certamente é também uma blasfêmia, um pecado imperdoável e, por isso, também o amor e a virtude mais sublimes.

Então vive a vida, não fujas de Abraxas, contanto que ele te obrigue e tu sejas capaz de reconhecer sua necessidade. Em um sentido eu te digo: não o temas, não o ames. Em outro sentido eu te digo: teme-o, ama-o. *Ele é a vida da terra*, isso diz o bastante.

Precisas do conhecimento da multiplicidade dos Deuses. Não podes reunir tudo em um único ser. Como não és um com a multiplicidade dos homens, assim também o Deus uno não é um com a multiplicidade dos Deuses. Esse Deus uno é o bondoso, o amoroso, o orientador, o curador. A ele pertence todo o teu amor e adoração. É a ele que deves orar, com ele és um, ele está perto de ti, mais perto do que a tua alma.

Eu, tua alma, sou tua mãe, que te envolve carinhosa e terrivelmente, aquela que te nutre e corrompe, eu preparo para ti o bom e o veneno. Eu sou tua intercessora junto a Abraxas. Eu te ensino as artes que te protegem contra Abraxas. Eu estou entre ti e Abraxas, que envolve tudo. Eu sou teu corpo, tua sombra, tua ação neste mundo, tua manifestação no mundo dos Deuses, teu brilho, teu sopro, teu cheiro, tua força mágica. Tu me invocas quando desejas viver com os homens, mas invocas o Deus *uno* quando queres te elevar acima do mundo dos homens para alcançar a solidão divina e eterna do astro.

Conecte-se conosco:

 facebook.com/editoravozes

 @editoravozes

 @editora_vozes

 youtube.com/editoravozes

 +55 24 2233-9033

www.vozes.com.br

Conheça nossas lojas:

www.livrariavozes.com.br

Belo Horizonte – Brasília – Campinas – Cuiabá – Curitiba
Fortaleza – Juiz de Fora – Petrópolis – Recife – São Paulo

Vozes de Bolso

EDITORA VOZES LTDA.
Rua Frei Luís, 100 – Centro – Cep 25689-900 – Petrópolis, RJ
Tel.: (24) 2233-9000 – E-mail: vendas@vozes.com.br